D0267318

VOILE ROUGE

PATRICIA
CORNWELL

VOILE ROUGE

TRADUIT DE L'ANGLAIS (ÉTATS-UNIS)
PAR ANDREA H. JAPP

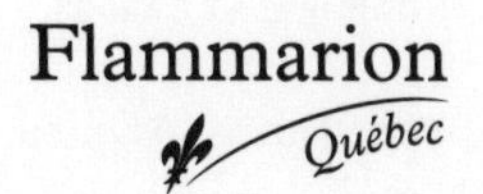

Catalogage avant publication
de Bibliothèque et Archives nationales du Québec
et Bibliothèque et Archives Canada

Cornwell, Patricia Daniels
Voile rouge
Traduction de : Red mist.
ISBN 978-2-89077-425-4
I. Japp, Andrea H., 1957- . II. Titre.
PS3553.O692R4314 2012 813'.54 C2012-940152-8

COUVERTURE
Photo : © Brian Klutch/Getty Images
Graphisme : Atelier Lapin Blanc

Titre original : RED MIST
Éditeur original : G.P. Putnam's Sons, New York

ISBN 978-2-89077-425-4

Dépôt légal BAnQ : 1er trimestre 2012

Imprimé au Canada

www.flammarion.qc.ca

Mes remerciements vont au centre de santé publique des Marines, au Dr Marcella Fierro, au Dr Jamie Downs, ainsi qu'aux autres experts qui m'ont grandement aidée dans mes recherches, notamment Stephen Braga, qui m'a si généreusement fait profiter de sa vaste connaissance du droit pénal.

Comme toujours, je tiens à exprimer ma reconnaissance au Dr Staci Gruber pour ses immenses compétences techniques, pour son expertise, sa patience et ses encouragements.

Staci, ce roman t'est dédié.

Et j'entendis une voix forte qui venait du temple et disait aux sept anges : « Allez et répandez sur la terre les sept coupes de la colère de Dieu ! »

Apocalypse 16,1.

CHAPITRE 1

Les rails d'acier, de la couleur brunâtre du sang séché, coupent la route pavée un peu défoncée qui pénètre plus avant dans le Lowcountry. Alors que je traverse les voies de chemin de fer, l'idée que le pénitencier pour femmes de Géorgie se situe du mauvais côté me trotte dans l'esprit. Peut-être devrais-je y voir un autre avertissement et faire demi-tour. Il n'est pas tout à fait seize heures ce jeudi 30 juin. J'ai encore le temps de prendre le dernier vol à destination de Boston. Pourtant je sais que je ne m'y résoudrai pas.

Cette partie de la côte de Géorgie est une étendue morose d'inquiétantes forêts aux arbres ornés de chevelures de tillandsias parasites qui pendent de leurs branches, auxquelles succèdent des lais de vase pointillée de cours d'eau sinueux, qui soudain cèdent la place à de vastes plaines herbeuses écrasées de lumière. De grandes aigrettes et des hérons bleus survolent les eaux saumâtres, le bout de leurs pattes frôlant la surface. Puis les bois se referment à nouveau sur l'étroite route de goudron que je suis. Des langues de kudzu étranglent les sous-bois et grimpent à l'assaut de la voûte des arbres, étalant leurs feuilles vert sombre qui m'évoquent des écailles. Des cyprès géants aux troncs noueux s'élèvent au-dessus des marécages, tels des rôdeurs préhistoriques. Je n'ai encore aperçu ni alligators ni serpents, mais je suis certaine qu'ils se terrent dans les parages, surveillant de loin ma grosse machine blanche qui vrombit, toussote et pétarade.

J'ignore comment je me suis retrouvée dans cette cage bruyante qui slalome sur la route et empeste le *fast-food*, le tabac froid, sans oublier des remugles de poisson pourri. Ce n'est certes pas le type d'engin que j'avais demandé à Bryce, mon chef du personnel, de réserver, précisant que je souhaitais un véhicule sûr, fiable, une berline de taille moyenne, de préférence une Volvo ou une Camry, équipée d'un GPS et d'*airbags* centraux et latéraux. Lorsque, à ma descente d'avion, un jeune homme s'est avancé vers moi sur le terminal de l'aéroport au volant d'un utilitaire blanc dépourvu d'air conditionné et même d'une simple carte routière, je lui ai dit qu'il s'agissait sans doute d'une erreur. On avait dû se tromper de client. Il m'a fait remarquer que mon nom, Kate Scarpetta, était inscrit sur le contrat de location, à quoi j'ai rétorqué que mon prénom est Kay et non pas Kate, et que peu m'importait ce qui était porté sur ledit contrat. Je n'avais pas réservé de camionnette. Le jeune homme, très bronzé, vêtu d'un débardeur, d'un bermuda camouflage et portant des chaussures de bateau, m'a fait part des plus vifs regrets de la compagnie de location Lowcountry Connection. Il n'avait pas la moindre idée de ce qui s'était produit. Sans doute un problème informatique. Il aurait été si heureux de pouvoir me proposer un autre véhicule, mais aucun ne serait disponible avant plusieurs heures, voire avant le lendemain.

Jusqu'à présent rien ne marche comme je l'avais prévu. J'imagine mon mari, Benton, me rétorquer qu'il me l'avait bien dit ! Je le revois hier soir, appuyé au comptoir de travertin de la cuisine, grand, élancé, ses cheveux gris argent si épais, son élégant visage aux méplats bien dessinés, me jetant un regard sombre alors que nous discutions à nouveau de ma venue ici. Les derniers vestiges de ma migraine viennent enfin de disparaître. Comment se fait-il que je croie encore, en dépit de l'évidence, qu'une demi-bouteille de vin puisse régler les divergences de points de vue ? D'ailleurs il s'agissait sans doute de plus d'une demi-bouteille d'un pinot gris très honorable pour son prix, léger mais rond, avec une touche de pomme.

L'air qui s'engouffre par les vitres baissées des portières est lourd et chaud. Je détecte l'odeur soufrée et âcre de la pourriture végétale, des marais d'eau salée, de cette sorte d'humus noir et détrempé typique de la région. La camionnette avance par à-coups comme je longe un tournant tacheté de lumière où des urubus à tête rouge déchiquettent un cadavre quelconque. Les affreux oiseaux aux ailes qui semblent effilochées et au crâne nu s'envolent lourdement, avec lenteur, alors que je fais un écart pour éviter de rouler sur la fourrure raidie d'un raton laveur. L'air étouffant se mêle à cette odeur intense de décomposition qui m'est si familière. Humain ou animal, peu importe, je peux reconnaître la mort de loin. Si je descendais de voiture pour examiner la dépouille, je serais sans doute à même de déterminer ce qui a tué ce raton laveur et quand, et peut-être aussi d'imaginer de quelle façon il a été heurté.

Les gens m'attribuent l'étiquette de médecin expert, mais certains pensent que je suis coroner, et parfois ils s'imaginent que je suis chirurgien de la police. Pour être précise, disons que je suis médecin, avec une spécialisation principale en pathologie et d'autres sous-spécialisations en anatomopathologie médicolégale, en radiologie tridimensionnelle, me permettant d'utiliser les CT-scans pour autopsier un cadavre avant même de l'inciser à l'aide d'un scalpel. Je suis également diplômée en droit et colonel réserviste de l'armée de l'air, sous-entendant une affiliation au département de la Défense, lequel m'a nommée l'année dernière directrice du centre de sciences légales de Cambridge, qu'il finance en collaboration avec le Commonwealth du Massachusetts, le Massachusetts Institute of Technology (MIT) et Harvard.

Mon expertise consiste à déterminer par quels mécanismes quelque chose tue ou ne tue pas, qu'il s'agisse d'une maladie, d'un poison, d'une erreur médicale, d'un décès accidentel ou par arme à feu, ou d'une bombe artisanale. Chacun de mes actes doit rester dans le strict cadre de la loi. Mon rôle consiste également à assister le gouvernement américain lorsqu'il le souhaite. Je prête serment et témoigne aux procès. Au fond, la résultante de tout ça est que je ne peux pas vivre à l'instar de la plupart des gens. Il me faut être objective et froide, je n'ai pas d'autre option. Je ne suis pas censée avoir d'opinions personnelles ou me laisser aller à des réactions émotionnelles, quelle que soit l'enquête qui m'est confiée, si cruelle et horrible soit-elle. Même si la violence m'est directement destinée, comme cette tentative de meurtre à laquelle j'ai échappé il y a quatre mois, il me faut rester aussi peu affectée qu'un poteau métallique ou un roc. Ma résolution, pas plus que mon calme ou ma maîtrise, ne doit jamais fléchir.

— Vous n'allez pas me faire un stress post-traumatique, n'est-ce pas ? m'a lancé le général John Briggs, le chef des médecins experts des forces armées, peu après que j'ai failli me faire assassiner dans mon garage, le 10 février dernier. Les merdes arrivent, Kay. Le monde regorge de tordus.

— En effet, John. Les merdes arrivent. J'ai déjà eu mon content, pourtant ça continuera, ai-je répliqué comme si tout allait bien, comme si j'avais encaissé à merveille, alors que j'en étais loin.

Mon intention consiste à apprendre le maximum de détails au sujet de la glissade fatale de Jack Fielding et je veux que Dawn Kincaid paie le prix fort pour ce qu'elle a fait : la prison sans aucune possibilité de liberté conditionnelle. Je jette un regard à ma montre sans lâcher le volant de cette fichue camionnette qui tressaute d'épouvantable façon. Peut-être devrais-je faire demi-tour ? Le dernier avion pour Boston décolle dans moins de deux heures. Je pourrais arriver à sauter dedans. Pourtant je n'en ferai rien. Je me suis engagée dans quelque chose, pour le meilleur ou pour le pire. J'éprouve un peu l'impression d'être passée en pilotage automatique, un pilotage téméraire et peut-être même vengeur. De fait, je suis consciente de la colère qui m'habite. Mon mari, le psychologue légal du FBI, ne m'a-t-il pas dit hier soir, alors que je préparais le dîner dans la cuisine de notre vieille demeure de Cambridge construite par un transcendantaliste :

— Tu te fais mener en bateau, Kay. On est sans doute en train de te piéger, mais ce qui m'inquiète le plus, c'est que ça semble te convenir. Ce que tu traduis par une envie de te sentir proactive et utile n'est autre, en réalité, que ton besoin d'apaiser ta culpabilité.

— Jack n'est pas mort par ma faute, ai-je protesté.

— Tu t'es toujours sentie coupable à son égard. D'ailleurs il s'agit d'une tendance générale : tu te sens coupable pour plein de choses qui n'ont rien à voir avec toi.

— Je vois. Donc, lorsque je pense que je pourrais changer la donne, il ne faudrait surtout pas le faire, ai-je résumé en découpant les carapaces de gambas cuites au court-bouillon à l'aide d'une paire de ciseaux de chirurgie. Lorsque je décide de prendre des risques pour aboutir à des informations utiles et aider à l'établissement de la vérité et de la justice, en réalité je me laisse mener par ma culpabilité.

— Tu crois de ta responsabilité de réparer les choses. Ou même de permettre de les prévenir. Cela a toujours été le cas. Depuis que tu as pris soin de ton père malade quand tu étais encore une petite fille.

— À ceci près qu'aujourd'hui je ne peux rien empêcher, ai-je rectifié en lançant les carapaces dans la poubelle et en ajoutant une pincée de sel dans la marmite en acier inoxydable remplie d'eau bouillante et posée sur la table de cuisson vitrocéramique, le centre de ma cuisine. Jack a été abusé sexuellement alors qu'il était adolescent et je n'ai pas pu l'éviter. Pas plus que je n'ai pu l'empêcher de gâcher sa vie. Aujourd'hui il est mort, et je n'ai pas pu prévenir son meurtre non plus.

Je me souviens d'avoir récupéré un couteau de cuisine avant de poursuivre :

— D'ailleurs, si on veut être parfaitement honnête, j'ai à peine réussi à empêcher mon propre assassinat.

J'ai émincé l'oignon et l'ail, la fine lame d'acier cliquetant à toute vitesse sur le polypropylène antibactérien, concluant :

— Le fait que je suis toujours en vie relève d'un heureux concours de circonstances.

— Tu ne devrais à aucun prix te rendre à Savannah, a déclaré Benton.

Je lui ai demandé de déboucher la bouteille de vin et de nous servir un verre. Nous avons bu tout en campant chacun sur ses positions. Nous avons picoré, l'esprit ailleurs, en dépit de ma *mangia bene, vivi felice cucina,* la cuisine du bien manger et vivre heureux. Ni l'un ni l'autre n'étions heureux. À cause d'elle.

La vie de Kathleen Lawler a été un cauchemar. Elle a pris vingt ans de prison pour homicide involontaire, alors qu'elle conduisait sous l'emprise de l'alcool. Elle a été incarcérée plus longtemps qu'elle n'a été libre, depuis les années 1970, où elle a été condamnée pour agression sexuelle sur un garçon qui a grandi pour devenir mon assistant-chef à l'institut médico-légal, Jack Fielding. Celui-ci est mort, abattu d'une balle en pleine tête par leur « enfant de l'amour ». C'est ainsi que les médias ont baptisé leur fille, Dawn Kincaid, confiée à l'adoption dès sa naissance puisque sa mère se trouvait en prison. Une très longue histoire. Il m'arrive maintenant si souvent de dire cela. S'il y a une leçon que la vie m'a enseignée, c'est qu'une chose peut et va mener à autre chose. La catastrophique histoire de Kathleen Lawler est une parfaite illustration de la métaphore des scientifiques lorsqu'ils expliquent que le battement d'une aile de papillon se traduit par un ouragan à l'autre bout de la terre.

Au volant de ma bruyante et bringuebalante camionnette de location, alors que je traverse une zone marécageuse, engloutie sous la végétation qui ne devait guère être très différente au temps des dinosaures, je me demande quelle aile de papillon, quel souffle du chaos a pu engendrer Kathleen Lawler et les ravages qu'elle a causés. Je l'imagine dans sa cellule de cinq mètres carrés équipée d'une cuvette de toilette en inox et d'un lit en métal gris, la seule ouverture vers l'extérieur se réduisant à une étroite fenêtre grillagée qui donne sur la cour de la prison où pousse une herbe rêche et où sont plantés des tables de pique-nique et des bancs en ciment, sans oublier des sanisettes chimiques. Je sais combien de changes de vêtements on lui a attribués, pas des vêtements du « monde libre » a-t-elle précisé dans ses *e-mails* auxquels je n'ai pas répondu, mais des uniformes carcéraux, pantalons et hauts, deux de chaque. Elle a lu tous les livres de la bibliothèque au moins cinq fois, possède une jolie plume selon ses dires. Il y a quelques mois elle m'a envoyé un poème en affirmant qu'elle l'avait écrit en pensant à Jack :

DESTIN

Il est revenu tel l'air et moi la terre
et nous nous sommes enfin retrouvés.
(Ce n'était pas mal en réalité,
juste un détail

dont nous nous sommes à peine aperçus
et dont nous aurions pu nous passer.)
Doigt de feu,
acier froid, glacé.
Le four bâille
le gaz s'échappe –
évoquant les lumières d'un accueillant hôtel.

J'ai lu et relu le poème, décortiquant chaque mot, traquant un message dissimulé, d'abord inquiète de cette référence menaçante à un four dont le gaz s'échappe, pouvant suggérer des pulsions suicidaires chez Kathleen Lawler. Peut-être l'idée de sa mort prochaine la séduit-elle, à la manière d'un accueillant hôtel, ai-je expliqué à Benton, qui s'est contenté de répliquer que le poème révèle sa sociopathie et son déséquilibre mental. Kathleen Lawler est convaincue de n'avoir rien fait de répréhensible. Avoir des relations sexuelles avec un gamin de douze ans dans l'établissement pour jeunes à problèmes où elle exerçait comme thérapeute était pour elle quelque chose de magnifique, une manifestation de pur et parfait amour. Bref, leur destin. C'est sa façon biaisée de voir les choses, a dit Benton.

Ses envois ont cessé brusquement il y a maintenant deux semaines, puis mon avocat m'a téléphoné pour me faire part d'une requête. Kathleen Lawler voulait discuter avec moi de Jack, mon protégé, celui que j'ai formé au début de ma carrière et qui a travaillé avec moi par intermittence durant vingt ans. J'ai accepté de la rencontrer au pénitencier pour femmes de Géorgie, le GPFW, mais uniquement en tant que visiteuse, en abandonnant ma qualité de « Dr Kay Scarpetta ». Je ne serai pas la directrice du centre de sciences légales de Cambridge, ni un médecin travaillant pour les forces armées, ni un anatomopathologiste, ni aucun autre expert. Aujourd'hui je me contenterai d'être Kay, et la seule chose que Kay et Kathleen partagent est Jack. Quoi que nous échangions, nos paroles ne seront pas protégées par le secret professionnel, et ni avocat, ni gardien, ni quelque autre membre du personnel de la prison ne sera présent.

La lumière change et la dense forêt de pins s'éclaircit pour se prolonger en morne clairière. Des panneaux en métal vert indiquent une zone industrielle et signalent la fin de la route de campagne qui m'a menée ici et l'interdiction de poursuivre plus avant. À défaut d'être muni d'une autorisation, le promeneur est prié de faire demi-tour immédiatement. Je longe une casse dans laquelle s'amoncellent des camions et des voitures pulvérisés ou défoncés, puis une pépinière avec ses serres, ses grands pots de plantes ornementales, de bambous et de palmiers. Juste devant moi s'étire une large pelouse plantée de pétunias aux couleurs vives et de marguerites qui forment les lettres bien dessinées GPFW, le pénitencier pour femmes de Géorgie, au point que je me croirais presque devant un joli parc de ville ou un parcours de golf. Le bâtiment réservé à l'administration, en briques rouges, orné de colonnes blanches, détonne assez pompeusement au milieu des cubes de ciment aux toits de métal bleu entourés de hautes grilles. Les doubles rouleaux de barbelé concertina étincellent telles des lames de scalpel au soleil.

Si j'en juge par les recherches sérieuses que j'ai menées, le GPFW sert de modèle à pas mal d'autres prisons. On le considère comme un exemple probant, éclairé et humain de réinsertion des criminelles, puisque beaucoup d'entre elles y suivent des formations aux métiers de plombier, électricien, esthéticienne, menuisier, garagiste, couvreur, cuisinière, traiteur, voire paysagiste. Les détenues ont la charge de l'entretien des bâtiments et des pelouses. Elles préparent les repas, travaillent à la bibliothèque, dans le salon de beauté, donnent un coup de main au service médical et assurent la publication de leur propre magazine. On les encourage vivement à mettre à profit leur séjour derrière les barreaux pour passer un diplôme d'un niveau équivalant à peu près au bac. Tout le monde ici doit assurer sa subsistance grâce aux opportunités offertes, à l'exception des femmes emprisonnées dans le quartier de haute sécurité, baptisé « Bravo Pod », là où a été transférée Kathleen Lawler il y a deux semaines, lorsque ses *e-mails* ont cessé d'arriver sur ma messagerie.

Tout en me garant sur le parking réservé aux visiteurs, je vérifie mon iPhone pour m'assurer qu'aucune urgence ne vient de me tomber dessus, espérant un message de Benton, qu'en effet je trouve. « Il fait très chaud là où tu es. Ils annoncent de l'orage. Sois prudente et tiens-moi au courant. Je t'aime », a écrit mon mari toujours terre à terre, qui ne manque jamais de m'offrir un petit concentré météorologique ou d'autres informations pratiques lorsqu'il pense à moi. Je l'aime aussi, tout va bien et je l'appellerai dans quelques heures, c'est ce que je tape en réponse tout en observant un groupe d'hommes en costume-cravate qui sortent du bâtiment de l'administration, escortés de membres du personnel pénitentiaire. Les hommes ressemblent à des avocats ou à des officiels de la prison et je les suis du regard jusqu'au moment où ils s'engouffrent dans une voiture banalisée, me demandant qui ils sont au juste et ce qu'ils viennent faire ici. Je lance mon téléphone dans mon sac en bandoulière que je glisse sous mon siège, n'emportant rien avec moi, hormis mon permis de conduire, une enveloppe vierge de toute mention et les clefs de l'utilitaire.

Le chaud soleil d'été me fait l'effet d'une main bouillante et lourde pressée contre ma peau. Des nuages s'accumulent au sud-ouest, formes de plus en plus compactes. Des effluves de lavande et de clèthre à feuilles d'aulne parfument l'air. Je remonte une allée de ciment qui chemine entre les buissons en fleur et les massifs admirablement entretenus, tout en sentant le poids de regards qui convergent vers moi depuis les étroites fenêtres donnant sur la cour de la prison. Les détenues n'ont rien de mieux à faire que scruter un monde dont elles ne font plus partie, recueillant des informations avec plus de perspicacité que la CIA. J'ai l'impression qu'une sorte de surveillance collective emmagasine le moindre détail, depuis ma camionnette blanche avec ses plaques minéralogiques de Caroline du Sud jusqu'à la façon dont je suis habillée. Je ne porte pas aujourd'hui mon habituel tailleur professionnel ni mes vêtements d'investigation, mais un pantalon kaki, un chemisier à rayures bleues et blanches dont j'ai rentré les pans et des mocassins en cuir tressé, assortis à ma ceinture. Je n'arbore aucun bijou, à l'exclusion d'une montre en titane montée sur un bracelet en caoutchouc noir et de mon alliance. Il serait ardu pour quiconque de deviner mon statut économique ou qui je suis, ma profession, même si mon véhicule de location ne colle pas vraiment à l'image que je voulais donner.

Je souhaitais adopter l'apparence d'une femme blonde d'âge moyen, coiffée avec naturel, une femme ne faisant rien de particulièrement important ni même d'intéressant de son existence. C'était sans compter sur cette fichue camionnette : cette monstruosité blanche à la carrosserie complètement éraflée et aux vitres teintées, si sombres qu'elles sont presque noires à l'arrière, comme si je travaillais sur un chantier ou faisais des livraisons, ou encore que je sois venue au pénitencier pour transporter une détenue, morte ou vivante. L'idée me traverse l'esprit alors que je sens le regard des femmes posé sur moi. Je ne rencontrerai pas la plupart d'entre elles, bien que je connaisse le nom de certaines, celles qui ont été impliquées dans des histoires infâmes relayées par les médias et dont les crimes monstrueux ont fait l'objet de présentations lors des congrès professionnels auxquels j'assiste. Je m'interdis de regarder autour de moi, de laisser paraître que je suis consciente que toutes me surveillent, tout en me demandant où se trouve la mince fenêtre de Kathleen Lawler.

La situation doit être particulièrement chargée d'émotions pour elle. Je parierais qu'elle n'a pas pensé à grand-chose d'autre depuis quelque temps. Pour des individus dans sa situation, je suis le dernier lien avec ceux qu'ils ont perdus ou tués. Je deviens le substitut de leurs morts.

CHAPITRE 2

Le bureau de Tara Grimm, directrice du pénitencier, situé au bout d'un long couloir bleu, est meublé et décoré par les détenues.

Le bureau, la table basse et les chaises sont en chêne laqué, couleur miel. Leur allure robuste me charme assez : j'ai toujours préféré les objets faits à la main, quelle que soit leur rusticité. Une sorte de vigne vierge aux feuilles diaprées, en forme de cœur, prospère dans des jardinières de fenêtre, s'élançant à l'assaut des bibliothèques artisanales, s'enroulant autour de leurs arêtes, pour redescendre en masses enchevêtrées à la manière de plantes en paniers suspendus. Lorsque je complimente Tara Grimm pour sa « main verte », elle m'informe de sa voix paisible et mélodieuse que des détenues entretiennent ses plantes d'intérieur. Elle ignore le nom exact des « grimpantes » ainsi qu'elle les appelle, mais peut-être s'agit-il de philodendrons. Je frôle une feuille marbrée de jaune et de vert en précisant :

— *Epipremnum aureum.* Plus connu sous le nom de lierre du diable.

— Ça pousse aussi vite que du chiendent et je ne veux pas qu'elles le coupent, me lance-t-elle alors qu'elle replace un volume dans la bibliothèque derrière son bureau : *L'Aspect économique de la récidive.* Ce que vous voyez là est né d'une petite bouture plongée dans un verre d'eau. J'y vois une importante leçon de vie, celle que toutes ces femmes ont décidé d'ignorer en empruntant le chemin qui les a menées droit vers les ennuis.

Prenez garde à ce qui germe ou un jour il ne restera rien d'autre.

Elle replace un autre ouvrage, *L'Art de la manipulation*, et poursuit en détaillant les lianes qui festonnent la pièce :

— Je ne sais pas... Bon, peut-être que cela devient un peu écrasant.

La directrice de la prison doit avoir la quarantaine. Elle est grande, élancée et paraît presque déplacée en ce lieu, avec sa robe noire décolletée en U qui tombe à mi-mollet, son collier lasso à pièces d'or. On dirait qu'elle a porté un soin particulier à sa toilette, peut-être à cause des hommes que j'ai vus ressortir, des visiteurs à l'évidence importants. Avec ses yeux noirs, ses pommettes hautes et ses longs cheveux bruns tirés vers l'arrière, Tara Grimm ne ressemble pas à ce qu'elle fait, et je me demande si la contradiction la frappe elle aussi ou ceux qui l'approchent. Dans le bouddhisme Tara est la Libératrice, rien à voir avec celle qui se tient devant moi.

Elle lisse sa robe et s'assoit derrière son bureau pendant que je récupère une chaise à dossier droit et que je m'installe en face d'elle.

— À vrai dire, je dois surtout prendre connaissance de ce que vous pourriez souhaiter montrer à Kathleen, précise-t-elle afin de m'éclairer sur la raison pour laquelle j'ai été conduite dans son antre. Je suis certaine que vous connaissez la routine.

Je la détrompe :

— Rendre visite à des prisonniers n'a rien d'une routine pour moi. Sauf à l'infirmerie ou pire.

En d'autres termes, lorsqu'un détenu a besoin d'un examen médico-légal ou lorsqu'il est décédé.

— Si vous avez apporté des rapports ou d'autres documents afin de les lui communiquer, je dois d'abord les approuver, me précise-t-elle.

Je lui répète que je viens en amie, ce qui est exact d'un point de vue légal, mais plus douteux en réalité. Je ne suis pas une amie de Kathleen Lawler et j'ai bien l'intention de rester très prudente et réfléchie lorsque je tenterai de lui soutirer les informations dont j'ai besoin, sans lui laisser supposer qu'elles sont importantes pour moi. A-t-elle eu des contacts avec Jack Fielding durant toutes ces années et que s'est-il passé dans les intervalles où elle recouvrait la liberté ? J'ai connaissance d'autres affaires dans lesquelles la poursuite d'une relation sexuelle entre une délinquante et sa jeune victime masculine est un fait avéré. Or Kathleen a fait des allers et retours en prison alors que Jack travaillait pour moi. Si les intermèdes romantiques ont continué entre cette femme et le gamin qu'elle a séduit sexuellement, gamin devenu homme, je me demande s'il existe un lien entre leur liaison et les périodes au cours desquelles Jack devenait si perturbé qu'il disparaissait soudain, me contraignant à le chercher et le retrouver pour l'engager de nouveau.

Je veux savoir quand il a découvert que Dawn Kincaid est sa fille et pourquoi il l'a revue récemment dans le Massachusetts, l'autorisant à vivre dans sa maison de Salem. Je veux savoir combien de temps elle y a habité et si son emménagement avait un lien avec le fait que Jack a quitté sa femme et ses enfants. Jack se rendait-il compte qu'il prenait des drogues dangereuses ou était-ce un des aspects du plan de sabotage mis sur pied par Dawn ? Était-il conscient que son comportement devenait de plus en plus imprévisible ? Qui a suggéré qu'il se livre à des activités illicites au centre de sciences légales de Cambridge en profitant de mon absence ?

Je ne me risquerai pas à pronostiquer ce que Kathleen me dira ou sait, mais je m'attacherai à mener cet entretien ainsi que mon avocat, Leonard Brazzo, et moi-même l'avons prévu et même répété. De plus, j'ai la ferme intention de ne rien lui donner en échange. On ne peut pas lui demander de témoigner contre sa fille Dawn, d'autant qu'elle ne serait pas crédible devant le tribunal. Cela étant, je ne lui révélerai rien qui puisse revenir aux oreilles de Dawn Kincaid et être utilisé par ses avocats.

— Il est vrai que je n'ai jamais cru que vous apporteriez quoi que ce soit en relation avec ces affaires, observe Tara Grimm et je perçois une certaine déception chez elle. Je vous avoue que je me pose beaucoup de questions sur ce qui s'est passé dans le Massachusetts. J'admets que je suis curieuse.

C'est le cas de la plupart des gens. Les « meurtres de la Mensa », ainsi que la presse a baptisé les assassinats et autres actes monstrueux commis par des gens possédant des QI de génies ou presque, sont encore plus hideux que tout ce que l'on peut imaginer. Cela fait plus de vingt ans que je patauge dans les morts violentes, et pourtant je n'ai pas encore tout vu.

— Je ne discuterai d'aucun détail concernant l'enquête avec Kathleen, dis-je à la directrice.

— Oh, je suis certaine qu'elle vous posera des questions, puisqu'il s'agit, après tout, de sa fille. Et donc Dawn Kincaid a tué toutes ces personnes et a ensuite tenté de vous poignarder ?

Son regard ne quitte pas le mien. Cependant je n'ai pas non plus l'intention de me confier à elle. Je répète avec fermeté :

— Je ne discuterai pas de ces cas avec Kathleen, ni d'ailleurs d'aucun autre. Là n'est pas l'objet de ma visite. Toutefois j'ai apporté une photographie que j'aimerais lui donner.

— Puis-je la voir ?

Elle tend une main fine vers moi. Ses ongles parfaitement manucurés sont vernis d'un rose profond qui semble avoir été très récemment appliqué. Elle porte de nombreuses bagues et une montre en or à lunette de cristal.

Je lui remets l'enveloppe blanche vierge que j'ai fourrée dans ma poche arrière. Elle en extrait une photo de Jack Fielding en train de laver sa précieuse Mustang rouge cerise de 1967, torse nu, vêtu d'un short, magnifique, un large sourire aux lèvres, tel qu'il était à l'époque, cinq ans plus tôt, entre mariages et délabrements. Bien que n'ayant pas réalisé son autopsie, j'ai disséqué son existence au cours des cinq derniers mois, depuis son meurtre, cherchant entre autres ce que j'aurais pu faire pour l'empêcher. Néanmoins je pense que j'en aurais été incapable. Je ne suis jamais parvenue à enrayer ses stratégies d'autodestruction et, alors que je regarde la photo entre les mains de la directrice de la prison, la colère et la culpabilité se mêlent en moi, bientôt remplacées par la tristesse.

— Eh bien, je ne vois aucun problème, conclut Tara Grimm. Plaisant à regarder, on ne peut pas lui enlever ça. Un de ces *bodybuilders* obsessionnels, mon Dieu ! Combien d'heures d'entraînement par jour ?

Je jette un regard aux diplômes et certificats encadrés, peu désireuse de la détailler alors qu'elle examine la photo, sans trop savoir au juste pourquoi cela me dérange tant. Peut-être est-ce plus difficile de voir Jack au travers des yeux d'une autre personne. *Directrice de pénitencier de l'année. Mérite exceptionnel. Médaille d'or du service. Organisatrice du mois.* Elle a obtenu certains de ces éloges et de ces récompenses à plusieurs reprises. Elle possède également une licence, mention assez bien, de Spalding University, dans le Kentucky, mais je n'ai pas l'impression qu'elle soit originaire de cet État, plutôt de la Louisiane. Je le lui demande.

— Du Mississippi à l'origine. Mon père était directeur du pénitencier d'État. J'ai passé mes jeunes années sur ces huit mille hectares de delta aussi plat qu'une crêpe, des champs de coton et de soja cultivés par les détenus. Mon père a ensuite été engagé dans la prison de l'État de Louisiane, à Angola. Encore des étendues cultivées à perte de vue, loin de la civilisation. Je vivais dans la prison, ce qui peut paraître étrange. Mais cela ne m'ennuyait pas. Étonnant comme on s'habitue, au point que les choses vous semblent normales. C'est sur les conseils de mon père que le GPFW a été construit au beau milieu des marécages et de cette véritable brousse, et qu'il a été décidé que les détenues s'en occuperaient de façon à coûter le moins cher possible aux contribuables. Je pense qu'on peut dire que la prison coule dans mes veines !

— Votre père a travaillé ici ?

— Non, jamais.

Elle sourit ironiquement et continue :

— Je ne l'imagine pas du tout veillant aux destinées de deux mille femmes ! Je pense que ça l'aurait profondément ennuyé, même si certaines sont encore pires que les hommes. Mon père était un expert en la matière, le meilleur, enfin ça dépend de votre point de vue, et c'était un progressiste. Beaucoup d'institutions carcérales ont sollicité son avis. À Angola par exemple, il y a maintenant une arène de rodéo, un journal et même une station de radio. Certains des détenus sont devenus des célébrités du rodéo, ou des pointures dans le travail du cuir, du métal ou du bois, et ils peuvent vendre leurs créations à leur profit personnel.

À son ton, il n'est pas évident qu'elle pense que tout cela soit une bonne chose. Elle poursuit :

— Concernant cette affaire du Massachusetts, à votre avis est-ce qu'ils ont épinglé tous ceux qui étaient impliqués ? Cela me préoccupe.

— Je l'espère.

— Du moins est-on certain que Dawn Kincaid est bouclée, et j'espère qu'elle ne sortira jamais de détention. Abattre des gens innocents, sans aucune raison ! J'ai entendu dire qu'elle avait des problèmes mentaux à cause du stress. Je vous jure ! Et le stress qu'elle a occasionné ?

Dawn Kincaid a été transférée au Butler State Hospital, où les médecins doivent déterminer si elle peut affronter un procès. Stratagème et fausses maladies. Le jeu commence. Ou plutôt, ainsi que le résume mon enquêteur en chef Pete Marino, elle s'est fait attraper et du coup elle a attrapé la « dingoterie ».

— J'ai du mal à imaginer qu'elle ait été seule pour saboter et détruire ces vies d'innocents. Le pire est ce pauvre petit garçon...

Tara empiète sur un domaine qui ne la concerne pas, mais je ne peux que l'écouter.

— ... Assassiner un enfant sans défense, qui jouait dans la cour alors que ses parents se trouvaient à quelques mètres, dans la maison... Il n'existe aucun pardon possible pour ceux qui font du mal à un enfant ou un animal, conclut-elle, comme si martyriser un adulte était acceptable.

N'ayant nulle intention d'abonder dans son sens ni l'inverse, j'en reviens à l'objet de ma visite :

— Accepteriez-vous que Kathleen conserve la photo ? J'ai pensé qu'elle pourrait le souhaiter.

— Je n'y vois pas d'objection, hésite-t-elle.

Elle me tend la photo et je déchiffre son regard.

Elle pense : *Et pourquoi lui donnerais-tu une photo de lui ?* De fait, indirectement, Kathleen Lawler est à l'origine du meurtre de Jack. *Non, pas indirectement,* je rectifie intérieurement, alors que la colère monte en moi. Kathleen Lawler a eu une relation sexuelle avec un jeune garçon et l'enfant qui en a résulté est devenu Dawn Kincaid, la meurtrière de son père. Rien de plus direct.

— Je ne sais pas si Kathleen a eu l'occasion de voir des clichés récents, j'explique en fourrant la photo dans l'enveloppe.

Il s'agit d'une image de lui que j'ai plaisir à garder, de l'époque où il se sentait bien. Selon moi, lorsque la prisonnière contemplera cette photo, elle va se laisser un peu aller, s'ouvrir. Nous verrons qui manipule l'autre.

— Je ne sais pas ce qu'on a pu vous raconter… sur le fait que j'ai décidé de la transférer dans le quartier de haute sécurité.

— Je suis juste au courant dudit transfert, dis-je en restant volontairement vague.

Elle croise les mains sur son bureau carré en chêne, nettement rangé, un air dubitatif sur le visage.

— Maître Brazzo ne l'a pas évoqué ?

Leonard Brazzo est un avocat pénaliste. J'ai besoin de lui. En effet, lorsque la tentative d'assassinat dont j'ai été victime – et son auteur, Dawn Kincaid – sera jugée, je n'ai pas l'intention de confier mon sort à un avocat débordé ou débutant. Je ne doute pas que l'équipe juridique qui entoure bénévolement Dawn se débrouillera pour faire admettre que le fait d'avoir été attaquée dans mon garage est en quelque sorte excusable. Ils affirmeront que c'est de ma faute si elle s'est tenue en embuscade dans la nuit noire pour me sauter dessus. Au fond, étrangement, je ne suis en vie que grâce à un coup de chance. Assise dans le bureau de Tara Grimm envahi par les lianes, avoir été relativement étrangère à mon propre sauvetage m'exaspère plus que je n'aimerais l'admettre.

— Si j'ai bien compris, elle a été placée en détention par mesure de protection, je réplique.

Je revois le gilet pare-balles de camouflage avec ses plaques balistiques en céramique-kevlar. Je me souviens de la rigidité du nylon de cette armure, récupérée sur le siège arrière d'un SUV, de son odeur de neuf et de son poids lorsque je l'ai jetée sur mon épaule alors que je me trouvais dans ce garage glacial.

— On dirait que ma décision de la transférer à Bravo Pod vous a rendue un peu perplexe sur ce qui vous attend ici, à Savannah, commente Tara. Peut-être ne serez-vous pas aussi désireuse de vous aventurer dans des choses *dangereuses* après ce que vous avez traversé ?

Je revois l'ouragan de minuscules étoiles lumineuses, aussi insignifiantes que des grains de pollen, sur l'IRM obtenue de la première victime de Dawn, poignardée avec une lame à injection de gaz. De petites particules d'un blanc éclatant concentrées autour d'une blessure d'entrée en forme de boutonnière et propulsées au plus profond des organes et tissus mous du thorax. Une bombe qui aurait explosé dans le corps de quelqu'un. Si elle avait réussi son coup lorsqu'elle s'en est prise à moi, j'aurais été morte avant de toucher le sol.

— Remarquez, je ne comprends pas très bien pour quelle raison vous portiez ce type de protection chez vous, insiste Tara parce qu'elle peut se le permettre.

Je m'abstiens de répondre que le renseignement médical fait également partie de mon travail avec le département de la Défense et que le général Briggs voulait mon opinion sur la dernière innovation en matière de protection pour les troupes féminines. Du coup, je sais d'expérience que ce gilet pare-balles peut également stopper une lame d'acier. La chance. Une chance inespérée. Je me souviens du choc que j'ai éprouvé lorsque je me suis contemplée dans la glace, juste après les faits. Mon visage constellé de rouge, tout comme mes cheveux. L'espace d'un instant, je crois à nouveau sentir l'odeur métallique du sang, entendre le sifflement de la brume rouge s'abattant tel un voile léger sur moi, un voile tiède, moite, m'inondant dans mon garage glacial.

— J'ai cru comprendre que le chien était à vos côtés lors de l'attaque, du moins si les médias ont dit la vérité. Comment va Sock ?

Ses mots me parviennent en même temps que j'examine mes mains. Mes mains si propres, mes doigts aux ongles courts et carrés, fonctionnels, dépourvus de vernis. J'inspire profondément, analysant les odeurs de la pièce. Pas celle, métallique, du sang. Juste les effluves du parfum de Tara Grimm : Estée Lauder, Youth-Dew.

Je me concentre à nouveau, me demandant si quelque chose m'a échappé et pourquoi nous en sommes arrivées à discuter d'un lévrier rescapé, réformé des champs de courses.

— Il se porte comme un charme.

— Ah, vous l'avez donc toujours ? insiste-t-elle en me fixant.

— En effet.

— Je suis très contente de l'apprendre. C'est un bon chien. Mais ils le sont tous. Si adorables ! Je sais que Kathleen ne voulait pas le confier à n'importe qui et qu'elle espère le récupérer lorsqu'elle sortira.

— Lorsqu'elle sortira ?

— Dawn avait adopté le chien parce que sa mère ne voulait pas qu'il tombe en d'autres mains. Elle aimait tant cet animal, explique Tara. Il s'agit d'une femme qui traite bien les bêtes, je dois au moins lui concéder ce point. Sachant tout cela, vous auriez dû être consciente qu'elles ont un lien, une alliance. Dawn et sa mère, en dépit du fait que Kathleen tentera de vous faire croire le contraire. Mais vous ne tarderez pas à le découvrir. Depuis que je dirige ce pénitencier, Dawn a rendu assez souvent visite à sa mère, au moins trois ou quatre fois par an. Elle déposait de l'argent sur son compte chez nous, lui permettant d'acheter des petites choses dans notre boutique. Bien sûr, c'est terminé. Elles s'écrivaient aussi, mais la police a réquisitionné les lettres. Ce qui ne les empêche pas de continuer à communiquer, même aujourd'hui, une détenue écrivant à l'autre. Vous savez sans doute tout cela.

— Il n'y a aucune raison que je sois au courant.

— Kathleen ment depuis que Dawn a des gros ennuis. Elle ne veut pas qu'on risque de l'associer à la culpabilité de sa fille, surtout vis-à-vis des gens qui sont en position de l'aider, éventuellement. Vous par exemple, ou alors un ténor du barreau. Kathleen dira tout ce qui peut la servir, du moins dans son esprit.

J'insiste :

— Que vouliez-vous dire par « lorsqu'elle sortira » ?

— Oh, vous savez, à notre époque tout le monde est injustement condamné.

— Je n'ai pas eu le sentiment que tel était le cas de Kathleen Lawler.

— Disons qu'elle ne récupérera pas Sock avant qu'il soit un très vieux chien, précise Tara Grimm d'un ton qui suggère qu'elle s'y emploiera. Je suis contente que vous le gardiez. Je détesterais qu'un de nos protégés à quatre pattes, que nous entraînons ici, se retrouve à nouveau abandonné ou finisse dans de mauvaises mains.

— Je peux vous assurer que telle ne sera jamais la situation de Sock.

Jamais je n'ai vécu avec un animal de compagnie si lié à moi, me suivant partout à la manière d'une petite ombre en demande d'affection.

— La plupart des lévriers que nous recueillons proviennent du champ de courses de Birmingham, à l'instar de Sock. Ils les mettent à la retraite et nous les récupérons afin qu'ils ne soient pas euthanasiés. C'est une excellente chose de rappeler aux détenues que la vie est un don de Dieu, pas un droit. La vie peut être donnée ou reprise. Lorsque vous avez accueilli Sock, je suppose que vous ne saviez pas qu'il appartenait à Dawn Kincaid ?

— Il était bouclé dans une pièce, dans une maison de Salem sans chauffage, en plein hiver, sans nourriture. Je l'ai emmené avec moi, le temps de décider ce que nous allions en faire.

Elle peut m'interroger aussi longtemps qu'elle le souhaite, je ne dirai pas grand-chose.

— Et Dawn a refait surface dans le but de le récupérer, complète la directrice. Cette même nuit elle est venue chez vous pour reprendre son chien.

— C'est la version que vous avez entendue ? Intéressant.

Je me demande où elle a pu glaner une histoire aussi absurde.

— Ma foi, l'intérêt que vous manifestez envers Kathleen est un vrai mystère pour moi. À la réflexion, pour quelqu'un dans votre situation, je ne parviens pas à y voir une sage décision. Bon, je m'en suis ouverte à maître Brazzo, mais, à l'évidence, il n'allait pas me renseigner sur le véritable mobile de votre visite à Kathleen. Ni même pour quelle raison vous vous êtes montrée si gentille avec elle.

Je ne vois absolument pas ce qu'elle veut dire.

— Pardonnez-moi ma brusquerie, poursuit-elle. Nous accordons aux détenues ayant le droit à une messagerie électronique des périodes au cours desquelles elles peuvent se servir des ordinateurs. Tous les *e-mails* qu'elles envoient ou reçoivent passent évidemment par notre système informatique, qui est contrôlé et possède des filtres. C'est ainsi que je sais qu'elle vous envoie des messages depuis plusieurs mois.

— Vous devez donc aussi être au courant que je n'ai jamais répondu.

— Je suis informée de toutes les communications aux détenues, qu'elles entrent ou sortent, qu'il s'agisse de messages électroniques ou de lettres sur papier.

Elle marque une pause, comme si ce qu'elle vient de dire devait évoquer quelque chose pour moi, puis reprend :

— Je crois avoir une hypothèse expliquant ce que vous cherchez et la raison pour laquelle vous vous rapprochez de Kathleen. La pêche aux informations ! Mais, en réalité, ce qui devrait vous alerter est l'identité de la personne qui est véritablement à l'origine de son invitation. Et ce que veut cette personne. Je suis certaine que maître Brazzo vous a informée des ennuis qu'elle a eus.

— Je préférerais avoir votre sentiment à ce sujet.

— Les délinquants sexuels qui s'en prennent aux enfants n'ont jamais été très appréciés dans les prisons, déclare-t-elle de cette voix teintée d'un accent traînant du Sud. Kathleen avait déjà été emprisonnée durant pas mal d'années lorsque j'ai pris mes fonctions ici. Après sa première sortie de prison, elle a fait bêtise sur bêtise. Elle a été condamnée à six peines de prison depuis sa première incarcération, toutes au GPFW, parce qu'il semble qu'elle n'aille jamais beaucoup plus loin qu'Atlanta lorsqu'elle est de nouveau libre. Des affaires liées à la drogue, jusqu'à sa dernière arrestation, pour homicide. La victime, un adolescent, a eu la malchance de se trouver à une intersection, sur son scooter, lorsque Kathleen a grillé un stop. Elle a pris vingt ans et devra faire au moins quatre-vingt-cinq pour cent de sa peine avant de pouvoir prétendre à une libération conditionnelle. À moins d'une intervention. Cela signifie qu'il y a de grandes chances pour qu'elle passe le reste de ses jours derrière les barreaux.

— Et qui interviendrait ?

— Connaissez-vous, à titre personnel, Curtis Roberts ? L'avocat d'Atlanta qui a téléphoné à maître Brazzo pour vous inviter au pénitencier ?

— Non.

— Je pense que les autres prisonnières ignoraient tout de la première condamnation de Kathleen pour agression sexuelle sur enfant, jusqu'à ce que cette affaire dans le Massachusetts fasse la une, poursuit Tara.

Je ne me souviens pas que les médias aient jamais évoqué Kathleen Lawler. De plus, on m'a dit qu'elle avait été transférée à Bravo Pod parce qu'elle suscitait des réactions agressives parmi ses codétenues.

— Certaines ont décidé de lui donner une leçon pour ce qu'elle avait fait à votre collègue assassiné lorsqu'il était encore gamin, ajoute Tara.

Je suis presque certaine que la liaison illicite de Kathleen Lawler et de Jack Fielding n'a jamais été évoquée aux informations. Dans le cas contraire j'en aurais été avertie, d'ailleurs Leonard Brazzo ne l'a jamais mentionné. Je ne crois pas Tara Grimm.

— Cela s'ajoute, bien sûr, au jeune qu'elle a écrasé alors qu'elle conduisait sous l'emprise de l'alcool. Nous avons beaucoup de mères ici, docteur Scarpetta. Des grand-mères également et même quelques arrière-grand-mères. La plupart des détenues ont des enfants. Elles ne tolèrent pas les individus qui s'en prennent aux petits, souligne-t-elle de cette voix calme, lente et pourtant aussi tranchante que du métal. J'ai eu vent d'une sorte de complot et j'ai déplacé Kathleen à Bravo Pod pour sa propre sécurité. Elle y demeurera jusqu'à ce que je sois certaine qu'elle ne risque plus rien.

— J'aimerais beaucoup savoir ce qui a filtré au juste dans les médias, dis-je, tentant de récolter des détails parce que je soupçonne qu'elle me ment. Je ne me souviens de rien de la sorte. Je n'ai jamais entendu prononcer le nom de Kathleen Lawler en relation avec les meurtres survenus dans le Massachusetts.

— Il semble qu'une des détenues, ou peut-être était-ce une des gardiennes, bref quelqu'un aurait vu le passé de Kathleen mentionné à la télé, déclare-t-elle de façon évasive. Des informations concernant ses activités de délinquante sexuelle, et ça s'est répandu aussi vite qu'une traînée de poudre. C'est le genre de choses qu'il vaut mieux éviter dans un endroit comme le GPFW. On ne pardonne jamais à ceux qui font du mal à un enfant.

— Et vous avez vu cette émission de télé ?

— Non.

Elle me scrute comme si elle tentait de découvrir quelque chose. J'insiste :

— Je me demandais juste s'il ne pouvait pas y avoir une autre raison.

— C'est ce que vous pensez, déduit-elle – et il ne s'agit pas d'une question dans sa bouche.

— On m'a contactée il y a au moins deux semaines au sujet de cette visite, ou plus exactement Leonard Brazzo, je lui rappelle. C'est à peu près à ce moment-là que Kathleen a été placée en détention par mesure de protection et qu'on lui a retiré son accès à une messagerie électronique. J'en arriverais presque à penser que la rumeur concernant son passé s'est répandue à la vitesse de l'éclair lorsqu'on m'a demandé de la rencontrer. Ai-je raison ?

Elle soutient mon regard, le visage impassible. Cependant j'ai décidé de vider mon sac :

— En réalité, je me demande si les médias ont jamais mentionné son nom.

CHAPITRE 3

Les meurtres avaient commencé environ huit mois auparavant, au nord-est du Massachusetts. Le corps mutilé et nu de la première victime, une star universitaire de football, avait été découvert flottant dans le port de Boston, non loin du poste des gardes-côtes.

Trois mois plus tard, un garçonnet était tué dans la cour de la maison familiale située à Salem, de longs clous enfoncés dans son crâne. La police avait d'abord cru à un rite de magie noire. Avait suivi un étudiant diplômé du MIT, abattu dans un parc de Cambridge à l'aide d'un couteau à injection de gaz. Enfin, Jack Fielding avait été assassiné avec sa propre arme à feu. Le stratagème monté par Dawn, sa fille biologique, consistait à nous faire croire que Jack était le meurtrier des autres. Au demeurant, peut-être y serait-elle parvenue si elle n'avait échoué à m'ajouter à la liste de ses victimes.

Poursuivant sur ma lancée, j'ajoute :

— Certes, on a beaucoup parlé de Dawn Kincaid. En revanche, je n'ai jamais rien entendu à propos de Kathleen Lawler ou de son passé, de la relation qu'elle avait pu entretenir avec Jack Fielding quand il était encore très jeune. Du moins, à ma connaissance.

— Il est ardu de contrer toutes les influences extérieures, rétorque Tara, cryptique. Les membres des familles vont et viennent. Les avocats aussi. Parfois des gens puissants, dont les mobiles sont assez obscurs, enclenchent des réactions en chaîne, mettant des individus en situation délicate, voire périlleuse. Du coup, ces personnes perdent les rares privilèges qu'elles avaient ou bien davantage. Je ne compte plus les fois où ces grands chantres de la tolérance et de la compassion ont décidé d'améliorer les choses et ne sont parvenus qu'à faire beaucoup de mal, en mettant des gens en danger, au point qu'on peut se demander pourquoi quelqu'un de New York se mêle de ce qui se passe chez nous.

Je me lève de ma chaise réalisée par des prisonnières. Sa dureté et sa rigidité vont comme un gant à la directrice du pénitencier. Par la fenêtre du bureau j'aperçois des femmes en uniforme gris penchées sur les massifs de fleurs, tondant les bordures de pelouse qui longent les trottoirs et les barrières ou promenant des lévriers. Le ciel changeant a pris une couleur de plomb. Intriguée, je demande des précisions à Tara Grimm sur ces gens de New York. À qui fait-elle allusion ?

— Jaime Berger. Une de vos amies, je crois, lâche-t-elle en contournant son bureau.

Un nom que je n'ai pas entendu depuis des mois, et ce rappel est à la fois pénible et embarrassant.

— Elle est plongée dans une enquête, bien que je n'en sache pas beaucoup plus, d'autant que cela ne me regarde pas, précise Tara au sujet de la célèbre procureure, directrice de l'unité des crimes sexuels pour les bureaux du procureur du district de Manhattan. Elle a de grands projets et a lourdement insisté sur le fait que rien ne devait transpirer. Cela explique que je ne l'aie pas mentionnée à votre avocat. J'ai ensuite pensé que vous deviez être au courant de l'intérêt que porte Jaime Berger au GPFW.

— J'ignore tout d'une enquête, aucune idée.

Je m'efforce à rester de marbre.

— J'ai l'impression que vous me dites la vérité, admet-elle avec une lueur de méfiance et de ressentiment dans le regard. À l'évidence, ce que je viens de vous raconter vous surprend. Une bonne chose. Je n'apprécie guère que les gens me mentent sur leurs mobiles. Je n'aimerais pas penser que votre visite à Kathleen Lawler n'est qu'une ruse pour vous préoccuper d'une autre détenue du GPFW dont j'ai la charge. Qu'en réalité vous êtes ici dans le but d'aider Jaime Berger.

— Je ne prends aucune part à son projet, quel qu'il soit.

— Peut-être y êtes-vous impliquée sans le savoir.

— Je ne vois pas en quoi ma visite à Kathleen Lawler aurait un lien avec ce qui intéresse Jaime en ce moment.

— Vous savez, bien sûr, que Lola Daggette est des nôtres, déclare alors Tara, une façon très curieuse de s'exprimer, comme si la prisonnière la plus célèbre du pénitencier était une acquisition, à l'instar d'un lévrier réformé, d'un cavalier de rodéo ou d'une plante très spéciale cultivée dans les serres que j'ai vues plus tôt.

Elle poursuit :

— Le Dr Clarence Jordan et sa famille, le 6 janvier 2002, ici, à Savannah. Une intrusion à domicile, en pleine nuit, à ceci près que le vol n'était pas le mobile, mais plutôt la boucherie pour la boucherie. Massacrés à l'arme blanche alors qu'ils étaient couchés, à l'exception de la petite fille, la jumelle. Elle s'est sauvée, a été rattrapée au bas de l'escalier et tuée près de la porte d'entrée de la maison.

En effet, je me souviens d'avoir entendu le Dr Colin Dengate, le médecin expert de Savannah, présenter le cas lors d'un congrès annuel de la National Association of Medical Examiners à Los Angeles il y a quelques années. Les spéculations allaient bon train quant à ce qui s'était véritablement passé dans la demeure de la famille, comment la tueuse avait pénétré. Je crois me rappeler qu'il avait été mentionné que celle-ci s'était préparé un sandwich, avait bu une bière et utilisé les toilettes sans tirer la chasse. À l'époque j'avais le sentiment que la scène de crime soulevait plus d'interrogations qu'elle ne permettait d'en résoudre et que les indices se contredisaient.

— On a surpris Lola Daggette alors qu'elle lavait ses vêtements imbibés de sang. Ensuite, elle a accumulé les mensonges. Une camée portée sur l'agressivité, avec une longue histoire d'abus en tout genre et qui avait à maintes reprises eu maille à partir avec la loi, énumère Tara.

— Je crois me souvenir qu'une théorie avait évoqué la présence de plusieurs malfaiteurs sur les lieux, dis-je.

— Eh bien, la théorie chez nous, c'est que justice est faite et que cet automne Lola devrait s'expliquer avec Dieu.

Des détails me reviennent :

— Son ADN, ou était-ce ses empreintes digitales, n'a jamais été identifié, justifiant l'hypothèse de plusieurs assaillants.

— Il s'agissait de la thèse de ses avocats, la seule vaguement plausible pour tenter d'expliquer comment le sang des victimes trempait ses vêtements alors qu'elle était prétendument innocente. Du coup, ils ont fabriqué un complice imaginaire pour permettre à Lola de rejeter les crimes sur lui.

Tara m'escorte vers la porte de son bureau en poursuivant :

— Je détesterais penser que Lola puisse recouvrer la liberté. C'est pourtant une possibilité qu'on ne peut exclure, bien qu'elle ait épuisé tous ses recours. Il semble que de nouveaux tests de sciences légales aient été ordonnés, quelque chose en rapport avec l'ADN.

Mon regard se perd au bout du couloir, vers le poste de contrôle où des gardiens discutent. J'argumente :

— Si tel est le cas, les forces de l'ordre et le système judiciaire doivent avoir une justification. Je vois mal le bureau d'investigation de Géorgie, la police, le ministère public ou le tribunal permettre que des échantillons soient à nouveau analysés, sauf s'il existe des raisons parfaitement légitimes.

— Il n'est pas invraisemblable de penser que sa condamnation soit infirmée. D'autres pourraient également sortir plus tôt de prison, pour bonne conduite. Tout ça se solderait par une grande évasion du GPFW.

Le regard de Tara est dur et la colère s'y lit maintenant. Je m'efforce de la rassurer :

— La vocation de Jaime Berger n'a jamais été de faire sortir les gens de prison.

— Eh bien, il semble que tel ne soit plus le cas. Ce ne sont pas des visites de courtoisie qu'elle rend à Bravo Pod.

— Depuis combien de temps au juste ? Quand est-elle passée ?

— J'ai cru comprendre qu'elle avait un pied-à-terre à Savannah, une sorte de tanière discrète. Une rumeur, sans doute.

Elle balaie l'idée comme s'il ne s'agissait que de cancans sans fondement, alors que je suis convaincue que l'information est bien plus sérieuse que ça.

Si Jaime est descendue au GPFW pour s'entretenir avec une des détenues du couloir de la mort, il est évident qu'elle a suivi le même circuit que moi. Elle aussi a pris place dans le bureau de Tara Grimm. *Des visites de courtoisie.* En d'autres termes, plusieurs. Un pied-à-terre discret pour s'écarter de quoi et pour quelle raison ? Cela semble tellement contradictoire avec ce que je sais de la personnalité de Jaime Berger, procureure de New York.

La directrice du pénitencier reprend :

— D'abord elle, maintenant vous. J'ai le sentiment que vous faites partie de ces êtres qui ne croient pas aux coïncidences. Je ferai savoir au personnel que vous pouvez montrer la photo à Kathleen et la lui laisser.

Tara Grimm réintègre son bureau et je suis le long couloir bleu jusqu'au poste de contrôle, où un garde en uniforme gris et casquette de base-ball me demande de vider mes poches. Il m'indique que je dois tout déposer dans un panier en plastique. Je tends mon permis de conduire et les clefs de la camionnette en expliquant que la directrice a donné son accord pour que je conserve la photo. Il confirme être au courant. Je suis scannée, palpée, et on me donne un badge rouge de poitrine qui précise que je suis le visiteur officiel 71. On tamponne ma main droite d'un code secret, que seule une lumière ultraviolette révélera lorsque je quitterai l'établissement carcéral.

— On peut toujours entrer ici, mais si vous n'êtes pas tamponnée, vous n'en sortirez jamais, débite-t-il sans que je parvienne à déterminer s'il veut se montrer amical, amusant ou autre chose.

Si j'en juge par sa plaque de poitrine, il se nomme M.P. Macon. Il appelle par radio le poste de contrôle afin qu'il ouvre. Un bourdonnement électronique, puis une lourde porte de métal vert s'entrebâille et se referme aussitôt derrière nous. Une seconde porte glisse. Des écriteaux qui précisent en lettres rouges les conditions de visite insistent sur le fait que je pénètre dans une zone de travail avec une tolérance zéro pour les relations entre détenues et personnel. Le sol en carrelage vient juste d'être lustré et colle à la semelle de mes mocassins. J'emboîte le pas à l'officier Macon le long d'un couloir gris où toutes les portes de métal sont fermées et où un miroir convexe de sécurité est scellé en haut de chaque coin et intersection.

Mon escorte est très charpentée, et sa vigilance m'évoque l'attitude circonspecte d'un soldat au combat. Ses yeux noisette scrutent tous les recoins alors que nous parvenons devant une autre porte, dont l'ouverture est commandée à distance. Nous émergeons dans la cour, aussitôt environnés par la chaleur. Des nuages bas, effrangés, filent au-dessus de nos têtes comme s'ils tentaient d'échapper à un danger qui se rapproche. Des éclairs strient le ciel au loin, le tonnerre retentit et les premières gouttes de pluie s'écrasent sur le ciment de l'allée, abandonnant des larmes humides aussi larges que des pièces de monnaie. L'odeur de l'herbe coupée mêlée à celle de l'ozone me parvient et la pluie trempe le mince coton de mon chemisier alors que nous accélérons le pas.

— Je ne pensais pas que ça virerait si vite, remarque l'officier Macon en regardant le ciel noir et agité qui menace de nous fondre dessus. Remarquez, à cette période de l'année c'est presque quotidien. La journée débute avec un beau ciel bleu, ensoleillé, magnifique, et ensuite on a un orage sur le coup de seize, dix-sept heures. D'un autre côté, ça assainit l'air. La soirée devrait être agréablement fraîche. Du moins à cette époque de l'année. Faut pas venir dans le coin en juillet ou août.

— J'ai vécu à Charleston.

— Oh, ben alors vous voyez de quoi je parle. Si je pouvais prendre mes vacances en été, je foncerais d'où vous venez. Il doit bien faire quinze degrés de moins à Boston, commente-t-il.

Le fait qu'il sache d'où je me suis envolée ce matin me perturbe. Cela étant, je me raisonne : inutile d'être grand clerc pour le déduire. Quiconque vérifierait trouverait vite que je travaille à Cambridge et que l'aéroport le plus proche est Logan, à Boston précisément. Il déverrouille une grille qui donne sur l'extérieur et me précède le long d'une allée prise en sandwich entre deux hauts grillages surmontés de barbelé concertina à lames coupantes. Bravo Pod ressemble à toutes les autres unités. Toutefois, lorsque la porte s'ouvre et que nous pénétrons, les parpaings gris, le ciment poli et le métal vert semblent sécréter une atmosphère de malaise oppressant que je ressens au plus profond de moi. La salle de contrôle située au premier étage, juste en face de l'entrée, est protégée de vitres sans tain. S'y trouvent aussi une lingerie, une machine à glace, une cuisine et une boîte destinée à recevoir plaintes et doléances.

Je me demande s'il est exact que Jaime Berger s'est rendue en ce même lieu lors de sa visite. De quoi a-t-elle bien pu discuter avec Lola Daggette ? Est-ce en relation avec le transfert de Kathleen Lawler dans le quartier de haute sécurité, et quel lien tout cela peut-il avoir avec moi ? Cela ne ressemble pas du tout à Jaime de mettre quelqu'un en danger ou en difficulté. Je ne parviens pas à concevoir qu'elle puisse être à l'origine de la rumeur qui a circulé au sujet du passé de Kathleen, rumeur qui a engendré l'hostilité des autres détenues. Jaime est intelligente, perspicace et d'une circonspection presque excessive. On pourrait même dire qu'elle est d'une prudence qui confine à la pathologie. Ou du moins l'était-elle puisque je ne l'ai pas revue depuis six mois. Je n'ai pas la moindre idée de ce qu'elle vit en ce moment. Ma nièce, Lucy, ne fait plus jamais allusion à elle, ni même à ce qui s'est passé, et je me garde de poser des questions.

L'officier Macon ouvre une petite pièce, dont la porte d'acier est flanquée de baies de verre épais, meublée d'une table en formica et de deux chaises en plastique bleu.

— Si vous voulez bien patienter, me dit-il, je vais chercher Mlle Lawler. Vaut mieux que je vous prévienne qu'elle est du genre bavard.

— Je sais très bien écouter.

— Les détenues adorent attirer l'attention.

— Elle a souvent des visites ?

— Oh, elle aimerait beaucoup ça. Un auditoire toute la journée. Elles sont presque toutes sur le même modèle, déclare-t-il en évitant de me répondre.

— Je dois m'asseoir sur une chaise en particulier ?

— Non, m'dame.

Normalement, dans une salle d'interrogatoire équipée d'une caméra invisible, celle-ci doit être dirigée à la diagonale du prisonnier, pas de son visiteur. Mais il n'y a pas de caméra ici. Du moins en suis-je presque certaine, bien que je scrute chaque recoin à la recherche d'un matériel d'audio-surveillance dissimulé, de micros par exemple. Je détaille le plafond, juste audessus de la table, remarquant le système d'arrosage de sécurité en cas d'alerte incendie. Juste à côté se trouve un petit orifice entouré d'une sorte de bague blanche. Ma conversation avec Kathleen Lawler sera enregistrée. Elle pourra être suivie par Tara Grimm ou d'autres.

CHAPITRE 4

Depuis que Kathleen Lawler est en quartier de haute sécurité, elle est maintenue vingt-quatre heures sur vingt-quatre dans une cellule de la taille d'un petit abri de jardin, avec vue sur la pelouse et les barbelés par une fenêtre grillagée. Elle ne peut plus apercevoir les tables et bancs de pique-nique en béton, les parterres de fleurs qu'elle me décrivait dans ses *e-mails*. Tout juste peut-elle parfois entrevoir une autre détenue ou un lévrier réformé.

Durant l'unique heure de récréation qui lui est accordée, elle arpente en « ennuyeux petits carrés » une zone qui évoque une cage, surveillée par un gardien assis non loin d'une fontaine d'eau fraîche de quarante litres. Lorsque Kathleen désire se désaltérer, on lui passe un gobelet de carton par la grille. Elle a oublié la sensation d'un contact humain, ce que l'on ressent lorsqu'une main vous frôle, ce que cela fait d'être serrée dans des bras, décrit-elle avec un sens inné de la théâtralisation, au point que l'on pourrait croire qu'elle a passé la plus grande partie de sa vie en quartier de haute sécurité, alors qu'elle n'y séjourne que depuis deux semaines. Commentant la nouvelle affectation, elle affirme qu'être là ressemble à ce que l'on ressent dans le couloir de la mort.

Elle n'a plus droit à une messagerie électronique, explique-t-elle, ni d'avoir aucun contact avec les autres détenues, hormis lorsqu'elles hurlent de cellule en cellule ou par l'intermédiaire des « cerfs-volants », ces billets de papier pliés que d'aucunes font passer subrepticement sous les portes, un exploit qui implique une dextérité et une ingénuité tout à fait remarquables. En revanche elle peut écrire un certain nombre de lettres chaque jour, mais n'a pas les moyens de s'offrir des timbres. Il en découle qu'elle est très reconnaissante lorsque « des gens aussi occupés que vous font l'effort de penser à des gens comme moi et de leur accorder un peu d'attention ». Elle souligne ce point. Lorsqu'elle ne lit ni n'écrit, elle regarde la télé petit écran en plastique transparent et munie de vis impossibles à atteindre. L'appareil n'a pas de haut-parleurs intégrés et le signal est faible. Il en résulte une réception plus que médiocre, la pire qu'elle ait jamais connue, et elle suppute que « toutes les interférences électromagnétiques à Bravo Pod » en sont responsables.

— L'espionnage, affirme-t-elle. Tous ces gardiens masculins à l'affût, guettant l'opportunité de me voir déshabillée. Je suis bouclée ici toute seule, et qui peut savoir ce qui se passe vraiment ? Il faut qu'on me retransfère où j'étais avant.

On ne l'autorise qu'à prendre trois douches par semaine et elle s'inquiète de son hygiène corporelle. Désignant d'un geste irrité ses courts cheveux blonds qui ont subi bien trop de traitements capillaires, elle se préoccupe de savoir quand on lui permettra à nouveau d'avoir recours à un coiffeur et une manucure, petits services dispensés par d'autres prisonnières qui ne sont pas les stylistes les plus compétentes. D'un ton aigre elle se plaint de l'impact calamiteux de la détention sur elle, sur son physique, « parce que c'est ainsi qu'ils vous dégradent ici, c'est ainsi qu'ils arrivent à vous mettre à genoux ». Le miroir en acier poli suspendu au-dessus de son lavabo en métal est un constant rappel de la véritable punition qu'elle subit pour avoir enfreint la loi. À l'entendre, on croirait que la loi est sa seule victime et qu'elle oublie les êtres qu'elle a maltraités ou tués.

— Je tente de me rassurer, de me remonter le moral en me répétant : *Allons, Kathleen, ce n'est pas un vrai miroir*, médite-t-elle, assise de l'autre côté de la table en formica. Tout ce qui reflète quelque chose dans cet endroit occasionne des distorsions, ne croyez-vous pas ? Un peu comme ce qui se produit avec les images à la télé. Donc, peut-être que lorsque je me contemple dans cette glace, ce que je vois est également tordu et que je ne ressemble pas vraiment à ça ?

En réalité, elle espère que je vais lui affirmer que sa beauté est toujours là, que son miroir en acier est coupable et lui renvoie une réflexion biaisée. Au lieu de cela, je me contente de lui dire que ce qu'elle me raconte semble très difficile à vivre et que si je me trouvais dans une situation similaire, il y a fort à parier que je partagerais nombre de ses soucis. La sensation de l'air frais sur mon visage, la contemplation d'un coucher de soleil ou de l'océan me manqueraient terriblement. Je regretterais les bains chauds et une coiffeuse experte, et je compatis surtout avec elle au sujet de la nourriture. Manger va bien au-delà de la simple subsistance à mes yeux, et il s'agit d'un sujet dont je peux parler sans peser chacun de mes mots. Manger est un rituel, un moyen de me calmer les nerfs et d'alléger mon humeur après tout ce que je vois chaque jour.

D'ailleurs, alors que Kathleen continue à parler, à se plaindre de sa vie qu'elle juge infernale et à en rendre responsables tous les autres, je pense au dîner et en salive d'avance. Je n'aurai pas recours au service en chambre de mon hôtel. Ce sera la dernière chose dont j'aurai envie après avoir été prise au piège de cette immonde camionnette sale et puante, puis trimbalée dans une prison avec un code secret tamponné sur la main. Lorsque j'aurai signé le registre au bureau de la réception de mon hôtel, dans le quartier historique de Savannah, je me promènerai le long de River Street pour trouver un restaurant cajun ou grec, ou, mieux, italien.

Oui, c'est cela : italien ! Je boirai quelques verres d'un bon vin rouge, rond et chaleureux – un Brunello di Montalcino ou un Barbaresco sera parfait –, tout en lisant les informations ou mes messages sur mon iPad de manière à éviter toute conversation avec mes voisins de table. De manière à éviter une tentative de drague, ce qui m'arrive souvent lorsque je voyage seule, dîne et bois seule, fais tant de choses seule. Je m'installerai à une table proche d'une fenêtre, boirai un verre et enverrai un texto à Benton pour lui apprendre qu'il avait raison. Quelque chose ne tourne pas rond, du tout. Je me suis fait piéger et manipuler, je ne suis pas la bienvenue ici, mais je passe aux choses sérieuses, sans prendre davantage de gants. Je lui dirai cela. J'ai la ferme intention de découvrir la vérité, et on ne m'arrêtera pas.

— Enfin, rendez-vous compte ! Imaginez que vous ne sachiez plus à quoi vous ressemblez ! vitupère la femme entravée assise en face de moi.

Son apparence physique est ce qui la mine le plus, pas la mort de Jack Fielding, ni même celle du garçon qu'elle a écrasé alors qu'elle était ivre.

— J'avais des opportunités fabuleuses. J'ai raté l'occasion d'être quelqu'un d'important, je n'exagère pas. J'aurais pu devenir actrice, mannequin ou une poétesse renommée. Je possède une excellente voix. J'aurais pu composer mes propres chansons et devenir une vedette. Bien sûr, à mon époque il n'y avait pas *La Nouvelle Star*, mais je ressemblais assez à Katy Perry, enfin, si elle était blonde. Quoi qu'il en soit, j'aurais toujours pu être une poétesse très connue. Le succès et la célébrité sont bien plus faciles à atteindre lorsqu'on est beau, et je l'étais. Il y a quelques années, on se retournait sur mon passage. Les gens en restaient bouche bée. J'aurais pu avoir ce que je voulais avec mon physique.

Kathleen Lawler est d'une pâleur maladive après toutes ces années passées derrière les barreaux. Son corps mou, avachi, à la chair un peu soufflée – bien qu'elle ait maintenu un poids raisonnable –, a pâti d'une inaction chronique et d'une inévitable sédentarité. Ses seins tombent et ses cuisses s'étalent largement sur la chaise en plastique. L'ancienne silhouette à couper le souffle de son souvenir s'est métamorphosée, adoptant des lignes aussi informes que celles de l'uniforme blanc que les détenues en confinement comme elle portent. On dirait qu'elle n'est plus humaine physiquement, qu'elle a régressé à un stade primaire de plathelminthe, bref de ver plat, conclut-elle sarcastiquement avec cet épais accent traînant de Géorgie qui me fait toujours penser à du caramel.

— Je me doute que vous me regardez en songeant : *Mais qu'est-ce qu'elle me raconte ?* débite-t-elle alors que je revois des photos d'elle, notamment des portraits de police de 1978, lors de son arrestation après qu'elle et Jack avaient été surpris en plein acte sexuel.

— Disons que quand je l'ai rencontré, dans ce ranch à la sortie d'Atlanta, eh bien... j'étais vraiment super. Ça ne me gêne pas de l'affirmer parce que c'est la vérité. Des longs cheveux blonds soyeux, une paire de seins, je ne vous dis pas, un cul comme une pêche de Géorgie, des jambes interminables et d'immenses yeux noisette clair. Jack appelait ça mes yeux de tigresse. C'est marrant comment les choses se transmettent, au point de croire qu'on est programmé dans le ventre de sa mère ou même peut-être à la conception et qu'il n'y a pas moyen d'y échapper. La roulette tourne, puis s'arrête. Votre numéro sort et voilà, c'est ce que vous êtes, et vous pouvez vous échiner ou pas, rien ne changera. Vous êtes ce que vous êtes, et les autres, les événements ne font qu'amplifier l'ange ou le démon, le gagnant ou le perdant en vous. Tout est fonction de cette roulette qui tourne, qui décide si vous remportez la Coupe du monde de football ou si vous vous faites violer à un coin de rue. Tout est déterminé à l'avance et inutile de s'entêter à dévier le cours des choses. Vous êtes scientifique. Je ne vous apprends rien sur la génétique. Je suis certaine que vous serez d'accord avec moi : on ne peut pas modifier la nature.

— L'expérience des gens compte aussi beaucoup, je réplique.

Cependant Kathleen se moque de mes opinions, sauf lorsqu'elle me les prête. Elle poursuit sur sa lancée :

— Je le vois bien avec les chiens. Vous récupérez un lévrier qui a été maltraité et il va réagir à certaines situations d'une certaine manière, il a sa sensibilité. Mais vous pouvez avoir affaire à un bon chien ou à un mauvais, à un gagnant des champs de courses ou pas. Vous pouvez l'éduquer ou non. Je peux faire ressortir ce qui existe déjà, l'encourager, le modeler. Mais je serai incapable de transformer l'animal en quelque chose qu'il n'est pas né pour devenir.

Elle conclut en me révélant que Jack et elle étaient un peu des jumeaux et qu'elle lui a fait subir exactement ce qu'elle avait enduré, sans en être consciente à cette époque, parce qu'elle ne s'en rendait même pas compte, en dépit de son métier de travailleuse sociale, de thérapeute. Elle affirme avoir été sexuellement agressée par un pasteur méthodiste alors qu'elle n'avait que dix ans.

— Il m'avait emmenée pour m'acheter une glace, mais ce n'est pas ce que j'ai dû lécher, précise-t-elle crûment. J'étais folle amoureuse. Il m'excitait tellement, je me sentais si spéciale, à ceci près que rétrospectivement je ne pense pas que le terme « spéciale » soit adapté.

Elle se repaît ensuite des détails érotiques de leur relation, ajoutant :

— La honte, la peur. Je me suis cachée, repliée. J'en suis bien consciente maintenant. Je ne me mélangeais pas avec les autres enfants, passant la plupart de mon temps seule.

Ses mains libres de menottes sont tendues, posées sur ses cuisses. Seules ses chevilles sont entravées. Les chaînes cliquettent et raclent le ciment cru du sol à chaque mouvement nerveux de ses pieds.

— Le recul n'est pas un exercice aisé, continue-t-elle. En réalité, je ne pouvais rien dire à personne, je ne pouvais pas parler de ma vie, de mes mensonges, de mes virées discrètes dans les motels ou les cabines téléphoniques et de toutes ces choses qu'une petite fille devrait ignorer. D'ailleurs j'ai cessé d'être une fillette, il m'a enlevé ça. Les choses ont continué jusqu'à mes douze ans et une grande église dans l'Arkansas lui a offert un poste. Quand j'ai rencontré Jack, je ne me suis pas rendu compte que je reproduisais exactement le même schéma parce que j'avais été modelée de cette façon et encouragée sur cette voie. Du coup, à son tour, il a été modelé et encouragé afin d'accepter, afin d'en avoir envie, et, oh oui, bien sûr qu'il en avait envie. Mais je vois clair aujourd'hui. Ce qu'ils nomment le discernement. Il m'a fallu une vie pour comprendre qu'on ne va pas en enfer, on le bâtit juste sur des fondations préexistantes. On construit l'enfer à la manière d'un centre commercial.

Elle s'est débrouillée jusqu'à présent pour ne pas prononcer le nom du pasteur. Tout juste a-t-elle révélé qu'il s'agissait d'un homme marié, père de sept enfants, qu'il fallait qu'il apaise les besoins que lui avait attribués Dieu, et qu'il considérait Kathleen comme sa fille spirituelle, sa suivante, sa collaboratrice, son âme sœur. Il était donc juste et bon qu'ils soient liés par un pacte secret, et il l'aurait volontiers épousée afin que son amour pour elle éclate au grand jour, mais le divorce était un péché, débite Kathleen d'une voix atone, morte. Il ne pouvait abandonner ses enfants, s'opposer ainsi à l'enseignement de Dieu.

— Connerie de merde ! explose-t-elle, mauvaise.

Son regard ambré est fixe. Son visage, jadis joli, est hagard et épaté. De fines ridules entourent une bouche qui fut sans doute pulpeuse et prompte aux moues taquines. Il lui manque plusieurs dents.

— Bien sûr, il s'agissait de conneries pur jus et il a sans doute jeté son dévolu sur une autre gamine quand j'ai dû commencer à raser mes parties intimes et à me cacher de lui lorsque j'avais mes règles. Être belle, intelligente et talentueuse ne m'a rien amené de bon, ça, c'est certain !

Elle souligne tout cela avec vigueur, comme s'il était crucial que je comprenne que la ruine installée en face de moi n'a rien à voir avec ce qu'elle est vraiment, encore moins avec ce qu'elle fut.

Il faudrait que je m'imagine une Kathleen Lawler belle et jeune, sage et libre, bien intentionnée, alors qu'elle commençait une relation sexuelle avec un Jack Fielding âgé de douze ans, dans un centre destiné aux jeunes en difficulté. Pourtant ce que je vois est une épave, la résultante d'une violation qui en a entraîné une autre et encore une autre. Si cette histoire de pasteur n'est pas un mensonge, il l'a abîmée, tout comme elle abîma ensuite Jack, et cette série de destructions n'est pas terminée, si tant est qu'elle trouve un jour sa conclusion. C'est ainsi que les choses débutent et se propagent. Une action, une tromperie. Un mensonge qui devient chronique, qui s'amplifie au point de ne plus pouvoir être annihilé, et des vies sont brisées, mutilées, souillées, et l'enfer se construit peu à peu, ses lumières toujours allumées, accueillantes, telles celles de l'hôtel qu'évoquait Kathleen dans le poème qu'elle m'a envoyé.

— Je me suis toujours demandé si ma vie aurait été différente si certaines choses ne s'étaient pas produites, s'interroge-t-elle sur un ton déprimé. D'un autre côté, peut-être que je serais quand même assise ici aujourd'hui. Peut-être que quand ma mère était enceinte de moi, Dieu a décidé : « Celle-là perdra tout. C'est le destin de certains, autant qu'elle en fasse partie. » Je suis sûre que vous comprenez ce que je dis. Vous le voyez assez dans votre morgue.

— Je ne suis pas fataliste.

— Grand bien vous fasse ! Croire toujours en l'espoir…, commente-t-elle, sarcastique.

— En effet, j'admets.

J'ajoute pour moi-même : *En revanche, je ne crois absolument pas en toi !*

Je tire l'enveloppe blanche de ma poche arrière et la fais glisser sur la table dans sa direction. Elle la récupère et je remarque ses petites mains à la peau si translucide que le sillon bleu de ses veines apparaît. Ses ongles courts et rosés sont dépourvus de vernis. Lorsqu'elle baisse la tête pour examiner le cliché, j'entrevois la repousse terne et grise de ses cheveux.

— Je pense que celle-ci a été prise en Floride, déclare-t-elle comme si elle était face à plusieurs photos. Je crois distinguer un bosquet de gardénias en arrière-plan, derrière le jet d'eau de son tuyau. Attendez… attendez une seconde, marmonne-t-elle en plissant les paupières. Il est plus âgé là-dessus. Alors la photo est plus récente. Et ces petites fleurs blanches, là, ce sont des reines-des-prés. Il y en a plein par ici. Vous ne pouvez pas traverser une rue sans en apercevoir, ce qui me fait penser à Savannah. Pas la Floride, non, ici, à Savannah.

Elle marque une courte pause, puis s'enquiert d'une voix tendue :

— Vous savez qui a pris cette photo ?

— Non, ni même l'endroit où elle a été prise, je réponds.

Son regard change.

— Eh bien, je veux savoir qui en est l'auteur. S'il s'agit bien de Savannah ou d'un coin proche, et j'en ai bien l'impression… c'est peut-être la raison qui vous a encouragée à me la montrer. Pour me bouleverser !

— Je n'ai aucune idée de l'endroit où ce cliché a été réalisé, ni de son auteur, et je ne souhaite pas vous contrarier ni vous bouleverser. Je l'ai fait reproduire parce que j'ai pensé que vous aimeriez l'avoir.

D'une voix où se mêlent peine et colère, elle lâche :

— Oui, peut-être ici. Jack était ici avec sa précieuse voiture et je n'ai jamais été au courant. Lorsque je l'ai rencontré, je lui ai affirmé qu'il adorerait Savannah. Quel endroit génial pour vivre ! Je lui ai dit qu'il pourrait s'engager dans la marine et qu'il serait stationné dans la nouvelle base pour les sous-marins qu'ils construisaient à Kings Bay. Vous savez, au fond de lui, Jack avait une passion pour les voyages. Le genre d'homme qui aurait dû visiter les endroits les plus exotiques de la terre à bord d'un navire ou qui aurait dû apprendre à piloter pour devenir le nouveau Lindbergh. Il aurait dû rejoindre la marine et faire le tour du monde, en bateau ou en avion, au lieu de devenir un médecin des morts. Je me demande qui l'a influencé.

Elle me destine un regard furieux avant de reprendre :

— Mais enfin, bordel, qui a pris cette photo et pourquoi n'ai-je pas su qu'il était tout proche, si c'est bien le cas ? peste-t-elle d'un ton acide. Je ne sais pas ce que vous avez derrière la tête en me balançant un truc de ce genre, tentant de me faire croire qu'il aurait pu descendre ici sans chercher à me voir. Eh bien, je sais, moi aussi.

Où se trouvait Dawn Kincaid il y a environ cinq ans, à l'époque où il me semble que ce cliché a été pris ? Combien de fois est-elle venue à Savannah pour rendre visite à Kathleen ? Jack aurait-il rejoint sa fille ici, sans pour autant avoir envie de rencontrer la mère ? Maintenant que nous sommes face à face, je doute sérieusement que Jack ait conduit sa Mustang jusqu'ici ou ailleurs pour la voir, du moins au cours des cinq dernières années, voire des dix dernières. Il m'est pratiquement impossible d'imaginer que, passé un certain stade, il ait toujours aimé Kathleen Lawler ou simplement qu'il se soit préoccupé d'elle. Elle ignore le remords et la pitié, manque totalement d'empathie pour qui que ce soit, et des décennies d'abus de substances illicites ou d'alcool, de comportements destructeurs, sans oublier ses incarcérations, ont laissé leurs marques. Cela fait longtemps qu'elle n'est plus charmante ou belle, et un tel délabrement physique importait à mon vaniteux assistant en chef.

Je répète :

— J'ignore où la photo a été prise. Je n'ai aucun détail. Elle se trouvait dans le bureau de Jack et j'ai pensé que vous aimeriez en avoir une copie. Vous pouvez la garder. Durant les vingt ans et plus où nous avons travaillé ensemble, par intermittence, je ne savais pas toujours où il se trouvait, je précise dans l'espoir de lui tendre la perche afin qu'elle me parle de lui.

— Jack, Jack, Jack, murmure-t-elle en soupirant. Tu ne tenais pas en place. Ici un instant, ailleurs le suivant, pendant que je croupissais dans le même trou noir. J'ai été coincée ici, dans une cellule ou une autre, le plus clair de ma vie, juste parce que je t'avais aimé, Jack.

Elle fixe la photo, puis moi, et je déchiffre plus de dureté que de chagrin dans ses yeux.

Continuant, comme si j'étais là pour recueillir l'histoire de sa vie, elle précise :

— Il semblerait que je ne puisse pas rester très longtemps dehors. Je suis comme ces camés qui succombent sans cesse à leurs vieux démons. Mais mon problème n'est pas l'abstinence. C'est le succès. Je ne me suis jamais autorisé le succès auquel j'aurais pu prétendre parce qu'il ne faisait pas partie de mes cartes. À chaque fois je me suis programmée pour l'échec. C'est ce que je voulais dire à propos de la génétique. L'échec est inscrit dans mon ADN, ce que Dieu a décidé pour moi et ceux qui me suivent. J'ai reproduit sur Jack ce qu'on m'avait fait, mais il ne m'en a jamais voulu. Il est mort et je devrais l'être aussi, sans doute, parce que les choses qui importent dans la vie semblent avoir leur propre autonomie. Tous les deux victimes, peut-être même victimes du Tout-Puissant…

« … Quant à Dawn, embraie Kathleen Lawler, j'ai su dès le premier jour qu'un truc clochait chez elle. Elle n'a pas eu la moindre chance. Elle est née avant terme, pauvre petite chose reliée à des tuyaux, des tubes, des cordons électriques – dans une couveuse, à ce qu'on m'a dit. Je ne l'ai pas vue. Je ne l'ai jamais tenue dans mes bras. Et comment voulez-vous qu'un être aussi fragile apprenne le lien qui existe entre les humains, alors qu'il passe les deux premiers mois de sa vie dans un incubateur et que maman est coincée dans la grande maison ? Les familles d'accueil se sont multipliées, mais elle ne s'entendait pas avec ces gens. Pour finir, elle a atterri chez un couple en Californie. Ils sont morts dans un accident. Je crois que leur voiture est sortie de la route et tombée dans un ravin, un truc affreux de ce genre. Heureusement pour Dawn, elle était déjà à l'université Stanford, grâce à une bourse. Ensuite, elle a intégré Harvard et c'est là que tout s'est terminé.

Dawn Kincaid a poursuivi ses études à Berkeley, pas Stanford, puis au MIT, pas à Harvard, mais je ne corrige pas.

— Tout comme moi. Elle avait toutes les opportunités du monde et sa vie est finie avant même d'avoir commencé, conclut Kathleen. Quelle que soit la façon dont les choses se passent au cours du procès, le simple fait qu'elle est suspecte restera dans l'esprit des gens. Les carottes sont cuites, c'est l'expression consacrée. Vous ne pouvez pas trouver un travail comme ceux qu'elle a eus dans des labos top secret si on vous a soupçonnée de meurtre.

Dawn Kincaid est bien davantage qu'une suspecte. Elle a été inculpée sur de multiples charges, notamment meurtre prémédité et tentative de meurtre, mais je ne rectifie pas.

Le regard de Kathleen me vrille soudain et elle lève la main droite en continuant :

— Et ensuite il y a eu ce problème avec sa main. Vous vous rendez compte, pour quelqu'un qui travaille dans les nanotechnologies avec des outils microscopiques, enfin tout ça ! Elle est définitivement diminuée physiquement depuis qu'elle a perdu un doigt et l'usage de sa main. À croire qu'elle a reçu sa punition. Je suppose que ça doit vous peser sur la conscience… Mutiler quelqu'un, je veux dire.

Dawn n'a pas perdu un doigt, juste l'extrémité, et son tendon a été abîmé. Le chirurgien qui l'a opérée pense que sa main droite récupérera toutes ses capacités. Je tente de repousser les images qui déferlent dans mon esprit. Le trou carré, béant, qui ouvrait sur la nuit noire, à l'endroit où la fenêtre du garage avait été démontée. Le vent qui s'engouffrait, un mouvement rapide de l'air glacial alors qu'un objet dur me percutait entre les omoplates. Je me souviens d'avoir perdu l'équilibre, d'avoir frappé au jugé avec la torche en métal, une arme improvisée. Elle avait violemment heurté quelque chose de résistant. Puis, soudain, la lumière avait jailli dans le garage. Benton pointait son arme sur une jeune femme en long manteau noir, allongée à plat ventre sur le revêtement de sol en caoutchouc. Des gouttes de sang rouge vif non loin de l'extrémité d'un index coupé, à l'ongle manucuré en carré, et le poignard d'acier ensanglanté que Dawn Kincaid avait la ferme intention de me planter dans le dos.

La sensation d'être poisseuse, comme si j'avais traversé un nuage de sang, son odeur et son goût. M'étaient revenus à cet instant des récits de soldats de la guerre d'Afghanistan qui avaient assisté à la mort d'un de leurs camarades fauché par un engin explosif improvisé. Vivant une seconde. Un voile rouge la suivante. La main de Dawn avait glissé le long de la lame du couteau guêpe, tranchante comme un rasoir, alors que la cartouche de gaz carbonique comprimé se déversait dans l'atmosphère avec un sifflement dû aux cent cinquante kilos de pression par centimètre carré. Son sang m'avait balayée telle une brume. Je me sens toujours souillée à certains endroits que je ne parviens pas à atteindre. Je ne reprends pas Kathleen Lawler, ni ne précise aucun point. Je sais toujours lorsqu'on tente de me pousser à réagir, lorsqu'on me ment ou me nargue. En revanche, la mise en garde de Tara Grimm me revient : Kathleen Lawler va feindre d'être éloignée de sa fille, alors qu'en réalité elles demeurent proches. Je me contente donc de souligner :

— J'ai l'impression que vous connaissez de nombreux détails. Il semble que vous soyez très liée avec votre fille.

— Certainement pas, et ce n'est pas demain la veille ! contre Kathleen en secouant la tête en signe de dénégation. Rien de bon ne pourrait en sortir avec tous ses ennuis du moment. Franchement, je n'ai pas besoin d'ajouter à mes problèmes. Tout ce que je sais de l'affaire, je l'ai pêché dans les informations. Nous avons un accès surveillé à Internet dans la salle des ordinateurs, et aussi à une sélection de périodiques et de journaux dans la bibliothèque. C'est là que je travaillais avant qu'on me transfère ici.

— Ça devait être une bonne occupation pour vous.

— La directrice Grimm pense qu'on ne peut pas réinsérer les prisonniers si on les prive d'informations, si on les laisse mijoter dans un désert de connaissances, débite-t-elle comme si elle redoutait que Tara Grimm suive notre conversation. Si on ne sait pas ce qui se passe dans le monde, comment espérer y retrouver une place ? Bien sûr, ici ça n'a rien à voir avec la réinsertion, précise-t-elle en faisant référence à Bravo Pod. C'est un entrepôt, un cimetière, un endroit où vous pouvez moisir, siffle-t-elle, maintenant peu préoccupée par une éventuelle écoute. Que voulez-vous savoir à mon sujet ? Vous ne seriez pas venue si vous n'aviez pas une idée derrière la tête. À la demande de qui ? Peu importe, paraît-il. C'était entre avocats, de toute façon. Je ne crois pas qu'il s'agisse simplement de gentillesse de votre part.

Elle me fixe maintenant à la manière d'un serpent prêt à se déployer pour frapper.

— Je me demandais quand vous avez rencontré votre fille pour la première fois.

— Elle est née le 18 avril 1979 et la première fois que je l'ai vue, elle venait d'avoir vingt-trois ans…

Kathleen débite son histoire, me donnant l'impression qu'elle récite un script, et sa froideur devient de plus en plus perceptible parce qu'elle fait moins d'efforts pour paraître cordiale.

— … Je me souviens que c'était peu de temps après le 11 Septembre. En janvier 2002, et elle m'a annoncé que l'attaque terroriste était une des raisons pour lesquelles elle avait eu envie de me rencontrer. Ça, ajouté à la mort de ces gens en Californie chez qui elle avait fini par atterrir après être passée de foyer d'accueil en foyer d'accueil, une patate chaude que tout le monde se refilait. La vie est si courte. Dawn l'a répété pas mal de fois pendant notre première rencontre, et puis aussi qu'elle avait pensé à moi, d'aussi loin qu'elle se souvenait, en se demandant qui j'étais et à quoi je ressemblais.

Kathleen poursuit sur sa lancée :

— Elle a précisé qu'à un moment elle avait conclu qu'elle ne trouverait jamais la paix sans connaître sa vraie mère. Du coup, elle a réussi à me retrouver. Ici, au GPFW, mais je ne purgeais pas la même peine qu'aujourd'hui. À l'époque j'avais été condamnée pour une histoire de drogue. Je suis ressortie et j'ai été condamnée à nouveau. Je peux vous dire que je me sentais vraiment mal à ce sujet. Je crois que j'ai rarement été aussi désespérée parce que cette histoire était si injuste et qu'il ne me restait aucune solution. Si vous n'avez pas assez d'argent pour payer les avocats ou si vous n'êtes pas un criminel horrible et donc célèbre, tout le monde s'en fout. Vous vous faites boucler, remiser en taule. Un jour, à ma grande surprise, sans crier gare, je reçois une demande d'une jeune femme, une certaine Dawn Kincaid, qui souhaite venir de Californie pour me rencontrer.

— Saviez-vous qu'il s'agissait du nom de votre fille adoptée ? je demande sans plus me préoccuper de la nature de mes questions.

— Je n'en avais pas la moindre idée. Je suppose que lorsqu'on adopte un bébé, on lui donne le nom qu'on souhaite. Sans doute que la première famille qui a récupéré ma fille s'appelait Kincaid. À part ça, j'ignore tout d'eux.

— Mais est-ce vous qui l'aviez prénommée Dawn ?

— Bien sûr que non. Comme je vous l'ai dit, je ne l'ai jamais serrée dans mes bras, pas même vue. Je me trouvais déjà au GPFW lorsque les contractions m'ont prise, prématurément. Ici, au GPFW, dans ma cellule, et ils m'ont transportée d'urgence à l'hôpital de Savannah. Juste après l'accouchement, ils m'ont ramenée en cellule, comme si rien ne s'était passé. Le moins qu'on puisse dire, c'est que je n'ai pas été suivie médicalement ensuite.

— Était-ce votre choix de la confier à l'adoption ?

— Et quel autre choix j'avais ? s'exclame-t-elle. Vous abandonnez votre enfant parce que vous êtes en cage, à la manière d'un animal, et c'est comme ça que ça se passe. Réfléchissez donc aux foutues circonstances !

Son regard me pulvérise et je reste coite. Sarcastique, elle reprend :

— L'éternelle histoire ! Conçus dans le péché, la faute des parents passant aux enfants. Quelle personne sensée voudrait que des enfants naissent en pareilles circonstances ? Bordel, qu'est-ce que je pouvais faire ? Les confier à Jack ?

— *Les* confier à Jack ?

Elle semble totalement déconcertée et au bord des larmes.

— Il avait douze ans et aucune perspective. Bordel, qu'aurait-il pu faire de Dawn, de moi ou de n'importe qui ? Ça n'aurait pas été accepté légalement, alors que ça aurait dû être le cas. On s'en serait très bien sortis, tous les deux. Bien sûr, je me suis toujours posé des questions au sujet de cet être que nous avions créé, mais je suis partie du principe que personne ne souhaiterait une mère comme moi. Alors imaginez ma réaction quand, vingt-trois ans plus tard, j'ai cet appel d'une femme nommée Dawn Kincaid. D'abord, je ne l'ai pas crue. J'ai pensé qu'il s'agissait peut-être d'une ruse, d'une étudiante d'université qui poursuivait des recherches afin d'écrire un article. J'ai songé : *Comme saurai-je si cette fille est vraiment mon bébé ?* Mais dès que j'ai posé le regard sur elle, mes doutes se sont envolés. Elle ressemblait tant à Jack, du moins au souvenir que j'en avais. Une sensation très étrange, presque surnaturelle, une vision, celle de Jack mais en fille.

— Vous avez mentionné le fait qu'elle avait fini par découvrir qui était sa mère biologique. Et son père ? Lors de votre première rencontre, était-elle déjà au courant de son identité ?

Personne n'a été capable de trouver cette pièce du puzzle, pas même Benton et ses collègues du FBI, ou la Sécurité nationale, ou encore les départements de police impliqués dans ces affaires. Tout juste savons-nous que, quatre mois avant le meurtre de Jack, Dawn vivait dans une ancienne maison de marin de Salem que son père avait achetée et rénovait. Nous avons également déduit qu'ils avaient repris contact depuis plusieurs années. Cependant aucune information récente ne nous a renseignés sur divers points : depuis quand au juste s'étaient-ils retrouvés, pour quelle raison, et quelle était la profondeur de leur lien.

J'ai remonté le fil de mes souvenirs jusqu'à mes premières armes à Richmond, à l'époque où Jack était mon étudiant en pathologie médico-légale. Je ne me rappelle pas une seule fois où il aurait mentionné ou fait une allusion quelconque à une fille illégitime et encore moins à la femme qui l'avait portée. Je savais qu'il avait été sexuellement abusé par une employée du centre spécial pour les jeunes dans lequel il avait été placé, rien d'autre. Nous ne parlions pas de cela, mais j'aurais dû l'encourager aux confidences. J'aurais dû insister, à cette époque reculée où peut-être les mots auraient pu être salutaires. Pourtant, au moment même où ce regret me traverse l'esprit, je sais au plus profond de moi que rien n'aurait pu aider Jack. Il ne voulait aucune aide, convaincu qu'il était de ne pas en avoir besoin.

Kathleen continue :

— Elle était au courant à propos de son père parce que je le lui ai dit. J'ai été honnête avec elle. Je lui ai raconté tout ce que je savais sur nous, ses parents biologiques. Je lui ai montré des photos de l'époque, celles que j'avais conservées de lui, et puis d'autres, plus récentes, qu'il m'avait envoyées. Jack et moi sommes restés en contact. Au début, on s'écrivait des lettres.

J'ai trié les effets personnels de Jack Fielding après sa mort. Je ne me souviens pas d'avoir vu des lettres de Kathleen Lawler, ni même d'en avoir entendu parler.

— Ensuite nous avons correspondu par *e-mails*. C'est sans doute la pire privation pour moi à Bravo Pod, lance-t-elle d'un ton rageur. C'est gratuit, les messages électroniques, et instantané, et je n'ai pas besoin que des gens m'envoient du papier à lettres ou des timbres. Des rogatons, des trucs de seconde main, des machins dont personne ne veut, et il faudrait en plus se montrer reconnaissante !

Benton et ses collègues du FBI ont passé en revue des *e-mails* qui s'étalent sur plus d'une décennie. Ils m'ont été décrits comme « dragueurs, puérils et lourdement assaisonnés de vulgarités ». Contrairement à ce que d'aucuns pourraient croire, il ne m'est pas très difficile de comprendre la situation. Je pense que Kathleen fut le premier amour de Jack. Sans doute était-il complètement sous son charme lorsqu'elle fut arrêtée pour agression sexuelle. Au fil des années, ce sont leurs psychismes infantiles et abîmés qui ont tissé ce lien, un lien maintenu par l'intermédiaire de lettres, puis de messages électroniques, jusqu'à ce qu'il se distende pour se rompre. Rien de ce que nous avons retrouvé ne permet de croire que Jack a continué à correspondre avec Kathleen après que j'ai quitté la Virginie, tout comme lui. Cependant cela n'indique en rien qu'il n'a pas eu de rapports avec sa fille biologique, Dawn Kincaid. D'ailleurs je suis certaine du contraire. Reste à savoir quand. Peut-être cinq ans plus tôt, si elle est bien l'auteur de la photo.

Kathleen égrène ses doléances :

— Ce fichu courrier, c'est tellement long. J'écris une lettre à un correspondant du monde libre. Ensuite j'attends durant des jours sa réponse dans ma cellule. L'*e-mail* est instantané, mais Internet est interdit à Bravo Pod, geint-elle avec ressentiment. Je ne peux même pas avoir mes chiens. Je ne suis pas autorisée à les entraîner, ni même à en garder un dans ma cellule. J'avais bien avancé avec Trail Blazer, et je ne peux plus le voir. (L'émotion fait trembler sa voix.) Je suis si habituée à la compagnie de ces adorables bêtes, et me voilà maintenant dans cette situation d'isolement. Je ne peux même plus m'occuper d'*Inklings.* Bordel, je n'ai plus accès à mes anciennes activités !

Je me souviens qu'on m'en a parlé.

— Il s'agit bien du magazine que publie la prison ?

— J'étais l'éditrice, rétorque-t-elle d'un ton amer.

CHAPITRE 5

Kathleen poursuit sur sa lancée :

— *Inklings*, littéralement « Soupçons », mais aussi un jeu de mots avec « encre »... Vous savez, Tolkien et C.S. Lewis. Le nom du groupe dont ils faisaient partie. Ils se rencontraient tous dans un pub d'Oxford pour débattre, discuter d'art, non pas que j'aie souvent l'occasion d'échanger des idées ou de parler d'art ici, la plupart de ces bonnes femmes s'en cognent ! Tout ce qui leur importe, c'est étaler leur existence, qu'on imprime leurs noms, obtenir l'attention, une sorte de reconnaissance. Tout pour trouver un remède à l'ennui et un petit regain d'espoir que, peut-être, on peut encore faire quelque chose de soi-même.

— *Inklings* est la seule publication du pénitencier ?

— La seule et unique, affirme-t-elle avec une évidente fierté.

Toutefois il ne s'agit pas d'une satisfaction littéraire dans son cas, mais de pouvoir. Je l'écoute sans l'interrompre :

— Pas grand-chose à attendre ici. Des petits plats spéciaux, et je ne ménage pas ma peine pour tester de nouvelles recettes, alors que pour rien au monde je n'y toucherais si j'étais à nouveau libre. Ça et la sortie d'*Inklings*. J'ai tout investi dans ce magazine. La directrice Grimm sait se montrer généreuse si vous suivez les règles à la lettre. J'avoue qu'elle a été vraiment chouette avec moi, mais je ne veux pas être en quartier de haute sécurité, il n'y a aucune raison. Il faut qu'elle me réaffecte dans l'autre aile, où j'étais avant, insiste-t-elle comme si elle espérait que Tara Grimm nous écoute.

Kathleen a un pouvoir réel dans le GPFW. Du moins en avait-elle. Elle décidait de qui serait reconnue, qui serait rejetée, qui aurait son quart d'heure de gloire ou qui serait reléguée dans l'anonymat. Je me demande si ce pouvoir a un rapport avec l'animosité que lui manifestaient certaines de ses codétenues, si tant est que l'on m'ait raconté la vérité à ce sujet. Alors que je repense à ce que m'a confié Tara Grimm au sujet de cette famille de Savannah assassinée le 6 janvier 2002 et des récentes visites de Jaime Berger à Bravo Pod, je m'interroge sur la véritable raison du transfert de Kathleen Lawler.

— J'avais choisi l'anglais en spécialité à l'université. Je rêvais d'être poète. Au lieu de ça, je me suis orientée vers le social et j'ai obtenu un master dans ce domaine, me précise Kathleen. *Inklings* était mon idée et la directrice Grimm m'a permis de la réaliser.

Janvier 2002, date à laquelle Dawn Kincaid est venue à Savannah pour y rencontrer sa mère, du moins c'est ce qu'elle prétend. Il n'est donc pas exclu que Dawn ait été présente dans le coin lorsque le médecin et sa famille furent massacrés. Poignardés, tailladés, une forme de violence que Benton associe à une motivation personnelle, une violence qui implique profondément le tueur, souvent associée à une composante sexuelle. L'agresseur est excité sexuellement, stimulé par l'acte de pénétrer le corps de sa victime à l'aide d'une lame ou, dans le cas plus récent du garçonnet de Salem, de lui enfoncer de longs clous d'acier dans le crâne.

Pendant ce temps, Kathleen continue à évoquer son magazine :

— Nous avons une réunion éditoriale dans la bibliothèque afin d'examiner les propositions d'articles et de passer en revue la mise en page avec l'équipe de graphistes. L'ultime décision sur ce qui paraîtra me revient. Mais la directrice Grimm doit approuver. Ensuite, les auteurs dont le papier original a été sélectionné ont leur photo en couverture. Je peux vous assurer que ce n'est pas n'importe quoi entre nos murs, et ça peut engendrer des aigreurs et des rancunes.

Alors que je me demande si Lola Daggette connaissait Dawn Kincaid ou aurait pu apprendre que Kathleen était sa mère, je m'enquiers :

— Et que devient le magazine maintenant ?

D'un ton lourd de ressentiment, elle déclare :

— Bien sûr, ils ne me permettent plus de m'en occuper ! Sans doute quelqu'un d'autre s'en charge. Je vous l'ai dit, je travaillais à la bibliothèque. Je n'en ai plus le droit non plus. C'est comme ça que j'avais pu ouvrir mon petit compte pour acheter des trucs. J'étais payée 24 dollars par mois. Je m'offrais parfois un petit plaisir, du papier, des timbres, ça file vite. Et qui va m'envoyer un peu d'argent lorsque mon solde sera épuisé ? Je n'ai personne de l'extérieur pour me venir en aide. Et comment je fais pour m'acheter un foutu flacon de shampoing ?

Je ne réponds pas. Elle n'obtiendra rien de moi.

— Les règles sont les mêmes pour toutes à Bravo Pod, que vous soyez en détention par mesure de sécurité ou une tueuse en série. Je suppose que c'est le prix à payer pour être protégée.

Je suis frappée par son extrême dureté, à croire qu'une chose hideuse est en train de remonter en elle pour s'exprimer enfin. Elle s'acharne :

— À ceci près que je ne suis pas en sécurité. On m'a collée ici alors que le danger plane au-dessus de ma foutue tête !

— Quel danger ?

— Je ne sais vraiment pas pourquoi ils m'ont imposé un truc pareil. Il faut qu'ils me réintègrent où j'étais avant.

Je demande à nouveau :

— Quel danger planerait au-dessus de votre tête ?

— C'est Lola qui se trouve derrière tout ça, assène-t-elle.

La boucle est bouclée.

Jaime Berger est venue au GPFW afin de s'entretenir avec Lola Daggette, qui est liée d'une certaine manière à Kathleen Lawler, qui elle-même a un lien avec moi. Je ne laisse pas paraître que je sais qui est Lola Daggette, alors même que j'envisage toujours la possibilité qu'elle ait un rapport avec Dawn. J'ignore pourquoi et comment, mais nous nous retrouvons toutes au centre de cette fameuse boucle.

— Elle voulait qu'on me déplace ici pour que je sois proche d'elle, affirme Kathleen d'un ton hargneux. Il n'existe pas de quartier des condamnées à mort. D'autant que Lola est la seule dans ce cas en ce moment. La dernière avant elle était Barrie Lou Rivers, la femme qui a assassiné tous ces gens à Atlanta en ajoutant de l'arsenic à leurs sandwichs au thon.

L'Empoisonneuse au poisson. Je connais l'affaire, mais n'en montre rien.

— Des habitués auxquels elle servait chaque jour le super-sandwich au thon en leur souriant, charmante au possible, alors qu'ils se sentaient de plus en plus mal, poursuit Kathleen. Peu avant de recevoir l'injection létale, elle s'est étouffée avec un sandwich, toujours au thon, dans sa cellule. C'est ce que j'appelle une des sinistres ironies de la vie !

— Le couloir de la mort est situé à l'étage ? je m'informe.

— Oh, il s'agit ni plus ni moins d'une cellule de haute sécurité, similaire à celle que j'occupe...

La voix de Kathleen a gagné en intensité et elle semble maintenant très tendue.

— ... Lola est à l'étage et moi en bas, juste sous elle. Du coup, elle ne me crie pas dessus directement, ni ne peut m'expédier ses cerfs-volants, mais tout se propage ici. Je sais ce qu'elle dit.

— Quoi donc ?

— Des menaces. Je sais qu'elle profère des menaces à mon sujet.

Je me garde de souligner l'évidence : Lola Daggette est enfermée vingt-trois heures sur vingt-quatre, tout comme Kathleen, et il leur serait impossible de se rencontrer, d'avoir un contact physique. Je ne vois vraiment pas de quelle manière Lola pourrait faire du mal à qui que ce soit.

— Elle savait que si elle montait suffisamment les prisonnières contre moi, au point de me mettre en danger, l'administration du pénitencier me transférerait dans le même foutu quartier qu'elle. Et c'est exactement ce qui s'est produit, lance-t-elle d'une voix cinglante. Lola veut que je sois à proximité.

Je ne crois pas un instant que Lola Daggette ait manœuvré, ni même souhaité que Kathleen soit transférée dans le même quartier qu'elle. La décision vient de Tara Grimm.

— Avez-vous déjà rencontré des problèmes similaires dans le passé ? Des problèmes ayant nécessité votre déplacement ?

La voix de Kathleen gagne encore en intensité :

— Vous voulez dire au point de me déménager à Bravo Pod ? Certainement pas ! Jamais je n'ai été placée en cellule d'isolement. Principalement parce qu'il n'y avait aucune raison à ça. Il faut qu'ils me laissent sortir, que je retrouve mon ancienne vie.

La silhouette de l'officier Macon se découpe sur les baies vitrées de la salle d'entretien. Je suis consciente qu'il nous regarde, mais m'applique à feindre le contraire. Je repense au poème que m'a envoyé Kathleen et au magazine du pénitencier dont elle était l'éditrice il y a encore quelques semaines. Je me demande à quelle fréquence elle s'auto-publiait, quitte à écarter du sommaire d'autres auteurs de la prison. Je jette un coup d'œil à ma montre. Notre heure est presque écoulée.

Kathleen a récupéré la photo de Jack, qu'elle tient à bout de bras et examine en plissant les yeux.

— Eh bien, c'était gentil de votre part de me l'apporter. J'espère que votre procès se déroulera bien.

Quelque chose dans la façon qu'elle a de prononcer cette phrase m'alerte, mais je reste impassible.

— Les procès sont toujours de mauvais moments à passer. Bien sûr, en général je plaide coupable pour obtenir la peine la plus légère possible. Ça économise l'argent des contribuables. J'ai même eu des condamnations avec sursis parce que j'ai déclaré : « Oui, c'est bien moi la responsable. Désolée, les gars ! » Quand on n'a pas de réputation à défendre, il vaut mieux plaider coupable. C'est largement préférable à un jury qui veut faire un exemple sur votre dos, grogne-t-elle, mauvaise.

Dawn Kincaid ne justifie pas cette sortie, puisqu'elle ne plaidera jamais coupable, de rien du tout. Une étrange sensation m'envahit, se lovant au creux de mon estomac.

— Et, bien sûr, vous avez une réputation, docteur Scarpetta. Vous avez même une sacrée réputation, n'est-ce pas ? Du coup, les choses ne sont guère faciles pour vous…

Elle me considère le regard vide, un sourire glacé étirant ses lèvres, avant de reprendre :

— … Je suis drôlement contente de vous avoir rencontrée afin de comprendre tout ce tapage.

— À quel tapage faites-vous allusion ?

— J'en avais vraiment ras-le-bol d'entendre parler de vous. Je suppose que vous n'avez pas lu les lettres.

Je ne lui réponds pas à propos de ces lettres qu'elle et Jack auraient échangées, lettres que je n'ai jamais vues.

Kathleen me sourit en hochant la tête et je vois les espaces laissés par ses dents manquantes. Elle poursuit :

— Je me rends compte que vous ne les avez pas lues. Vous ne savez pas, n'est-ce pas ? Au fond, c'est logique. Je me demande si vous auriez accepté de me rencontrer dans le cas contraire. Peut-être que oui, mais en tout cas vous ne seriez pas aussi suffisante. Peut-être qu'alors vous cesseriez de penser que vous êtes tellement au-dessus de la mêlée.

Je me tiens assise, conservant mon calme, posée. Rien de ce que je ressens ne transparaît. Aucune curiosité. Surtout pas la colère qui bout en moi.

— Avant de passer aux messages électroniques, nous avons correspondu par lettres sur papier, insiste-t-elle. Il m'écrivait toujours sur des feuilles de bloc, à lignes, comme un écolier. Ça remonte au début des années 1990, lorsqu'il travaillait pour vous à Richmond et qu'il était malheureux comme les pierres. Il me disait souvent qu'en fait ce qui vous manquait, c'était d'être baisée, mais vraiment. Que vous étiez une garce frustrée, une dingue, et que si quelqu'un se dévouait et vous sautait dans les grandes largeurs, peut-être que ça améliorerait votre caractère. Apparemment, lui et ce flic de la brigade criminelle avec qui vous collaboriez tout le temps à cette époque rigolaient à ce sujet, que ce soit à la morgue ou sur les scènes de crime. Ils plaisantaient en répétant que vous étiez restée trop longtemps dans les chambres froides, en compagnie de trop de cadavres, et qu'il fallait que quelqu'un vous réchauffe un peu. Il fallait que quelqu'un vous montre ce que ça fait d'être avec un homme dont la bite peut encore raidir.

Pete Marino était inspecteur de la brigade criminelle lorsque j'étais médecin expert en chef à Richmond et je comprends soudain pourquoi je n'ai pas vu les fameuses lettres mentionnées par Kathleen Lawler. Elles sont en possession du FBI. Benton est l'analyste spécialisé en criminologie du Bureau, le psychologue médico-légal qui a assisté l'antenne FBI de Boston. Je sais qu'il a pris connaissance des *e-mails* échangés par Kathleen et Jack. Il m'en a donné une synthèse et je suis certaine que si lettres il y a, il les a également disséquées. Benton n'aurait jamais voulu que je découvre ce que vient de me balancer Kathleen Lawler au visage. Il n'aurait jamais voulu que je sois informée des commentaires cruels qu'a pu faire Marino à mon sujet, de ses moqueries derrière mon dos. Benton s'efforcera toujours de me protéger de choses aussi blessantes, au prétexte que rien de bon ni d'intéressant ne pourrait en sortir.

Je m'efforce au calme, à la fermeté. Je ne réagirai pas. Je ne donnerai pas cette satisfaction à Kathleen Lawler.

— Et nous y voici, je vous découvre enfin, reprend-elle. La grande chef. La grande patronne. La légendaire Dr Scarpetta.

— Je pourrais dire que vous-même êtes aussi une sorte de légende à mes yeux, réponds-je d'un ton dépourvu d'affect.

— Il m'a davantage aimée que vous !

— Je n'ai aucune raison d'en douter.

— J'étais l'amour de sa vie, s'obstine-t-elle.

— Je n'ai pas non plus de raison d'en douter.

— Bordel, il vous en voulait à un point que vous n'imaginez pas !

Plus je m'efforce au calme, plus elle devient mauvaise.

— Il disait que vous n'aviez aucune idée de votre dureté vis-à-vis des autres et que, peut-être, si vous vous contempliez un jour dans la glace, vous comprendriez pourquoi vous n'avez pas d'amis. Il avait l'habitude de vous appeler « Dr Je-Sais-Tout » et lui était le « Dr Tout-Faux ». Il avait aussi rebaptisé les flics « inspecteur Tout-Faux » et « officier Tout-Faux ». Tout le monde était des « Tout-Faux », sauf vous, bien sûr ! *Tout faux, Jack. Il faut faire ceci ou cela comme ça. Tout faux !*

Elle ne s'arrête plus, incapable de dissimuler sa délectation.

— Toujours à lui seriner ce qu'il devait faire et comment le faire. « Comme si ce putain de monde n'était qu'une scène de crime ou une audience au tribunal », se plaignait-il sans cesse dans ses courriers.

— En effet, il m'en voulait par moments. Ce n'est un secret pour personne, j'argumente d'un ton posé.

— Alors ça, vous pouvez parier dessus !

— Personne ne m'a jamais accusée d'être coulante au travail.

— Les gens tels que vous n'arrivent pas à un tel niveau en étant sympas au boulot. Ils écrasent les autres et les écartent de leur route ou les rabaissent juste pour le plaisir.

— Je n'ai jamais procédé de cette façon. Ce serait honteux de sa part s'il l'avait affirmé.

— Lorsque quelque chose n'allait pas, il disait toujours que c'était de votre faute, assure-t-elle.

— Souvent, oui, j'approuve.

— Par contre il n'a jamais prétendu que c'était de ma faute, jamais.

— Et vous, le rendez-vous responsable pour ce qui vous est arrivé ? je demande.

— Il avait peut-être douze ans, mais il ne s'agissait plus d'un petit garçon. Ça, je peux vous le garantir. C'est lui qui a commencé. Il me suivait partout. Il inventait des prétextes pour m'adresser la parole, pour me frôler, pour m'expliquer ce qu'il ressentait, à quel point il était amoureux de moi. Ces choses arrivent.

En effet, des choses arrivent, même lorsqu'elles ne devraient jamais se produire, songé-je.

— Ça lui a brisé le cœur de me voir menottée, traînée. Et puis, plus tard, lorsqu'il m'a revue au tribunal, ça l'a dévasté…

L'hostilité dont elle faisait preuve à mon égard s'est volatilisée aussi vite qu'elle s'était manifestée.

— … Ils nous ont séparés, éloignés, mais pas nos âmes. Il nous restait nos âmes. Jack vous admirait. Ça devenait même barbant de l'entendre répéter qu'il éprouvait du respect pour vous. Je sais qu'il le pensait. Mais le problème avec Jack, c'est qu'il éprouvait toujours des sentiments confus pour les autres. S'il vous aimait, il vous détestait. S'il vous respectait, il fallait qu'il vous mette plus bas que terre. S'il avait envie d'être avec vous, il se sauvait. S'il vous trouvait, il devait vous perdre. Et il n'est plus.

Elle examine ses mains posées sur ses cuisses et les entraves de ses chevilles raclent à nouveau le sol lorsqu'elle bouge les pieds.

Des tremblements agitent ses épaules. Son visage s'empourpre. Elle est sur le point de fondre en larmes. Elle n'ose plus me regarder et déclare :

— Il fallait que ça sorte. Je sais que c'était méchant.

— Je comprends.

— J'espère que vous n'allez pas me jeter à cause de cela. J'aimerais bien continuer à avoir de vos nouvelles.

— Il faut parfois évacuer ce qu'on a sur le cœur.

Le regard toujours baissé, elle admet :

— Je ne savais pas trop bien ce que je ressentirais après un peu de temps. À propos de sa mort, je veux dire. Je n'arrive pas vraiment à réaliser. Ce n'est pas tant qu'il ait fait partie de ma vie, de ma vie actuelle. Mais il est mon passé. Il est la raison pour laquelle je me suis retrouvée ici. Et aujourd'hui la raison n'existe plus, mais moi, je suis toujours là.

— Je suis désolée.

— J'éprouve une telle sensation de vide. C'est le mot qui me revient sans cesse à l'esprit. Vide. Désert. L'image d'une grande terre dénudée, déserte, balayée par le vent.

— Je me doute que c'est douloureux.

Elle lève enfin les yeux. Ils sont injectés de sang, inondés de larmes retenues.

— Si seulement les gens nous avaient fichu la paix. On ne se faisait pas de mal. S'ils nous avaient laissés tranquilles, rien de tout ça ne serait arrivé. À qui avons-nous fait du mal ? Ce sont les autres qui nous ont blessés.

Je ne réponds rien parce qu'il n'y a rien à dire.

— Eh bien, j'espère que le reste de votre séjour à Savannah sera profitable, déclare-t-elle soudain, d'une façon qui résonne bien étrangement.

La silhouette de l'officier Macon se découpe sur les baies vitrées qui flanquent chaque côté de la porte en acier de la salle d'entretien. Il vérifie que tout se déroule bien. Alors que Kathleen ne tourne pas le regard vers lui, je suis certaine qu'elle suit chacun de ses mouvements à la dérobée. Elle continue :

— Je suis contente que vous soyez venue et que nous ayons eu l'opportunité de discuter. Je suis contente que votre avocat, tous les avocats aient rendu cette visite possible. Et je vous suis reconnaissante pour cette photo ou quoi que ce soit d'autre que vous avez l'amabilité de me donner.

Sa formulation est étrange, comme si elle sous-entendait autre chose, que j'ignore encore. Elle attend que l'officier Macon disparaisse à nouveau.

Passant la main sous le col de sa chemise blanche d'uniforme, elle tire quelque chose de son soutien-gorge. Elle pousse rapidement sur la table en formica un petit papier plié vers moi.

CHAPITRE 6

Des gouttes d'eau dégoulinent des chênes verts et des palmiers qui bordent le parking. Je sens la pluie, alors que me parvient également l'odeur sucrée et douce des parterres de fleurs dont les pétales constellent la terre, m'évoquant des confettis colorés. Il fait chaud et lourd. Un peu à l'ouest, le soleil brille par intermittence au travers de nuages noirs.

Lorsque l'officier Macon m'a escortée vers la sortie de Bravo Pod, puis le long du trottoir encore détrempé d'orage, rien dans son attitude ne suggérait que quelque chose d'étrange ou simplement sortant de l'ordinaire venait de se produire. Mais je ne me suis pas laissé berner. Comment imaginer qu'il – ou quelqu'un d'autre, peut-être même la directrice du pénitencier – n'ait pas su que Kathleen Lawler m'avait fait passer un message que je n'étais pas censée récupérer ? Une fois au poste de contrôle, le dos de ma main a été scanné sous une lampe à ultraviolets, révélant le fameux code tamponné sur ma peau, *neige*. Nous n'avons pas échangé un mot, hormis lorsque l'officier Macon m'a remerciée pour ma venue, comme si ma visite au GPFW était une véritable faveur. Je lui ai confié que Kathleen craignait pour sa sécurité, à quoi il a répondu en souriant que les détenues adoraient raconter « des histoires à dormir debout », et que, justement, elle avait été transférée afin de garantir ladite sécurité. J'ai pris congé de lui et suis partie.

Je suis presque certaine que mon hypothèse du début était fondée. Ma conversation avec Kathleen Lawler a peut-être été écoutée, mais pas transmise en images. Sans cela, des gardiens ou même Tara Grimm auraient surpris son geste lorsqu'elle a fait glisser le cerf-volant dans ma direction. À l'évidence, on m'aurait alors sèchement ramenée dans le bureau de la directrice colonisé par les lianes de lierre du diable et on m'aurait contrainte à remettre le petit bout de papier que j'ai glissé dans la poche arrière de mon pantalon. Je le sens contre ma chair, dans laquelle il s'imprime à la manière d'un caillou ou d'un objet très chaud. De plus, Kathleen n'aurait jamais pris ce risque si elle avait pu craindre un instant d'être surprise. J'ai le sentiment de plus en plus pesant qu'elle fait partie d'une tentative de manipulation plus dangereuse que tout ce que j'ai pu imaginer. Bien que je répugne à admettre qu'elle a obtenu ce qu'elle voulait de moi, je me rends compte que tel est sans doute le cas.

Je lance le moteur de la camionnette, épie le parking afin de m'assurer que personne ne me surveille et tire le morceau de papier de ma poche. Mon regard balaie les étroites fenêtres grillagées des unités aux toits de métal bleu, le bâtiment de briques rouges à colonnes blanches qui abrite les services administratifs que je viens de quitter. De la vapeur d'eau monte de la chaussée, s'infiltre par les vitres de portières baissées, entraînée par l'air lourd et chaud. Dans un coin du parking bourré de véhicules, je remarque une sorte de grand break noir Mercedes qui m'évoque un corbillard. Une femme est installée derrière le volant, moteur éteint, son portable plaqué contre l'oreille. Il fait trop chaud et humide pour couper l'air conditionné, même si ses vitres sont entrebâillées. Elle ne semble pas du tout s'intéresser à moi. Je me sens inquiète, nerveuse, et, curieusement, je songe alors que j'ai de bonnes raisons pour cela.

Depuis que Benton m'a accompagnée très tôt ce matin à Logan, j'ai l'impression d'être sous surveillance, promenée, en dépit du fait que rien de tangible ne me permet d'en avoir la certitude. Cependant cette sensation n'a fait que croître alors que des détails s'accumulaient. D'abord cet utilitaire grotesque que je n'ai jamais réservé, sale et sentant mauvais, sa boîte à gants qui regorge de serviettes en papier de la chaîne de fast-food Bojangles', de brochures pour des bateaux de location. J'ai tenté à plusieurs reprises de joindre Bryce, très mécontente. J'ai laissé des messages lui expliquant que je doutais fort qu'une compagnie de location de véhicules haut de gamme comme celle-ci propose un tas de ferraille de ce genre. Il ne m'a jamais rappelée. Il ne m'a pas téléphoné de la journée, au point que je pourrais croire que mon chef du personnel m'évite. Il y a eu ensuite toutes ces informations déroutantes qu'on m'a fournies. Et maintenant ça !

Je défroisse avec soin le cerf-volant qui a été plié en diamant, si petit qu'il ressemble à une pastille oblongue pour la gorge. Un numéro de téléphone a été tracé au stylo-bille bleu. À première vue, il me rappelle vaguement quelque chose, et soudain j'éprouve un véritable choc. « UTILISEZ UNE CABINE TÉLÉPHONIQUE » est écrit en petites majuscules. Rien d'autre, hormis cette indication soulignée et le numéro de portable de Jaime Berger. Le ciel de cette fin d'après-midi s'obscurcit encore. La pluie tombe à nouveau, cognant contre le toit de la camionnette. J'enclenche les essuie-glaces, qui abandonnent des arcs de cercle graisseux en balayant mollement, bruyamment le pare-brise. Je récupère mon sac glissé sous le siège. Je regarde le break Mercedes manœuvrer et sortir du parking, remarquant un autocollant Navy Diver, l'unité de plongeurs d'élite de la marine, apposé sur l'arrière. Une sensation encore plus étrange m'envahit. Et je comprends aussitôt pourquoi.

On a fouillé mon sac à main. En suis-je certaine ? Je crois bien. Oui, j'en suis sûre. Je me remémore le moindre de mes gestes à l'arrivée, quelques heures auparavant. J'ai envoyé un SMS à Benton, puis fourré mon téléphone dans la poche arrière de mon sac, munie d'une fermeture éclair. C'est là que je range mon portefeuille, mes papiers d'identité, mes cartes professionnelles, mes clefs, bref toutes les choses importantes. Pourtant mon téléphone s'est retrouvé dans le compartiment latéral. Rien de plus simple et sans danger que de passer le véhicule au peigne fin pendant que j'étais à l'intérieur de la prison. Les gardiens avaient mes clefs et j'étais enfermée à Bravo Pod, en train de discuter avec Kathleen Lawler. Cependant, en y réfléchissant bien, ils n'ont rien pu découvrir d'important. Mes iPhone et iPad sont protégés par des codes secrets et personne n'a pu consulter ce qu'ils renferment. Or je ne vois vraiment pas quoi d'autre pourrait attiser la curiosité. Enfin, qu'aurait-on pu chercher ? Peut-être des dossiers concernant des enquêtes ? Ou, plus probable, des informations prouvant que ma visite au GPFW avait d'autres mobiles que ceux que j'ai évoqués devant Tara Grimm. Je déverrouille mon téléphone.

Ma première impulsion est d'appeler Lucy, ma nièce, afin de lui demander sans prendre de gants si elle a toujours des contacts avec Jaime Berger. Il n'est pas exclu que Lucy détienne des informations qui me permettraient d'y voir un peu plus clair, concernant notamment la situation dans laquelle je me suis embarquée, mais je ne parviens pas à m'y résoudre. Lucy n'a plus jamais mentionné Jaime Berger depuis la dernière fois où nous nous sommes tous vus, il y a environ six mois, au cours des vacances. Elle n'a toujours pas admis qu'elles se soient séparées, alors que j'en suis presque convaincue. Ma nièce n'aurait jamais déménagé de New York à Boston s'il n'y avait pas eu derrière une raison personnelle.

Cette décision n'avait rien à voir avec l'argent, puisque Lucy n'en a pas besoin. Il ne s'agissait pas non plus pour elle d'exporter ses stupéfiantes compétences en informatique au centre de sciences légales de Cambridge, qui a commencé à être opérationnel l'année dernière. Elle n'a pas besoin de travailler pour moi ou pour le centre. Son envie de délocaliser son existence entière est davantage due à la crainte de la perte, du manque, un manque qu'elle jugeait inévitable. Et Lucy a reproduit un comportement dans lequel elle excelle.

Elle a agressivement évité le chagrin et esquivé une sensation d'abandon. Sans doute a-t-elle mis un terme à leur relation avant que Jaime Berger n'ait une chance d'en parler. À ce moment-là, ma nièce avait déjà préparé sa nouvelle vie à Boston. C'est une habitude chez elle : lorsqu'elle vous annonce qu'elle va partir, elle est déjà loin.

Empruntant la même route qu'à l'aller, je m'éloigne du GPFW. Je dépasse les serres et la casse automobile, me demandant où je vais dénicher une cabine téléphonique. De nos jours on n'en trouve plus à chaque coin de rue, d'autant que je ne suis pas tout à fait certaine qu'il faille que j'appelle Jaime ou un autre interlocuteur. Benton était convaincu que je me faisais piéger et je suis à un cheveu de penser de même. Mais par qui et pour quelles raisons ? Peut-être par l'équipe qui défend Dawn Kincaid ? Peut-être par quelqu'un d'encore plus sinistre et louche ? Dawn Kincaid a tenté de m'assassiner et a échoué. Et si elle voulait aujourd'hui que le travail soit achevé ? Cette pensée s'engouffre dans mon esprit et me pétrifie. Mes tempes commencent à bourdonner, au point que je pourrais croire que ma migraine de gueule de bois revient.

Tu devrais t'éloigner le plus possible de cet endroit. Il est trop tard pour réserver un vol à l'aéroport de Savannah-Hilton Head. Cependant je pourrais rouler jusqu'à Atlanta, où je suis certaine de trouver un vol de soirée pour Boston. Dans cette fichue caisse à savon sur roues ? Je m'imagine en carafe sur le bord de la route, non loin de marécages, au milieu de nulle part, et décide que le plus sage est encore de passer la nuit à Savannah, comme je l'avais prévu. *Ne fais rien d'inconsidéré. Reste cohérente et réfléchie,* me seriné-je. Je poursuis ma route sous la pluie, la voiture halète et pétarade par moments, accélérant, ralentissant de son propre chef, ses essuie-glaces fatigués balayant hargneusement le pare-brise dans un raclement désagréable de caoutchouc. J'ai mal à la tête et n'ai plus d'Advil, puisque j'ai gobé les derniers ce matin dans l'avion.

Je passe en vrombissant devant un concessionnaire auto et une boutique de pièces détachées. Tous les endroits que je traverse sécrètent la même impression d'isolement, de repli et même de menace, comme si le monde était devenu, lui aussi, une cellule de confinement. Cela fait des kilomètres que je n'ai pas croisé de voiture et un sentiment étrange et déplaisant m'envahit, celui que je ressens toujours avant que quelque chose de mauvais me tombe dessus. Un silence, une sorte de basculement de réalité et une appréhension qui précèdent une nouvelle tragique, une affaire de meurtre particulièrement brutal, l'horreur que je vais découvrir dans cette pièce, juste devant moi. Sans que je le veuille, mon esprit revient à Lola Daggette.

Je me souviens de bien peu de choses au sujet des meurtres de ce médecin de Savannah et de sa famille, si ce n'est qu'il s'agissait de crimes barbares. Des interrogations persistent encore aujourd'hui sur le nombre des tueurs, un ou deux, et sur les liens du ou des meurtriers avec leurs victimes. Je séjournais dans un hôtel à Greenwich, dans le Connecticut, lorsque j'ai entendu pour la première fois parler de cette affaire, de cette famille « poignardée durant son sommeil », ainsi que l'avaient relayé tous les médias du pays. Le 6 janvier 2002. Il s'agissait d'une période charnière pour moi, dans tous les domaines. Je me retrouvais entre deux carrières, deux résidences, le monde d'avant le 11 Septembre et celui qui lui avait fait suite. Une phase terrible, vraiment, une des plus déstabilisantes et déprimantes de ma vie. Je regardais les informations à la télé en avalant mon dîner dans ma chambre lorsque j'avais appris la boucherie de Savannah, dont l'auteur présumé semblait être une adolescente. Je revois encore son visage juvénile sans cesse projeté sur l'écran et la demeure en briques, dans le style fédéral, des victimes, sans oublier son portique festonné de ruban jaune de scène de crime.

Lola Daggette.

Je me souviens également qu'elle souriait aux caméras de télévision lors de la lecture de l'acte d'accusation, faisant des petits signes de main amicaux aux gens présents dans la salle d'audience du tribunal comme si elle n'avait pas la moindre idée des ennuis dans lesquels elle se trouvait. J'avais été frappée par ses appareils dentaires en métal argenté et les traces d'acné juvénile sur ses joues rondes. Elle m'avait fait l'impression d'une gamine inoffensive, étourdie par toute cette attention, ce drame qui l'entourait, mais l'appréciant également. Je m'étais à nouveau répété que les gens ont rarement l'air de ce qu'ils sont capables de faire. Quel que soit le nombre d'exemples illustrant cette vérité dont je suis témoin depuis si longtemps, je suis toujours surprise et effrayée par la facilité qu'on a de juger les autres sur les apparences. La plupart du temps, nous sommes dans l'erreur.

La voiture grogne lorsque je bifurque sur le parking de quelques magasins, les seuls que j'ai vus ouverts jusque-là, une quincaillerie, une pharmacie et une armurerie. Plusieurs pick-up et SUV sont garés, et une cabine téléphonique trône non loin d'un distributeur d'argent. Bien sûr, il est logique qu'il y ait une cabine téléphonique et un distributeur automatique à côté d'une boutique affichant un panonceau de sens interdit, avec au centre une silhouette humaine assortie du logo « Ne soyez pas une victime. Achetez une arme ». Par la vitre de devanture j'aperçois des fusils, des carabines et une vitrine autour de laquelle des hommes sont agglutinés. À gauche de la porte d'entrée, un téléphone est protégé par une sorte de coffrage en acier inoxydable scellé au mur.

J'extrais mon iPad de ma serviette, la pluie tambourinant sur le toit de la camionnette. J'arrête le balai monotone des essuie-glaces et les feux de croisement, mais laisse les vitres entrouvertes et le moteur tourner. Je clique sur le navigateur et cherche le nom de Lola Daggette. Un article paru en novembre dernier dans *The Atlanta Journal-Constitution* s'affiche :

> **LA TUEUSE DE SAVANNAH**
> **PERD SON ULTIME APPEL**
>
> La demande de sursis déposée en urgence par une femme a été rejetée, ouvrant la voie à l'exécution. Elle avait été reconnue coupable des effroyables meurtres à l'arme blanche d'un médecin de Savannah, de sa femme et de leurs deux jeunes enfants et condamnée à la peine capitale il y a presque neuf ans.
>
> Lola Daggette avait donc été reconnue coupable d'avoir pénétré le 6 janvier 2002, en fin de nuit, dans la demeure du Dr Clarence Jordan, une maison de deux étages située dans le quartier historique de Savannah. Selon la police et le procureur, elle a attaqué le médecin âgé de trente-cinq ans et sa femme, Gloria, trente ans, alors qu'ils étaient couchés, les poignardant et les tailladant à de multiples reprises avant de longer le couloir pour atteindre la chambre de leurs jumeaux, un frère et une sœur. On pense que la petite fille, Brenda, âgée de cinq ans, a été réveillée par les hurlements de sa mère et a tenté de s'échapper en dévalant l'escalier,

> vêtue de son pyjama. Son cadavre a été retrouvé non loin de la porte d'entrée. À l'instar de ses parents et de son frère Josh, elle a été sauvagement tuée à l'arme blanche, au point que sa tête était presque séparée du corps.
> Quelques heures après les meurtres, Lola Daggette, âgée de dix-huit ans, est rentrée dans son centre de réadaptation, un établissement non sécurisé où elle suivait un programme destiné aux délinquants consommateurs de substances illicites. Un membre du personnel l'a découverte dans la salle de bains, lavant des vêtements ensanglantés. Les analyses d'ADN effectuées ultérieurement ont établi un lien entre elle et les meurtres.
> Avec cette nouvelle décision de la Haute Cour, tous les recours de Lola Daggette – qu'ils soient fédéraux, liés à l'*habeas corpus* ou s'adressent à l'État de Géorgie – sont épuisés. Son exécution par injection létale au pénitencier de femmes de Géorgie est prévue pour le printemps prochain.

Je passe en revue d'autres articles consacrés à Lola. Ses avocats y clament qu'elle avait un complice et que cette personne est le véritable meurtrier. Lola Daggette n'aurait jamais pénétré dans la maison des Jordan. Elle devait attendre à l'extérieur pendant que l'autre menait à bien le cambriolage, affirment ses conseils. L'unique angle d'attaque restant à la défense était ce prétendu acolyte, jamais identifié, ni même décrit, quelqu'un qui avait emprunté les vêtements de Lola, puis lui avait ordonné de s'en débarrasser ou de les laver, peut-être dans l'intention de la faire plonger afin qu'elle soit accusée des meurtres à sa place. Jamais Lola n'avait été appelée à la barre et je peux comprendre pourquoi le jury s'était réuni moins de trois heures avant de parvenir au verdict de « coupable ».

Normalement, sa sentence devait être exécutée au mois d'avril, mais Lola avait obtenu un sursis à la suite d'une exécution bâclée au cours de laquelle il avait fallu injecter à nouveau les doses de cocktail létal, avec pour résultat de doubler la durée d'agonie du condamné à mort. En conséquence, un juge fédéral avait bloqué les exécutions de Lola Daggette et de cinq détenus masculins de la prison d'État Coastal, affirmant qu'il devait décider si les procédures d'injection létale de l'État de Géorgie se traduisaient par un risque d'agonie longue et douloureuse pour les condamnés, une peine « cruelle et inhabituelle ». Il semble que les exécutions doivent reprendre en octobre et que Lola Daggette soit la première sur la liste.

Assise dans la camionnette, la pluie ruisselant sur la carrosserie, je reste perplexe. Si Lola Daggette n'a pas commis ces meurtres mais connaît leur auteur, pourquoi l'avoir protégé durant toutes ces années ? À quelques mois de son exécution, pourquoi ne parle-t-elle pas ? Que sais-je de son silence, après tout ? Jaime Berger est venue à Savannah. Elle a discuté avec Lola. A-t-elle aussi rencontré Kathleen Lawler, à qui elle a peut-être promis une réduction de peine ? Mais en quoi cela ferait-il partie de la juridiction d'une assistante du procureur de Manhattan, à moins que l'assassinat des Jordan – et pourquoi pas l'affaire Dawn Kincaid – ait un lien avec un crime sexuel perpétré à New York ?

Surtout, la question essentielle est la suivante : si Kathleen et sa fille diabolique intéressent Jaime, pourquoi ne m'en a-t-elle pas parlé ? Mais n'est-ce pas ce qu'elle vient juste de faire ? je rectifie aussitôt en regardant le petit bout de papier déplié posé sur le siège passager. Me reviennent ensuite les épouvantables événements de février dernier, lorsque j'ai failli mourir sous la lame de Dawn Kincaid. Le silence de plomb de Jaime, qui ne m'a pas appelée, ni même envoyé un *e-mail*. Pas une fois elle n'a pris de mes nouvelles. Certes, nous n'avons jamais été des amies proches, mais son apparente indifférence m'a surprise et peinée.

Je range mon iPad dans ma serviette, extirpe ma carte Visa de mon portefeuille et sors du véhicule. De grosses gouttes de pluie fraîche s'écrasent sur mes cheveux. Je soulève le combiné, tape le zéro et compose le numéro tracé par Kathleen sur le cerf-volant. J'insère ma carte de crédit, la communication s'engage. Jaime Berger répond dès la deuxième sonnerie.

CHAPITRE 7

— Kay Scarpetta…, je lance avant qu'elle ne m'interrompe de cette voix forte et vive que je reconnais.

— Vous passez bien la nuit dans le coin, j'espère ?

— Pardon ?

Sans doute me prend-elle pour quelqu'un d'autre. Je répète :

— C'est Kay…

— Votre hôtel n'est pas loin d'où j'habite. Faites-y un saut et ensuite nous mangerons un petit truc ensemble.

On dirait qu'elle est pressée. Elle ne se montre pas discourtoise, mais plutôt brusque, impersonnelle et peu désireuse de me laisser m'étendre.

À l'évidence elle n'a aucune envie de discuter, mais peut-être n'est-elle pas seule. Enfin, c'est absurde ! On n'accepte pas de rencontrer quelqu'un quand on ignore ce pour quoi il souhaite vous voir.

Je m'enquiers pourtant :

— Où cela ?

Jaime me communique une adresse à quelques rues des berges aménagées de Savannah.

— Ravie de vous voir, ajoute-t-elle. À très vite.

Je compose ensuite le numéro de Lucy. Un homme portant un jean coupé et une casquette de base-ball descend d'une Chevrolet Suburban dont la couleur or disparaît sous la poussière. Il ne m'adresse même pas un regard et se dirige vers moi en tirant son portefeuille de la poche arrière de son jean.

M'efforçant de paraître détendue, je lance dès que ma nièce répond :

— Il faut que je te demande une précision. Tu sais que je ne m'immisce ni n'interfère jamais dans ta vie personnelle.

— Il ne s'agit pas d'une question, rétorque Lucy.

— J'ai hésité avant de t'appeler à ce sujet, mais je ne peux plus tergiverser. Ma venue ici n'est vraiment pas un secret, on dirait. Tu comprends où je veux en venir ?

Je me tourne, présentant mon dos à l'homme à la casquette de base-ball qui retire de l'argent du distributeur non loin de moi.

— Peut-être pourrais-tu être un peu moins énigmatique. On dirait que tu te trouves dans un tambour de machine à laver.

— Je t'appelle d'une cabine téléphonique à côté d'une armurerie, et il pleut.

— Une armurerie ? Mais pourquoi ? Il y a un problème ?

— Jaime, je lâche. Il n'y a pas de problème. Du moins à ma connaissance.

Un silence assez long s'établit. Puis ma nièce demande :

— Qu'est-ce qui s'est passé ?

À l'hésitation de sa voix, à son ton, je sais qu'elle n'aura aucune information à me donner. Elle ignore que Jaime Berger est à Savannah. Lucy n'est pas à l'origine des fuites qui ont renseigné Jaime sur ma présence ici, sa raison et dans quel hôtel je compte séjourner.

J'admets :

— Je voulais juste m'assurer que tu ne lui avais rien dit de ma visite au GPFW.

— Et pourquoi j'aurais fait cela ? Qu'est-ce qui se passe ? répète-t-elle.

— Je ne sais pas trop. En réalité, la réponse correcte à cette question est : je n'en ai pas la moindre idée. Donc vous ne vous êtes pas parlé récemment ?

— Non.

— Et Marino, à ton avis ?

— Pourquoi lui aurait-il fourni des infos ? Pour quelle fichue raison l'aurait-il contactée ? lâche Lucy comme si un bavardage de Marino s'apparenterait à de la haute trahison, alors qu'il travaillait pour Jaime et discutait de tout avec elle. Qu'il ait papoté cordialement avec Jaime en divulguant des informations à ton sujet, sur ce que tu fais ? Jamais de la vie ! Totalement insensé.

Sa jalousie est perceptible.

Ma nièce est terriblement séduisante et très impressionnante. Pourtant elle ne parvient pas à admettre qu'elle puisse être aux yeux de quelqu'un la personne la plus importante qui soit. Lorsqu'elle était petite, je l'appelais mon monstre aux yeux verts. Elle a en effet les yeux d'un étonnant vert, que je n'ai rencontré que chez elle, et peut se montrer monstrueusement immature, peu sûre d'elle et jalouse. Mieux vaut ne pas la traiter par-dessus la jambe lorsqu'elle se met dans cet état. Pirater n'importe quel système informatique lui est aussi naturel que se servir un verre d'eau. Elle n'éprouve aucun remords à espionner et à se venger des gens qu'elle accuse de crimes ou de manquements envers elle ou ceux qu'elle aime.

J'aimerais vraiment que le gars à la casquette de base-ball en finisse avec son retrait d'argent, et la vague idée qu'il écoute ma conversation me traverse l'esprit lorsque je réplique :

— J'espère en effet qu'il ne divulguerait aucune information, ni à son profit, ni à celui d'une autre personne. De toute façon, si Marino n'a pas su tenir sa langue, je le découvrirai très vite.

Je perçois le cliquettement d'un clavier, puis la voix de Lucy :

— Attends, je suis dans sa messagerie. Non. Je n'ai pas l'impression qu'ils aient échangé des *e-mails*.

Ma nièce est l'administrateur système du centre de sciences légales de Cambridge. À ce titre, elle peut pénétrer dans n'importe quels dossiers ou messageries électroniques du serveur, même les miens. D'ailleurs elle peut entrer où elle le souhaite, rien à ajouter.

J'imagine toutes les recherches qu'elle lance pour passer en revue les *e-mails* de Marino.

— En tout cas, pas récemment, précise-t-elle. Rien cette année.

Après traduction, ce qu'elle veut dire, c'est qu'il n'existe pas de traces de contacts électroniques entre Marino et Jaime Berger depuis qu'elles se sont séparées. Cela ne signifie pas pour autant qu'ils n'aient pas communiqué par téléphone ou autre. Marino a oublié d'être idiot. Il sait parfaitement que Lucy peut surveiller tout ce qui se passe sur les ordinateurs du centre. Il sait également que même si elle n'y était pas autorisée, elle ne se gênerait pas si l'envie l'en prenait. Quoi qu'il en soit, si Marino a eu des contacts discrets avec Jaime sans m'en avertir, cela risque de considérablement me gêner.

Je me masse les tempes, la migraine m'élance. Je demande :

— Ça t'ennuierait de vérifier avec lui ?

Oui, ça l'ennuie, je le perçois à la soudaine tension de sa voix quand elle accepte :

— Ouais, je peux. Mais il est toujours en vacances.

— Eh bien, interromps sa partie de pêche, s'il te plaît.

Je raccroche au moment où l'homme à la casquette de baseball pénètre dans l'armurerie, et je conclus qu'il n'écoutait sans doute pas ma conversation téléphonique, que je ne présente aucun intérêt à ses yeux et que je me conduis de façon un peu paranoïaque. Je longe le trottoir de la quincaillerie, remarquant à nouveau le break Mercedes noir avec son autocollant Navy Diver. Le véhicule est garé devant la pharmacie Monck's. La petite boutique est bourrée comme un œuf de marchandises diverses m'évoquant un magasin de village. Ses allées regorgent de déambulateurs, béquilles, bas de contention, sièges pour rampe d'escalier. En revanche, je suis son unique cliente. Des écriteaux suspendus dans chaque coin promettent la préparation des spécialités d'officine et la livraison dans la journée *sur le pas de votre porte.* Je parcours les étagères du regard, à la recherche d'antalgiques, tout en échafaudant des hypothèses pouvant expliquer un éventuel intérêt de Jaime Berger pour Lola Daggette.

Il y a une chose dont je ne doute pas : le côté implacable de Jaime. Si Lola Daggette dispose d'informations importantes pour une raison ou une autre, Jaime fera tout ce qui est en son pouvoir pour les extirper de la condamnée avant son exécution. Je ne vois pas d'autre explication à la venue de Jaime Berger au GPFW. Cependant je ne parviens toujours pas à comprendre comment je ferais partie de son projet, ni pourquoi. *Eh bien, mais tu vas vite le découvrir,* me dis-je en m'avançant vers la caisse déserte, un flacon de gélules d'Advil à la main. *Dans deux heures tout au plus, tu sauras tout.* Finalement, autant acheter aussi de l'eau. Je m'en retourne vers le linéaire des produits réfrigérés et choisis un thé glacé. Il n'y a toujours personne à la caisse.

Un homme âgé vêtu d'une blouse de laboratoire compte ses pilules derrière le comptoir, préparant les ordonnances déposées par les clients. Je ne vois personne d'autre et patiente. J'ouvre le flacon et avale trois gélules en les faisant passer grâce à une gorgée de thé glacé, mon impatience augmentant. Je tente de me faire remarquer :

— Pardon, excusez-moi ?

Le pharmacien lève à peine le regard vers moi et appelle quelqu'un à l'arrière :

— Robbi, tu peux t'occuper de la caisse ?

Nulle réponse. Il se décide à abandonner sa tâche et me rejoint. Il me sourit en prenant ma carte bancaire et déclare :

— Oh, je suis vraiment désolé. Je n'avais pas réalisé que j'étais seul dans la boutique. Sans doute que tous sont partis en livraison ou alors c'est à nouveau la pause. Qui sait ? Vous avez besoin d'autre chose ?

La pluie a cessé lorsque je rejoins la camionnette et je remarque que le break Mercedes noir a disparu. Je démarre alors que le soleil perce les nuages. La chaussée détrempée étincelle.

L'ancienne ville paraît enfin, semée de petits immeubles de brique ou de pierre qui s'étalent jusqu'à la Savannah River. Au loin, la silhouette familière du Talmadge Memorial Bridge avec ses haubans se dessine contre le ciel courroucé. Dussé-je le traverser, il me mènerait en Caroline du Sud. Je me souviens de mes lieux de prédilection – Hilton Head et Charleston –, revoyant l'appartement en front de mer que possédait Benton à Sea Pines, ou le relais de poste et son exubérant jardin que j'ai habité.

Tant de mon passé est enraciné dans le Sud profond. Je me sens nostalgique et un peu crispée alors que je parviens à hauteur de l'ancien pavillon des douanes construit en granit gris et à l'hôtel de ville surmonté de son dôme doré. Je débouche devant mon hôtel, un Hyatt Regency flegmatique construit au bord de la rivière, où des remorqueurs et des bateaux d'excursion sont amarrés. De l'autre côté s'étend le très chic Westin Resort, et un peu plus loin des grues m'évoquent de gigantesques mantes religieuses en prière, penchées au-dessus de hangars et de chantiers navals. L'eau est immobile, d'un vert-gris de verre antique.

Je sors de mon piteux véhicule et offre mes excuses au voiturier à l'air très caribéen avec sa veste blanche et son bermuda noir. Je le mets en garde contre la camionnette de location caractérielle et peu fiable. Tout en récupérant mon sac de voyage et mes autres possessions, je me sens obligée de lui apprendre que ce n'est pas ce que j'avais réservé et que cette maudite voiture slalome sur la route, sans oublier ses freins défectueux. Une brise chaude agite les branches des chênes verts, des magnolias et des palmiers, et les véhicules cahotant sur les briques des chaussées évoquent l'écho d'une ondée, bien que la pluie ait cessé. Le soleil décline, les ombres progressent et le ciel semble rapiécé par des touches de bleu. Je connais bien ce coin du monde où je devrais trouver un répit bienvenu, un réconfortant plaisir. Pourtant je ne m'y sens pas en sécurité. J'ai l'impression que je devrais me tenir sur mes gardes, avoir peur. J'aimerais tant que Benton soit à mes côtés. J'aimerais tant ne jamais être venue, avoir écouté ses conseils. Il faut que je rencontre Jaime Berger au plus vite.

La réception est typique de tous les hôtels Hyatt dans lesquels j'ai séjourné, un vaste atrium entouré de chambres sur cinq étages. Alors que je prends place dans l'ascenseur en verre, je revis l'échange que je viens d'avoir avec la jeune femme du bureau de réception qui m'a affirmé que ma réservation avait été annulée plusieurs heures auparavant. Lorsque j'ai rétorqué qu'une telle chose était impossible, elle s'est obstinée, m'assurant qu'elle avait elle-même pris l'appel peu après avoir commencé son service aux environs de midi. Un homme a téléphoné pour décommander ma chambre. Qui qu'elle soit, cette personne disposait de mon numéro de réservation, de toutes les informations et s'est longuement excusée.

J'ai alors demandé à l'employée de l'hôtel si elle pensait que l'appel émanait d'un des membres de mon personnel à Cambridge et elle a répondu que telle avait été sa conclusion. J'ai insisté, vérifiant si le nom de Bryce Clark lui disait quelque chose. Elle ne pouvait l'affirmer. J'ai alors suggéré que mes bureaux avaient pu téléphoner pour confirmer et non pas annuler ma réservation et qu'un malentendu s'était produit. Mais elle a secoué la tête en signe de dénégation : non, absolument pas. La jeune femme m'a alors raconté la conversation : son correspondant masculin expliquant que le Dr Scarpetta était très déçue de ne pouvoir se rendre à Savannah, une de ses villes préférées. L'interlocuteur espérait qu'il n'y aurait pas de pénalités d'annulation pour la chambre en dépit de cet appel très tardif. J'aurais manqué mon changement d'avion à Atlanta et ne pouvais donc plus arriver en temps et en heure à mon rendez-vous. L'homme était assez bavard selon la jeune femme, précision qui m'a convaincue qu'il s'agissait bien de mon chef du personnel, Bryce, lequel ne m'a toujours pas rappelée.

Cette résiliation de dernière minute s'ajoute aux autres détails, comme la camionnette, le petit papier plié de Kathleen Lawler et la cabine téléphonique, bref tout ce qui s'est produit aujourd'hui, et je songe que j'aurai bientôt le fin mot de l'histoire. Je déverrouille la porte et pénètre dans une chambre qui donne sur la rivière. Un porte-conteneurs aussi imposant que l'hôtel glisse silencieusement sur l'eau, sa proue pointant vers la mer. Je tente de joindre Benton, mais il ne décroche pas. Je lui envoie alors un SMS, l'informant que je vais à un rendez-vous, lui précisant l'adresse que m'a donnée Jaime parce que quelqu'un en qui j'ai confiance doit savoir où me trouver. Cependant je n'entre pas dans les détails, je ne mentionne pas le nom de Jaime Berger, ni n'insiste sur le fait que je suis inquiète et que je me méfie d'à peu près tout le monde. Je vide mon sac de voyage, me demandant si je dois changer de vêtements, puis décide que je n'ai pas envie de me casser la tête.

Jaime Berger est en mission dans le Lowcountry et, de toute évidence, elle a chargé Kathleen Lawler de provoquer une rencontre entre nous durant mon séjour à Savannah. D'ailleurs peut-être a-t-elle utilisé dès le début la prisonnière pour m'attirer ici. J'ai beau disséquer les informations en ma possession, tout cela me paraît tiré par les cheveux. Pourtant je ne parviens pas à arrêter de tout ressasser dans l'espoir d'y voir un peu plus clair. Bon, cela n'a aucun sens. Si Jaime a œuvré clandestinement pour que je me rende au GPFW, si elle est au courant que je séjourne au Hyatt, en ce cas pourquoi se servirait-elle d'une détenue pour me passer en douce son numéro de portable ? Pourquoi ne m'appellerait-elle pas tout simplement ? Mon numéro n'a pas changé, ni le sien, et elle connaît mon adresse *e-mail*.

Elle aurait donc pu me contacter par divers moyens. Et pourquoi diable une cabine téléphonique ? Qu'est-ce que ça signifie ? Cet utilitaire, ma réservation de chambre annulée ? La phrase de Tara Grimm me revient en mémoire. *Coïncidences*. Elle a raison, je ne fais pas partie des gens qui croient aux coïncidences, du moins en ce qui concerne les derniers événements. Trop de coïncidences s'accumulent pour qu'on les considère aléatoires et sans logique particulière. Tout cela signifie quelque chose, même si je ne vois absolument pas quoi. Mieux vaut que j'arrête de me torturer avec ça. Je me lave les dents et me brosse les cheveux, d'humeur à me faire couler un bain très chaud ou à prendre une longue douche, mais je n'ai pas le temps.

Je me détaille dans le miroir scellé au-dessus du lavabo de la salle de bains. J'ai vraiment une sale tête. S'ajoutent à la pluie et à la chaleur les heures que j'ai passées dans une prison ou dans cette caisse à savon imprévisible, sans air conditionné. Je ne veux surtout pas me présenter ainsi devant Jaime Berger. Il m'est assez difficile de définir la sensation que j'éprouve en sa présence, malgré toutes les années au cours desquelles je l'ai côtoyée, une sensation assez ambivalente, qui se traduit par une certaine gêne, un manque d'assurance vaguement déplaisant. Une réaction assez irrationnelle, j'en ai conscience. L'évidente adoration que lui manifestait Lucy me plongeait dans une sorte d'indescriptible confusion.

Je me souviens de la première fois où elles se sont rencontrées, il y a plus de dix ans maintenant. Lucy faisait preuve d'un tel entrain, fascinée par le moindre mot, le moindre geste de Jaime. Elle ne pouvait pas la lâcher des yeux. Lorsque, des années plus tard, leur relation a évolué vers ce qu'elle devait devenir, j'étais à la fois stupéfaite et heureuse. Néanmoins, à ma surprise se mêlait un certain trouble. Au fond, je ne croyais pas à leur histoire. Lucy allait en prendre plein la figure, j'en étais certaine depuis le début. Je redoutais qu'elle soit blessée comme jamais elle ne l'avait été auparavant. Aucune des femmes qui avaient traversé la vie de ma nièce ne pouvait se comparer à Jaime. D'à peu près mon âge, elle est indiscutablement une femme puissante et éblouissante, riche, brillante et belle.

Je détaille mes courts cheveux blonds, leur redonnant un peu de gonflant avec une noisette de gel. Je m'inspecte dans le miroir. La lumière inamicale de la salle de bains amplifie les ombres, accentue mes méplats très dessinés et les lignes fines qui naissent au coin de mes yeux, creusant davantage les deux rides qui partent de mon nez vers les commissures de ma bouche. Je ne suis pas à mon avantage. On dirait que j'ai pris plusieurs années d'un coup. Jaime remarquera le moindre détail au premier regard et dira que ce que j'ai traversé a laissé des marques. Le fait d'échapper de justesse à la mort a, en effet, créé des meurtrissures. Le stress est toxique. Il tue les cellules, fait tomber les cheveux. Le stress extrême perturbe le sommeil et on a toujours l'air fatigué. *Mais non, tu n'es pas affreuse à regarder. C'est cet éclairage.* Je repense aux doléances de Kathleen Lawler au sujet des lumières peu charitables et des miroirs traîtres. Me reviennent aussi quelques récents commentaires de Benton dans le genre peu rassurant.

Je commencerais à ressembler à ma mère, a-t-il déclaré l'autre jour en m'enveloppant de ses bras tandis que je m'habillais. Il a précisé que ma nouvelle coiffure, un peu plus courte, l'expliquait. Il l'entendait comme un compliment. Pas moi. Je ne veux pas ressembler à ma mère, parce que je ne veux avoir aucun point commun avec elle, ou avec mon unique sœur, Dorothy. Toutes deux sont restées à Miami, le genre d'êtres qui passent leur vie à se plaindre d'une chose ou d'une autre. La chaleur, les voisins, les chiens des voisins, les chats errants, la politique, la sécurité, l'économie et, bien sûr, moi. Je suis une mauvaise fille, une odieuse sœur, sans oublier une exécrable tante pour Lucy. Je ne viens jamais leur rendre visite et les appelle rarement. « Tu as oublié ton héritage italien », m'a balancé dernièrement ma mère, au point qu'on aurait pu croire que grandir dans un quartier italien de Miami faisait de moi une native du vieux pays.

Le soleil a glissé derrière les immeubles de pierre et de brique qui s'élèvent le long de Bay Street. Il fait encore chaud, mais moins humide. Le carillon puissant et harmonieux des cloches de l'hôtel de ville annonce la demi-heure au moment où je descends les marches de granit qui mènent vers River Street en contournant l'hôtel par le bas. La lumière d'une salle de bal que l'on prépare pour un événement particulier filtre par les baies cintrées du rez-de-chaussée. Puis la rivière me fait face. Sa surface a pris une profonde nuance indigo sous la lumière décroissante de ce début de nuit. Le ciel se dégage et la lune énorme, en forme d'œuf, s'installe. Des grappes de touristes ont envahi rues et trottoirs, se ruant vers des embarcations qui offrent des promenades au soleil couchant, ou les restaurants et boutiques. Des hommes âgés proposent des fleurs jaunes tressées d'herbes de bison, et l'air est imprégné par l'odeur vanillée des longues et minces feuilles. De plus loin me proviennent les notes tendres d'une flûte indienne.

J'ai une conscience aiguë de ce qui m'entoure, remarquant chaque personne que je croise, mais j'évite tous les regards. Qui d'autre sait que je me trouve ici ? Qui s'en préoccupe et pourquoi ? Je marche avec une feinte détermination, regrettant de ne pouvoir m'attabler dans l'un de ces bons restaurants, en oubliant Jaime Berger et ce qu'elle peut attendre de moi. J'aimerais parvenir à gommer de mon esprit Kathleen Lawler et sa monstrueuse fille, ainsi que la chose horrible qui est arrivée à Jack, une chose pire que la mort. Au cours de mes six mois passés à la base Air Force de Dover pour obtenir un certificat de radiologue anatomopathologiste, nécessaire pour nous permettre d'utiliser les CT-scans, c'est-à-dire pratiquer les autopsies virtuelles au centre de Cambridge, il a dégénéré en une créature méconnaissable. J'avais offert à Jack l'opportunité de sa vie, lui confiant le soin de diriger le centre à ma place. Ce qu'il a fait : il l'a dirigé droit dans le mur.

Les drogues qu'il prenait, sa fille le métamorphosant en bête folle en sont peut-être la cause, tout comme l'argent illicite qu'il gagnait. Je ne l'admettrai jamais devant quiconque, mais il valait mieux pour lui qu'il décède et je suis soulagée de ne pas avoir à l'affronter pour le bannir définitivement de ma vie. Je ne parviens pas à comprendre ce qui se passait dans sa tête, sinon qu'il n'en avait plus rien à faire. Il nous a épargné une épreuve de force brutale et abominable que nous n'aurions pu éviter sans son décès. Une confrontation qui plongeait ses racines dans une vie entière, une confrontation qui l'aurait totalement laminé. Il devait savoir que, dès mon retour, je découvrirais toutes les choses inacceptables qu'il avait commises, tous ses détestables manquements, que je mettrais au jour tous ses actes immoraux et égoïstes. Jack Fielding savait que c'en était terminé de lui. Il savait que je ne lui pardonnerais plus, que je ne le protégerais plus, ni ne le reprendrais à mes côtés. Lorsque Dawn Kincaid l'a abattu, il était déjà mort.

D'une étrange façon, admettre enfin tout cela m'a procuré une satisfaction inattendue, un peu plus de respect pour moi-même. J'ai changé, tant mieux. On ne peut pas aimer inconditionnellement. Certaines personnes démolissent, consument l'amour qu'on a pour elles, jusqu'à ce qu'il ne reste que des cendres. Certains êtres étouffent l'amour, et ce n'est pas de votre faute si un jour vous ne ressentez plus rien. Quelle libération de parvenir à cette certitude ! L'amour n'est pas pour le meilleur et pour le pire, et ne devrait certainement pas l'être. Si Jack était encore en vie, je ne l'aimerais plus. Lorsque j'ai examiné son cadavre dans la cave de sa maison de Salem, je ne ressentais plus rien de tel. Il était raide et froid sous mes paumes, peu coopératif et obstiné, se cramponnant dans la mort à ses répugnants secrets de vivant, et une part de moi était contente qu'il soit mort. J'étais soulagée, reconnaissante. *Merci pour cette liberté, Jack. Merci d'avoir disparu à jamais, de sorte ce que je ne me sente plus obligée de perdre encore ma vie pour toi.*

Je me balade quelques instants pour l'éliminer de mon esprit, pour me reprendre, essuyer mes yeux en espérant qu'ils ne soient pas rougis. Je débouche dans Houston Street, m'éloignant de la rivière, alors que la cloche de l'hôtel de ville égrène neuf coups. Je plonge dans les profondeurs du quartier historique, tournant à droite dans East Broughton, puis marquant une pause dans Abercorn, juste devant la maison Owens-Thomas, une demeure vieille de deux cents ans, construite en pierre calcaire, ornée de colonnes ioniques, aujourd'hui transformée en musée. Elle est entourée d'élégants immeubles et maisons datant d'avant la guerre de Sécession, et je me souviens de la résidence de deux étages en brique que j'ai vue aux informations, neuf ans plus tôt. Je me demande soudain où vivaient les Jordan. Peut-être non loin d'ici. Le ou les tueurs les ont-ils ciblés ou s'agissait-il de crimes opportunistes ? La plupart des gens dans le coin possèdent des systèmes d'alarme et l'idée que le leur n'était pas enclenché me turlupine. Il est vrai que si peu de gens songent à se protéger, même les gens riches qui devraient pourtant se méfier.

Cela étant, lorsqu'on projette de pénétrer par effraction dans une splendide demeure en pleine nuit ou très tôt le matin, alors que les propriétaires sont endormis, la première question que l'on doit se poser est l'existence d'un système d'alarme et s'il est actif. Dans les articles que j'ai parcourus quand j'étais garée devant l'armurerie, il était relaté que Clarence Jordan était absent le samedi 5 janvier après-midi. Il s'occupait bénévolement d'un foyer pour sans-abri et n'était rentré qu'aux environs de dix-neuf heures trente. Il n'y avait aucune mention de l'alarme, ni aucun détail sur la raison pour laquelle il ne l'avait pas rebranchée cette nuit-là. Or c'était à l'évidence le cas. Le système ne devait pas être activé lorsque l'effraction a eu lieu, entre minuit et les premières heures du matin.

La tueuse, Lola Daggette prétendument, a cassé une vitre de la porte du rez-de-chaussée menant à la cuisine. Elle a passé le bras, a ouvert et a pénétré à l'intérieur. Même en admettant que le système d'alarme des Jordan ne possédait pas de senseurs anti-bris dans les vitres ou de capteurs de mouvements, les ouvertures, à tout le moins, devaient être équipées de contacts. Même en admettant que la tueuse ait possédé les codes, une pré-alarme aurait retenti dès l'ouverture de la porte, stridulant ou bipant jusqu'à la désactivation. Difficile d'imaginer qu'aucun des occupants n'ait été réveillé par le bruit. Jaime Berger connaît-elle la réponse ? Peut-être Lola Daggette lui a-t-elle expliqué ce qui s'était véritablement produit. Et peut-être vais-je bientôt apprendre ce que je fais ici et en quoi cette vieille affaire me concerne.

Je m'arrête sur le trottoir, environnée par une pénombre incertaine trouée par la lueur des hauts lampadaires en métal. J'essaie de joindre mon avocat, Leonard Brazzo. Il apprécie tout particulièrement les *steak-houses* et lorsqu'il répond à mon appel, il me précise qu'il se trouve au Palm et que le restaurant est bondé.

Sa voix résonne dans mon écouteur sans fil :

— Attendez, je sors. Ah, voilà, c'est mieux, déclare-t-il alors que j'entends des klaxons à l'arrière. Comment ça s'est passé ? Comment s'est-elle comportée ?

Il fait référence à Kathleen Lawler.

— Elle a évoqué des lettres que Jack lui aurait écrites. Je ne me souviens pas qu'on en ait trouvé et, en tout cas, je n'ai rien vu de tel lorsque j'ai passé ses effets personnels en revue dans la maison de Salem. Cela étant, il est possible que personne ne m'en ait parlé.

Je regarde l'immeuble de sept étages, tout de briques blanches, de Jaime Berger, avec ses grandes fenêtres à guillotine.

Bordel, il vous en voulait à un point que vous n'imaginez pas !

— Pas la moindre idée. Mais pourquoi Jack aurait-il eu en sa possession des lettres qu'il lui avait expédiées ? réplique Leonard.

— Je ne sais pas.

— À moins qu'elle ne les lui ait retournées à un moment quelconque. Désolé, il y a un vent affreux, j'espère que vous parvenez à m'entendre.

— Je vous rapporte juste ce qu'elle m'a confié.

— Le FBI, lâche-t-il. Je ne serais pas autrement surpris qu'il ait obtenu une commission du juge pour fouiller sa cellule ou tout autre endroit où elle aurait pu ranger des effets personnels, à la recherche de lettres ou d'autres communications entre elle et Jack Fielding, les concernant, elle ou Dawn Kincaid.

— Et nous ne serions pas nécessairement informés ?

— Non. La police ou le département de la Justice n'ont aucune obligation de nous faire part des lettres, si tant est qu'elles existent.

Bien sûr qu'ils n'ont aucune obligation. Je ne suis pas accusée de meurtre, ni même de tentative, et c'est le comble de l'ironie. Au cours de la phase d'instruction, Dawn et son équipe d'assistance juridique ont le droit de consulter toutes les pièces obtenues par le procureur, dont les éventuelles lettres que Jack aurait pu envoyer à Kathleen Lawler en m'y égratignant copieusement. Mais on ne m'en parlera pas et je ne pourrai prendre connaissance de leur contenu que lorsqu'elles seront produites en cour et utilisées contre moi. Les victimes n'ont aucun droit pendant qu'elles sont victimisées, et fort peu pendant le lent, fastidieux travail de la machine à broyer qu'est la justice pénale. Les blessures ne cicatrisent pas. Bien au contraire, on continue à les infliger à la victime : les avocats, les médias, les jurés, les témoins, dont certains affirmeront qu'une personne telle que moi devait savoir à quoi s'attendre ou même qu'elle n'a eu que ce qu'elle cherchait.

Il disait que vous n'aviez aucune idée de votre dureté... Que vous étiez une garce frustrée... vous sautait dans les grandes largeurs...

La voix de Leonard reprend :

— Vous inquiétez-vous de ce que pourraient contenir ces lettres ?

— Si j'en crois ce que l'on m'a dit, elles ne me dépeignent pas sous un jour favorable. Cela lui sera utile.

Elles seront utiles à Dawn Kincaid, sous-entends-je sans prononcer son nom, alors que je suis plantée dans l'obscurité sur un bout de trottoir. Des gens et des voitures me dépassent, les lumières des phares me blessant les rétines. Plus je serai dénigrée, moins crédible je deviendrai, et la sympathie des jurés envers moi diminuera à vue d'œil.

— Écoutez, on se préoccupera de ces lettres le jour où elles feront surface.

Son conseil est d'éviter de se mettre martel en tête pour une simple éventualité.

J'en viens à l'autre sujet qui me préoccupe :

— Je me demandais si Jaime Berger avait été en contact avec vous.

— La procureure ?

— Elle-même.

— Pas du tout. Y aurait-il une raison à cela ?

— Curtis Roberts… que pouvez-vous m'en dire ? je m'enquiers alors en mentionnant le nom de l'avocat évoqué par Tara Grimm.

— Il travaille gratuitement pour le Georgia Innocence Project, cette association à but non lucratif qui défend les condamnés à tort, notamment en exigeant des tests ADN, et leur permet ensuite de se réinsérer. À part ça, il fait partie d'un cabinet d'Atlanta.

— Et donc il représente gratuitement Kathleen Lawler.

— On dirait bien.

— Mais pourquoi le Georgia Innocence Project s'intéresserait-il à elle ? Y a-t-il un doute sur sa responsabilité dans cet homicide alors qu'elle conduisait en état d'ivresse ?

— Je sais juste qu'il a appelé en son nom.

Je décide d'en rester là, tout en repensant au petit papier plié que m'a passé Kathleen Lawler, insistant sur la nécessité d'une cabine téléphonique. *Mais pourquoi ?* S'il s'agissait d'une précaution exigée par Jaime Berger, cela sous-entendrait qu'elle éprouve des craintes en ce qui concerne la fiabilité de mon portable. Je conseille à Leonard Brazzo de profiter de son dîner en précisant que je lui donnerai d'autres détails plus tard. Je mets fin à la communication et traverse la rue, prête à affronter ce qui m'attend. Je me demande quelles sont les fenêtres de Jaime et si elle regarde la rue pour surveiller mon arrivée. Que pense-t-elle de ce monde dont Lucy est maintenant absente ? Je détesterais éprouver le manque de ma nièce. Je ne supporterais pas le chagrin de l'avoir connue, puis de la perdre.

L'immeuble ne dispose pas de services, pas même un portier. J'enfonce donc le bouton d'interphone correspondant à l'appartement 8SE et la serrure électronique grésille bruyamment avant qu'un clic m'avertisse de l'ouverture de la porte, prouvant que je suis attendue et qu'on n'a pas besoin de vérifier mon identité. Pour la seconde fois aujourd'hui, je scrute les murs et le plafond à la recherche de caméras de sécurité, en remarquant une dans un coin au-dessus du chambranle de la porte, à l'intérieur d'un cache en métal blanc qui se fond dans les briques de même couleur. Je songe que si Jaime Berger est en train de me regarder sur un écran, il est plus que probable qu'elle ait fait installer cet équipement en circuit fermé et qu'il fonctionne en infrarouges, de manière à être efficace dans l'obscurité.

Hormis cette caméra, je ne vois rien qui indique que l'immeuble soit sécurisé au-delà des serrures électroniques et de l'interphone, ce qui ne fait qu'aiguiser ma curiosité. Savannah ne peut donc pas être benoîtement qualifié de « pied-à-terre » si Jaime a pris la peine de faire installer un système de sécurité assez sophistiqué. Alors que je pousse la porte, je sens une présence derrière moi et me retourne, surprise. Une personne portant un casque lumineux descend de son vélo, qu'elle gare contre un des lampadaires du bout du trottoir, non loin de la chaussée.

— Jaime Berger ? me lance une voix féminine.

La femme récupère son sac à dos, qu'elle ouvre pour en tirer un grand sachet blanc.

— Non, ce n'est pas moi.

Elle avance vers moi, tenant le sachet sur lequel est imprimé le nom d'un restaurant.

Elle enfonce à son tour le bouton de l'interphone et claironne :

— Une livraison pour Jaime Berger.

Tout en tenant la porte, je lui explique :

— Écoutez, donnez-le-moi. Je monte chez elle. C'est combien ?

— Deux *tekka maki*, deux *unagi maki*, deux *California maki*, deux salades aux algues. C'est déjà réglé par carte de crédit. C'est l'habituelle livraison des jeudis. Bonne soirée !

Elle me tend le sachet et je lui offre un pourboire de 10 dollars.

Je referme la porte derrière moi et grimpe dans l'ascenseur qui me conduit au dernier étage. Je suis le couloir désert, moquetté, jusqu'à un appartement situé dans le coin sud-est de l'immeuble. Je sonne, levant le visage vers une autre caméra de sécurité. La lourde porte en chêne s'entrouvre et ma stupéfaction coupe net ce que je m'apprêtais à dire.

— Doc, soyez pas de mauvais poil ! lâche Pete Marino.

CHAPITRE 8

Il m'accueille, agissant en propriétaire des lieux. L'extrême sérieux que je lis dans son regard protégé par ses lunettes à monture métallique démodée et la crispation de ses lèvres me troublent d'abord. Il referme la porte, précisant :

—Jaime devrait pas tarder.

Ma réaction sidérée se métamorphose aussitôt en rage alors que je le dévisage du haut de son crâne rasé, brillant comme un sou neuf, à son gros visage buriné, jusqu'au bout de ses chaussures de toile à semelles de gomme qu'il porte pieds nus. Je remarque sa chemise hawaïenne, les plis qu'elle forme sur ses épaules qui semblent encore plus massives et son ventre plus plat que dans mon souvenir. Son bermuda de pêche vert à grandes poches pend assez bas sur ses hanches. Il est très bronzé, sauf sous le menton que le soleil a épargné. À l'évidence, il a passé ses congés sur un bateau ou une plage, bref a profité du beau temps estival, son bronzage tirant sur le brique. Même le haut de son crâne et de ses oreilles a pris une teinte cognac. Seule zone épargnée, hormis le dessous de son menton, le contour de ses yeux. Il devait porter des lunettes de soleil, mais pas de casquette. Me revient le souvenir de la camionnette blanche, de sa boîte à gants bourrée de prospectus pour des bateaux de location et de serviettes en papier de *fast-food*.

Marino éprouve une passion dévorante pour le poulet pané frit et les scones de Bojangles' et Popeyes, et se plaint souvent que ce genre de nourriture ne fasse pas partie des « groupes alimentaires » en Nouvelle-Angleterre, contrairement au Sud. Je me souviens de son commentaire il y a quelques semaines, lors de son passage éclair dans mon bureau, sur les pick-up et les bateaux « gouffres à essence » de deuxième main qui se vendaient pour une bouchée de pain. Il avait ajouté que les conditions climatiques clémentes lui manquaient, et sa demande de congé à la dernière minute m'avait agacée. On lui avait fait part d'une opportunité géniale pour un séjour de vacances. Il avait envie d'aller à la pêche et son agenda le lui permettait. Le 15 juin avait été son dernier jour de travail au centre de Cambridge.

Marino avait donc disparu en milieu de mois pendant que d'autres événements survenaient presque simultanément. Les *e-mails* de Kathleen Lawler s'étaient soudain taris. Elle avait été déplacée dans l'unité Bravo Pod. Tout d'un coup, elle avait voulu que je me rende au GPFW pour me parler de Jack Fielding. Mon avocat, Leonard Brazzo, avait jugé qu'il s'agissait d'une bonne idée, et ensuite je découvrais que Jaime Berger séjournait à Savannah. Puisque j'ai enfin le loisir de peser le pour et le contre, l'évidence s'impose : Marino m'a menti.

Il me prend des mains le sac blanc contenant des sushis en précisant :

— Elle est sortie pour acheter de la bouffe. De la vraie nourriture. Je mange pas des appâts pour poissons.

Mon regard balaie un bureau, une petite table et deux chaises poussées contre le mur du fond, tout cela encombré de deux ordinateurs portables, d'une imprimante, de livres et de blocs de papier. Au sol gisent des piles de dossiers à soufflet.

Il pose le sac blanc sur le comptoir de la cuisine, remarquant :

— Ça aurait pas été une super-idée de discuter au resto.

— Je ne pourrais vous le dire puisque je n'ai pas le moindre début d'explication justifiant votre présence ici. Ou plutôt, pourquoi je m'y trouve.

— Je vous sers un verre ?

— Pas maintenant.

Je passe devant l'écran de surveillance scellé au mur et un portemanteau. L'espace d'un instant, il me semble sentir une odeur de fumée de cigarette.

Le papier geint lorsque Marino plonge la main dans le sachet. Il admet :

— Ben, j'peux pas vous en vouloir de vous poser de sacrées questions. Faudrait sans doute que je colle tout ça au frigo. Vous mettez pas en boule, Doc...

— Épargnez-moi vos recommandations ! Vous avez recommencé à fumer ?

— Sûrement pas !

— Je sens une odeur de tabac. Quelqu'un avait fumé dans cette fichue camionnette, une vraie punition montée sur roues. En plus, l'habitacle puait le poisson mort et le vieux *fast-food*, sans même mentionner d'étranges prospectus dans la boîte à gants. J'espère que vous n'avez pas repiqué à la cigarette, ce serait vraiment crétin.

— Alors, là, aucune chance que je replonge dans la clope après le mal que j'ai eu à décrocher.

Faisant référence à l'une des brochures que j'ai aperçues dans la camionnette de location, je m'enquiers :

— Qui est le capitaine Link Michaels ? *Excursions de pêche toute l'année avec le capitaine Link Michaels,* je cite.

— Un bateau pour la location qui mouille à Beaufort. Un type sympa. Je suis sorti avec plusieurs fois.

— Sans casquette et sans vous être passé de la crème écran total. Et le cancer de la peau ?

— J'en suis débarrassé.

L'air assez embêté, il passe la main sur son crâne chauve au bronzage marron brique. On lui a enlevé plusieurs carcinomes basocellulaires il y a quelques mois.

— Il n'empêche, et vous devez vous protéger avec un filtre anti-UV et porter un chapeau dès que vous êtes dehors au soleil.

Il frôle à nouveau son crâne et explique :

— Il s'est envolé quand on a lancé le bateau pleins gaz. J'ai chopé un petit coup de soleil.

— Je suppose donc qu'il est inutile de faire une recherche de plaques minéralogiques en ce qui concerne la camionnette que j'ai conduite aujourd'hui. Nous savons tous les deux que son propriétaire n'est pas la compagnie Lowcountry Connection. Qui a fumé dans le véhicule si ce n'est pas vous ?

— Personne vous a suivie jusqu'ici, et c'est ça qui compte. Personne vous aurait prise en filature dans cette poubelle. Bon, j'ai oublié de vider la boîte à gants. J'aurais dû me douter que vous l'inspecteriez.

— Et le jeune homme qui me l'a amenée, qui était-ce ? Parce que, franchement, je ne crois pas un instant qu'il soit employé par une compagnie de véhicules VIP. Il s'agit de votre voiture de location, non ? Vous avez demandé à un des gamins qui travaillent pour votre capitaine Link Michaels de la mettre à ma disposition ?

— C'est pas une location, grommelle Marino.

— Eh bien, au moins je m'explique pour quelle raison Bryce s'est abstenu de me rappeler. J'ai le sentiment que vous l'avez convaincu d'être votre complice, et d'ailleurs ce n'est pas la première fois. Vous avez déjà manigancé derrière mon dos, arguant du fait que vous agissiez dans mon unique intérêt, jusqu'au moment où il acceptait de vous donner un coup de main. Est-ce vous qui lui avez demandé d'annuler ma réservation à l'hôtel ?

— Quelle importance puisque tout s'est bien terminé ?

— Enfin, Marino ! je marmonne. Pourquoi Bryce devait-il annuler cette chambre ? Mais qu'est-ce que vous aviez derrière la tête ? Et que ce serait-il passé s'ils n'avaient pas eu une autre chambre de libre ?

— Je savais qu'ils en auraient.

— Et j'aurais pu avoir un accident avec cette camionnette. Elle est à peine manœuvrable.

— Elle roulait correctement la dernière fois, s'obstine-t-il.

Il fronce les sourcils, puis :

— Comment qu'elle s'est comportée ? Jamais j'vous aurais refilé une caisse pas fiable. D'autant que j'aurais su si vous étiez tombée en carafe.

— *Pas fiable ?* Un bel euphémisme ! Ça accélère, puis ralentit, ça fait des embardées de droite et de gauche, on dirait une voiture épileptique !

— On a essuyé un terrible orage hier soir en Caroline du Sud, encore pire qu'ici. Il pleuvait des trombes et elle était garée dehors. Le capot a besoin d'un nouveau joint d'étanchéité.

— En Caroline du Sud ?

— Peut-être que les bougies ont été mouillées. En plus, comme vous étiez garée sur le parking de la prison, ça a rien dû arranger. Et puis peut-être que Joey s'est pris des nids-de-poule sur la route, et que du coup l'alignement des roues est à revoir. Un gamin gentil, Joey, mais plus bête que lui, c'est difficile à imaginer. Il aurait dû me téléphoner si la conduite était aussi merdique que vous le dites. Bon, ben, j'suis désolé. Ouais, j'ai loué un petit truc à Charleston, un appart pas loin de l'aquarium, avec une jetée et des débarcadères. En plus, facile de s'y rendre d'ici en bagnole ou à moto. J'allais vous l'annoncer, mais des trucs sont arrivés.

Je jette un regard autour de moi, tentant de deviner à quels « trucs » Marino fait allusion. *Qu'est-ce qui est arrivé ? Mais quoi à la fin ?* Il poursuit :

— Fallait que j'm'assure que vous seriez pas suivie, Doc. Bon, soyons honnêtes, Benton est au courant de vos projets et a accès à vos itinéraires parce que Bryce lui expédie des copies automatiques des *e-mails.* Ils sont sur l'ordinateur du centre de Cambridge.

En d'autres termes, la voiture que m'avait réservée Bryce figurait sur mon itinéraire, pas une camionnette caractérielle dotée d'un joint de capot dysfonctionnel. Quant à ma réservation à l'hôtel, n'en parlons plus puisqu'elle a été annulée. En revanche, je ne suis pas sûre de ce qu'il veut dire lorsqu'il évoque Benton.

— Disons qu'il y a bien une Toyota Camry qui poireaute toujours sur le parking de Lowcountry Connection, au nom du Dr Kay Scarpetta. Si donc quelqu'un traînait dans les parages, attendant que vous vous installiez derrière le volant parce que cette personne avait eu accès à votre itinéraire, vos *e-mails* ou je sais pas quoi… eh ben, vous vous êtes jamais montrée ! Si, du coup, cette personne avait téléphoné à l'hôtel, on lui aurait répondu que vous aviez annulé la chambre parce que vous aviez raté votre correspondance à l'aéroport d'Atlanta.

— Et pour quelle raison Benton me ferait-il suivre ?

— J'ai pas dit ça. Mais quelqu'un d'autre a pu voir votre itinéraire sur les *mails* qui lui ont été transmis. D'ailleurs, peut-être aussi que Benton ignore rien de cette possibilité, ni de sa vraisemblance, et que c'est pour ça qu'il voulait pas que vous descendiez à Savannah.

— Et comment savez-vous qu'il a tenté de m'en dissuader ?

— Ben, c'est logique, non ?

Je ne réplique pas et évite son regard, préférant m'intéresser à ce qui m'entoure. J'enregistre les détails du charmant loft de Jaime, ses murs de vieilles briques apparentes, ses parquets en pin et ses hauts plafonds blancs à poutres de chêne peu dégrossi, très à mon goût, mais certainement pas au sien. La partie salon, simplement meublée d'un canapé et d'un fauteuil de cuir, d'une table basse au plateau d'ardoise, se poursuit par une grande cuisine avec îlot central en pierre, équipée d'appareils en acier inoxydable, bref l'environnement d'une cuisinière passionnée, ce qui ne ressemble absolument pas à Jaime.

En revanche, je ne vois aucune œuvre d'art, alors qu'elle est collectionneuse. D'ailleurs je ne remarque rien qui soit personnel, à l'exception de ce qui se trouve sur le bureau et le sol, vers le mur du fond, poussé sous une grande fenêtre ouverte sur la nuit, par laquelle j'aperçois une lune maintenant lointaine, petite et d'un pâle ivoire. Je ne vois aucun meuble ou tapis qui puisse lui appartenir, or je connais ses goûts. Contemporains et minimalistes, surtout des fabrications italiennes ou scandinaves haut de gamme, des bois clairs comme l'érable ou le bouleau. Les goûts de Jaime ne sont pas compliqués, sans doute parce que sa vie est leur antithèse. Je me souviens à quel point elle détestait le loft de Lucy dans Greenwich Village, un magnifique immeuble, jadis une fabrique de bougies, et combien j'étais offusquée lorsqu'elle y faisait allusion en la taxant de « vieille grange pleine de courants d'air de Lucy ».

Me tournant vers Marino, je dis, tout en m'installant sur le canapé de cuir marron, une reproduction, vraiment pas le style de Jaime :

— Elle loue cet endroit. Pourquoi ? Et quel est votre rôle dans cette équation ? Et le mien ? Pourquoi semblez-vous convaincu que quelqu'un me suivrait s'il en avait la possibilité ? Vous auriez pu m'appeler pour me faire part de votre inquiétude. Qu'est-ce qui se passe ? Songez-vous à changer de travail ? Ou alors avez-vous repris votre emploi auprès de Jaime en omettant de me prévenir ?

— Non, j'change pas vraiment de boulot, Doc.

— Pas vraiment ? Elle vous a attiré dans quelque chose. Vous devriez la connaître après tout ce temps !

Jaime Berger est calculatrice, à un point parfois vertigineux, et Marino ne fait pas le poids face à elle. Il ne le faisait déjà pas lorsqu'il était enquêteur pour le département de police de New York, affecté aux bureaux de Jaime. Il ne le fait toujours pas aujourd'hui et ne le fera jamais. Quelle que soit la raison qu'elle ait pu lui fournir pour justifier qu'il la rejoigne ici et pour me manœuvrer, elle ne lui aura pas dit la vérité, loin s'en faut.

— De fait, Marino, vous travaillez pour elle et vous êtes ici à ses ordres. Vous ne travaillez certainement pas pour moi lorsque vous changez ma voiture de location, résiliez une réservation d'hôtel et trafiquez avec elle derrière mon dos.

— Non, je bosse pour vous, mais j'lui file aussi un coup de main. J'ai pas planté le centre de Cambridge, Doc. Jamais je vous réserverais un truc aussi merdique, se défend Marino avec une gentillesse surprenante venant de lui.

Je me retiens de rétorquer qu'il m'a fait subir pléthore de « trucs merdiques » au cours des vingt ans et plus durant lesquels nous avons travaillé ensemble, et je ne puis m'empêcher de repenser aux déclarations de Kathleen Lawler. Au demeurant, elles tournent en boucle dans mon esprit. Au début des années 1990, Jack lui aurait écrit sur des feuilles de papier quadrillé, comme un écolier, un écolier immature, pédant, venimeux, qui m'en voulait. Lui et Marino jugeaient que je devais me dégeler un peu, m'humaniser, me faire sauter une bonne fois, et l'espace d'un instant je revois le Marino d'alors.

Je me souviens de lui dans sa Crown Victoria bleu marine banalisée, hérissée d'antennes, de gyrophares, et semée de sacs de *fast-food* en papier froissé. Je peux presque sentir le cendrier qui dégueulait de mégots, l'atmosphère de l'habitacle empuantie par les relents de vieille fumée de cigarette que les tablettes désodorisantes pendues au rétroviseur ne parvenaient plus à rafraîchir. Je revois son air de défiance, la façon qu'il avait de me dévisager. Son but consistait à me rentrer dans la tête que bien que première femme médecin expert en chef de l'État de Virginie, je restais avant tout une paire de seins et un cul à ses yeux. Je me souviens d'être rentrée chaque soir chez moi, dans cette capitale de la confédération, un lieu où je n'étais pas à ma place.

— Doc ?

Richmond, ville dans laquelle je ne connaissais personne.

— Qu'est-ce qu'il y a, Doc ?

Cette terrible solitude à jamais gravée dans ma mémoire.

— Hé ? Ça va ?

Je me focalise sur le Marino de vingt ans plus tard qui se tient devant moi, aussi haut et massif qu'une tour, aussi chauve qu'une balle de ping-pong et buriné par le soleil. Je demande alors :

— Que se serait-il passé si Kathleen Lawler avait refusé de participer à ce petit jeu, quel qu'il soit ? Si elle avait omis de me tendre le cerf-volant avec le numéro de Jaime, que faisiez-vous ?

Il s'approche d'une fenêtre et regarde vers la nuit, admettant :

— Ouais, ça m'a tracassé. Mais Jaime était certaine qu'elle vous le refilerait, explique-t-il en me tournant le dos, penché vers la rue, comme s'il guettait son arrivée.

— Ah, elle était certaine que ça marcherait ? Je vois. Inutile de vous dire que je ne suis pas contente.

Il se rapproche et se plante devant moi.

— Ben, je m'en doute, mais y a des raisons. Jaime pouvait pas vous contacter directement, pas en ce moment. La chose la moins risquée était de vous convaincre de l'appeler en premier et de se débrouiller pour que l'appel puisse pas être remonté.

— S'agit-il d'une stratégie légale ou cherche-t-elle simplement à protéger ses arrières ?

— Faut pas qu'on trouve une trace de Jaime à l'origine de cette entrevue, du fait qu'elle serait l'instigatrice de la démarche pour vous joindre, c'est aussi simple que ça, lâche-t-il. Vous vous rencontrerez officiellement demain dans les bureaux du médecin expert, pour le boulot, mais vous êtes jamais venue ici ce soir.

— J'ai bien compris ? Je suis censée affirmer n'avoir pas rencontré Jaime ce soir chez elle ?

— Tout juste !

— Et donc je devrais collaborer à un mensonge que vous avez concocté tous les deux ?

— C'est nécessaire et pour votre bien.

— Marino, je n'ai pas l'intention d'être complice de qui que ce soit et je n'ai pas la moindre idée du « boulot » que vous mentionnez.

Pourtant j'ai la sensation de le savoir alors que je repense aux rapports d'autopsie de la famille Jordan et à tous les indices et preuves de ces affaires, conservés dans les laboratoires de sciences légales ou les bureaux des médecins experts locaux.

J'annonce :

— Je repars demain matin.

Mon regard balaie à nouveau les dossiers à soufflet empilés sur le sol, non loin du bureau. Chaque soufflet possède une couleur spécifique et est distingué par des initiales ou des abréviations que je ne reconnais pas.

Marino est immobile au milieu de la pièce comme s'il ne savait pas quoi faire de lui-même, et sa formidable présence physique semble rétrécir tout ce qui l'entoure.

— Je passerai vous prendre demain matin à huit heures.

— Peut-être serait-il souhaitable que vous m'expliquiez l'objet de cette réunion.

— Ben, c'est difficile de discuter avec vous quand vous êtes aussi furax, observe-t-il en me regardant de toute sa hauteur.

Et je n'aime pas ça lorsque je suis assise et lui debout.

— La dernière fois que j'ai vérifié, vous travailliez pour moi, pas pour Jaime. En d'autres termes, votre loyauté doit m'être réservée, à moi et à personne d'autre. J'aimerais bien que vous vous asseyiez, je lui balance d'un ton qui peut paraître rageur alors qu'en réalité je suis surtout peinée.

— Si je vous avais annoncé que je voulais filer un coup de main à Jaime, que je voulais faire des trucs d'une façon un peu différente de mon habituelle manière de procéder, vous auriez refusé.

Le cuir geint bruyamment lorsqu'il se laisse choir dans le profond fauteuil.

— Encore une fois, Marino, je ne vois pas à quoi vous faites référence, ni même comment vous pouvez être certain de la façon dont j'aurais réagi.

J'ai l'impression qu'il m'accuse d'être difficile à vivre.

Il avance le torse vers moi, ses bras musculeux posés sur ses énormes genoux dénudés, et déclare :

— Vous avez pas la moindre idée de ce qui se passe parce que personne est en mesure de vous le dire carrément. Il y a des gens qui veulent vous détruire.

— Je pense que ce n'est plus un mystère. Il y a...

Marino m'interrompt :

— Nan. (Il secoue la tête. Sa barbe naissante ressemble à un duvet de sable sur ses robustes mâchoires bronzées.) Vous croyez peut-être savoir, mais vous vous trompez. Peut-être que Dawn Kincaid peut rien vous faire personnellement tant qu'elle est bouclée dans sa maison de dingues, mais il existe d'autres moyens, d'autres gens. Or son plan consiste à vous démolir.

— Je ne vois vraiment pas comment elle pourrait transmettre des consignes illégales ou de violence sans que le personnel de Butler le découvre, ou la police, ou le FBI.

Ma réponse est logique, posée. Je tente d'évacuer l'émotion et le désordre qui règnent dans mon esprit. Je tente de ne pas être blessée au plus profond de moi par les plaisanteries de Jack et Marino à mon sujet vingt ans plus tôt, par ce qu'ils disaient vraiment à mon sujet, la façon dont ils m'ont ridiculisée, isolée.

Il me fixe et rétorque :

— C'est pourtant simple. D'abord, y a ses sacs à merde d'avocats. Ils peuvent communiquer avec elle, en privé, tout comme Jaime et Kathleen Lawler. Si vous balisez à l'idée d'être enregistré ou filmé, l'écrit reste la solution la plus sage. Vous passez des notes. Suffit de marquer un truc sur votre bloc, vous le faites lire à votre client et il reste de marbre.

— Je ne crois pas un instant que les avocats de Dawn Kincaid aient engagé un tueur à gages, si c'est cela que vous suggérez.

— Je sais pas s'ils iraient jusque-là, admet Marino, dubitatif. Mais ils veulent véritablement vous faire la peau et que vous vous retrouviez en taule. De quelque façon que vous le preniez, le danger vous environne.

Je perçois l'absolue sincérité de sa réponse, mais me demande à quel point elle a été inspirée par Jaime. *Qu'a-t-elle combiné et à quelles fins ?*

— Selon moi, ma vie était beaucoup plus à risque dans votre camionnette qu'avec un tueur sous contrat. Et si j'avais eu une panne ou un accident au milieu de nulle part ?

— Oh, je l'aurais vite appris. Je savais exactement où vous vous trouviez durant toute la journée, jusqu'à votre arrêt devant cette armurerie à deux kilomètres vingt-cinq au nord de Dean Forest Road. Y a un GPS de localisation à bord et je peux suivre ma bagnole sur une carte Google.

— Ça devient grotesque ! Qui a orchestré tout cela, et pour quelle raison au juste ? Parce que je ne crois pas un seul instant que cela vienne de vous. Jaime descend à Savannah pour s'entretenir avec Lola Daggette ? Quel lien avec moi ? Ou avec vous ? Que veut-elle au juste ?

— Il y a environ deux mois, Jaime a appelé le centre de sciences légales de Cambridge. Je me trouvais dans le bureau de Bryce et j'ai discuté avec elle. Elle m'a expliqué qu'elle cherchait des informations sur Lola Daggette, bouclée dans la même prison que Kathleen Lawler. La seule chose qui intéressait Jaime, d'après elle, était d'apprendre si je savais quelque chose à propos de Lola Daggette, s'il y avait selon moi une raison au fait que son nom était sorti durant l'enquête sur Dawn Kincaid…

Je lui coupe la parole :

— Vous ne m'en avez jamais informée !

— Elle avait demandé à s'entretenir avec moi, pas avec vous, me répond-il comme si Jaime Berger était la directrice du centre de Cambridge, ou bien lui. Bon, y m'a pas fallu longtemps pour comprendre que son appel était pas si innocent que ça. Tout d'abord le numéro affiché était pas celui des bureaux du procureur de New York, mais *inconnu.* En plus, elle appelait de son appartement, en plein milieu de la journée, et ça m'a paru bizarre. Pour couronner le tout, elle a lâché : « Les choses plongent si profond que je dois décompresser avant de retrouver l'air libre. » Quand je bossais avec elle, c'était notre code pour dire qu'il fallait qu'elle me parle en privé et pas au téléphone. J'ai foncé à South Station et pris le train jusqu'à New York.

Marino ne se sent coupable de rien et ne m'offre pas d'excuses. Il est certain de ce qu'il dit et de ce qu'il fait. Il n'éprouve aucun remords à me mentir depuis deux mois parce que l'habile et rusée Jaime Berger l'a manipulé aussi facilement qu'un pion. Elle savait exactement ce qu'elle faisait lorsqu'elle l'a appelé pour lui débiter leur code.

Il poursuit :

— Ce qui me défonce, c'est que vous vivez dans la même foutue baraque que le FBI et que vous êtes même pas au courant que vos téléphones sont sur écoute.

Il s'enfonce encore plus profondément dans le fauteuil de cuir, croisant ses jambes épaisses qui évoquent toujours une puissance passée, à l'évidence redoutable. Je me souviens d'avoir vu des photos de lui datant de l'époque où il était boxeur. Un poids lourd et une brute, sans rien de civilisé. *Combien de gens ont souffert de commotions cérébrales à cause de lui, combien d'opposants a-t-il esquintés à vie, combien de visages a-t-il démolis ?*

— On est en train d'éplucher votre messagerie, précise-t-il. Si ça se trouve, ils vous pistent, vous suivent.

Je remarque des cicatrices pâles sur ses genoux, me demandant d'où elles proviennent.

Je me lève du canapé de cuir.

Sa voix me suit dans la cuisine de Jaime Berger, si bien installée mais qui semble si peu servir.

— Vous savez comment ça fonctionne. Ils obtiennent une commission du juge pour vous espionner et vous l'apprennent bien après les événements.

CHAPITRE 9

Je ne lui propose rien à boire. J'entrebâille la porte du réfrigérateur, parcourant juste du regard les étagères en verre. Du vin, de l'eau gazeuse, du Diet Coke, du yaourt à la grecque, du *wasabi*, de la sauce soja taux de sodium réduit et du gingembre au vinaigre.

J'ouvre les placards, y découvrant bien peu de choses, juste l'essentiel en matière de vaisselle et d'ustensiles de cuisine, ce qu'on attend d'appartements loués meublés. Un set salière-poivrière, mais aucune autre épice, une flasque de whisky Johnnie Walker label bleu. Je tire une bouteille d'eau du garde-manger, où sont stockés d'autres sodas sans sucre, un assortiment de vitamines, d'antalgiques et d'anti-acides, reconnaissant les signes désolants d'une vie qui s'est arrêtée. Je sais ce qu'on trouve dans les offices, les garde-manger, les placards et les réfrigérateurs des gens terrorisés par l'idée de la perte et de l'abandon. Jaime ne s'est pas remise de Lucy.

— Mais, bordel, comment il peut vous cacher un truc pareil ? s'exclame Marino qui n'a pas l'intention de la fermer en ce qui concerne Benton. Jamais j'aurais fait ça. J'en ai rien à foutre du protocole. Si je savais que les fédéraux sont sur vos talons, je vous le dirais. J'y serais allé d'une foutue mise en garde, même. D'ailleurs c'est exactement ce que je suis en train de faire pendant qu'il reste assis, à jouer le gentil élève du Bureau, à jouer selon leurs règles, bref en faisant rien alors que sa foutue agence enquête sur sa femme. Tout comme il a rien fait la foutue nuit où c'est arrivé. Installé devant le feu de cheminée, à siroter un verre alors que vous vous baladiez seule dans la foutue obscurité !

— Cela ne s'est pas déroulé ainsi.

— Il savait que Dawn Kincaid et peut-être des complices étaient en liberté et il vous laisse sortir toute seule en pleine nuit ?

— Ce n'est pas ce qui s'est passé.

— C'est un miracle que vous soyez pas morte. Bordel, je lui en veux. Ça aurait pu très mal se finir, en un clin d'œil, parce que Benton voulait pas se tracasser.

Je rejoins le canapé.

— J'lui pardonnerai pas !

Comme si c'était à Marino de lui pardonner. Je me demande quelle corde contre Benton Jaime est parvenue à faire vibrer chez le grand flic.

À quel point a-t-elle attisé la jalousie toujours tapie en lui, prête à exploser et à frapper à la moindre provocation ?

— Il voulait pas que vous descendiez à Savannah, mais il a pas proposé de vous accompagner, hein ?

Marino parle fort, avec une sorte de fougue rageuse, et je pense à nouveau aux lettres, à son insécurité profonde et à son égoïsme.

Lorsque j'ai pris mes fonctions de médecin expert en chef de l'État de Virginie, Marino était l'enquêteur star de la ville de Richmond. Il aurait difficilement pu se montrer plus récalcitrant et déplaisant. Il a tout tenté pour me faire débarquer de mon poste, jusqu'à comprendre qu'il valait mieux pour lui être mon allié et mon ami. Peut-être, après tout, est-ce ce qui le motive réellement. Mon autorité et la façon dont je me suis toujours occupée de lui. Mieux vaut être de mon côté. Mieux vaut avoir un bon emploi, surtout dans une période où ils sont rares et ne se trouvent plus du jour au lendemain, d'autant que Marino ne rajeunit pas. Si je le virais, il aurait de la chance d'être recruté comme gardien de sécurité privée, songé-je, furieuse. Puis, aussi soudainement, je me sens chamboulée et au bord des larmes.

— Je n'aurais certainement pas voulu que Benton m'accompagne à Savannah, d'autant qu'il n'aurait pas pu pénétrer dans la prison. Tout à fait impossible, dis-je en avalant une gorgée d'eau au goulot. Et même si ce que vous avancez est véridique et que le FBI enquête à mon sujet pour quelque raison stupide, Benton ne le sait pas.

Je me réinstalle dans le canapé de cuir.

— Ils ne le lui diraient pas, je répète, m'efforçant à la logique, alors que me revient le commentaire de Kathleen Lawler sur ma réputation, le fait que, contrairement à elle, j'en ai une à perdre.

J'ai été ébranlée par ce qui ressemblait à une allusion, comme si elle me mettait en garde tout en éprouvant un certain plaisir à l'idée que la malchance allait fondre sur moi. Je pense encore et toujours à ces lettres, à ce qu'elles contiennent selon elle, et suis sidérée par l'impact que cela provoque en moi. Après plus de vingt ans, cela ne devrait plus avoir d'importance. Pourtant tel n'est pas le cas.

— Et comment il pourrait bosser pour le foutu FBI et pas savoir ?

Son ton est devenu catégorique, et dans ces moments-là je me rends compte à quel point il déteste Benton.

Marino n'acceptera jamais mon mariage avec Benton, que je puisse être heureuse, et que mon mari, prétendument distant, possède une dimension et des attraits que le grand flic ne pourra jamais entrevoir.

— Eh bien, commençons par ce qui vous permet d'affirmer une telle chose, je réplique.

— Parce que le FBI a obtenu un ordre de conservation des données informatiques concernant le centre de Cambridge afin que rien soit plus supprimé de notre serveur, répond Marino. Ça me suggère que ça fait un moment qu'ils fouinent dedans. Ils espionnent vos *e-mails* et sans doute d'autres choses.

Aussitôt les informations très sensibles – voire classifiées secrètes, ou même top secret, par le département de la Défense – stockées sur le serveur du centre défilent dans mon esprit.

— Et pourquoi ne suis-je pas au courant d'un mandat du juge concernant mes bureaux ?

— Merde à la fin ! Comment pouvez-vous rester aussi calme ? Vous m'avez entendu au moins ? Le FBI enquête à votre sujet. Vous êtes une cible !

— Enfin, je serais au courant si j'étais une cible ! Cela sous-entendrait que je suis à un cheveu d'une inculpation pour un crime fédéral et ils m'interrogeraient. Ils me traîneraient devant un grand jury. Ils auraient déjà contacté Leonard Brazzo. Pourquoi personne ne m'a-t-il prévenue pour cet ordre de conservation ?

— Parce que vous êtes pas censée le savoir et moi non plus !

— Et Lucy ?

— Ben, c'est la personne chargée de la technologie de l'information. Donc c'est elle qui a reçu l'ordre du juge. C'est elle qui doit s'assurer qu'aucune communication informatique est supprimée.

À l'évidence ma nièce a prévenu Marino, mais pas moi.

— De toute façon, nous ne supprimons rien, et un ordre de conservation des données ne signifie pas nécessairement une surveillance des échanges.

La stratégie de la peur. Insuffler la peur en l'autre. Du moins est-ce ce que je pense. Marino n'est pas avocat. Jaime l'a aiguillonné jusqu'à ce qu'il s'affole complètement parce que cela sert ses intérêts à elle.

Marino me détaille, l'air incrédule.

— Vous réagissez comme si c'était vraiment rien.

— D'abord, mon affaire est jugée devant une cour fédérale. Bien sûr, il est tout à fait possible que le FBI soit intéressé par des données informatiques, notamment celles concernant Jack, puisque nous savons que durant mon séjour à la base de Dover il s'est mouillé jusqu'au cou dans des activités illégales et avec des gens dangereux, sa fille Dawn Kincaid arrivant sans doute en tête de liste. Le FBI a déjà épluché ses messages, tout ce qu'ils ont pu retrouver, et ce n'est pas terminé. Dans ce sens, cet ordre de conservation de données informatiques ne me surprend pas le moins du monde. Cela étant, il n'était pas nécessaire : pourquoi irais-je supprimer des informations ? L'itinéraire de mon voyage en Géorgie, par exemple ? Je suis surprise que Lucy ait cru bon devoir se taire à ce sujet.

— On pourrait tous se retrouver avec une accusation d'obstruction à la justice, contre-t-il.

— Et je suis bien certaine que Jaime a aussi souligné cette menace. En a-t-elle également discuté avec Lucy ?

— Elle parle pas *à* ou *de* Lucy, lâche Marino, confirmant ma conviction qu'elles n'ont plus aucun rapport. J'ai dit à votre nièce et à Bryce qu'ils seraient responsables de vous avoir envoyée en taule s'ils tenaient pas leur langue et vous mettaient au courant de trucs que vous êtes censée ignorer.

— Je vous suis reconnaissante de tenter de m'éviter la prison.

— Y a pas de quoi rigoler ! s'énerve-t-il.

— En effet. Toutefois je n'aime pas ce raisonnement selon lequel si j'étais informée de cette décision du juge, je réagirais illégalement, en supprimant des fichiers par exemple. Marino, tout ce que je fais est surveillé. Chaque fichue journée de ma vie. Qu'a pu vous raconter Jaime pour que vous vous montriez aussi paranoïaque et perturbé ?

— Ils interrogent des gens à votre sujet. En avril dernier, deux agents du FBI se sont présentés chez elle.

Je me sens trahie, pas par le FBI, ni par Benton, ni même par Jaime Berger, mais par Marino. Les lettres. Je n'aurais jamais cru qu'il puisse me tourner ainsi en dérision, me rabaisser devant l'homme dont j'ai été le mentor, mon protégé Jack. Je commençais juste à Richmond et Marino montait la tête de mon personnel derrière mon dos.

— Ils voulaient lui poser des questions sur votre caractère parce qu'elle vous connaît personnellement et que vous avez fait un bout de route ensemble depuis la période de Richmond...

Marino parle, mais je ne l'écoute pas. En revanche je réentends les paroles de Kathleen Lawler à propos des lettres. Il poursuit :

— Ils voulaient la coincer avant qu'elle parte dans le privé. Peut-être aussi qu'il y avait une vieille rancune là-dessous. La politique. Ses problèmes avec le département de police de New York...

Je bouillonne et ma repartie sort avant que j'aie pu la retenir :

— Oui, mon caractère ! Parce que je suis une femme effroyable dans le travail. Si difficile. Un être qui peut seulement se sentir proche des défunts.

— Hein ?

— Peut-être que je vais être inculpée parce que je suis « si difficile à vivre » ? Une femme odieuse qui rend les autres terriblement malheureux et qui démolit leurs vies. Ah oui, je devrais faire de la prison pour ça !

Il me regarde, stupéfait.

— Mais qu'est-ce que vous racontez ? Qu'est-ce qui va pas chez vous ?

— Les lettres que Jack a écrites à Kathleen. Je suppose que personne ne voulait me les montrer. En raison de ce que vous et Jack déblatériez à mon sujet à l'époque, à Richmond. Des commentaires qu'il faisait, et vous aussi, et qu'il rapportait à Kathleen.

Le visage de Marino est impénétrable, alors qu'il est assis dans son fauteuil, le torse penché vers moi.

— J'ai jamais entendu parler de ces lettres. Je peux vous assurer qu'il y en avait aucune dans cette baraque, ni expédiées ni reçues par Kathleen Lawler. J'ai pas la moindre idée de ce qu'elle peut avoir conservé de Jack, s'il lui a écrit. Et j'en doute.

— Et pourquoi cela ? rétorqué-je, incapable de m'arrêter.

— Jack est jamais resté célibataire très longtemps. Et aucune de ses femmes ou petites amies n'aurait apprécié qu'il échange des lettres avec la nana qui lui avait sauté dessus alors qu'il était gamin.

— Ils ont communiqué par *e-mails*. De cela nous sommes certains.

— Ouais, mais ses femmes ou petites amies n'ont sans doute pas épluché sa messagerie électronique, rétorque Marino. Par contre les lettres sont déposées dans une boîte, rangées dans un tiroir ou autre. Bref, c'est un risque, et j'imagine pas que Jack l'ait couru.

— N'essayez pas d'arrondir les angles avec moi.

— Je vous dis juste que j'ai jamais vu aucune lettre et qu'il a planqué toutes ses merdes avec Kathleen Lawler. Durant toutes les années où j'ai fréquenté Jack, pas une fois il n'a mentionné cette femme, ni ce qui s'était passé dans ce centre pour gosses en difficulté. Et je me souviens pas de tout ce que j'ai pu raconter à cette époque. Pour être franc, certains trucs devaient pas être sympas. C'est vrai qu'au début j'étais un peu une grosse tache, quand vous êtes arrivée comme médecin expert en chef. En tout cas, vous devriez pas prêter une oreille attentive aux conneries que peut balancer une merde de détenue. Que ce qu'elle a raconté soit vrai ou pas, Kathleen Lawler voulait vous blesser et elle y est arrivée.

Je ne réponds rien et nos regards se croisent.

Il se lève d'un mouvement brusque et fonce à nouveau vers la fenêtre en bougonnant :

— Mais pourquoi Jaime met tant de temps ? Pourquoi vous êtes tellement en boule contre moi ? Parce que, en réalité, vous êtes furax contre Jack ? Foutu enfoiré ! Eh ben, vous pouvez lui en vouloir. Sac à merde, menteur et dépourvu d'intérêt. Après tout ce que vous avez fait pour lui. C'est une foutue bonne chose que Dawn Kincaid l'ait descendu, parce que peut-être que je me serais laissé aller !

Il me tourne le dos, scrutant la rue en bas. Je reste assise, silencieuse. Ma bourrasque de colère est passée, à l'instar d'un violent orage né on ne sait trop où. Je suis interpellée par ce que Marino a lâché un peu plus tôt au sujet de Jaime Berger. Lorsque je m'adresse enfin à son large dos massif, je lui demande s'il était sérieux en évoquant le départ de Jaime pour le secteur privé.

Sans daigner se retourner, il répond :

— Ouais.

Il précise qu'elle ne travaille plus pour les bureaux du procureur général de Manhattan. Elle a démissionné. Suivant l'exemple de pas mal d'excellents procureurs, elle est passée de l'autre côté. D'ailleurs c'est le cas de la plupart d'entre eux. Ils abandonnent des postes mal payés et peu gratifiants dans de mornes bureaux gouvernementaux, englués dans la bureaucratie, soudain dégoûtés par l'incessante parade des tragédies, des parasites, des voyous sans aucun remords, des tricheurs qui passent au travers des mailles. De mauvaises personnes infligeant de mauvaises choses à d'autres mauvaises personnes. En dépit de la perception du grand public, les victimes ne sont pas toujours innocentes, ni même sympathiques. Jaime plaisantait souvent en me disant que j'avais de la chance : du moins mes patients décédés ne pouvaient-ils me mentir. Elle comptait sur les doigts d'une main les occasions où un témoin ou une victime lui avait dit la vérité. « Je crois que c'est plus simple lorsqu'ils sont morts », ajoutait-elle. Elle avait raison au moins sur un point : il est bien plus difficile de mentir une fois mort.

Cela étant, je n'aurais jamais pensé que Jaime quitterait le public pour le privé, et je suis bien certaine que sa décision n'a pas été motivée par l'argent. J'écoute Marino, qui me relate qu'elle a refusé un pot de départ, quelque forme d'adieux que ce soit, pas même un déjeuner ou un gâteau accompagné d'un verre au pub du coin. Elle est partie silencieusement, presque en catimini, sans prévenir les autres, à peu près au moment où elle a passé cet appel au centre de Cambridge au sujet de Lola Daggette. Et je comprends que quelque chose de particulier s'est produit. Pas seulement en ce qui concerne Jaime. Marino est également impliqué. J'ai la sensation que leurs vies ont été en quelque sorte redirigées ailleurs, et je suis assez déçue de ne pas l'avoir perçu plus tôt. Au fond, c'est très triste qu'aucun des deux n'ait songé qu'il pouvait m'en parler.

Peut-être suis-je, en effet, terriblement dure avec les gens. Les commentaires cruels de Kathleen Lawler ne cessent de résonner dans ma mémoire. Je revois encore et encore l'expression de triomphe sur son visage alors qu'elle me les balançait. On aurait cru qu'elle avait attendu toute sa vie pour cracher ses méchancetés. Je me sens à vif. Je me rends compte à quel point. De fait, il y a une parcelle de vérité dans les affirmations de Kathleen. Je ne suis pas facile. Autant l'admettre, je n'ai jamais eu de véritables amis. Lucy, Benton et quelques anciens employés. Et toujours et en dépit de tout, Marino. Si sombres qu'aient été nos rapports, il est toujours là et je ne veux pas que cela change.

D'un ton qui n'est absolument pas accusateur, je dis :

— J'ai l'impression que Jaime voulait aussi autre chose quand elle a téléphoné au centre de Cambridge. Je soupçonne que lorsque vous avez aussitôt pris le train pour New York afin de la rejoindre – tout en commençant à évoquer bateaux, parties de pêche et combien le Sud vous manquait –, il s'agissait de bien davantage qu'une simple coïncidence.

Il se tourne et rejoint son fauteuil.

— On s'entendait bien mieux quand je bossais pas pour vous. J'étais bien plus content de moi quand on faisait appel à mes services en tant qu'expert. Vous savez, un flic de la brigade des homicides, un inspecteur de l'équipe A, au lieu de travailler pour vos bureaux, ou pour ceux de Jaime, puis retour dans votre centre de sciences légales. Je suis un inspecteur expérimenté, spécialisé dans les affaires criminelles, dans les enquêtes et les scènes de crime. Merde, tout ce que j'ai fait et vu ! J'ai pas envie de finir ma vie en jouant dans un petit bureau, attendant les ordres, attendant que quelque chose se produise.

— Vous démissionnez, c'est ce que vous essayez de me dire ?

— Pas vraiment.

— Marino, vous méritez d'avoir la vie que vous choisissez. Vous le méritez davantage que tous les gens que je connais. Ce qui me déçoit, c'est que vous ne me faites pas part de ce que vous ressentez. C'est ce qui m'ennuie sans doute le plus.

— Je veux pas démissionner.

— On dirait pourtant que c'est déjà le cas.

— Je veux passer au privé. Jaime et moi, on en a discuté quand je suis allé à New York. Vous voyez, elle se retrouve toute seule et elle m'a dit qu'elle pourrait avoir besoin de moi dans certaines affaires, que je devrais y penser, et je sais que vous aussi, vous pourriez m'employer. J'ai pas envie d'être la possession de quelqu'un.

— Je ne me suis jamais sentie propriétaire de vous.

— Je voudrais un peu d'indépendance, éprouver un peu de respect pour moi-même. Je sais qu'il s'agit d'un truc que vous pouvez parfaitement comprendre. Après tout, une personne telle que vous ne manque jamais de respect pour elle-même.

— Oh, vous seriez surpris, Marino.

— Je veux une petite maison non loin de l'eau, me balader à moto, aller à la pêche et travailler pour des gens qui me respectent, déclare-t-il.

— Jaime vous a offert un boulot de consultant dans l'affaire Lola Daggette ?

— Elle ne me rémunère pas. Je lui ai dit que je pouvais pas faire ça tant que mon statut concernant le centre de Cambridge serait pas réglé. Je vous en aurais parlé à un moment ou à un autre, précise Marino alors que j'entends une clef tourner dans la serrure et que la porte s'ouvre.

Jaime Berger s'avance et je hume l'odeur appétissante de la viande, celle des frites et des truffes.

CHAPITRE 10

Elle dépose deux grands sacs en papier bleu sur l'îlot central de la cuisine, agissant d'une façon particulièrement détendue et joviale pour un procureur de New York, ou même un ancien procureur, une femme qui a mis sur pied une opération clandestine en Géorgie, opération qui exige l'installation de caméras de surveillance, sans oublier cette bosse dans son sac en bandoulière en vachette marron qui m'évoque fortement une arme.

Ses cheveux bruns sont coiffés avec soin, un peu plus longs que dans mon souvenir, sa silhouette mince aux lignes bien définies est toujours séduisante, et elle semble aussi agile et en forme qu'une femme de moitié son âge dans son jean délavé et sa chemise blanche dont les pans sont libres. Elle ne porte pas de bijoux et très peu de maquillage. Sans doute son allure peut-elle faire illusion auprès de ceux qui ne la connaissent pas. Mais je ne suis pas dupe. Je vois les ombres qui ont gagné son regard. Je remarque la crispation de son sourire.

Elle pend son sac peu élégant et qui semble bien lourd au dossier d'une chaise haute de bar, alors que je me demande si l'influence de Marino ne l'a pas encouragée à s'armer. Elle déclare :

— Je suis désolée, Kay.

Ou bien est-ce Lucy qui a fini par l'influencer ? Quoi qu'il en soit, si Jaime possède une arme dissimulée, il y a fort à parier que ce soit illégalement. En effet, je ne vois pas comment elle aurait pu obtenir un permis de port en Géorgie, dont elle n'est pas légalement résidente, même si elle y loue un appartement. Des caméras de sécurité et une arme de poing illégale ! Peut-être ne s'agit-il que des précautions de base pour quelqu'un qui, comme moi, connaît les dures réalités de la vie, ce qui peut survenir à tout moment. Ou peut-être Jaime est-elle effrayée et inquiète.

— Je serais furieuse si quelqu'un m'avait fait un truc de ce genre, poursuit-elle. Mais vous allez comprendre, si ce n'est déjà le cas.

Durant un instant je songe à me lever pour aller l'embrasser, mais elle s'active déjà avec les sacs contenant notre dîner, peut-être un prétexte pour conserver sa distance avec moi. Je reste donc assise dans le canapé. J'évite de m'appesantir sur le souvenir du Noël dernier, à New York, de ces occasions où nous nous sommes tous retrouvés ensemble, et sur ce que Lucy ferait si elle savait où je me trouve en ce moment. Je ne veux même pas imaginer quelle serait sa réaction si elle voyait Jaime ce soir, si jolie, mais avec ce regard un peu hagard, ce sourire de commande, déballant ce qu'elle vient d'acheter, dans un vieux loft qui rappelle celui que possédait ma nièce dans Greenwich Village, un sac à main non loin, sans doute lesté d'un revolver.

Une défiance de plus en plus vive m'envahit au point de gommer le reste. Jaime est le genre de femme à toujours obtenir ce qu'elle veut. Pourtant elle a laissé partir Lucy sans même tenter de la retenir et je viens d'apprendre qu'elle a fait de même avec sa carrière. *Parce que cela rentrait dans son plan, quel qu'il soit.* L'idée se fraie un chemin dans mon esprit, s'imposant à la manière d'un jugement. Je dois me seriner que cela n'a, au fond, aucune importance. Rien n'importe si ce n'est que je suis ici, et pourquoi, et si mes soupçons vont se révéler exacts : l'ancienne amante de ma nièce cherche à me tromper et à m'utiliser.

— Je suis sûre que vous vous souvenez d'Il Pasticcio, non loin d'ici ?

Jaime extrait des deux sacs bleus de petits conteneurs en carton doublés de papier aluminium et fermés par des couvercles en plastique, et puis d'autres, d'assez grand volume, qui doivent contenir de la soupe. Des arômes d'herbes, d'échalotes et de bacon envahissent le loft.

— Eh bien, c'est devenu le Broughton and Bull aujourd'hui, poursuit-elle en ouvrant un tiroir pour en sortir couverts et serviettes en papier. Ils font une tourte sublime aux oignons grelots. Du lapin à l'étouffée. De la bisque de crevettes à l'huile de piment *poblano* et de tomates vertes. Des pétoncles poêlées avec des *jalapenos* enveloppés dans des tranches de bacon, énumère-t-elle en ouvrant les conteneurs les uns après les autres. Je me disais que nous allions tous nous servir. Mais peut-être est-ce plus simple que je m'en charge, réfléchit-elle en jetant un regard circulaire comme si elle espérait qu'une table allait se matérialiser, comme si l'endroit lui était encore peu familier.

— J'espère que vous avez pensé à mes crevettes au barbecue, lance Marino de son fauteuil.

— Avec frites, le rassure Jaime, s'adressant à lui sur le ton qu'elle réserverait à un vieux compagnon. Sans oublier le Mac au fromage avec de l'huile aux truffes.

Il fait la grimace, grommelant :

— Je vais sauter cette partie-là.

— Il faut essayer des choses nouvelles.

— Pas les truffes, ni leur huile, ou je sais quoi. J'ai pas envie d'essayer quoi que ce soit qui rappelle l'odeur du cul.

Marino récupère une chemise à dossiers marron de la pile posée sur le sol, non loin du bureau. Sur l'étiquette qu'elle porte sont tracées trois lettres au feutre noir : *BLR.*

— Vous avez besoin d'aide ? je propose à Jaime sans pour autant me lever.

Je sens qu'elle n'a pas envie que je pénètre dans sa bulle, ou peut-être suis-je celle qui veut garder ses distances, rester intouchable.

— Surtout ne vous dérangez pas. J'arrive à ouvrir des sacs et remplir des assiettes. Je ne suis certes pas une cuisinière aussi accomplie que vous, mais ça, c'est dans mes cordes.

— Vos sushis sont dans le frigo, l'informe Marino.

— Mes sushis ? Oh, pourquoi pas ? (Elle ouvre le réfrigérateur et en tire les récipients rangés par le grand flic.) Ils ont mon numéro de carte de crédit dans leurs tablettes. Je confesse être accro ! J'en mange au moins trois fois par semaine. Je devrais sans doute m'inquiéter de mon taux de mercure. Vous n'êtes toujours pas tentée, Kay ?

— Non, merci.

— Je crois que je vais servir la bisque dans de grandes tasses, si ça ne vous ennuie pas. (Se tournant vers Marino, elle demande :) Où en étiez-vous ? Dites-moi !

— Assez loin pour me douter que vous deux avez dû rencontrer pas mal de difficultés pour organiser cette entrevue, réponds-je à sa place.

— Vraiment, je vous présente encore toutes mes excuses, répète Jaime.

Pourtant elle n'a pas le moins du monde l'air contrit. Au contraire, elle semble très sûre de son bon droit d'obtenir exactement ce qu'elle veut.

— Franchement, je dois m'assurer que vous comprenez ce qui se passe au juste. Il fallait toutefois que je me montre d'une extrême circonspection quant à la façon dont je procédais. (Elle me regarde tout en s'activant dans la cuisine.) J'ai le sentiment que mon devoir moral consiste à veiller sur vous. Bien sûr, je pécherai toujours par excès de prudence, et j'ai estimé qu'il n'était pas souhaitable que je vous téléphone, vous envoie un *e-mail*, bref vous contacte directement. Si on me pose la question, je peux, en toute sincérité, affirmer que je ne l'ai pas fait. C'est vous qui m'avez appelée. Mais qui le saura, sauf si vous décidez d'en parler ?

— Si je décide de parler de quoi ? Qu'une détenue m'a glissé un petit papier et que je me suis rendue à la première cabine téléphonique, me faisant penser à une gamine en colonie de vacances lancée dans une chasse au trésor ?

— J'ai interrogé Kathleen hier et on m'a rappelé qu'elle attendait votre venue aujourd'hui avec impatience.

— On vous a rappelé ? je répète en jetant un regard à Marino. Je suis bien certaine que vous étiez au courant. Curtis Roberts est sans doute l'un de vos associés. Vous savez, cet avocat qui travaille pour le Georgia Innocence Project, celui qui a téléphoné à Leonard Brazzo ?

— Je peux affirmer sans mentir que vous m'avez contactée alors que vous étiez dans le coin pour vos propres affaires, insiste Jaime.

— Des « affaires » que vous avez forgées de manière à ce que je descende à Savannah, contré-je. Il n'y a rien de sincère là-dedans.

— Marino n'a rien divulgué qui soit dommageable, il ne vous a pas informée au-delà du nécessaire, argumente-t-elle. Il ne vous a pas transmis d'invitations risquées vu les circonstances présentes. Personne n'a rien révélé, rien transmis qui pourrait avoir des conséquences fâcheuses.

— Je ne suis pas d'accord. La preuve, je suis assise chez vous.

— Pour une conversation confidentielle avec un témoin, vous, dans le cadre de l'affaire qui m'occupe. Disons que j'ai fait passer l'information selon laquelle j'espérais que vous me contacteriez, rectifie-t-elle, convaincue par ses propres arguments.

— D'après moi, le GPFW surveille ou enregistre tout ou presque, d'une façon ou d'une autre, je souligne.

— J'ai écrit un message à Kathleen sur mon bloc-notes, lui demandant de vous donner mon numéro de portable et de vous préciser qu'il fallait m'appeler d'une cabine. Elle l'a lu alors que nous étions dans la salle d'entretien. Rien ne fut oral. Rien n'a pu transpirer, d'autant que j'ai conservé le bloc en question. Kathleen est ravie de pouvoir m'aider autant que faire se peut.

— Parce que, selon la directrice, elle est persuadée qu'elle pourra obtenir une réduction de peine.

— Ce serait une idée judicieuse que vous vous débarrassiez de tous messages qu'on aurait pu vous transmettre. Quiconque, biaise-t-elle.

Je résume :

— D'où je conclus qu'on vous a dit de ne pas discuter avec moi et que vous vous inquiétez que mes communications ne soient pas sécurisées. Mes téléphones professionnels ou privés et même ma messagerie électronique.

— On n'a rien exigé de moi, rectifie Jaime. Les agents fédéraux encouragent toujours les témoins et toutes les parties à ne pas discuter de l'enquête. Mais rien ne m'a été ordonné. Tant qu'ils ne savent pas que nous nous sommes vues, et je préfère, il ne devrait pas y avoir de répercussions. Et je pense que nous y sommes parvenues, nous avons surmonté cet obstacle. En revanche, demain sera un autre jour, une autre histoire, en fait une mission différente. S'ils devaient découvrir que nous nous sommes rencontrées dans les bureaux de Colin Dengate, cela n'aurait aucune incidence. Ils ne peuvent pas nous empêcher de travailler sur la même enquête alors que vous vous trouvez dans le coin.

— Travailler sur la même enquête ? je répète.

— Des connards, lâche Marino.

Son amour pour le FBI a beaucoup diminué depuis qu'il a quitté les forces de police et qu'il n'a plus le pouvoir d'arrêter quiconque. Mais son hostilité doit également à Benton.

— Quand on peut l'éviter, mieux vaut ne pas agacer le FBI, corrige Jaime Berger en sortant des assiettes et des tasses d'un placard. Si je les ennuie, cela ne vous aidera pas. Tout ça n'est pas sans relation avec Farbman, avec les problèmes qu'il a causés et peut toujours occasionner.

Dan Farbman est le sous-commissaire à la communication externe du département de police de New York. Je n'ignore pas que lui et Jaime ont croisé le fer dans le passé. Je ne m'entendais pas très bien non plus avec lui lorsque je travaillais pour le médecin expert en chef de la ville de New York, il y a quelques années. Cela étant, je n'ai plus entendu parler de lui, et je ne vois pas ce que le sous-commissaire Farbman viendrait faire dans mes éventuels problèmes avec le département de la Justice. Je m'en ouvre à Jaime, expliquant :

— Ce qui s'est déroulé dans le Massachusetts, puis l'arrestation et l'inculpation de Dawn Kincaid n'ont aucun rapport avec le département de police de New York ou Dan Farbman.

Marino tire des feuillets de la chemise, les parcourant et en extrayant ce qui ressemble à un papier officiel dont certaines lignes sont surlignées en orange.

— Votre affaire est fédérale, souligne Jaime. Une agression contre un médecin expert dépendant du département de la Justice. La victime, vous, étant un officiel du gouvernement fédéral, l'affaire le devient et sera donc jugée devant une cour fédérale.

Ce dont on peut se féliciter. Mais, du coup, vous et votre affaire intéressent le FBI.

— J'en suis consciente.

— La rumeur veut que le commissaire à la communication externe devienne le prochain directeur du FBI. Du coup, Farbman pense qu'il va l'accompagner et sera chargé des relations avec les médias. Vous le saviez ?

— J'ai pu entendre des bruits à ce sujet.

— Sauf si je parviens à l'en empêcher, et j'en ai bien l'intention. Nous ne souhaitons pas que nos statistiques sur le crime ou sur les alertes terroristes soient bidouillées. Farbman n'est pas véritablement un de mes fans.

— Ce n'est pas récent.

— Disons que les choses ne se sont pas arrangées. Notre relation est en phase terminale… Mais j'ai bien l'intention d'être celle qui survivra. Il ne me pardonne pas de l'avoir accusé de mentir à propos des statistiques criminelles du département de police de New York, d'avoir prouvé qu'il réarrangeait les chiffres. Vous avez aussi eu des prises de bec avec lui pour les mêmes raisons.

Elle dispose les assiettes sur l'îlot central. Je rectifie :

— Je n'ai jamais accusé Farbman ou quiconque au département de police de New York de manipuler les statistiques.

— Moi si, et j'ai du mal à croire que vous vous étonniez qu'il soit capable de ce genre de tricheries, ajoute-t-elle en extirpant des cuillers d'un tiroir.

— Certes, il avait l'habitude de présenter les statistiques et les conclusions d'une façon biaisée et surtout favorable d'un point de vue politique. Mais j'ignorais qu'il avait été accusé de mentir carrément au sujet des données.

— Ah, vous n'étiez donc vraiment pas au courant.

Songerait-elle que Lucy m'a fait des confidences là-dessus ? Après tout, lorsque Jaime a affronté Farbman, elles étaient encore ensemble. Je répète :

— Non, pas du tout.

Marino étale des documents sur la table basse, les poussant vers moi. Je récupère une photocopie marquée d'un tampon *CONFIDENTIEL*, provenant du GPFW.

Procédures recommandées pour l'exécution par injection de substance létale :

— thiopental sodique 5 g/2 %, kit stérile, seringue de 50 cc ;

— bromure de pancuronium par voie injectable (20 mg), cathéter simple pour perfusion intraveineuse ;

— chlorure de potassium (40 mEq), seringue de 20 cc.

Suivent les indications pour la préparation des substances contenues dans le « kit », dont les conseils de mélange, comment poser l'aiguille de gauge dix-huit sur le cathéter intraveineux et sur une poche de sérum physiologique pour que la ligne de transfusion ne se bouche pas. Je suis frappée par le ton informel, presque désinvolte de ce document, mode d'emploi pour tuer un être.

Veillez à expulser l'air du cathéter de manière à le tenir prêt pour l'injection...

— Ma réaction fut correcte et je me suis plainte auprès du commissaire, alors que j'aurais pu alerter les médias, poursuit Jaime, toujours lancée dans la narration de son conflit avec Dan Farbman et le département de police de New York.

N'oubliez pas d'examiner le prisonnier immédiatement avant l'administration de quelque drogue que ce soit afin de vérifier que l'intracathéter est parfaitement en place et qu'il n'y a pas d'infiltration de la solution intraveineuse...

— Malheureusement, le commissaire est un bon copain du maire. Les choses ont viré au cauchemar. Ils se sont ligués contre moi.

— Et donc le FBI aurait décidé de fouiner dans ma messagerie électronique et de mettre mes téléphones sur écoute parce que vous vous accrochiez avec Farbman ? Parce que vous l'avez accusé de manipuler les données ? Et parce qu'il y a quelques années j'ai eu des échanges un peu virulents avec lui ?

Je n'y crois pas une seconde.

Marino pose une nouvelle feuille. Je lis le paragraphe surligné :

La solution de thiopental sodique injectée dans le système est « entraînée » par le sérum physiologique. CETTE ÉTAPE EST EXTRÊMEMENT IMPORTANTE. Si le thiopental sodique reste dans l'intraveineuse et que le bromure de pancuronium est ensuite injecté, un précipité se formera, obturant éventuellement le cathéter.

Jaime arrache les protections en papier des baguettes chinoises et répond à côté :

— Ce n'est pas de tout repos de se faire des ennemis. En fait, ma situation à New York est devenue si difficile que j'ai dû quitter les bureaux du procureur. Mon appartement est en vente. Je suis en train de m'interroger sur mon futur lieu de résidence.

— Vous avez abandonné votre vie new-yorkaise à cause de l'acrimonie de Farbman ? Je n'en reviens pas, dis-je en parcourant d'autres documents émanant du GPFW, concernant notamment leur plus tristement célèbre prisonnière : l'Empoisonneuse au poisson.

Entre 1989 et 1996, Barrie Lou Rivers empoisonna dix-sept personnes, dont neuf décédèrent, avec de l'arsenic qu'elle avait acheté chez un fournisseur de pesticides. Toutes ses victimes étaient des habitués de la sandwicherie qu'elle gérait dans un gratte-ciel d'Atlanta, principalement occupé par des entreprises et cabinets. Jour après jour, d'innocents clients firent la queue dans l'atrium où se trouvait son comptoir de vente pour s'offrir le « menu spécial » au thon, une affaire : sandwich, chips, un pickle et un soda, tout cela pour la modique somme de 2,99 dollars. Lorsque ses crimes sadiques furent enfin découverts, elle déclara à la police qu'elle en avait assez des « gens qui râlaient au sujet de leur bouffe » et qu'elle avait « décidé de leur donner une bonne raison pour se plaindre ». Elle en avait marre des « trous du cul qui lui lançaient des ordres et la prenaient pour leur esclave ».

— Il y avait d'autres éléments, continue Jaime pendant que je lis. De nature personnelle, malheureusement. Certaines des questions posées par les agents du FBI qui se sont présentés chez moi étaient… inappropriées, dirons-nous. Il est vite devenu évident qu'ils avaient au préalable discuté avec Farbman, et je vous laisse deviner quel était son angle d'attaque favori contre moi. Que vous et moi sommes presque de la même famille.

Je parcours l'imprimé de chaîne de contrôle qui accompagne le cocktail létal prévu pour Barrie Lou Rivers, DOC#121195. L'ordonnance, si l'on peut dire, avait été rédigée le 1er mars 2009 à quinze heures vingt. Kathleen Lawler m'a confié que Barrie Lou Rivers s'était étouffée dans sa cellule en mangeant un sandwich au thon. Si cette information est exacte, cette fausse route a donc dû survenir après quinze heures vingt le jour de sa mort programmée. L'ordonnance décrivant le cocktail létal qui devait lui être injecté a bien été délivrée, mais pas appliquée parce qu'elle est morte avant que les officiels de la prison ne la sanglent sur un chariot. L'idée que son dernier repas avait peut-être la même composition que celui qu'elle servait à ses clients me trotte dans l'esprit. Je m'adresse à Jaime :

— Vous avez fait pas mal d'allers-retours au GPFW afin d'interroger Lola Daggette, dont les recours sont épuisés. J'en déduis qu'elle doit vous entretenir de choses importantes, sans quoi vous n'auriez pas choisi un pied-à-terre à Savannah. Vos problèmes à New York n'expliquent pas cet emménagement, du moins je ne le crois pas.

— Elle ne m'aide pas du tout, rectifie Jaime. On aurait pu espérer qu'elle sauterait sur l'occasion, mais elle est moins effrayée par l'aiguille que par *Payback*. La personne qui, selon ses dires, aurait abattu les Jordan.

— Mais a-t-elle admis savoir qui est ce *Payback* ?

— Le diable ! Une sorte d'esprit démoniaque qui aurait placé les vêtements ensanglantés dans la chambre de Lola.

Je m'étonne :

— Son exécution est prévue pour l'automne et elle persiste à raconter des choses pareilles ?

— Le 31 octobre. Halloween, précise Jaime. Je soupçonne le juge qui a différé son exécution, puis l'a reprogrammée, de vouloir faire connaître son opinion sur la condamnée. Il veut être certain, à quatre mois de la date fatidique, qu'on lui jouera bien un sale tour, mais pas avec des bonbons ! Il faut dire que ces meurtres provoquent encore une vive émotion. Beaucoup de gens sont impatients qu'elle reçoive ce qu'elle mérite selon eux. Ils veulent qu'elle meure aussi douloureusement que possible. Vous savez... vous attendez un peu trop longtemps après l'injection du thiopental sodique. Vous oubliez d'expulser l'air du cathéter en espérant que la ligne de transfusion soit bouchée.

Marino étale une série de sorties d'imprimante sur la table, des photographies d'autopsie. Je les ramasse.

— Je ne vous apprends rien : le thiopental sodique agit très vite mais durant peu de temps, poursuit Jaime. Que se passe-t-il si vous ratez, volontairement ou pas, le minutage des autres injections, et je parle principalement du bromure de pancuronium, qui induit une paralysie musculaire ? Si vous attendez trop longtemps ? L'anesthésie au thiopental sodique commence à se dissiper. Le cathéter se bouche. Les officiels doivent le remplacer et l'efficacité du thiopental est devenue résiduelle lorsqu'ils en ont terminé.

Elle poursuit :

— On peut vous croire toujours endormi, mais votre cerveau s'est réveillé. Vous êtes incapable d'ouvrir les yeux, de parler ou de proférer un simple son, tandis que vous êtes allongé sur la civière, sanglé dessus. Mais vous êtes conscient et vous savez que vous ne parvenez plus à respirer. Parce que le bromure de pancuronium agit, lui, durablement. Il a paralysé les muscles de votre thorax et vous êtes en train de vous asphyxier. Les personnes qui vous entourent pensent que vous êtes apaisé, endormi, alors que votre visage devient bleu et que vous suffoquez. Une minute, deux, trois, peut-être plus longtemps. Vous mourez à l'issue d'une agonie silencieuse et terrible.

L'autopsie de Barrie Lou Rivers a été réalisée par Colin Dengate, et j'imagine ce qu'il pouvait penser d'une femme qui avait empoisonné d'innocents clients en assaisonnant leurs sandwichs avec de l'arsenic.

Jaime sort une bouteille de vin et une canette de Diet Coke du réfrigérateur, qu'elle referme d'un coup de hanche. Elle continue :

— Sauf que le directeur ou la directrice de la prison est au courant. L'exécuteur aussi. Le médecin anonyme derrière son heaume et ses lunettes de protection le sait également, et il peut déduire votre panique du cardiogramme avant que votre cœur ne s'arrête et que la ligne devienne plate. Cela dit, certaines de ces personnes qui supervisent les homicides légaux, l'« équipe de mort » comme on les appelle, tiennent à ce que le condamné souffre. Leur mission secrète consiste à provoquer le maximum de douleurs et de peur sans que les avocats, les juges ou le public en soient informés. Ce genre de pratiques perdure depuis des siècles. La hache du bourreau est émoussée ou tombe malencontreusement à côté et il faut s'y reprendre à plusieurs fois. La pendaison ne se passe pas comme prévu parce que le nœud coulant glisse et la personne s'asphyxie lentement, tournant au bout de la corde face à une foule moqueuse.

Alors que j'écoute ce qui pourrait être une entrée en matière classique de Jaime face à un jury, je songe que la plupart des gens qui comptent dans notre monde, notamment certains juges, politiciens, sans oublier Colin Dengate, ne seraient pas le moins du monde bouleversés par ses arguments. Je pense avoir une idée assez précise des sentiments de Colin Dengate sur ce qui est arrivé à la famille Jordan et de ce qui devrait échoir à Lola Daggette. En effet, les émotions sont vives, surtout celles de mon fougueux confrère irlandais qui dirige le laboratoire régional de sciences légales de Savannah, dépendant du bureau d'investigation de Géorgie. La venue de Jaime Berger dans le Lowcountry ne l'impressionnera pas. Au contraire, il risque de la vivre à la manière d'une invasion. Je doute qu'il fasse preuve d'un désir quelconque de collaboration.

— Vous le savez bien, Kay, je ne crois vraiment pas que les États-Unis devraient imiter un type de mise à mort qui a vu le jour dans l'Allemagne nazie afin d'éliminer les indésirables aux yeux du régime. Cela ne devrait pas être légal, déclare-t-elle en arrangeant des sushis et la salade d'algues sur une assiette. Les médecins n'ont pas le droit de jouer un rôle dans les exécutions, pas même de prononcer la mort. Les drogues létales sont de plus en plus difficiles à obtenir. Il y a des ruptures de stock parce que les entreprises américaines qui fournissent ces produits redoutent une mauvaise réputation. Certains États ont dû en importer, et leurs source et qualité ne sont pas toujours garanties. Ces substances ne devraient pas être à la disposition des officiels de l'administration pénitentiaire, mais rien de tout cela n'arrête quoi que ce soit. Les médecins participent aux exécutions, les pharmaciens délivrent les ordonnances et les prisons obtiennent les cocktails létaux. Quelles que soient les croyances ou convictions morales de chacun, Lola n'a pas tué les Jordan. Elle n'a tué ni Clarence, ni Gloria, ni Josh, ni Brenda. D'ailleurs elle ne les a jamais rencontrés. Elle n'a jamais pénétré chez eux.

Je jette un regard à Marino tout en étudiant les photocopies des photographies. Il était en faveur de la peine de mort il n'y a pas si longtemps que ça. Œil pour œil. Un goût de ce qu'ils ont fait subir aux autres.

— Je pense que Lola était pas mal perturbée, une toxicomane avec un foutu caractère, mais elle a tué personne. Et même qu'elle a pas aidé à tuer, me dit-il. Ce qui semble plus probable, c'est qu'elle a été manipulée par cette personne qu'elle appelle *Payback*. Elle a dû croire que c'était super-marrant.

— Qui a pensé que c'était super-marrant ?

— Celle qui a fait le coup. Elle a mis la main sur une gamine de centre de réadaptation, un peu attardée. (Il regarde Jaime.) C'est quoi, son QI ? 70 ? Je crois bien que c'est la définition de légalement attardée.

— *Elle* ?

Jaime reprend la parole :

— Lola est innocente des crimes pour lesquels elle a été jugée et condamnée. Je n'en sais pas autant que je le voudrais sur ce qui s'est véritablement passé au cours des premières heures du 6 janvier 2002. En revanche je possède de nouvelles preuves démontrant qu'elle ne se trouvait pas dans la maison des Jordan. De plus, j'ignore comment les choses se sont déroulées d'un point de vue médico-légal, parce que je ne suis pas experte dans ce domaine. Les blessures, par exemple, ont toutes été infligées avec la même arme. Si tel est bien le cas, avec quelle arme ? Qu'indiquent au juste les panaches de sang ? Depuis quand les Jordan étaient-ils morts lorsque leur proche voisin est sorti avec son chien et a remarqué qu'une vitre de la porte de derrière était brisée et que personne ne répondait à la sonnette ou au téléphone ?

— Colin est tout à fait compétent dans ce domaine, je souligne.

— J'ai un très agréable pinot d'Oregon, si cela vous tente, offre Jaime.

Elle débouche la bouteille alors que j'étudie des photos de Barrie Lou Rivers allongée sur la table d'autopsie en inox, ses épaules soutenues par un bloc de polypropylène, sa tête pendant légèrement vers l'arrière, ses longs cheveux gris emmêlés et ensanglantés. La peau de son torse a été repoussée au-dessus du larynx et des cordes vocales, et rien ne semble obstruer ses voies respiratoires. Des gros plans de l'ouverture triangulaire des cordes vocales montrent clairement que rien ne se trouve coincé.

Que le corps étranger soit de petite taille – une cacahuète ou un grain de raisin, par exemple – ou plus volumineux, comme un gros morceau de viande, rien ne peut descendre plus bas que les cordes vocales lorsque le sujet commence à s'étouffer. Colin s'est montré d'une prudence appropriée en s'assurant de la présence ou non d'aliments aspirés avant de passer à autre chose. Il a également estimé le cas important puisqu'il a travaillé tard dans la soirée, ou alors il est revenu dans son laboratoire, pour pratiquer l'examen *post mortem* immédiatement. En effet, la date et l'heure de l'autopsie sont portées sur le protocole : vingt et une heures dix-sept le 1er mars.

Je passe en revue d'autres clichés afin de vérifier ce que m'a raconté Kathleen Lawler sur la mort de Barrie Lou Rivers alors en détention. Je demande à Marino s'il a les feuilles de route de l'équipe de secours, ou des déclarations faites par des gardiens de service à ce moment-là, ou encore le rapport d'autopsie. Il feuillette les papiers et me tend ce qu'il trouve. J'ai confirmation que Barrie Lou Rivers a vraisemblablement mangé un sandwich de pain de seigle au thon avec des cornichons en saumure peu avant son décès. Son contenu gastrique concorde avec cette hypothèse : deux cents millilitres d'aliments non digérés, dont sans doute des fragments de poisson, de cornichons, de pain et des graines de cumin.

En revanche, rien ne permet de valider la thèse de Kathleen Lawler selon laquelle Barrie Lou Rivers aurait fait une fausse route alimentaire. À l'évidence, personne n'a tenté d'appliquer la manœuvre de Heimlich. Rien, donc, ne permet de prétendre que si l'on n'a pas retrouvé au cours de l'autopsie un morceau de sandwich coincé, c'est parce qu'il avait été éjecté des voies respiratoires grâce à ladite manœuvre. Aucun document officiel ne mentionne une aspiration d'aliments ou une suffocation par obstruction, mais je sais que Colin a exploré cette piste. J'en suis certaine rien qu'en étudiant les clichés d'autopsie.

Je lis ensuite un message d'appel, griffonné de sa main à vingt heures sept. C'est Tara Grimm qui a suggéré que la cause de la mort pouvait être un étouffement consécutif à une fausse route. Alors que le cadavre était transporté à la morgue, elle aurait précisé par téléphone à Colin que « Barrie Lou semblait avoir de grandes difficultés à respirer ». Toujours selon Tara Grimm, les gardiens avaient d'abord mis cette réaction au compte de l'anxiété. « Cela s'est produit peu avant qu'elle ne soit emmenée dans la salle d'exécution et préparée. De plus, Barrie Lou était sujette aux crises d'angoisse et à de vives réactions émotionnelles. Je me demande donc si elle ne se serait pas étouffée avec une bouchée de son dernier repas. »

Ainsi qu'il le devait, Colin a consigné ces remarques sur une feuille d'appel et il a très judicieusement vérifié cette hypothèse d'aspiration d'aliments dès la première incision pratiquée sur le cadavre de Barrie Lou Rivers, moins d'une heure après l'appel de la directrice du GPFW. Celle-ci n'a pas assisté à l'examen *post mortem.* Les témoins officiels énumérés sur le protocole se limitent à un assistant de morgue, un investigateur formé aux procédures médico-légales et un représentant du pénitencier, l'officier M.P. Macon, celui qui m'a servi d'escorte un peu plus tôt.

CHAPITRE 11

La cause du décès inscrite sur le rapport préliminaire d'autopsie est *indéterminée*, tout comme la façon dont il est survenu. *Indéterminée* et *indéterminée.* En pathologie médico-légale, il s'agit d'un « sans but », une partie de base-ball figée sur le zéro, manche après manche, et interrompue à un moment quelconque parce que la pluie dévale, ou que la nuit tombe, ou n'importe quoi, qui, de toute façon, ne compte pas.

Alors que chaque décès devrait compter, et je me montre très mauvaise perdante lorsque je ne parviens pas à trouver de réponse, car je sais qu'il en existe toujours une. Cela étant, parfois des anatomopathologistes tels que Colin Dengate ou moi sont contraints d'admettre qu'ils ont échoué. Le défunt refuse de nous apprendre ce que nous cherchons et nous devons nous rabattre sur ce qui paraît le plus plausible d'un point de vue médical, même si nous n'y croyons qu'à moitié. Nous rendons donc le corps et les effets personnels afin que ceux qui restent puissent s'occuper des aspects légaux, récupérer d'éventuelles assurances, organiser les funérailles et continuer à vivre. Barrie Lou Rivers, elle, fut enterrée dans la fosse commune, personne ne réclamant la dépouille, personne n'en ayant rien à faire.

En désespoir de cause, Colin avait dû porter la mention « arrêt cardiaque soudain, consécutif à un infarctus du myocarde, cause naturelle » sur le rapport d'autopsie, mention reprise sur le certificat de décès. Un diagnostic par défaut fondé sur la progression d'une cardiopathie coronarienne équivoque. Soixante pour cent de l'artère antérieure descendante gauche. Vingt de la droite à un centimètre de l'ostium. En revanche la coronaire circonflexe était indemne. Barrie Lou attendait son exécution. Peu après son dernier repas, composé d'un sandwich au thon et pain de seigle, de chips et d'un Pepsi-Cola, des témoins avaient affirmé qu'elle éprouvait des difficultés respiratoires, qu'elle transpirait, se sentait faible et très fatiguée, symptômes qui avaient été interprétés comme une attaque de panique à la perspective de ce qui l'attendait. Cette hypothèse d'attaque de panique est cohérente avec le bol alimentaire non digéré qu'a mentionné Colin lorsqu'il a incisé l'estomac au cours de l'autopsie. La digestion s'arrête lors de peurs ou de stress très violents.

De tout ce que j'ai lu, il semble qu'elle était morte à dix-neuf heures quinze d'une crise cardiaque, c'est-à-dire à peine deux heures avant son exécution par injection létale. Alors que je continue à prendre connaissance des documents concernant Barrie Lou, Jaime me parle depuis la cuisine de son appartement de location où elle dresse nos assiettes blanches. Elle évoque la famille Jordan. Elle a besoin de mon aide. Elle veut que leurs blessures, tous les objets et les comptes rendus de scène de crime soient interprétés de façon aussi précise et irréfutable que possible.

— Colin devrait vous fournir toutes ces informations, je lui rappelle. Il s'est rendu sur la scène de crime et a réalisé les autopsies. C'est un pathologiste médico-légal très compétent. Avez-vous essayé de discuter des affaires avec lui ?

— Un seul auteur pour ce crime. Lola Daggette. Affaire classée, intervient Marino. C'est ce que tout le monde dans le coin vous répondra.

Jaime sort des verres à vin et je me souviens de l'attitude de Colin durant ce congrès professionnel de la National Association of Medical Examiners à Los Angeles, il y a plusieurs années. Il était indigné, à titre personnel, par les assassinats sauvages du Dr Clarence Jordan et de sa femme Gloria, bouleversé par les meurtres des deux petits enfants : Brenda et Josh. L'opinion de Colin était faite à cette époque : une seule personne avait commis ces actes barbares, une adolescente qu'on avait découverte en train de laver ses vêtements trempés par le sang des victimes, dans son centre de réadaptation, peu après ses crimes. Quelles que fussent les déclarations ou rumeurs propagées au sujet d'un complice mystérieux, tout n'était que fiction d'avocat, avait-il affirmé.

— Je ne me suis rendue qu'une seule fois dans son labo, il y a plusieurs semaines, précise Jaime. Il n'est même pas sorti de son bureau pour m'accueillir, et lorsque je l'ai rejoint pour discuter avec lui, il ne s'est pas levé de son fauteuil.

— Vous ne pouvez pas exiger qu'il se montre amical, mais je ne le vois pas perturber délibérément la recherche d'informations d'un avocat.

En dépit de cette réplique peu compromettante, ce que je veux dire est que Jaime reste Jaime. Pire encore, elle est new-yorkaise, un de ces agresseurs du Nord qui déboulent dans une petite ville sudiste en partant du principe que là-bas tout le monde est attardé, un peu fanatique, malhonnête et vaguement stupide.

Je la soupçonne d'afficher une telle attitude lorsqu'elle a affaire à Colin, qui a grandi dans le coin et est pétri de culture locale, qu'il s'agisse de participer à des reconstitutions de la guerre de Sécession ou à des défilés irlandais pour fêter la Saint-Patrick.

— Sa fonction l'oblige à vous communiquer tout ce qui pourrait servir à disculper l'accusée, j'ajoute.

— Il n'a rien proposé de tel !

— Mais il n'a pas à le faire.

— Il pense que je cherche juste quelqu'un pour apporter de la crédibilité à une théorie alternative.

— Sans doute le pense-t-il puisque c'est exactement ce que vous tentez, je réplique. Vous vous comportez à la manière de n'importe quel bon avocat de la défense. Néanmoins on ne m'a toujours pas expliqué pourquoi et comment vous êtes impliquée dans cette affaire. Vous quittez donc les bureaux du procureur de New York et vous voilà soudain dans le camp opposé, représentant Lola Daggette. Et pourquoi vous intéressez-vous à Barrie Lou Rivers ?

Jaime remplit nos verres de vin.

— Cruel et inhabituel. Alors qu'elle attendait son exécution en cellule de détention, Barrie Lou était si terrifiée qu'elle est morte d'une crise cardiaque. Qui a eu cette idée de lui servir un sandwich au thon comme dernier repas, similaire à ceux avec lesquels elle avait empoisonné ses victimes ? L'avait-elle commandé ? Et pourquoi ? Pour exprimer ses regrets ou leur dédaigneuse absence ?

— Aucune investigation médico-légale ne pourra répondre à cela.

— Je doute vraiment qu'elle ait choisi ce menu, insiste Jaime. Je pense que le but consistait à la narguer avec ce qui l'attendait une fois qu'elle serait sanglée sur la civière, de la paniquer avec ce que l'équipe de mort lui réservait, et combien celle-ci était impatiente de lui offrir ce qu'elle méritait. En effet, Barrie Lou a eu une crise de panique. Elle a été terrorisée à mort. Littéralement.

— J'ignore si elle a été tourmentée de la sorte et je pense que vous ne pouvez pas non plus l'affirmer, sauf si une des personnes impliquées venait à le reconnaître. Mais je suis curieuse de savoir pourquoi cette affaire vous intéresse subitement. Je suis intriguée. Alors que vous faisiez partie des gens qui envoyaient les coupables en prison sans hésitation, tout d'un coup vous vous plongez dans leur défense.

— Pas tout d'un coup. J'ai eu des discussions. Mes problèmes avec Farbman et mon ras-le-bol… Non, en fait cela remonte à bien plus loin que vous le pensez. Dès la fin de l'année dernière, j'ai prévenu Joe que je cherchais d'autres pistes, que les condamnations abusives m'intéressaient.

— Ce bon vieux Joe On-va-se-les-faire, ironise Marino en tournant la page d'un rapport. J'aurais voulu être une petite souris lorsque vous lui avez balancé ça, déclare-t-il à Jaime.

Joseph Nale, l'ancien patron de Jaime, est le procureur de Manhattan. Pas du tout le genre d'homme à apprécier les individus ou organisations qui se dévouent pour faire disculper des gens accusés à tort de crimes. La plupart des procureurs, du moins ceux qui sont honnêtes à ce propos, n'éprouvent pas une passion pour les avocats qui luttent contre les injustices causées par d'autres avocats ou les experts qu'ils ont recrutés.

Jaime continue ses explications :

— Je l'ai aussi informé que j'avais discuté avec des juristes et avocats de ma connaissance, liés à l'Innocence Project.

— Ici, en Géorgie ?

— Non, au siège national de l'organisation, à New York. Néanmoins je connais effectivement Curtis Roberts et lui ai demandé de me rendre un service.

— De manière à ce que Leonard Brazzo et moi ignorions que vous étiez à l'origine de l'invitation que m'a adressée Kathleen Lawler.

Elle continue sur sa lancée, faisant mine de ne pas m'avoir entendue :

— Je discute avec pas mal de gros cabinets afin de resserrer mon choix. D'ailleurs il dépendra beaucoup de l'endroit où je déciderai de m'installer.

— Je suis certaine que l'évolution de l'affaire Lola Daggette influera sur votre choix, dis-je, peu subtilement.

— Oh, de toute façon j'opterai pour un cabinet qui possède des bureaux dans le Sud et le Sud-Ouest, réplique-t-elle en me tendant un verre de vin et en offrant un Diet Coke à Marino. Les États républicains aiment bien exécuter les gens, même si je n'ai pas l'intention de déménager en Alabama ou au Texas. Mais revenons à votre question. Pourquoi me suis-je intéressée à la condamnation abusive de Lola Daggette ? Elle a écrit pas mal de lettres à l'Innocence Project et à d'autres groupes ou avocats qui acceptent de défendre des affaires telles que la sienne sans demander d'honoraires. J'ajoute que les lettres étaient très mal écrites et qu'elles ont été ensilées jusqu'en novembre dernier, lorsqu'une suspension d'urgence a été refusée par la Cour suprême de Géorgie, inspirant un examen juridique de la part d'organisations d'intérêt public. Plus tôt, cette même année, il y avait eu cette exécution bâclée qui a fait couler pas mal d'encre puisque certains s'inquiétaient d'un acte de cruauté délibérée.

Elle poursuit :

— On m'a demandé si le cas Lola Daggette m'intéressait, l'implication d'une femme, selon eux, pouvant se révéler utile. Lola a montré qu'elle ne pouvait pas coopérer avec des hommes. En fait, elle est incapable d'accorder sa confiance à l'un d'eux en raison des abus épouvantables de son beau-père, lorsqu'elle était encore enfant. J'ai dit que j'allais réfléchir. À cette époque-là, rien ne pouvait indiquer qu'un lien existe avec vous. J'ai commencé à compulser les documents avant que Dawn Kincaid ne vous attaque.

— Je ne vois pas de connexion avec Lola Daggette, hormis le fait qu'elle est incarcérée dans la même prison que la mère biologique de Dawn Kincaid, je réplique. Quoique, si l'on en croit Kathleen Lawler, ladite mère, Lola aurait quand même un rapport avec elle, un rapport antagonique, dirons-nous.

— La plupart des cas litigieux, qu'ils intéressent des organisations de droit public ou autre, concernent des gens emprisonnés en Géorgie, Virginie, Floride, les États républicains, souligne Jaime en balayant ma remarque. Nombre de ces personnes sont condamnées à la prison à vie ou à la peine capitale sur la base d'expertises médico-légales comportant de sérieux défauts, ou d'identifications erronées, ou encore de confessions arrachées sous la contrainte. De plus, peu de femmes attendent dans le couloir de la mort. Lola est la seule en ce moment pour l'État de Géorgie et l'une des cinquante-six dans tout le pays. Ajoutez à cela qu'il n'y a pas énormément d'avocates avec mon expérience et mes résultats qui acceptent ce genre d'affaires.

Je n'ai pas l'intention de la cautionner dans sa rhétorique intéressée et suffisante. J'insiste donc :

— Ça ne répond pas à ma question. En revanche, cela explique votre souhait d'avoir un pied dans certains endroits et pourquoi il serait judicieux pour vous d'accepter un travail dans un gros cabinet qui possède des bureaux un peu partout.

— Ainsi que vous l'avez remarqué, je n'ai pas de table de salle à manger. Le mieux serait donc de nous installer confortablement au salon. Restez assise, je vous en prie. Je nous sers.

Jaime nous apporte nos assiettes et son regard d'un bleu intense croise le mien. Elle déclare :

— Je suis heureuse que vous soyez arrivée à bon port, Kay. Et, vraiment, je déplore le dérangement et les incompréhensions que j'ai pu vous causer.

En réalité, elle regrette tous ses mensonges. Elle regrette d'en être arrivée à me manipuler jusqu'à ce que je me montre afin de l'aider dans une affaire criminelle qui pourrait lui valoir une considérable réputation comme avocate de la défense si elle parvenait à faire libérer la tueuse la plus célèbre de Géorgie, et la seule femme de l'État qui patiente dans le couloir de la mort. Je me défends de penser qu'il ne s'agit aucunement d'altruisme de la part de Jaime Berger. Pourtant je détecte l'ambition et d'autres motivations dans sa démarche. Son but ultime n'est pas de rectifier une grave erreur juridique. D'ailleurs je soupçonne que cet aspect pèse relativement peu dans son esprit. Elle cherche le pouvoir. Elle veut renaître de ses cendres après avoir été poussée vers la porte de sortie à New York. Elle veut regagner assez d'influence pour pouvoir écraser ses ennemis, Farbman n'étant sans doute qu'un numéro sur sa longue liste.

— J'devrais pas boire du Diet Coke, commente Marino en attaquant son assiette. Ça vous surprendra peut-être, mais les édulcorants peuvent faire grossir.

— Je tiens vraiment à vous convaincre de deux choses, déclare Jaime en s'installant dans le canapé, son assiette de sushis entre les mains. Prenez garde à vous. Vous savez aussi bien que moi que seule l'affaire importe. Lorsque la police et les fédéraux plantent leurs crocs dans quelque chose, il ne s'agit plus simplement d'un problème de justice. C'est avant tout et après tout l'affaire qui compte à leurs yeux. Les quotas, les gros titres et les promotions.

Elle prend son verre de vin.

Je rétorque :

— J'apprécie votre mise en garde, mais je n'ai pas besoin de votre aide.

— Oh si, et j'ai besoin de la vôtre.

Marino me jette un regard tout en mangeant, sa cuiller heurtant bruyamment les parois de sa tasse.

— Sucre blanc et faux sucre, pas pour moi !

Soulignant l'évidence, je déclare à Jaime :

— J'ai le sentiment que vous vous êtes aliéné Colin. Il peut se montrer têtu, mais il est très compétent dans son domaine, respecté par ses pairs et par les forces de l'ordre. C'est un gentleman du Sud, un Irlandais de surcroît, de la tête aux pieds. Il faut savoir comment travailler avec des gens de sa sorte.

Je remarque sa dextérité avec les baguettes, alors qu'elle souligne :

— Je n'ai pas l'habitude d'être traitée en paria. En réalité, on pourrait dire que j'ai été bien trop gâtée. Les bureaux des médecins experts ou les brigades criminelles déroulent le tapis rouge devant les procureurs. Quel choc de me rendre compte que je suis maintenant l'ennemie !

Elle attrape un bout de gingembre en saumure et un petit rouleau de thon épicé.

— Non, vous n'êtes pas soudain devenue l'adversaire. Vous êtes maintenant avocat de la défense. À mon avis, il serait injuste de prétendre que ceux d'entre nous dont la mission consiste à faire éclater la vérité sont nécessairement du côté du ministère public.

— Colin est ulcéré parce que j'entends éviter la peine de mort à Lola et même la faire libérer. Il n'est pas ému par mon argument – selon lequel le décès de Barrie Lou Rivers indique que le GPFW se débrouille pour rendre les exécutions abusivement cruelles. Pour infliger la peur et la souffrance, ce qu'ils feront également subir à Lola, qui avait à peine l'âge légal lorsqu'elle a été bouclée là-bas. C'est d'autant plus barbare et scandaleux qu'elle est innocente. Colin a le sentiment que je le remets en question.

— C'est le cas. Mais nous avons l'habitude d'être contrés.

— Il n'aime pas ça.

— Peut-être est-ce la façon dont vous procédez qui lui déplaît ? j'argumente.

Elle me sourit, mais son regard reste froid.

— J'aurais besoin d'un bon *coach*, déclare-t-elle.

— Je vous remercie. Vous vous êtes sentie moralement obligée de me prévenir que quelqu'un répandait des mensonges à mon sujet, tentant de me mettre en difficulté avec les fédéraux, dis-je d'un ton cassant. Toutefois nous ne sommes pas sur une base de réciprocité.

— Je suppose que vous avez pas de Sharp's dans un coin ? demande Marino à Jaime.

Il a déjà englouti sa bisque de crevettes et la moitié de ses frites, se concentrant sur son dîner avec la voracité d'un homme qui n'a rien mangé de la journée.

Jaime trempe un autre sushi dans le *wasabi* et lui répond :

— J'aurais dû penser à vous acheter une boisson non alcoolisée. Désolée. (Se tournant vers moi, elle poursuit :) J'étais décidée à vous raconter ce qui se passait avant que vous ne le découvriez d'une façon qui, légalement ou professionnellement, ne serait pas à votre avantage. La seule manière sécurisée consistait à en discuter discrètement dans une situation banale.

— Vous avez convaincu une détenue de me passer votre numéro de portable ainsi que la recommandation d'utiliser une cabine publique. Jusque-là, je ne vois pas très bien en quoi on pourrait qualifier la situation de banale.

Je goûte un des pétoncles.

— En effet, j'ai donné cette instruction à Kathleen, admet Jaime.

— Et si elle le répétait ?

— À qui ?

— Un des gardiens. Une autre détenue. Son avocat. Les prisonnières passent leur temps à papoter dès qu'elles en ont la possibilité.

Marino s'affaire sur ses crevettes au barbecue, sa serviette en papier crissant lorsqu'il s'essuie les lèvres. Il lance :

— Tout le monde s'en tape là-bas. C'est pas des gens de la prison que vous devez vous préoccuper, affirme-t-il en déchirant l'emballage d'un autre sachet de ketchup. Faut faire gaffe au FBI. Ce serait un mauvais plan s'ils apprenaient que Jaime vous alerte sur leurs agissements. Du coup, ils perdent l'élément de surprise le jour où ils vous interrogeront. Faut que je fasse un truc pour ma camionnette. Peut-être que je vais en profiter pour aller acheter un pack de Sharp's.

Marino marque un point : le FBI ne serait pas content d'apprendre qu'on m'a mise en garde. Mais il est trop tard. Le fameux élément de surprise s'est volatilisé pour de bon, même si je ne sais toujours pas au juste de quoi on m'accuse. Le scénario le plus vraisemblable serait que Dawn Kincaid et ses conseils aient monté de toutes pièces une parade contre moi et que celle-ci soit un peu crédible. Ce n'est ni la première fois ni la dernière que je suis soupçonnée sans aucun fondement de méfaits, violations, bref d'agissements peu honorables. J'ai déjà été accusée d'avoir falsifié des actes de décès, des résultats de laboratoire, ou d'avoir commis des erreurs d'étiquetage d'indices. Dans mon domaine, il est impossible que quelqu'un n'ait pas un motif d'insatisfaction. Un côté ou l'autre sera terriblement contrarié.

Jaime fait à nouveau ses excuses à Marino :

— La prochaine fois, surtout rappelez-le-moi. Je penserai à rapporter votre marque préférée de bière sans alcool. Sharp's, Buckler, Beck's. Le supermarché à Drayton, pas très loin d'ici, devrait en avoir. Je suis désolée de ne pas y avoir songé.

Il se lève et le cuir de son fauteuil geint à nouveau, m'évoquant un parchemin malmené.

— Ben, personne boit la merde édulcorée que je descends. Y a donc pas de raison que quelqu'un y pense. Si vous pouviez me donner le ticket du voiturier…, me demande-t-il. Plus j'y réfléchis, plus je me dis que ça doit être un coup de l'alternateur. Le problème va être de trouver un mécano à cette heure. (Il jette un regard à sa montre, puis à Jaime, avant de conclure :) Bon, j'ferais mieux d'y aller.

Je récupère le ticket dans mon sac et le lui tends. Marino ouvre la porte et le bip du système d'alarme retentit bruyamment, m'évoquant celui d'un détecteur de fumée muni d'un signal de pile faible. Je repense à la maison des Jordan, m'interrogeant à nouveau. Est-il exact qu'ils n'avaient pas activé leur alarme cette nuit-là, et si tel est le cas, pour quelle raison ? Désinvolture ou confiance excessive ? La tueuse savait-elle que l'alarme ne serait pas enclenchée ou a-t-elle eu de la chance ?

Se tournant vers moi, Marino propose :

— Si vous me dites quand vous serez prête à partir, je viendrai vous chercher. Avec la camionnette, si elle fonctionne normalement, ou alors je sauterai dans un taxi. Je dors aussi au Hyatt. Nos chambres sont situées au même étage.

Inutile de lui demander comment il sait à quel étage j'ai réservé.

— J'ai préparé un petit sac de voyage pour vous, ajoute-t-il. Quelques fringues de terrain et d'autres bricoles que j'ai entassées, puisque je sais que vous ne comptiez pas rester un ou deux jours de plus. Je peux le déposer dans votre chambre ?

— Pourquoi pas ?

— Ce serait plus simple si vous aviez un double de la clef.

Je me lève et la lui donne. Il disparaît ensuite, nous laissant seules. C'est du reste, selon moi, la véritable raison de son départ, plutôt qu'une envie urgente de bière sans alcool ou même l'impérieuse nécessité de faire réparer son utilitaire aussi tard, alors que les garages sont sans doute tous fermés. Jaime lui a probablement recommandé de libérer les lieux dès son dîner terminé, ou alors le lui a fait comprendre discrètement en ma présence, sans que je le voie. Je suppose que le sac de voyage qui m'est destiné était déjà prêt lorsque Marino a quitté Boston pour ses prétendues vacances et qu'il l'a trimbalé depuis. Nul doute ne persiste dans mon esprit : ma venue ce soir chez Jaime Berger a été soigneusement planifiée.

Elle se débarrasse de ses *babies* de cuir bleu et se lève. Ses chaussettes amortissent l'écho de ses pas sur le parquet ancien de pin. Elle se dirige vers la cuisine pour récupérer la bouteille de vin, tout en me proposant un bon scotch au cas où j'aurais envie de quelque chose de plus corsé.

Anticipant la journée de demain, je décline :

— Pas pour moi, merci.

— Je me demande si un alcool plus fort ne serait pas le mieux.

— Non, mais que cela ne vous empêche pas de vous servir.

Je la suis du regard pendant qu'elle ouvre un placard et en tire le Johnnie Walker label bleu.

— Mais que pourrait espérer trouver le FBI ou n'importe qui d'autre à mon sujet ? je lui demande.

— Je crois beaucoup aux stratégies proactives, réplique-t-elle, comme si ma question était autre. Je ne considère jamais rien comme acquis.

Elle dévisse le bouchon de métal de ce scotch si raffiné que j'ai du mal à imaginer qu'elle l'ait acheté pour le boire seule. A-t-elle cru que je resterais à discuter avec elle une bonne partie de la nuit et que l'alcool altérerait mes défenses, me poussant à accepter ce qu'elle souhaite ?

— La perception peut constituer une arme redoutable, ajoute-t-elle. C'est d'ailleurs peut-être leur but.

— Le but de qui ?

Je me demande si Jaime n'est pas la personne qui a un but à atteindre.

CHAPITRE 12

Elle se sert une généreuse rasade de whisky, sec, sans glace, et revient au salon, son verre dans une main, la bouteille de vin dans l'autre.

— Le but de Dawn Kincaid. Celui de ses avocats. À les entendre, ce qui est arrivé à Dawn n'était que de la légitime défense. La sienne, pas la vôtre.

— Il n'était guère ardu de prévoir ce qu'elle avancerait. Que Jack a massacré Wally Jamison durant le dernier Halloween, puis qu'il a enfoncé des clous dans le crâne de Mark Bishop, âgé de six ans, avant d'abattre Eli Saltz, étudiant, et de se suicider avec sa propre arme. Mon ancien assistant en chef qui avait perdu les pédales n'est plus là pour se défendre.

— Et puis vous, sa patronne mentalement dérangée, avez attaqué Dawn Kincaid.

Jaime se réinstalle et je perçois des effluves de tourbe et de fruits brûlés lorsqu'elle pose son verre sur la table basse.

— Je ne suis pas surprise qu'elle sorte de sa manche une telle construction. Cela étant, j'aimerais beaucoup entendre la façon dont elle explique pourquoi elle se trouvait chez moi en pleine nuit, aux aguets dans mon garage, après avoir désactivé l'éclairage automatique avec détecteur de mouvements de l'allée.

— Elle s'est rendue à Cambridge dans le seul but de récupérer son chien, me renseigne Jaime. Vous aviez pris son lévrier réformé, Sock, et elle le voulait.

L'irritation m'envahit :

— Oh, je vous en prie, vraiment !

— Vous aviez confisqué le couteau à injection de gaz trouvé dans la cave de Jack un peu plus tôt ce jour-là, alors que vous examiniez la scène de crime…

Je l'interromps, mon impatience augmentant :

— Le couteau avait été ramassé bien avant mon arrivée sur les lieux. La police vous confirmera qu'elle a découvert sa mallette de protection vide, hormis quelques cartouches de gaz carbonique. Voilà l'histoire.

Elle remplit mon verre de vin.

— La police veut que Kincaid plonge au procès, non ? Elle a une dent contre elle, n'est-ce pas ? D'autant que cette affaire est encore compliquée par le fait que votre mari, agent du FBI, est impliqué. Pas véritablement objectif et impartial, ne trouvez-vous pas ?

Je contre-attaque, parce qu'il m'est difficile de savoir de quel côté elle penche, mais je crains que ce ne soit pas le mien :

— Êtes-vous en train de sous-entendre que Benton aurait subtilisé le couteau guêpe sur la scène de crime, ou alors saurait que je l'ai fait, et qu'il mentirait sur un tel sujet ? En d'autres termes, que l'un d'entre nous trafiquerait les preuves ou ferait obstruction à la justice de quelque manière que ce soit ?

— L'important n'est pas moi ou ce que je sous-entends. Ce qui compte, c'est ce que Dawn affirmera.

— Et pourquoi le sauriez-vous ?

— Elle prétendra qu'alors que vous attendiez son arrivée cette nuit-là chez vous, arrivée dont vous étiez informée, vous avez enfilé votre protection corporelle, réplique Jaime. Vous vous êtes assurée que la torche que vous aviez en main ne marchait plus. Puis vous avez dévissé l'ampoule de l'éclairage automatique de l'allée de manière à pouvoir ensuite clamer que vous ne voyiez rien. Vous avez prétendu avoir balancé la lourde torche métallique au jugé, dans l'obscurité, en simple réflexe de défense, alors qu'en réalité vous guettiez l'arrivée de Dawn pour l'attaquer.

— Il s'agissait d'une vieille torche et je ne l'ai pas essayée avant de sortir de la maison. Une erreur. Et ce n'est certainement pas moi qui ai dévissé l'ampoule de l'éclairage à capteurs de mouvements, débité-je, contenant avec difficulté mon agacement.

— Vous étiez fin prête, l'attendant lorsqu'elle est apparue dans le simple but de récupérer Sock.

Jaime s'installe plus confortablement dans le canapé et place un coussin sur ses genoux, posant ses avant-bras dessus.

— Et donc il paraîtrait logique qu'elle me contacte, me demandant si elle peut passer prendre son chien, alors que la police, les fédéraux et la terre entière sont à sa recherche ? j'argumente. Qui va gober une telle imbécillité ?

— Mais elle va rétorquer qu'elle ne savait pas que la police la recherchait. D'ailleurs, pourquoi l'aurait-elle soupçonnée un instant puisqu'elle n'avait rien fait de mal ?

Jaime tend la main pour récupérer son verre. Le scotch de luxe a une couleur ambre foncé et tournoie dans le verre de médiocre qualité. Son débit s'est modifié et elle semble un peu saoule. Elle poursuit :

— Elle affirmera que son lévrier adoré, retraité des champs de courses, entraîné par sa mère qui le lui avait confié, se trouvait à Salem, dans la maison de son père. Dawn dira que vous avez récupéré le chien, que vous l'avez volé pour le garder et qu'elle voulait simplement qu'on lui restitue. Elle racontera aussi que vous l'avez attaquée et qu'elle est parvenue à vous arracher le couteau guêpe au prix d'une affreuse coupure à la main, de la perte partielle d'un doigt, sans parler des dommages aux nerfs et aux tendons, et qu'ensuite vous l'avez frappée avec violence à la tête avec une lourde torche en métal. Elle conclura en déclarant que si Benton n'avait pas surgi dans le garage au moment propice, vous l'auriez achevée. Elle serait morte aujourd'hui.

Je repose mon assiette et la détaille. Mon appétit vient de s'enfuir, et je ne pourrais avaler une autre bouchée de la soirée, même si je m'y efforçais.

— Elle va le dire ou c'est déjà le cas ?

Si je ne la connaissais pas, je penserais que Jaime Berger est devenue l'un des conseils de Dawn Kincaid et qu'elle m'a attirée à Savannah pour me faire peur. Mais l'hypothèse est invraisemblable et j'en suis consciente.

— Elle l'a dit et le répétera, corrige Jaime en pinçant un peu de salade d'algues du bout de ses baguettes. Elle l'a affirmé à ses avocats et dans des lettres à Kathleen Lawler. Les détenus ont le droit de s'écrire quand ils sont membres d'une même famille. Dawn est assez futée pour avoir commencé à s'adresser à Kathleen sur le mode *chère maman* et elle signe *ta fille qui t'aime*, précise Jaime, au point qu'on pourrait croire qu'elle a lu ces lettres, et c'est d'ailleurs peut-être le cas.

— Kathleen lui a-t-elle répondu ?

— Elle prétend que non, mais elle ment. Je suis certaine que vous n'avez aucune envie d'entendre ce qui va suivre, Kay, mais Dawn est éblouissante dans son rôle : une brillante scientifique qui a perdu l'usage d'une main, qui souffre de troubles mentaux et émotionnels consécutifs au traumatisme et à une commotion cérébrale, laquelle est décrite comme une importante blessure à la tête générant des effets persistants.

— Une fausse malade, je rectifie.

— Jolie, charmante et maintenant sujette à des états dissociés. Délires, facultés cognitives altérées, raison de son transfert à Butler.

— Comédie délibérée.

— Ses avocats vous rendent responsable de tout et vous pouvez vous attendre à un procès au civil ensuite. Votre rencontre aujourd'hui avec sa mère et tous les échanges que vous avez pu avoir auparavant étaient imprudents, si vous voulez mon opinion. Cela ne fait qu'aggraver le côté supposément douteux de votre comportement.

— Rencontre que vous avez orchestrée, je souligne, car elle ne me prendra pas pour une idiote. Je suis ici à cause de vous.

Elle voulait que je me retrouve en position de faiblesse.

— Personne ne vous a posé un revolver sur la tempe, Kay.

— C'eût été inutile. Vous saviez que je viendrais, et vous vous êtes débrouillée pour que tel soit bien le cas.

— Eh bien, en effet, je pensais que vous viendriez, mais je vous recommande de ne plus avoir aucun contact avec Kathleen Lawler. D'aucune sorte, me conseille Jaime, agissant comme si elle était devenue mon avocat. Alors que je crois peu aux conséquences fâcheuses pour vous d'un procès criminel, je m'inquiète des retombées du civil, poursuit-elle en peignant un scénario catastrophe.

— Si un cambrioleur se blesse en retournant votre maison, il vous attaque en justice, je réplique. Tout le monde attaque. Les demandes de dommages sont devenues la nouvelle industrie nationale et la suite logique de presque tous les actes criminels. Un individu tente d'abord de vous voler, vous violer ou vous tuer. Peut-être même qu'il y parvient. Ensuite, il vous attaque en dommages pour faire bonne mesure.

Elle dépose les baguettes et sa serviette en papier sur son assiette vide et souligne :

— Je n'essaie pas de noircir le tableau, ni de vous faire peur, et surtout pas de vous mettre dans une situation compromettante.

— Bien sûr que si.

— Vous croyez que je bluffe.

— Je n'ai pas dit cela.

— Lorsque le FBI a débarqué dans mon appartement, il voulait savoir si j'avais observé chez vous une tendance à l'instabilité, à la violence, bref tous comportements qui auraient pu m'alerter. Étiez-vous digne de confiance ? Abusiez-vous de drogues, de médicaments ou d'alcool ? N'était-il pas exact que vous vous étiez vantée de pouvoir perpétrer le meurtre parfait ?

— Je ne me suis jamais vantée d'une telle chose. De plus, ce qui s'est déroulé dans le garage n'avait rien de parfait !

— Vous admettez donc avoir voulu tuer Dawn Kincaid ?

— J'admets que si j'avais pu penser une seconde qu'on allait m'agresser, je me serais armée avec quelque chose de plus efficace qu'une torche repêchée dans un tiroir de cuisine ! J'admets que rien de tout cela ne se serait produit si j'avais été plus vigilante, si je n'avais pas été si distraite, si épuisée par le manque de sommeil.

Jaime déclare alors :

— Le FBI voulait également savoir si je connaissais les détails de votre relation avec Jack Fielding. Aviez-vous un jour été amants ? Étiez-vous une femme possessive, attachée à lui de façon pathologique ? Aviez-vous eu la sensation d'être éconduite ou aviez-vous une propension aux accès de rage dus à la jalousie ?

Elle avale une nouvelle gorgée de son scotch, et durant un instant je suis tentée de me lever et de me servir. Cependant ce serait déraisonnable. Je ne puis me permettre davantage de vulnérabilité face à elle et encore moins d'être vaseuse demain. Je m'enquiers :

— Et donc ils ont évoqué cette histoire parfaitement fantaisiste de légitime défense ?

— Non, jamais ils ne se seraient montrés si généreux. Le FBI est très performant lorsqu'il s'agit d'obtenir des informations. En revanche, il est peu désireux de retourner la politesse. D'ailleurs ils n'ont pas voulu m'expliquer la raison de leurs questions à votre sujet.

— Il ne s'agit pas de réciprocité, je répète.

— J'aurais tendance à penser que vous voudriez aider quelqu'un qui va être exécuté pour un crime qu'il, elle plutôt, n'a pas commis. La situation dans laquelle vous vous trouvez peut, peut-être, vous inciter à vous sentir encore plus proche d'une femme accusée à tort de meurtre ou d'avoir tenté de tuer, ajoute-t-elle avec conviction.

— Je n'ai nul besoin d'être abusivement accusée d'un crime pour pouvoir distinguer le bien du mal.

— Lola connaîtra une mort épouvantable. Son agonie n'aura rien d'indolore ni de clément. Le Dr Clarence Jordan est issu d'une vieille famille riche de Savannah, un bon chrétien, un homme intègre, généreux à l'excès. Il soignait gratuitement les nécessiteux, aidait bénévolement aux urgences, à la soupe populaire, aux dons alimentaires pour Thanksgiving ou le réveillon de Noël. Un saint selon certains.

Sans doute est-il imaginable qu'un homme de grande foi, un saint, néglige de rebrancher le système d'alarme. Je me demande s'il l'avait lui-même fait installer ou s'il datait d'un autre propriétaire.

— Avez-vous des informations concernant le système d'alarme des Jordan ?

— À l'évidence, il n'était pas activé lors des meurtres.

J'insiste :

— Cela ne vous préoccupe pas ?

— Disons que la question continue de m'intéresser. Pourquoi l'alarme était-elle désactivée ?

— Lola a-t-elle une explication ?

— Elle n'a pas pénétré chez les Jordan, souligne à nouveau Jaime. Quant à moi, je n'ai aucune interprétation qui tienne la route.

— Quelqu'un a-t-il cherché à savoir s'il entrait dans les habitudes des Jordan de ne pas brancher le système ?

— Il n'y a plus aucun témoin vivant pour nous le dire. Mais j'ai demandé à Marino de s'y intéresser, entre autres choses, déclare Jaime.

— S'il était fonctionnel et connecté à une compagnie de sécurité par ligne téléphonique, on devrait avoir des enregistrements précisant s'il était ou non régulièrement activé et désactivé, j'observe. Dans ces cas, il existe aussi un suivi des déclenchements intempestifs, des problèmes survenant sur la ligne, bref toutes choses pouvant indiquer que les Jordan s'en servaient et payaient un abonnement mensuel à la compagnie.

— Très pertinent. Ce point n'a pas été assez investigué dans les rapports que j'ai épluchés, admet Jaime. Ni même durant les interrogatoires.

— Avez-vous discuté avec l'enquêteur chargé de l'affaire ?

— L'agent spécial Billy Long, du bureau d'investigation de Géorgie, est parti à la retraite il y a cinq ans. Il répète que ses différents rapports sont éloquents.

— Vous avez discuté avec lui ?

— Marino s'en est chargé. Selon Billy Long, l'alarme n'était pas branchée cette nuit-là. La conclusion s'imposait : les Jordan étaient des gens confiants et pas particulièrement sensibles aux mesures de sécurité. De plus, ils auraient été agacés par des déclenchements inopportuns.

— Et donc ils ont totalement cessé de l'activer, même durant la nuit, je résume. Ça semble un peu excessif.

— De la négligence, mais pas incompréhensible. Deux enfants de cinq ans, je vous laisse imaginer ce qui peut se produire. Ils ouvrent les portes, l'alarme se déclenche et la police débarque. Au bout d'un certain temps, vous en avez assez, et vous devenez réticent à rebrancher le système. Après tout, votre porte est munie d'un verrou à clef et vous redoutez surtout que les enfants s'enferment à l'intérieur dans l'éventualité d'un incendie. Du coup, vous prenez la très mauvaise habitude de laisser la clef dans la serrure et un intrus peut aisément casser une des vitres de la porte, passer le bras à l'intérieur et ouvrir.

— Quels arguments soutiennent l'hypothèse selon laquelle les Jordan se montraient négligents ?

— La conviction, à l'époque, de l'agent spécial Long, lance Jaime.

Je sens que je suis en train de plonger dans une affaire à laquelle je ne devrais pas me mêler. Parce qu'on m'y a conduite par la ruse. Jaime n'a pas épargné les stratagèmes afin de s'assurer que je me trouverais ce soir dans ce salon et que nous aurions cette conversation.

— Malheureusement, les interprétations sont aisées lorsqu'on croit qu'un dossier est bouclé, j'observe.

— En effet. Ils avaient retrouvé l'ADN des Jordan sur les vêtements ensanglantés que Lola Daggette tentait de laver dans la salle de bains de son centre de réadaptation.

— Je comprends pourquoi le bureau d'investigation de Géorgie et le procureur ne sont pas outre mesure préoccupés des détails concernant le système d'alarme, je concède.

Jaime tend la main afin de récupérer son verre et rétorque :

— En revanche, je serais curieuse de savoir pourquoi ils vous intéressent tant.

— Parce que c'est assez évocateur de la personnalité de l'intrus. Le fait qu'il s'inquiète ou non de l'activation de l'alarme.

Je plonge de plus en plus profond dans cette histoire, comme le prévoyait Jaime. Je poursuis :

— Savez-vous si le pavé numérique de contrôle était visible depuis l'extérieur ? L'agresseur aurait-il pu jeter un œil par la porte vitrée et vérifier si le système était ou non en activité ?

— Assez difficile à déterminer sur les photos de scène du crime. Cela étant, je crois possible qu'en se penchant de l'extérieur quelqu'un aurait pu voir si le témoin lumineux du pavé était rouge ou vert.

— Ces aspects sont importants. Ils sont révélateurs de l'état d'esprit de la tueuse. A-t-elle choisi la demeure des Jordan de façon aléatoire ? S'agissait-il d'un coup de chance, si j'ose dire ? L'intruse a-t-elle brisé la vitre de la porte de la cuisine et ouvert, en se disant que si l'alarme se déclenchait, il ne lui resterait qu'à prendre ses jambes à son cou ? Ou alors avait-elle de bonnes raisons de se dire que le système ne serait pas activé ? À moins qu'elle n'ait pu le vérifier de l'extérieur. La maison des Jordan existe toujours, je suppose ?

— La cuisine a été refaite. Le reste, je ne sais pas trop, si ce n'est qu'une sorte de dépendance a été construite à l'arrière. La porte initiale de la cuisine a été remplacée par un modèle en plein, sans vitres. L'actuel propriétaire a recours aux services de Southern Alarm, une compagnie de surveillance. Il a planté des panneaux le signalant dans le jardin, et des stickers ont été apposés sur les fenêtres.

— Ça ne m'étonne pas.

— Nous n'avons trouvé aucune indication relative au système d'alarme des Jordan, si ce n'est qu'ils étaient clients de Southern Cross Security, une autre compagnie de surveillance.

— Je n'en ai jamais entendu parler.

— Une petite entreprise locale spécialisée dans les demeures historiques et dont la priorité consistait à ne pas endommager les boiseries et autres éléments précieux, me précise Jaime en dégustant une autre gorgée de son scotch. Elle a fait faillite il y a plusieurs années, lorsque l'économie a plongé et que les valeurs immobilières ont terriblement perdu, notamment pour les grandes et belles demeures du passé. Beaucoup de ces maisons ont été transformées en bureaux ou en appartements.

— C'est ce que Marino a appris ?

— Est-ce important de savoir qui a trouvé quoi ?

— Je pose la question parce qu'il s'agit d'un enquêteur expérimenté et très fiable. En général, les informations qu'il déterre sont sérieuses.

Elle me dévisage, cherchant à savoir si je mens. Elle tente de déterminer s'il s'agit de jalousie de ma part. Sans doute suppose-t-elle que je ne suis pas très heureuse que Marino l'ait rejointe ici et qu'il s'apprête à démissionner de son emploi à plein temps au centre de sciences légales de Cambridge. Peut-être éprouve-t-elle une secrète satisfaction à m'avoir « volé » Marino, mais je suis indemne de ce genre de sentiments. En revanche, je suis mécontente de l'influence qu'elle a sur lui, mais pas pour les raisons qu'elle croit. Je n'ai aucune confiance en Jaime lorsque le bien-être de Marino est concerné. Celui de personne d'ailleurs.

Revenant au sujet qui m'intéresse, je m'enquiers :

— Avez-vous demandé à Colin Dengate s'il possédait des informations sur le système d'alarme ? A-t-il entendu des enquêteurs en parler ?

— Il ne discute d'aucun point en lien avec l'investigation. Il se contente de me diriger vers la source, ce qui est approprié mais ne m'aide guère. Le moins qu'on puisse dire est qu'il ne se montre pas coopératif. Alors qu'il est autorisé à formuler ses opinions, il a décidé de ne pas me les communiquer.

— Discute-t-il avec Marino ?

— Il est exclu que je demande à Marino de l'approcher. Ce ne serait pas correct. Colin doit me parler, à moi. Ou à vous.

Erreur ! Marino est le genre de flic qui va droit au but, qui ne prend pas de gants, bref le genre d'homme avec qui Colin Dengate se sentirait en confiance.

Comme si l'affaire dépendait maintenant de moi, je demande :

— Quelle spécialité exerçait Clarence Jordan ?

— Un généraliste, médecin de famille sur Washington Avenue, avec une belle clientèle. On ne tue pas un Clarence Jordan et on ne tue pas sa femme. (Le regard de Jaime ne me lâche pas alors qu'elle boit et me parle.) On tue encore moins ses adorables petits enfants. En d'autres termes, les gens du coin n'accepteront jamais l'idée que Lola Daggette puisse être innocente. Pour eux, c'est Jack l'Éventreur.

Je finis par lâcher :

— Votre méthode pour requérir mon aide en tant qu'expert est assez surprenante.

— Plusieurs choses sont en cours. En vous incitant à me rejoindre ici, je nous aide toutes les deux.

— Je n'en suis pas certaine. Mais je constate que vous savez comment diriger Marino. Ou plutôt, vous n'avez pas perdu la main.

— Vous êtes un élément clef dans une enquête fédérale, Kay. À votre place, je ne banaliserais pas ce point.

— Une investigation qui est surtout de forme, vous le savez mieux que quiconque. Si l'on prend en compte qui je suis et notamment mon affiliation au département de la Justice, toute allégation me concernant doit être examinée. Si on m'accusait d'être la fée Clochette, il faudrait que quelqu'un enquête là-dessus.

— Certes, mais vous n'avez aucune envie qu'une accusation quelconque remonte jusqu'aux médias et certainement pas celle d'avoir agressé et mutilé une personne. Avouez qu'une telle publicité serait détestable, Kay.

— J'espère que vous n'êtes pas en train de me menacer. On dirait que ce commentaire sort de la bouche d'un avocat de la défense.

— Oh, mon Dieu, certainement pas ! Pourquoi vous menacerais-je ?

— La raison paraît évidente.

— Bien sûr que non. Je ne vous menace pas une seconde. Au contraire, je peux vous aider. D'ailleurs, si ça se trouve, je suis la seule à le pouvoir.

Je ne comprends rien à ce qu'elle dit. Je ne vois pas en quoi Jaime Berger pourrait m'être d'un quelconque secours, mais ne commente pas.

— Beaucoup de gens risquent de se montrer compréhensifs, d'éprouver de la sympathie pour Dawn Kincaid. Selon moi, mieux vaudrait pour vous que votre affaire n'arrive jamais devant un jury.

— Et qu'elle s'en sorte haut la main ? Je ne vois pas en quoi cela me serait utile.

— Le crime pour lequel elle sera punie importe-t-il si elle paie ?

— Elle sera jugée sur d'autres chefs d'inculpation. Pour quatre homicides en plus de sa tentative sur moi, je renchéris, me méprenant sur son allusion.

— Quel dommage que Jack Fielding puisse lui servir de bouc émissaire dans ces affaires, les meurtres de la Mensa ! déclare-t-elle en regardant d'un air songeur le fond de son verre. Accuser un homme mort, *bodybuilder*, instable et agressif, expert en sciences légales et qui s'est livré à des activités qui vont offusquer le juré moyen.

Je demeure silencieuse. Elle poursuit :

— En admettant que le pire se produise et que les inculpations pour homicides soient rejetées, eh bien… vous vous retrouverez dans l'embarras. Si Dawn parvient à attribuer les meurtres à son père, vous ne pouvez plus vous raccrocher à grand-chose. Du moins est-ce mon avis de professionnelle…

De fait, je sens à nouveau le procureur en elle.

— … Si les jurés ajoutent foi à la version de Dawn selon laquelle Jack est le véritable tueur, du coup ils penseront que vous avez agressé une innocente jeune femme venue chez vous dans le seul but de récupérer son lévrier. Au mieux, elle vous attaquera au civil et, croyez-moi, ça vous coûtera cher, en plus du fait que ce ne sera pas beau à voir.

Cette fois, l'avocate de la défense a refait surface. Force m'est d'admettre :

— En effet, il serait préjudiciable pour moi que le jury soit convaincu de la culpabilité de Jack.

— En d'autres termes, un petit miracle serait le bienvenu, vous ne pensez pas ?

Elle me sourit et on pourrait croire que nous devisons de choses plaisantes.

— On court toujours après les miracles, mais je ne suis pas certaine qu'ils existent, dis-je.

— Eh bien, figurez-vous que si, ils existent. De plus, nous en avons un à disposition.

CHAPITRE 13

D'un ton réjoui, plein d'assurance, elle m'apprend que les nouvelles analyses d'ADN pratiquées sur des éléments de preuve lient Dawn Kincaid aux meurtres des Jordan.

— Les écouvillons et spécimens collectés chez les Jordan, dont le sang provenant du manche d'un couteau, bref des échantillons indéterminés et inexploitables à l'époque des meurtres, correspondent à l'empreinte génétique de Dawn, m'explique-t-elle pendant que je vérifie les messages parvenus sur mon iPhone en lui refusant la réaction qu'elle attend de moi.

Gratitude. Soulagement. *Comment puis-je vous remercier, Jaime ? Demandez, tout ce que vous voulez. Dites-moi juste ce que je peux faire pour vous montrer ma reconnaissance.*

— Dawn Kincaid était présente dans la maison, c'est incontestable, affirme Jaime d'un ton qui ne souffre pas la contradiction. Elle se trouvait chez les Jordan au moment des meurtres. On a retrouvé un de ses poils pubiens et son urine dans les toilettes. On a également prélevé son sang et ses cellules de peau sous les ongles de la petite Brenda, qui, apparemment, s'est défendue avec énergie en la griffant.

Elle marque une pause pour me permettre de soupeser la gravité de ce qu'elle vient de me révéler, une pause assez théâtrale alors que je pense à autre chose.

Benton vient juste de m'envoyer un texto : « Tu vas ? Où es-tu ? Qui ou quoi est donc cette Anna Copper SARL ? » Tout en répondant à Benton par un simple point d'interrogation, je dis à Jaime :

— Je pense comprendre votre intérêt pour Kathleen Lawler… Je ne vois pas de quoi Benton me parle. Je n'ai jamais entendu parler d'Anna Copper SARL.

— … Kathleen doit espérer un arrangement si elle vous aide. Peut-être parviendrez-vous à soutirer une remise de peine ou à influencer la commission pénitentiaire.

— Elle s'est montrée très coopérative, admet Jaime. Et, en effet, elle veut retrouver sa vie de femme libre. Elle est prête à tout pour cela.

— Est-elle au courant pour l'ADN ? Que les nouvelles analyses désignent sa fille ?

— Non.

— Comment pouvez-vous être si affirmative ? J'ai le sentiment que le GPFW est vivement intéressé par tout ce qui se dit et fait là-bas.

— J'ai été très prudente.

— Lola Daggette présentait-elle des blessures lorsque la police l'a arrêtée peu après les meurtres ? L'a-t-on examinée ? A-t-on recherché des abrasions, des griffures, des bleus ? Un spécialiste en techniques médico-légales a-t-il été chargé d'un examen ?

— Pas à ma connaissance. Toutefois elle ne portait aucune blessure visible, ce qui aurait dû alerter, me renseigne Jaime, qui marque un point. Il est indubitable que la petite Brenda s'était débattue et qu'elle avait griffé son attaquante, assez sérieusement pour la faire saigner. La police aurait donc dû s'interroger sur l'absence de marques sur Lola.

— En effet, vous avez raison. D'autant qu'un autre indice était fourni par les prélèvements effectués sous les ongles de la fillette qui ne correspondaient pas à l'ADN de Lola Daggette. Indice important et gros problème.

— Tout à fait. Cela devait suggérer aux forces de l'ordre que Lola n'était pas la meurtrière, martèle Jaime.

— Ou du moins qu'elle n'avait pas agi seule.

— Là-dessus les gens du coin sont bornés, déclare Jaime. Ils voulaient que ces meurtres soient résolus. Ils en avaient impérativement besoin pour leurs propres tranquillité et sécurité, pour se dire que l'ordre et le bon sens prévalaient dans leur charmante petite ville.

— Malheureusement, ça arrive. Notamment avec des affaires médiatiques suscitant beaucoup d'émotion.

— C'est Dawn qui a massacré la famille Jordan, qui s'est fait griffer, puis s'est confectionné un sandwich avant d'utiliser les toilettes du bas, résume Jaime. Comble de l'ironie, je n'en suis certaine que parce qu'elle vous a attaquée dans le Massachusetts. L'ADN de Dawn Kincaid a été enregistré dans la base de données CODIS juste après son arrestation chez vous. Après les nouvelles analyses que j'ai demandées sur l'ADN retrouvé chez les Jordan, ils ont fait une recherche et le résultat est tombé. Un vrai choc, j'en suis consciente. Stupéfiant !

— Peut-être pas un choc, je rectifie, peu désireuse de rentrer dans son jeu. Kathleen Lawler a précisé que sa fille Dawn aurait pu se trouver à Savannah lors des meurtres de la famille Jordan, en janvier 2002, d'après ses confidences cet après-midi. Elle affirme également qu'il s'agissait de sa première rencontre avec sa fille. Kathleen aurait-elle la moindre idée des actes perpétrés par Dawn ?

— Je ne vois pas comment. Pourquoi Dawn aurait-elle confessé de telles monstruosités, à moins de souhaiter être arrêtée ? C'est une telle avancée, Kay, et dans plusieurs affaires. Nous savons, sans aucune ambiguïté, qu'elle était à Savannah puisqu'elle y a laissé son ADN. Peu importe alors qu'elle continue à mentir à propos de ce qui s'est déroulé chez vous le 10 février. Si elle avait la moindre crédibilité, elle peut lui dire adieu !

— En d'autres termes, ma motivation pour vous aider devrait être double, j'ironise.

— La justice. La justice dans différentes affaires.

— Quand avez-vous obtenu les résultats d'analyses ADN ?

— Il y a environ un mois.

— À l'évidence l'information n'est pas remontée, du moins en ce qui me concerne. Jamais entendu parler, ce qui ne signifie pas que d'autres ne soient pas au courant.

— Ni Dawn ni ses avocats ne savent que son ADN a été mis en concordance avec l'enquête Jordan, avec ces meurtres multiples commis neuf ans plus tôt, souligne Jaime avec une assurance que je suis loin de ressentir.

— À quel labo avez-vous fait appel ?

— À deux, indépendants, l'un à Atlanta, l'autre à Fairfield, dans l'Ohio.

Je m'étonne, perplexe :

— Et personne n'est au courant ? Pas même le FBI ? J'imagine que le procureur général de Géorgie a autorisé ces nouvelles analyses ?

— En effet.

— Et lui non plus ne connaît pas le résultat ?

— Tout comme d'autres personnes clefs, il comprend l'importance de la confidentialité tant que la nouvelle argumentation n'est pas prête. Or je n'en suis qu'aux premières étapes.

Lui rappelant une évidence pour un procureur, je souligne :

— L'une des plus grandes menaces qui pèsent sur une enquête, ce sont précisément les fuites.

De deux choses l'une : ses avancées lui montent à la tête ou bien elle est désespérée. Je poursuis :

— Selon moi, le risque d'indiscrétions dans ce cas précis est très élevé. Terriblement élevé même. Beaucoup de gens sont intéressés à titre personnel par l'affaire Jordan. Notamment des gens très puissants au sommet de l'État de Géorgie, des personnes qui risquent d'être embarrassées si un avocat new-yorkais débarque chez elles et découvre que leur enquête sur des crimes très médiatiques a été mal conduite et qu'une adolescente a été condamnée à tort à la peine de mort.

— Je ne suis pas tombée de la dernière pluie, Kay.

— Je n'en doute pas, mais peut-être vous montrez-vous idéaliste. Vous êtes excitée par cette affaire, quoi de plus normal, mais je ne vous serais pas d'une aide appréciable si je ne vous mettais pas en garde. Contrairement à ce que vous semblez supposer, vous ne volez pas hors de portée de leurs radars et votre chape de secret n'est pas hermétique.

Tara Grimm fait une incursion dans mon esprit et je me demande si elle est au courant des nouveaux résultats.

Elle sait que l'ADN a été analysé une deuxième fois. *Qui l'a informée ?*

— Et donc vous acceptez de m'aider, résume Jaime. Vous m'en voyez enchantée, affirme-t-elle d'un ton qui n'a rien de ravi.

Elle semble fatiguée, si tendue. Son regard ensommeillé a perdu l'éclat que je lui connaissais. Elle a l'air mal dans sa peau, changeant sans cesse de position dans le grand canapé, repliant ses jambes sous elle, puis les allongeant à nouveau. Agitée et buvant beaucoup trop.

— Le premier service que je vais vous rendre consiste à vous rappeler que certaines personnes sont sans doute au courant des résultats récents d'ADN et qu'elles vont peut-être tenter d'interférer, si ce n'est déjà fait. L'empreinte génétique que vous avez obtenue a donc été confrontée à la base de données ADN du FBI. Une correspondance a été trouvée dans le fichier informatique des délinquants arrêtés. Le nom de Dawn Kincaid est sorti. En conséquence, vous ne pouvez pas affirmer avec certitude que ledit FBI n'est pas au courant que Dawn, une extrême priorité à ses yeux, est liée à des meurtres perpétrés à Savannah neuf ans auparavant. Si le procureur général de Géorgie le sait, il en va de même pour le gouverneur de l'État, qui semble s'être beaucoup investi pour que Lola Daggette soit exécutée. Lorsque j'ai discuté avec Tara Grimm, j'ai compris aussitôt qu'elle était au courant de nouvelles analyses et que cela risquait de se solder par, et je cite, « une *grande évasion* du GPFW ».

— Ils enregistrent tout là-bas, réplique Jaime d'un ton si neutre qu'on pourrait croire qu'elle n'est pas concernée par ce que je viens de lui expliquer. Quand j'étais installée dans cette salle d'entretiens de Bravo Pod, j'étais parfaitement consciente que chaque mot que je prononçais serait écouté, ce qui explique que j'ai eu recours à des notes griffonnées sur mon bloc lorsqu'il devenait crucial que mes échanges demeurent confidentiels. Kathleen fait très attention quand elle discute. Mais j'admets que Lola est un cas à part. Elle est très limitée intellectuellement et ne parvient pas à contrôler son impulsivité. Elle se vante, se congratule, est prête à n'importe quoi pour attirer l'attention. Elle sait que nous avons procédé à de nouveaux tests, mais je ne lui ai pas communiqué les résultats.

Je suggère :

— Je me demande malgré tout si elle n'est pas déjà informée. Cela expliquerait son animosité vis-à-vis de Kathleen, la mère de celle qui est responsable des neuf années que Lola vient de passer en prison.

— Je vous avoue que ma plus grande inquiétude est que cette information filtre dans les médias avant que je ne sois prête.

— Vraiment ? J'ai remarqué que vous aviez installé une caméra de sécurité et un système d'alarme, dis-je sans préciser que je crois également qu'elle trimbale une arme dans son sac. Peut-être devriez-vous plutôt vous préoccuper de votre sécurité professionnelle et personnelle.

— Et j'imagine que vous, vous vous seriez équipée d'un système de protection haut de gamme si vous travailliez ici. Du moins quelqu'un l'aurait-il conçu pour vous, ajoute-t-elle, et je me demande si elle fait référence à Lucy. Dès que je serai en possession de plus de données scientifiques, que je serai totalement certaine de mes arguments, je déposerai une requête pour que les charges ayant conduit à la condamnation à mort de Lola soient réexaminées. Je réorienterai le préjugé défavorable en m'appuyant sur les faits. Je transformerai la soif de vengeance grâce à la science et vous allez m'y aider, du moins je l'espère.

Elle marque une pause comme si elle attendait que je le lui promette, mais je me garde de lui offrir cette assurance.

— Aucune preuve ne permettait d'incriminer Lola pour ces assassinats, à l'exception des vêtements ensanglantés. Dawn Kincaid lui a sans doute ordonné de s'en débarrasser ou de les laver, ou alors elle les a carrément déposés dans sa chambre pour la faire accuser, énumère Jaime. Cependant j'ai besoin de précisions. Je veux être parfaitement armée avant de passer à l'étape suivante.

— Et comment Lola et Dawn se connaissaient-elles ? D'ailleurs sommes-nous certains qu'elles se soient jamais rencontrées ? demandé-je alors qu'un nouveau texto de Benton parvient sur mon portable.

Où es-tu ? Tu ne réponds pas dans ta chambre d'hôtel.

Tout va bien, je tape.

Rappelle dès que tu peux. (Anna Copper a une réputation bien ternie.)

Pour la troisième fois, je lui envoie un point d'interrogation en réponse alors que Jaime reprend :

— Permettez-moi de préciser que je ne bafoue en rien le secret professionnel. Lola m'a autorisée à discuter des détails avec vous.

— Pourquoi ? Du moins si on exclut qu'elle a intérêt à faire ce que vous lui conseillez.

— Votre avis sera considéré avec le plus grand sérieux par les tribunaux. Nous avons impérativement besoin d'un expert médico-légal reconnu et d'excellente réputation, qui soit capable de prendre des risques.

Elle sous-entend par là que tel ne serait pas le cas de Colin Dengate, ou du moins le croit-elle.

— Admettons qu'il ne s'agit pas d'une position facile à adopter étant donné l'indignation causée par ces crimes. Les gens ressentent toujours surtout de la haine, même après toutes ces années. Cependant l'avantage, si nous prouvons que Dawn Kincaid est la véritable coupable, c'est que cela vous aide à titre personnel, insiste-t-elle à nouveau.

Elle tente de me forcer la main, de m'inciter à faire ce qui lui semble juste grâce à un marchandage, et peut-être est-ce ce qui me choque le plus.

— Si Dawn Kincaid a massacré une famille entière, profitant de leur sommeil à tous, elle est parfaitement capable d'avoir commis les meurtres du Massachusetts, et personne ne croira plus un mot de ce qu'elle peut raconter à votre sujet, Kay.

Jaime conclut une démonstration qui n'est pas nécessaire et encore moins flatteuse dans ses implications. Je demande :

— Lola a-t-elle mentionné Dawn Kincaid ? A-t-elle admis ou simplement insinué que Dawn était sa mystérieuse complice, celle qu'elle a baptisée du surnom *Payback* ?

— Non.

Jaime berce son verre entre ses mains et me regarde, assise dans le coin du canapé. Elle est de plus en plus agitée et saoule. Elle poursuit :

— Lola affirme ne se souvenir de rien. Elle s'est réveillée dans sa chambre du centre le matin du 6 janvier et a découvert par terre des vêtements lui appartenant, couverts de sang. Paniquée à l'idée qu'elle risquait des ennuis, elle a tenté de les laver.

— Et vous y croyez ?

— Lola a peur. Ça, j'y crois. Elle est terrifiée par cette personne qu'elle ne nomme que *Payback*.

— Terrifiée par un être humain, ou un démon, ou un monstre ? Peut-être une invention de sa part ?

— Je pense possible que Lola ait rencontré Dawn par hasard dans la rue, et qu'elle ait été attirée par la promesse de gagner de l'argent ou d'obtenir de la drogue. Il n'est pas non plus impossible qu'elle ait ignoré le véritable nom de Dawn, qui l'a entraînée dans quelque chose ayant abouti à sa condamnation.

— Lola devait déjà séjourner dans le centre de réadaptation lorsque Dawn est descendue à Savannah et que les meurtres ont été perpétrés.

Je lui rappelle qu'une personne placée dans ce genre d'établissement, après une arrestation concernant l'usage ou la vente de stupéfiants, est soumise à une sorte de détention préventive, et qu'il est peu probable qu'elle puisse traîner dans les rues impunément.

— Pas dans ce cas. Il s'agissait d'un centre ouvert, précise-t-elle. Les résidents pouvaient obtenir l'autorisation d'aller et venir. Lola était censée chercher du travail, rendre visite à sa grand-mère souffrante dans sa maison de retraite à Savannah. En d'autres termes, les possibilités de rencontrer Dawn Kincaid ne manquaient pas, d'autant que cette dernière a pu utiliser un nom d'emprunt ou même se présenter avec le surnom de *Payback*. Si cela se trouve, jamais Lola n'a su son véritable prénom. Dissimuler son identité semble logique si l'on garde à l'esprit ce que Dawn comptait faire. Peu importe au fond. L'ADN ne ment pas. L'ADN se moque des pseudonymes.

— Avez-vous demandé à Lola si le nom Dawn Kincaid lui évoquait quelque chose ? Peut-être l'a-t-elle évacué de sa mémoire par crainte ?

— Jamais elle ne l'admettra, si tant est qu'elle s'en souvienne. Je lui ai posé la question, elle affirme que non. Je me suis montrée très prudente, sans mentionner les résultats des nouvelles analyses ADN, répète Jaime.

Je m'étonne :

— Elle serait effrayée à ce point par *Payback*, qui que ce soit ? Après neuf ans ?

— Elle prétend qu'elle entend sa voix. Lola entend *Payback* décrire les horribles choses qu'elle lui fera subir si jamais elle se fâche, relate Jaime.

Je ne peux m'empêcher de songer que cette *Payback* n'est peut-être qu'une construction de l'esprit. Un fantasme terrorisant né du cerveau d'une jeune femme émotionnellement perturbée, possédant un QI de 70 et qui doit être exécutée le jour de Halloween.

— Toutefois l'ADN est la seule voix qui compte, poursuit Jaime. Dawn Kincaid est bouclée et le restera.

Je tiens à m'assurer :

— Lola est-elle au courant ? Sait-elle que Dawn Kincaid sera jugée ?

— Elle sait que Dawn Kincaid a été inculpée d'homicides multiples. L'information a été relatée dans les médias et je la lui ai répétée. Tout le monde au GPFW est au courant que Kathleen Lawler est la mère de Dawn, qui se trouve au Butler et va affronter la justice.

— Je suis certaine que vous avez discuté de Dawn avec Kathleen, dis-je.

— Comme vous le savez, je l'ai interrogée et, en effet, nous avons parlé de sa fille.

— Dawn est derrière les barreaux et pourtant Lola a toujours peur.

Je ne parviens pas à le comprendre, quoi que m'explique Jaime.

Admettons que Lola ait passé presque une décennie dans le couloir de la mort pour des crimes qu'elle n'a pas commis, et que la véritable tueuse soit Dawn Kincaid. Cette dernière étant bouclée dans le Massachusetts, pourquoi Lola en a-t-elle toujours aussi peur et pourquoi Kathleen Lawler est-elle à son tour terrifiée par Lola ? Quelque chose cloche dans cette histoire.

— La peur est une émotion si puissante, déclare Jaime avec assurance, mais en butant sur les mots. Lola a craint cette personne, Dawn Kincaid, durant des années, alors que celle-ci était en liberté et en possession de tous ses moyens, sans oublier son inimaginable cruauté. Vous avez constaté de quoi elle était capable. Elle n'avait que vingt-trois ans lorsqu'elle a massacré les Jordan dans leurs lits. Simplement parce que l'envie lui en a pris. Pour le plaisir de la boucherie. Parce que c'était trop amusant. Ensuite, elle s'est confectionné un sandwich, a bu quelques bières et s'est arrangée pour qu'une adolescente de dix-huit ans, perturbée et déficiente intellectuellement, soit accusée à sa place.

— Vous auriez pu solliciter mon aide, tout simplement, Jaime. Le reste était superflu. Inutile de me manipuler, de m'attirer sous de faux prétextes, et cela m'ennuie que vous croyiez nécessaire de m'appâter. Je suis parfaitement capable de me défendre contre le FBI ou n'importe qui d'autre, et après tout ce que nous avons traversé ensemble, vous auriez dû savoir que j'allais vous aider en cas de besoin.

Elle détaille son verre, semblant soupeser son envie d'une nouvelle rasade et hésite.

— Vous seriez venue jusqu'à Savannah pour me servir d'expert médico-légal dans l'affaire Lola Daggette ? Vous seriez intervenue auprès de votre plouc de collègue, Colin Dengate, qui me répond par monosyllabes ? Vous vous seriez opposée à lui ?

— Colin n'a rien d'un plouc. Il se montre simplement très convaincu dans ses opinions.

— Je ne savais pas comment vous le prendriez, admet-elle et elle ne fait pas allusion à une éventuelle remise en question des conclusions de Colin.

Jaime se souvient qu'elle a été *presque de la famille.* Elle s'interroge. Sa relation passée avec ma nièce Lucy pouvait-elle me décourager d'être de bons services ou simplement civile ? Répondant à la question qu'elle aurait dû formuler, je déclare :

— Je n'ai pas le sentiment que Lucy vous sache à Savannah. Elle m'a paru plutôt bouleversée lorsque je l'ai appelée, après que Kathleen m'a fait passer votre numéro de portable. J'ai demandé à Lucy si elle vous avait prévenue que je venais, si vous l'aviez appris par son intermédiaire. Elle m'a détrompée.

Le regard de Jaime se perd, m'évitant. Lorsqu'elle répond, sa voix est tendue, crispée :

— Nous n'avons eu aucun contact depuis six mois.

— Vous n'avez pas besoin de me raconter.

— Je lui ai dit que je ne voulais plus la revoir, ni lui parler, sous aucun prétexte, déclare-t-elle d'un ton froid.

— Inutile de rentrer dans les détails, je répète.

— J'en conclus qu'elle ne vous a rien expliqué.

— Elle a emménagé à Boston. Vous n'étiez plus dans le paysage et elle a cessé de mentionner votre nom. C'est à peu près tout ce qu'elle a « expliqué », je résume.

Jaime se lève et se dirige vers la cuisine pour remplir son verre en lâchant :

— Eh bien, elle n'a pas pensé aux conséquences dévastatrices qu'auraient ses actes. Pourtant il lui suffisait de réfléchir un peu. Je suis certaine qu'elle ne souhaitait me porter aucun préjudice. Cela ne change rien au fait qu'elle a détruit tout ce que j'avais construit, avec encore moins de perspicacité que Greg quant aux dégâts qu'elle semait.

Greg est l'ex-mari de Jaime.

Elle poursuit en se servant un scotch :

— Au moins, Greg avait intégré les exigences de ma carrière. En tant qu'avocat et être humain mature et raisonnable, il sait parfaitement comment les choses marchent, et qu'il existe des règles et des réalités qu'on ne peut négliger simplement parce qu'on pense qu'elles ne s'appliquent pas à vous. Du moins Greg se montrait-il discret, intelligent et même professionnel, si l'on peut utiliser ce terme dans une relation ou même lors de sa dissolution. Jamais il n'aurait été assez imprudent pour se laisser aller à un acte de nature à me casser les reins, pas même au prétexte de m'aider.

Elle rejoint le canapé et se réinstalle dans le coin.

— Inutile de me raconter ce que Lucy a fait, ou du moins votre perception, dis-je d'un ton calme et mesuré, de sorte qu'elle ne perçoive pas ce que je ressens vraiment.

Le regard de Jaime épingle le mien. Ses yeux sont obscurcis. Ses pupilles dilatées m'évoquent des blessures béantes. Elle reprend :

— Selon vous, comment suis-je au courant des magouilles de Farbman avec les statistiques ? Pourquoi pensez-vous que j'en suis certaine plutôt que d'avoir de simples soupçons ?

Je ne lui réponds pas, me doutant de ce qui va suivre.

— Lucy a piraté le Centre de criminologie en temps réel. Elle s'est infiltrée dans le serveur ou l'ordinateur central, ou dans une banque de données quelconque…

Sa voix tremble. Durant l'espace d'une seconde j'entrevois l'étendue de la dévastation qu'elle dissimule, celle engendrée par la perte, celle qu'elle refuse d'admettre. Elle poursuit :

— Je comprends ses sentiments au sujet de Farbman. Elle a été témoin de doléances *ad nauseum* de ma part, derrière des portes closes, lors de nos moments d'intimité. Mais je n'espérais certainement pas qu'elle prendrait sur elle de pirater le système informatique du département de police de New York afin de me permettre de prouver mes allégations.

— Car vous savez de source sûre qu'elle est bien à l'origine de ce piratage ?

Son regard se perd à nouveau derrière moi.

— Je suppose que je devrais m'en prendre à moi-même. Mon erreur fatale fut de succomber à son côté redresseur de torts, à son mépris complet des limites et, je vais être franche, à sa sociopathie. Je sais mieux que quiconque ce qu'elle est. Enfin, bordel, vous et moi savons ! Ce dont j'ai dû la tirer, expliquant les tout débuts de mon implication, de cet enchevêtrement…

— Enchevêtrement ?

— Vous avez requis mon aide, martèle-t-elle en avalant une gorgée. La Pologne, ce qu'elle a commis là-bas. Mon Dieu ! Aimeriez-vous avoir une relation avec un être dont vous ne pouvez pas tout savoir ? Quelqu'un qui… Non, je ne le dirai pas.

— A tué des gens ?

— J'en sais plus que je ne le souhaiterais. J'en sais davantage sur elle que je ne le voudrais.

Mais qu'est-ce qui a pu changer Jaime Berger à ce point ? Elle n'était pas aussi égocentrique, si désireuse d'accuser tous les autres, mais pas elle. Elle continue sur sa lancée :

— Je ne compte plus les fois où je lui ai dit : « Je ne veux plus entendre un mot. J'ai une fonction officielle dans le domaine légal. » Comment ai-je pu être aussi stupide ? bafouille-t-elle, éprouvant des difficultés à articuler. Peut-être en raison de l'exécration que j'éprouve pour Farbman. Cela faisait des années qu'il voulait se débarrasser de moi. Malheureusement, je n'ai pas réalisé qu'il n'était pas le seul dans ce cas. Lorsque Lucy m'a apporté l'information et que j'ai su avec précision les données que Farbman avait falsifiées, j'ai foncé chez le commissaire, qui, bien sûr, a exigé des preuves.

— Que vous ne pouviez pas donner ?

— Je n'ai jamais pensé qu'il les voudrait.

— Pourquoi ?

— Les émotions. S'engluer totalement dans l'émotionnel et commettre une irréparable erreur de calcul. Tout d'un coup, je me retrouvais au banc des accusés. J'étais compromise. Rien n'a été dit de façon directe. Ce n'était pas la peine. Certaines personnes n'avaient plus qu'à lâcher le nom de Lucy dans la discussion, aux moments opportuns. Tous savaient. Une experte en informatique, considérée peu scrupuleuse, virée par le FBI et l'ATF dans sa jeunesse. Tout le monde sait ce dont elle est capable. Je ne peux bien sûr vous faire aucune recommandation concernant ce que vous rapporterez à Lucy, mais je ne vous conseille pas de...

Je l'interromps :

— Il serait, en effet, préférable que vous évitiez les conseils au sujet de Lucy.

— Je ne pensais pas que vous approuviez...

Je la coupe à nouveau en me levant du canapé et en commençant à desservir :

— Il ne m'appartient pas d'approuver ou non. Vous avez eu une relation avec Lucy. Celle qui m'unit à elle est différente, l'a toujours été et le sera toujours. Si ce que vous m'avez relaté est exact, cela prouve un jugement déficient, une stupidité colossale et autodestructrice de sa part. (Je porte les assiettes dans la cuisine, terminant :) Je devrais prendre congé. Vous avez l'air fatiguée.

— Une façon étonnante de résumer le problème, déclare-t-elle en alignant d'un geste maladroit les verres et la bouteille vide non loin de l'évier. *Autodestructrice.* C'est fou ! Moi qui pensais que j'avais été victime de ladite destruction.

J'ouvre le robinet d'eau chaude et repère une bouteille de liquide vaisselle presque vide sous l'évier. Je cherche une éponge. Jaime explique qu'elle a oublié d'en acheter. Elle s'adosse au comptoir de pierre et me regarde faire la vaisselle après un dîner pour lequel elle n'a consenti aucun effort, si ce n'est marcher quelques centaines de mètres jusqu'au traiteur afin de s'assurer que j'arriverais durant son absence. Afin que Marino plante le décor pour elle. Afin de lui permettre une grande entrée en scène. Afin de réaliser le script dont elle est l'auteur.

Je murmure en lavant les assiettes à mains nues :

— Malheureusement, j'éprouve des difficultés à bannir les gens de ma vie. Sauf peut-être lorsqu'ils sont enfin morts et que je songe que c'est vraiment une bonne chose qu'ils ne soient plus là parce que j'en avais ras-le-bol. Mais sans doute n'est-ce même pas vrai. Sans doute je ne le pense pas réellement. Il s'agit d'un gros travers de ma personnalité. Peut-être pourriez-vous dénicher un torchon dans cet appartement loué et à peine occupé afin de m'aider ?

— Il faut aussi que je pense à en acheter, admet-elle en attrapant un rouleau d'essuie-tout.

— Bon, laissons-les sécher dans l'égouttoir.

Je fourre les petits conteneurs de nourriture dans un sac-poubelle. Je referme le carton du très odorant *cheeseburger* et le range dans le réfrigérateur, tout en songeant que Marino a bien raison concernant les truffes. Moi-même, je n'ai jamais aimé ça.

— Je ne savais plus quoi faire…

Jaime ne parle pas du rangement d'après dîner, ni de son pied-à-terre du Lowcountry, mais de Lucy.

— … Comment aime-t-on une responsabilité, un passif ?

— À qui vous adressez-vous ?

— Vous êtes sa famille. Cela n'a rien à voir. J'ai l'impression que je me prépare une affreuse migraine pour demain matin. Je ne me sens pas très bien.

— À l'évidence, c'est différent. Je l'aime et peu importe le reste, même lorsque ce n'est pas facile ou lorsque cela ne sert pas mon image politiquement correcte.

Je rejoins le canapé et récupère mon sac à main, si furieuse que je redoute mes réactions. Je peste :

— Et qui diable n'est pas une responsabilité ?

— C'est comme aimer un cheval magnifique qui un jour vous brisera les cervicales.

Je retourne dans la cuisine, lâchant :

— Et qui l'a aiguillonné ? Qui l'a éperonné jusqu'à ce qu'il réagisse dangereusement ?

— Vous ne pensez tout de même pas que je lui ai demandé de faire une telle chose ?

Elle me destine un regard ensommeillé. Je tape le numéro de Marino sur mon portable en ironisant :

— Pas du tout, voyons ! Je ne crois certainement pas que vous ayez demandé à Lucy de pirater le système informatique du département de police de New York, pas plus que je ne crois que vous m'avez demandé formellement de venir à Savannah.

CHAPITRE 14

L'utilitaire de Marino pétarade et crachote au loin, en direction du gouffre sombre où s'écoule la rivière. J'émerge de l'ombre épaisse d'un chêne vert sous lequel je l'attends parce qu'il était au-dessus de mes forces de m'attarder davantage chez Jaime Berger.

Jusque-là je suis parvenue à effacer toute nuance de colère de ma voix, m'efforçant de ne pas paraître péremptoire en m'adressant à ma nièce :

— Il va falloir que je te laisse. Je te rappellerai de ma chambre d'hôtel, d'ici une heure environ. J'ai quelque chose à faire avant.

— Je peux t'appeler sur le poste de l'hôtel si tu préfères ne pas utiliser ton portable, propose Lucy.

— Je m'en sers en ce moment même, et ce n'est pas la première fois.

Je ne donne aucun détail sur les manœuvres très intéressées de Jaime, passant sur l'injonction de téléphoner d'une cabine et les prétendues écoutes du FBI.

— Tu n'as pas à t'encombrer l'esprit avec ça, reprend Lucy. Ça n'a rien à voir avec toi. Ce n'est pas ton problème et d'ailleurs je ne considère pas que ce soit encore le mien.

— On ne passe pas sur des choses de cet ordre en prétendant que ça n'est jamais arrivé, je rétorque, fouillant l'obscurité du regard en direction de Marino ou du moins de son immanquable camionnette, toujours pas réparée.

La silhouette massive de la maison Owens-Thomas se détache de la pénombre, derrière le square boisé de l'autre côté de la rue, pâle stuc anglais, hautes colonnes blanches et portique orné de volutes. Les vieux arbres se découpent en ombres chinoises sous la lueur des lampadaires d'acier. L'espace d'un instant, j'ai l'impression de voir quelque chose bouger. Je scrute l'obscurité, mais ne distingue rien. Un effet de mon imagination. Je suis fatiguée, stressée, déconcertée.

Je m'approche de la chaussée, tournant la tête à droite et à gauche, mon regard filant ensuite vers le square, sans apercevoir âme qui vive.

— Je m'inquiète toujours de qui est au courant ou l'apprendra, tu as raison, admet ma nièce. Lorsque j'ai découvert l'ordre de conservation des données émis à l'égard du centre de sciences légales de Cambridge, j'ai aussitôt envisagé un lien, songeant qu'ils étaient sur mes traces à cause du piratage. Mais j'ai été prudente. Je parierais que ça les ferait saliver de me coller dans les ennuis à cause de mon passé avec le FBI ou l'ATF.

— Personne ne te cherche des ennuis, Lucy. Il est temps que tu t'ôtes ça de l'esprit.

— Tout dépend de ce que Jaime a raconté à certaines personnes, de ce qu'elle continue à raconter et de la manière dont elle tord les faits. Parce que les choses ne se sont pas produites comme elle l'affirme, en tout cas pas exactement. Elle a considérablement aggravé la situation. On dirait que me dépeindre sous les traits d'une horrible personne est devenu une obsession pour elle, ne serait-ce que pour se justifier à ses propres yeux. Ainsi tout le monde comprendra pourquoi elle a mis un terme à notre relation.

— En effet, c'est exactement ce que je pense.

Je scrute l'obscurité. Je ne parviens pas à distinguer la camionnette. En revanche, je l'entends. Elle approche sur Abercorn, et je m'efforce de contenir le mépris que j'éprouve pour une femme dont je soupçonne ma nièce d'être toujours amoureuse.

— C'est d'ailleurs la véritable raison de mon départ de New York. Je savais qu'il y avait pas mal de rumeurs sur une faille de sécurité même si on ne m'a pas carrément accusée. Il était donc exclu que je continue mon boulot d'expertise informatique légale là-bas.

Je ne suis pas d'accord et le fais savoir posément :

— Non, c'est la façon dont elle t'a traitée qui t'a le plus blessée, et la raison pour laquelle tu as quitté New York en laissant derrière absolument tout ce que tu avais construit. Je ne crois pas un instant que tu sois repartie de zéro à Boston à cause de rumeurs.

Je lève le regard vers l'immeuble de Jaime, vers ses fenêtres allumées. Sa silhouette se découpe derrière les doubles rideaux de ce qui doit être sa chambre à coucher. J'ajoute :

— Tu aurais dû m'en parler. Pourquoi ne l'as-tu pas fait ?

— J'ai pensé que tu ne voudrais pas de moi au centre de Cambridge. Que tu ne souhaiterais pas que je devienne ta spécialiste des technologies de l'information, ni même m'avoir dans les pattes.

La repartie sort sans que je le veuille :

— Que je te bannirais de ma vie comme elle l'a fait ? Jaime t'a demandé de commettre une violation alors qu'elle te savait très vulnérable à son... Non, ce n'est pas de cette manière que je veux aborder les choses.

Lucy reste silencieuse. La silhouette de Jaime passe et repasse devant la fenêtre illuminée. Je me demande si elle n'a pas fait installer un écran de contrôle des caméras de sécurité dans sa chambre et si elle est en train de le consulter. Peut-être me surveille-t-elle ? Peut-être est-elle secouée parce que j'ai dit ce que je pensais avant de me retirer, d'une façon qui suggérait que je ne remettrais jamais les pieds chez elle ? Me revient cette vieille maxime qui affirme que les gens ne changent jamais. Jaime serait alors une exception. Elle a opté pour un millésime d'elle-même plus ancien qui a viré à l'aigre comme un vin mal conservé. Elle vit à nouveau un mensonge, qui la rend imbuvable. Un cru qu'on évite. Je reviens à Lucy :

— Quoi qu'il en soit, je suis maintenant au courant. Et cela ne change rien pour moi.

— Mais il est important que tu saches que les choses ne se sont pas déroulées ainsi qu'elle le prétend.

— Ça m'est égal.

Et, de fait, je suis sincère à ce moment précis.

— Tout ce que j'ai fait, c'est vérifier certains chiffres en examinant les enregistrements électroniques des plaintes d'origine et la façon dont elles étaient codées, même si je n'aurais pas dû, insiste ma nièce.

En effet, elle n'aurait pas dû, mais Jaime a commis pire, d'une manière froide et calculatrice. Elle a fait preuve d'une absence totale de bienveillance. Elle a usé et abusé du pouvoir qu'elle exerçait sur Lucy et l'a trahie. Tout en raccrochant, je me demande qui Jaime manipulera et s'arrangera pour compromettre la prochaine fois. Lucy et Marino, quoique j'imagine que mon nom puisse s'ajouter à la liste. Ne suis-je pas à Savannah, plongée dans une enquête dont j'ignorais presque tout quelques heures auparavant ? Je lève à nouveau les yeux vers l'appartement. Sa silhouette passe encore devant la fenêtre illuminée. On dirait qu'elle arpente la pièce.

Il est presque une heure du matin. La camionnette apparaît, luisant sous l'éclairage incertain des lampadaires de rue, évoquant une sorte de fantôme blanchâtre. Elle se dirige bruyamment vers moi, telle une machine diabolique tout droit sortie d'un mauvais film d'horreur, avançant par hoquets, ralentissant, accélérant, enchaînant les embardées. De toute évidence, Marino n'a pas trouvé de garagiste après son départ de chez Jaime, il y a plusieurs heures. Mais je suis maintenant certaine que son but véritable était de me laisser seule avec elle et que la raison n'a rien à voir avec mes envies ou mon bien-être. Il s'arrête dans un crissement de freins devant l'immeuble et la portière passager grince lorsque je l'entrouvre. La lumière de l'habitacle est désactivée comme dans tous les véhicules qu'il conduit, afin de ne pas le transformer en cible bien nette, en *oisillon cueilli au nid*, comme il dit. Je remarque les sacs alignés sur la banquette arrière.

— On a fait un peu de shopping ? je lance, consciente de la tension qui transparaît dans ma voix.

— J'ai acheté de l'eau, d'autres petits trucs pour nos chambres. Alors, qu'est-ce qui s'est passé ?

— Rien qui m'enchante. Pourquoi m'avez-vous laissée seule avec elle ? S'agissait-il d'une instruction de sa part ?

— Je pensais vous avoir dit que j'appellerais quand je serais de retour, me rappelle-t-il. Ça fait combien de temps que vous poireautez dehors ?

Je boucle ma ceinture et la portière couine à nouveau lorsque je la referme.

— J'avais besoin de prendre l'air. Ce tas de ferraille émet des sons affreux. La dernière phase d'une longue et douloureuse agonie, dirait-on. Mon Dieu !

— Je pensais aussi vous avoir dit que c'était pas un bon plan de vous balader seule dans les rues. Surtout à cette heure de la nuit.

— Je ne me suis pas baladée très loin, comme vous pouvez le constater.

— Elle souhaitait rester en tête-à-tête avec vous et j'ai cru que ça vous irait aussi.

— Merci de ne pas penser à ma place, Marino. J'aimerais que nous fassions un petit détour, jeter un œil à la demeure des Jordan, si ce machin sur roues peut nous y conduire sans se désintégrer complètement. Je ne crois pas que ce soit un problème de bougies humides.

— J'suis quasi certain que c'est l'alternateur. Peut-être aussi les câbles d'allumage qui sont pas bien fixés. Et le delco doit être sale. J'ai trouvé un mécano qui va me donner un coup de main.

Je lève la tête vers l'appartement de Jaime, qui est revenue dans le salon dont les stores sont levés. Je la distingue nettement, plantée devant la fenêtre, nous regardant nous éloigner. Elle s'est changée et porte un vêtement bordeaux, peut-être un peignoir.

Nous prenons en direction du sud, les silhouettes sombres des arbres et arbustes s'inclinent sous le vent chaud. Marino remarque :

— Ça fout un peu les boules, ce coin, non ? J'ai demandé à Jaime si elle avait choisi son appartement en raison de sa proximité avec l'endroit où c'est arrivé. Elle a affirmé que non. N'empêche que c'est à peine à deux minutes d'ici.

— Ça vire à l'obsession chez elle. L'affaire d'une vie, je commente. À ceci près que je ne sais pas trop bien sur quelle affaire elle travaille. Celle de Savannah ou la sienne ?

Vrombissant, nous longeons de vieilles et splendides maisons, dont les fenêtres et les jardins sont illuminés, leurs façades présentant une variété de matériaux et de styles. À l'italienne, colonial, fédéral, en stuc, brique, bois et même en pierres de ballast. À droite de la rue s'étend ce qui ressemble à un petit parc entouré d'une clôture en fer forgé. À mesure que nous approchons, je distingue des pierres tombales et des caveaux, quadrillés par des allées blanches éclairées avec parcimonie par des lampes à incandescence. East Perry Lane borde le flanc sud du cimetière. S'y élèvent de magnifiques et vastes maisons anciennes entourées de grands terrains boisés. Je reconnais tout de suite la demeure de style fédéral vue sur les photos des articles que j'ai téléchargés sur Lola Daggette quand j'étais garée sur le parking de l'armurerie.

L'air chaud de la nuit véhicule le parfum suave des lauriers-roses alors que j'examine la maison de deux étages construite en briques grises de Savannah, les fenêtres à guillotine qui ouvrent symétriquement sur la façade et le grand portique central flanqué de colonnes blanches élancées. Trois imposantes cheminées s'élèvent du toit de tuiles rouges. Un auvent de pierre, destiné aux voitures, termine l'un des côtés de la demeure. Ses voûtes, à l'origine ouvertes, sont maintenant fermées de parois de verre. Nous nous garons devant une propriété que je n'achèterais pour rien au monde. Peu importe que l'ensemble soit élégant, magnifique. Je ne peux imaginer vivre dans un lieu où des gens ont été assassinés.

— Faut pas s'attarder longtemps ici, prévient Marino. Les voisins sont immédiatement sur le qui-vive dès que des étrangers ou des voitures bizarres traînent dans les parages, comme on pourrait s'y attendre. Bon, mais si vous regardez sur la droite, presque derrière la maison, juste après l'auvent, c'est là que se trouve la porte de la cuisine, par laquelle la tueuse a pénétré. D'accord, on la voit pas d'ici, mais c'est à cet endroit. Et cette grande villa encore plus à droite appartenait au voisin qui a sorti son chien le matin du 6 janvier et qui a remarqué qu'une des vitres de la porte en question avait été explosée et que beaucoup de lumières étaient allumées, assez surprenant si tôt le matin. D'après ce que je suis parvenu à reconstituer, le voisin en question, un type du nom de Lenny Casper, s'est réveillé vers quatre heures du matin, quand son caniche a commencé à aboyer. Casper a dit que le chien était nerveux et refusait de se calmer. Du coup, il a pensé qu'il avait besoin de sortir.

— Et vous avez discuté avec cet homme ?

— Au téléphone. À l'époque des faits, il avait aussi été interviewé par les médias. Sa version d'aujourd'hui est très similaire à celle d'il y a neuf ans. (Le regard de Marino s'évade par ma vitre de portière baissée, en direction de la villa de style italien qui appartenait à Lenny Casper.) Aux environs de quatre heures trente, son caniche a fait ses petites affaires juste là, au niveau de ces buissons et de ces palmiers.

Il pointe l'aménagement paysager illuminé, composé de palmiers, de lauriers-roses, de treillis de jasmin jaune qui séparent les deux propriétés.

— ... C'est à ce moment-là qu'il a remarqué la vitre brisée de la porte de cuisine des Jordan, poursuit Marino. Il m'a précisé que les lumières étaient allumées dans cette pièce, comme beaucoup à l'étage supérieur. Sur le coup, il a pensé que quelqu'un avait tenté de s'introduire chez les Jordan et que ça avait dû réveiller son chien. Il est donc rentré chez lui et a tenté de les appeler, mais ils ont pas répondu. Ensuite, il a téléphoné à la police et ils ont débarqué vers cinq heures du matin. Ils ont constaté que la porte avait été déverrouillée, que l'alarme était débranchée, et ont découvert le cadavre de la petite fille en bas de l'escalier, près de la porte d'entrée.

J'étudie l'ancienne résidence des Jordan, avec son grand jardin boisé d'environ quatre mille mètres carrés, éclairé par des lampadaires dont naissent de larges et épaisses ombres. L'allée, semée de gravier de granit, est bordée de briques. De larges plaques d'ardoise tracent un chemin qui sinue vers l'auvent à voitures, puis se termine devant cette porte de cuisine que je ne pourrais apercevoir qu'en descendant de la camionnette et en pénétrant sans invitation sur la propriété.

— Il a déménagé à Memphis peu après les meurtres. D'ailleurs les voisins des deux côtés sont partis et, d'après ce qu'on m'a dit, cette histoire a fait beaucoup de tort à l'immobilier dans le coin.

Peu des gens qui vivaient à plusieurs rues à la ronde au moment des faits habitent toujours ici. Si j'ai bien compris, la maison des Jordan est une étape très appréciée des visites d'endroits hantés, d'autant qu'elle s'élève juste en face du cimetière le plus célèbre de Savannah, où pas mal de ces visites ont leurs points de départ et d'arrivée, sur Abercorn et Oglethorpe, l'entrée devant laquelle nous venons de passer.

Marino se tourne et tend le bras vers la banquette arrière. Les sacs en papier gémissent alors qu'il en extirpe deux bouteilles d'eau. Il m'en tend une.

— Tenez. J'ai l'impression d'avoir passé la journée à transpirer. Vous savez, ces balades à pied, précise-t-il en revenant aux circuits « hantés » de Savannah et aux foules qu'ils drainent. Certains programment ça la nuit, à la lueur des bougies. Je vous laisse imaginer l'effet que ça peut produire aux occupants de cette maison ou des villas voisines, avec tous ces touristes bouche bée pendant qu'un guide blablate sur la famille assassinée à cet endroit. Le genre de trucs qui finit par vous exaspérer. Je veux pas penser à ce qu'ils doivent ressentir aujourd'hui, avec la reprogrammation de l'exécution de Lola Daggette qui fait les choux gras de la presse. Les meurtres des Jordan sont à nouveau dans la tête de tous les gens d'ici.

— Vous êtes venu dans la journée ? je m'enquiers.

Il avale bruyamment une longue gorgée d'eau et précise :

— Pas à l'intérieur. D'ailleurs je suis pas sûr que ça éclaircirait quoi que ce soit, neuf ans après les faits, d'autant que la baraque a été vendue et achetée plein de fois, occupée par des gens différents et sans doute pas mal modifiée. En plus, selon moi, ce qui s'est déroulé est évident. Dawn Kincaid a explosé la vitre de la porte à l'arrière de la maison, elle a passé le bras et a ouvert sans aucune difficulté. Jaime a dû vous expliquer que la clef restait toujours dans la serrure, une habitude vraiment crétine chez pas mal de gens. Installer une serrure à côté d'une paroi vitrée et laisser la clef dessus ! Bon, vous avez le choix : être piégé en cas d'incendie ou alors faciliter la tâche à un intrus qui va vous égorger durant votre sommeil.

— Jaime m'a aussi révélé que vous aviez enquêté afin de comprendre pourquoi leur système d'alarme n'était pas branché. Qui l'a installé ? Les Jordan s'en servaient-ils habituellement ? Elle a précisé qu'ils ne l'activaient plus, agacés par des déclenchements intempestifs.

— Ouais, c'est la bonne version.

— Eh bien, de l'endroit où nous stationnons une conclusion s'impose. On ne voit pas la porte latérale arrière, celle de la cuisine. Si on longe la propriété, ou qu'on y jette un regard, impossible de s'apercevoir qu'il existe une porte donnant dans la cuisine ou ailleurs sur le côté droit de la maison. L'auvent à voitures la dissimule à la vue.

— Ouais, mais on voit les dalles d'ardoise qui conduisent vers un truc situé plutôt sur l'arrière, une porte sans doute, argumente Marino.

— Le chemin dallé pourrait également mener vers le jardin au dos de la maison. En d'autres termes, il vous faudrait vérifier, je lance en dévissant le bouchon de ma bouteille d'eau. Le point important est que cette fameuse porte n'est pas visible de la rue. Ça suggère donc que la personne qui s'est introduite par effraction il y a neuf ans connaissait l'existence de cette porte, savait qu'il s'agissait d'un panneau vitré, fermé par une serrure dans laquelle on laissait souvent la clef, ou alors cette personne avait obtenu des informations là-dessus.

— Dawn Kincaid est tout à fait le genre à récolter des renseignements, approuve Marino. Elle savait probablement qu'un riche docteur habitait ici. Elle aura étudié les lieux.

— Et donc elle a eu un gros coup de chance puisque l'alarme n'était pas activée et que la clef l'attendait dans la serrure.

— Pourquoi pas ?

— Sait-on où elle a séjourné lors de sa venue à Savannah il y a neuf ans ? Combien de temps est-elle restée dans les parages ?

— Ben, les cours d'automne à Berkeley se sont terminés le 7 décembre et le semestre de printemps ne débutait que le 15 janvier, précise Marino. Or j'ai vérifié qu'elle avait bien suivi les premiers et qu'elle était inscrite aux seconds.

— Elle pourrait donc avoir passé ses vacances ici. On peut penser qu'elle se trouvait à Savannah depuis plusieurs semaines quand elle a décidé de rencontrer enfin sa mère.

— Période où elle aurait pu croiser la route de Lola Daggette, renchérit Marino.

— Du moins, où Lola aurait pénétré dans son champ de vision, je rectifie. La thèse selon laquelle elles se connaissaient ne me convainc toujours pas. Peut-être Lola sait-elle aujourd'hui qui est Dawn Kincaid, à cause du battage médiatique autour des crimes du Massachusetts et de ce que Jaime ou d'autres ont pu lui révéler. Lola a peut-être même compris que Dawn Kincaid avait quelque chose à voir avec les meurtres des Jordan. Peu m'importent les affirmations de Jaime : nous ignorons tout de ce qui a fuité au sujet des nouvelles analyses d'ADN. Si l'on exclut ce que Lola Daggette a appris depuis, nous ne pouvons pas partir du présupposé qu'elle a fait le lien entre Dawn Kincaid et une jeune femme qu'elle aurait rencontrée au moment des assassinats, du moins quelqu'un dont elle connaissait le nom. Quels cours suivait Dawn à cette époque ?

— J'ai juste appris que ça avait à voir avec les nanotechnologies, dit Marino.

— Le département de science des matériaux et d'ingénierie, je suppose.

Je détaille la demeure dans laquelle quatre personnes ont été massacrées dans leur sommeil, selon la version officielle, et ne peux me défaire d'une certaine perplexité.

Pourquoi n'ont-ils pas branché l'alarme ? Pourquoi avoir laissé la clef dans la serrure, surtout en cette période de vacances, alors que le taux de cambriolages et autres crimes liés aux biens immobiliers augmente ?

— Les Jordan avaient-ils la réputation d'être désinvoltes ou négligents ? S'agissait-il d'incurables idéalistes ou de naïfs ? Enfin, les gens qui occupent des maisons de ce genre dans des quartiers historiques sont en général très préoccupés par la sécurisation de leurs propriétés et de leur vie privée ! Ils verrouillent leur grille d'entrée et branchent leurs alarmes ne serait-ce que pour ne pas retrouver des promeneurs dans leur jardin ou sur leurs terrasses.

— Ouais. Cette histoire me turlupine aussi, grogne Marino.

Son épaisse silhouette se découpe sur la pénombre de l'habitacle comme il se penche vers moi pour scruter la maison, que rien ne rendrait angoissante si l'on ignorait ce qui s'y est déroulé neuf ans auparavant, à cette même heure de la nuit. Après minuit. Vraisemblablement entre une et quatre heures du matin, à ce que j'ai lu.

Marino reprend :

— Y a une grosse différence entre 2002 et aujourd'hui en ce qui concerne le sentiment de sécurité. Surtout ici, à Savannah. Je peux vous garantir que pas mal de gens qui la jouaient *cool*, en oubliant d'activer leur alarme ou en laissant les clefs dans les serrures, ne commettent plus ce genre de négligences. Tout le monde s'inquiète de l'insécurité, et il est clair qu'ils ont pas oublié qu'une famille entière a été poignardée en plein sommeil dans sa maison à plusieurs millions de dollars. Je sais bien que certaines personnes font des trucs stupides, on le constate tous les jours. Pourtant y a un aspect qui me chiffonne. C'est quand même pas banal : Clarence Jordan, dont tout le monde connaissait la fortune, était souvent en déplacement pour ses activités de bénévolat, surtout en périodes de vacances. Thanksgiving, le Nouvel An étaient particulièrement chargés pour lui parce qu'il aidait dans les cliniques, aux urgences, dans les refuges pour SDF ou les soupes populaires. On aurait pu penser qu'il serait un peu inquiet pour la sécurité de sa femme et de ses deux petits enfants.

— Nous ne pouvons pas affirmer le contraire non plus, je raisonne.

— Donc, il va se coucher cette nuit-là sans activer l'alarme.

Marino ne fait que souligner le détail qui me harcèle.

— Et les enregistrements de la compagnie de sécurité ?

— Elle a fait faillite à l'automne 2008.

Une lumière clignote derrière une fenêtre du premier étage de la maison.

— J'ai discuté avec Darryl Simons, l'ancien propriétaire de Southern Cross Security, m'informe Marino. Il affirme n'avoir pas conservé les archives. Elles étaient stockées sur des ordinateurs qu'il a offerts à des organisations caritatives quand il a mis la clef sous la porte. Ça revient à dire qu'elles ont été effacées ou détruites y a trois ans.

— Pourtant un entrepreneur digne de ce nom et conscient de ses responsabilités conserve tous les documents importants au moins sept ans, ne serait-ce qu'en cas de contrôle fiscal, je rétorque. Et il n'existait aucune sauvegarde ?

— Bousillée, lâche Marino à l'instant où la lumière de la véranda s'allume.

Nous nous éloignons en pétaradant, alors que la porte principale de la maison s'ouvre et qu'un homme baraqué vêtu d'un pantalon de pyjama s'avance sous le porche, nous suivant du regard.

— On peut comprendre pourquoi ce type, Darryl Simons, aime pas trop qu'on l'appelle au sujet du système d'alarme des Jordan, continue Marino tandis que la camionnette rue et rugit. S'il avait été activé et en état de marche, ils seraient pas tous morts.

— Et pourquoi ne l'était-il pas ? j'insiste. A-t-il précisé si c'était le Dr Jordan ou le propriétaire précédent qui l'avait fait installer ?

— Il se souvenait pas.

— Ben voyons ! Est-ce si difficile que ça alors que quatre personnes ont été massacrées ?

— Il veut pas s'en souvenir, corrige Marino. À mon avis, c'est la même histoire que le mec qu'a construit le *Titanic.* C'est pas le genre de choses dont on se vante. Mieux vaut une amnésie et balancer les traces matérielles. D'ailleurs mon appel l'a pas du tout réjoui.

— Il faut que nous sachions ce que sont devenus les ordinateurs de son entreprise, à qui ils ont été offerts. Peut-être qu'ils existent toujours, ou que Simons a conservé des disques de sauvegarde quelque part ? Cela nous aiderait beaucoup de consulter ses relevés mensuels ou son registre. Cela étant, sans doute les enquêteurs ont-ils fouiné dans ce sens à l'époque. Que vous a raconté au juste Long ? Jaime m'a dit que vous vous étiez entretenu avec lui.

— Est-ce qu'elle a aussi mentionné qu'il était vieux comme Hérode et qu'il avait eu un accident vasculaire cérébral depuis ?

La camionnette pétarade à nouveau, m'évoquant un coup de fusil. Nous cahotons, dépassant des théâtres, des cafés, des vendeurs de glaces, de sandwichs ou de vélos non loin du College of Art and Design.

— 2002, ce n'est quand même pas si loin que ça, j'argumente. Il ne s'agit pas d'affaires classées selon ma définition. D'accord, l'enquête ne date pas d'hier, mais elle est toujours d'actualité. Nous ne sommes pas dans le cas de meurtres non élucidés perpétrés il y a cinquante ans ! Nous devrions donc retrouver de nombreux documents et pas mal de personnes avec des souvenirs précis d'une affaire aussi monstrueuse, donc marquante.

— L'enquêteur Long répète que tout est consigné dans ses rapports. Je lui ai répondu : « Oui, mais bon, y a rien au sujet du système de sécurité des Jordan. » Il affirme qu'ils avaient eu plein de fausses alertes et qu'ils le branchaient plus.

— Sachant cela, il en a sans doute discuté avec la compagnie de sécurité, je persiste alors que nous contournons le square Reynolds, sombre avec ses hauts arbres, semé de bancs et où s'élève une statue de John Wesley prêchant, non loin d'un vieux bâtiment dans lequel on soignait autrefois les malades atteints de malaria.

— Ouais, sans doute, mais il s'en souvient pas.

— Les gens oublient ou sont victimes d'un accident vasculaire cérébral. Ils n'ont surtout aucune envie qu'on rouvre une enquête qui risquerait de prouver qu'ils se sont trompés.

— Bien, d'accord. Faudrait qu'on consulte le registre, commente Marino.

— On peut supposer que Southern Cross Security a installé les systèmes de protection de pas mal de gens dans le coin. Que sont devenus ces clients ?

— Ben, il semble qu'une autre boîte ait récupéré ses contrats.

— Peut-être que cette nouvelle compagnie a les archives initiales. Peut-être même un disque dur ou des sauvegardes informatiques.

— Bonne idée.

— Lucy devrait pouvoir vous aider, dis-je. Elle est très performante dès qu'il s'agit de données prétendument volatilisées.

— Sauf que Jaime refusera sa collaboration, grogne le grand flic.

— Je ne suggérais pas qu'elle donne un coup de main à Jaime, mais à nous. Benton peut également nous offrir des conseils pertinents. Selon moi, il faut prendre en considération tous les avis éclairés que nous pourrons obtenir, parce que les preuves et indices semblent pointer dans diverses directions. Le point positif, c'est que nous n'avons pas loin à aller, parce qu'on dirait que ce tas de ferraille va rendre l'âme d'une seconde à l'autre, ou même exploser, j'ajoute, l'utilitaire trépidant et hoquetant.

La plupart des restaurants et des brasseries que nous longeons sont fermés et les trottoirs désertés. Le Hyatt surgit devant nous, sur la droite, énorme, illuminant tout un quartier de la ville.

— On pourrait croire qu'il y a obstruction à l'enquête, déclare Marino. Les gens qui oublient ou des documents égarés.

— L'implication de Jaime à Savannah est assez récente. Or la faillite de la compagnie de sécurité et la supposée dispersion de ses archives remontent à trois ans, je rectifie. Je ne dirais donc pas qu'on tente de freiner les progrès de la nouvelle enquête, du moins pas de ce côté.

— En tout cas, c'est sûr que certaines personnes ont pas envie qu'on fouine.

— Vous ne pouvez pas affirmer cela, Marino. La réaction est assez classique. Lorsque des gens ont traversé la rude épreuve d'une enquête criminelle, puis celle d'un procès, sans oublier tout le battage médiatique autour, la plupart ont envie qu'on leur fiche enfin la paix. Notamment dans des cas aussi horribles.

— Ouais, vaut mieux que Lola Daggette soit piquée et qu'on en finisse, ironise le grand flic.

— En effet, ce serait plus simple aux yeux de certains, satisfaisant d'un point de vue émotionnel. Qui est Anna Copper ?

— Bordel, je me demande bien pourquoi Jaime a mentionné ça !

Nous nous immobilisons dans un couinement affreux, juste devant l'hôtel.

— Je voudrais savoir qui est Anna Copper ou la SARL Anna Copper, je réitère.

— Une société à responsabilité limitée qu'elle utilise depuis quelque temps quand elle veut pas que son nom apparaisse.

— Dans le cas de l'appartement qu'elle loue ici, par exemple ?

— Je suis super-surpris qu'elle vous en ait parlé. Selon moi, elle aurait dû se douter que vous étiez la dernière personne qui apprécierait ce genre de truc.

Un voiturier s'approche avec prudence de la portière conducteur. Il semble plutôt interloqué par la camionnette haletante et secouée de spasmes, et peu désireux de s'en charger.

— Vaut mieux que je gare moi-même ce machin dans votre garage, lui propose Marino.

— Je suis désolé, monsieur, mais seuls les membres autorisés du personnel peuvent pénétrer dans notre parking souterrain.

— Écoutez, franchement, évitez de conduire cette caisse. Et si je la garais là, juste à côté de ce grand palmier ? Je vous en débarrasserai demain aux premières heures pour l'emmener chez le garagiste.

— Êtes-vous client de l'hôtel ?

— Un VIP habitué. Il a fallu que je laisse la Bugatti à la maison. On avait trop de bagages.

— Eh bien, nous ne sommes pas véritablement autorisés à...

— Elle va tomber en carafe d'un moment à l'autre. Vous voulez être au volant quand ça arrivera ?

La camionnette tressaute pendant que Marino la gare le long de l'allée de briques.

— La SARL Anna Copper a été créée il y a environ un an par Lucy, m'informe-t-il. C'était son idée, et disons qu'elle l'a pas mise sur pied pour une raison sympa. Ça s'est produit juste après un désaccord entre elle et Jaime. À cette époque, c'était sans doute pas le premier.

— Est-ce la SARL de Lucy ou celle de Jaime ?

Il coupe le moteur et nous demeurons assis dans l'habitacle plongé dans l'obscurité. L'air filtre par nos vitres abaissées, encore chaud pour deux heures du matin.

— De Jaime, répond-il. En fait, Lucy a juste créé un écran de fumée pour que Jaime puisse se dissimuler derrière. Une sorte de plaisanterie, mais dans le genre grinçant. Lucy est entrée sur des sites juridiques et en quelques instants Anna Copper SARL existait. Quand elle a reçu par la poste les papiers d'enregistrement de la société, elle les a enveloppés dans une jolie boîte avec un gros ruban autour et les a offerts à Jaime.

— Est-ce la version de Jaime ou celle de ma nièce ?

— De Lucy. Ça fait un bout de temps qu'elle m'en a parlé, à peu près à l'époque où elle a emménagé à Boston. Du coup, j'étais assez surpris quand j'ai constaté que Jaime utilisait vraiment cette SARL.

— Comment vous en êtes-vous rendu compte ?

— La paperasse, une adresse de facturation. Quand j'ai aidé à l'installation de son système de sécurité, il a fallu que je prenne connaissance de certains trucs, explique Marino alors que nous descendons de la camionnette. Elle utilise exclusivement ce nom quand elle séjourne à Savannah et j'admets que ça fait un peu bizarre. Enfin, je trouve. Bordel, elle est avocate ! Ça lui prendrait cinq minutes de créer une nouvelle SARL. Pourquoi se servir d'une structure à laquelle sont attachés pas mal de souvenirs ? Pourquoi pas tirer un trait sur le passé et aller de l'avant ?

— Parce qu'elle en est incapable, je murmure.

Jaime ne peut pas renoncer à Lucy, ou du moins à l'idée de Lucy, et je me demande si Benton n'en est pas arrivé à la même conclusion que moi. Lorsqu'il évoquait dans un de ses textos la « réputation bien ternie » d'Anna Copper, faisait-il allusion à Jaime Berger ? Dans ce cas, il faudrait imaginer qu'il a consulté la liste des occupants de son immeuble, qu'il a découvert une SARL Anna Copper, puis qu'il l'a mise en relation avec Lucy et Jaime. Je doute que Benton ait cru une seconde que sa réapparition dans nos vies soit une simple coïncidence, et il doit avoir appris qu'elle pataugeait dans les ennuis au point d'abandonner sa carrière new-yorkaise.

Nous traversons le hall de réception qui brille de toutes ses lumières. À cette heure tardive ou précoce, un unique employé patiente derrière le bureau de l'accueil et quelques rares clients sont encore installés au bar. Devant l'ascenseur vitré, Marino enfonce le bouton à plusieurs reprises, espérant peut-être que ses portes s'ouvriront plus rapidement.

— Oh merde ! J'ai laissé les sacs de courses dans la camionnette ! s'exclame-t-il.

— Lucy vous a-t-elle précisé d'où venait le nom « Anna Copper », ce qu'il signifiait ?

— Tout ce que je me rappelle, c'est que ça avait quelque chose à voir avec Groucho Marx. Vous voulez que je vous dépose quelques bouteilles d'eau ?

— Inutile, merci.

Je vais me délasser dans un bain, puis passer quelques coups de fil. Aucune envie que Marino frappe à ma porte.

Je pénètre dans la cabine d'ascenseur, lui précisant que nous nous retrouverons dans quelques heures.

CHAPITRE 15

Il faisait toujours chaud lorsque le soleil s'est levé. Il est environ huit heures du matin. Assise sur un banc planté devant l'hôtel, dégustant un généreux café glacé que je viens d'acheter dans un Starbucks voisin, j'étouffe dans mes vêtements noirs de terrain, chaussée de boots, noires elles aussi.

La cloche de l'hôtel de ville égrène les heures de ce premier jour de juillet, un carillon aux mélodieux échos de cuivres. Je regarde un chauffeur de taxi qui me dévisage. Maigre, son visage buriné disparaissant en partie sous une barbe hirsute, il m'évoque les hommes qu'on voit sur les photographies de la guerre de Sécession. Sans doute n'a-t-il pas quitté le coin de terre où vivaient ses ancêtres et partage-t-il des traits communs avec eux, comme tant de ceux que je croise dans les villes et bourgades protégées du monde extérieur.

Me revient la remarque de Kathleen Lawler au sujet de la génétique. Quels que soient nos efforts pour parvenir à ce que nous souhaiterions être, nous sommes toujours ce que les forces biologiques nous ont faits. Certes, son explication est très fataliste, mais pas totalement fausse. Alors que je me souviens de ses commentaires sur la prédestination et l'ADN, je me demande soudain si elle ne faisait allusion qu'à elle-même. Sans doute pensait-elle aussi à sa fille. Kathleen me mettait en garde contre Dawn Kincaid, peut-être en tentant de m'intimider, alors qu'elle assure n'avoir plus aucun contact avec elle. Pourtant, si l'on en croit nombre de sources, cette affirmation est fausse. Kathleen sait plus de choses qu'elle le prétend. Elle garde ses secrets, qui ne doivent pas être sans rapport avec la raison pour laquelle Tara Grimm l'a transférée à l'unité Bravo Pod au moment même où l'on m'attirait au GPFW. Selon moi, Jaime Berger a causé bien des torts.

Elle ignore ce à quoi elle est confrontée parce que ses motivations ne sont pas aussi rationnelles et qu'elle n'est plus aussi en prise avec elle-même qu'elle pourrait le penser. Si son raisonnement égoïste peut fort bien avoir été engendré par ses démêlés avec la police de New York et les politiciens, la plupart de ses motivations naissent de sa relation avec ma nièce. Du coup, aucun d'entre nous n'est à l'abri. Ni Benton, ni Marino, ni Lucy, ni moi et encore moins Jaime Berger, même si elle l'ignore et ne le croirait sans doute pas si je le lui disais. Elle se leurre et je suis contrainte de la suivre, tout en me souvenant de ce qu'un vieil employé de morgue avait l'habitude de répéter lorsque j'ai commencé ma carrière à Richmond :

Vous devez vivre où vous vous réveillez, même si ce sont les rêves de quelqu'un d'autre qui vous y ont conduite.

Lorsque j'ai ouvert les yeux ce matin, après quelques heures de sommeil, je me suis rendu compte que ma résolution ne pouvait pas fléchir. Trop de choses sont en jeu et je n'ai pas confiance en l'analyse de Jaime dans pas mal de domaines, ni n'ai-je foi en son approche. Pourtant je ferai le maximum. Mon implication n'a rien de volontaire. J'ai été sommée de participer, pratiquement enlevée, mais cela n'a plus d'importance aujourd'hui. L'urgence que je ressens n'a rien à voir avec Lola Daggette, ou Dawn Kincaid, ou sa mère, Kathleen Lawler.

Elle ne naît même pas de ces meurtres vieux de neuf ans, ou de ceux, récents, perpétrés dans le Massachusetts, bien que ces affaires et ceux qui y sont impliqués soient de la plus extrême importance et ne quitteront pas mon esprit durant mes investigations. Toutefois un aspect prime sur le reste : Jaime se mêle de la vie des êtres qui sont le plus proches de moi. J'ai la sensation qu'elle a mis Lucy, Marino et Benton en danger. Elle a menacé nos relations, lesquelles ont toujours été compliquées, subtilement tissées au point de ne tenir que par des fils fragiles.

Cette dentelle relationnelle que nous constituons n'est robuste que lorsque nous le sommes tous.

Ces êtres que Jaime traite à la légère sont ma famille, la seule en vérité. Désolée d'en arriver à cette confession, mais je n'ajoute pas ma mère et ma sœur à cette liste. Je ne peux pas me fier à elles et ne leur confierai jamais mon bien-être, pas même dans leurs bons jours, qui sont rares. À une époque, j'ai été heureuse d'élargir mon cercle intime pour y inclure Jaime. Cependant je ne lui permettrai pas de rompre les amarres qui nous tiennent ensemble ou de tenter d'altérer ce que nous représentons les uns pour les autres. Elle a abandonné Lucy d'une façon si insensible et injuste, et paraît maintenant déterminée à reprogrammer la carrière de Marino, son identité même. En résumé, elle est parvenue à enflammer à nouveau la jalousie qu'il éprouve vis-à-vis de Benton, tout en insinuant que mon mari me trahit et se moque complètement de ma sécurité et de mon bonheur.

Même sans ces meurtres anciens, qui semblent avoir Savannah comme dénominateur commun avec ceux très récents du Massachusetts, je ne partirais pas tout de suite. J'ai du reste prolongé mon séjour à l'hôtel et réservé une chambre pour Lucy, qui s'est envolée ce matin à l'aube dans son hélicoptère en compagnie de Benton. J'ai dit que j'avais besoin de leur aide, aide que j'évite d'habitude de demander, et qu'ils devaient me rejoindre. La camionnette blanche de Marino apparaît au détour de l'allée de briques du Hyatt. Elle produit toujours un bruit affreux, mais ne tremble ni ne tressaute plus. Je me lève du banc. Je me rapproche du chauffeur de taxi à la barbe hirsute et lui lance un sourire en jetant mon gobelet à café dans une poubelle.

— Bonjour, lui dis-je alors qu'il continue de me dévisager.

— J'peux vous demander avec qui vous êtes ?

Il me détaille de la tête aux pieds, adossé contre son taxi bleu garé sous le palmier qui a abrité la camionnette déglinguée de Marino sept heures plus tôt.

— Recherche médicale militaire.

Je sers au chauffeur la même réponse inepte qu'à plusieurs personnes rencontrées ce matin qui s'interrogeaient à haute voix sur ma tenue : pantalon de treillis noir, un gilet tactique à manches longues, noir lui aussi, à l'exception de l'écusson en lettres dorées du centre de science légales de Cambridge et des boots.

Le sac de voyage que j'ai trouvé dans ma chambre en y pénétrant à deux heures du matin était bourré des « essentiels », les vêtements dont j'aurais pu avoir besoin si je m'étais rendue sur le terrain, au milieu de nulle part, mais ne contenait rien convenant au monde civil, surtout en zone subtropicale ! J'ai reconnu dans ce choix la subtilité de Marino. Je ne doute pas une seconde qu'il soit l'auteur de cette sélection. Il a prélevé des trucs et des machins du placard de mon bureau et de ma salle de bains, sans oublier mon vestiaire à la morgue. J'ai passé en revue les derniers mois et notamment les deux semaines durant lesquelles il était prétendument en vacances. Je me souviens de m'être étonnée de la disparition de certaines choses. Je pensais avoir plus de chemises d'uniforme et en tout cas plus de treillis. J'aurais juré posséder deux paires de boots, et pas une seule. Le contenu du sac suggère que, selon Marino, je vais passer mon séjour ici à hanter les labos ou les bureaux du médecin expert, en tout cas à ses côtés.

Si Bryce avait préparé mon bagage, comme c'est l'usage lorsqu'une urgence me propulse hors de Boston ou que je suis coincée quelque part, il y aurait inclus une housse bourrée de blazers, chemisiers, pantalons un peu chics, le tout généreusement enveloppé dans du papier-tissu afin que rien ne risque de se froisser. Il aurait sélectionné des chaussures, des chaussettes, des vêtements de sport et des affaires de toilette, bref des choix beaucoup plus prévenants et adéquats que lorsque je prépare moi-même ma valise. De plus, sans doute serait-il passé chez moi pour y prendre ce qui me manquait. Bryce n'hésite jamais à embarquer tout ce qu'il pense nécessaire à mon bien-être, dont la lingerie féminine qui ne l'intéresse à titre personnel qu'afin de commenter les marques et matériaux, sans oublier les lessives et les lingettes anti-dégorgement qu'il préfère. Quoi qu'il en soit, jamais il ne m'aurait expédiée en Géorgie en plein été avec trois changes de vêtements de terrain pour saison froide, trois paires de chaussettes blanches pour messieurs, un gilet pare-balles, des boots, un déodorant et un spray anti-moustiques !

— J'savais pas si vous auriez déjà mangé, lance Marino à l'instant où j'ouvre la portière passager de la camionnette.

Je remarque aussitôt que l'habitacle est bien plus propre que la veille. Je perçois une odeur de désodorisant à base d'agrumes et celle du beurre et du poulet-œuf en friture.

— Ils ont un Bojangles' à trois kilomètres d'ici environ, juste à côté du terrain d'aviation de Hunter Army. Ça m'a donné l'occasion de tester la camionnette sur la route. Elle est presque neuve, se justifie-t-il.

— Sauf en ce qui concerne l'air conditionné, je rétorque en bouclant ma ceinture de sécurité.

Un gros sac renflé est posé au sol entre nos deux sièges et je descends ma vitre de portière.

— Faudrait changer le compresseur pour ça. Mais bon, vous croiriez jamais l'affaire que j'ai faite en achetant cette caisse. Et puis on s'habitue peu à peu à se passer d'air conditionné. Comme dans le passé. Quand j'étais gosse, plein de bagnoles en avaient pas.

— Elles étaient également dépourvues de ceintures, d'*airbags*, de freins ABS ou de GPS, je réplique.

— Je vous ai pris un *scone* juste avec des œufs, mais y en a aussi aux œufs, poulet et fromage si vous avez très faim. Y a aussi de l'eau fraîche dans une cantine. Bojangles' fait pas dans l'huile d'olive, alors faudra vous en passer. Je connais votre position sur le beurre.

— J'adore le beurre, c'est d'ailleurs pour ça que je l'évite.

— Jésus ! Bordel, qu'est-ce qui nous fait saliver comme ça devant les machins gras ? Mais maintenant j'ai décidé de plus me casser la tête avec ça. J'apprends à pas lutter contre certains trucs. Si vous vous bagarrez pas contre eux, ils vous fichent la paix.

— Non, le beurre lutte contre moi quand je tente de boutonner la ceinture de mon pantalon, je rétorque. Vous avez dû rester debout toute la nuit. Quand avez-vous trouvé le temps de faire réparer cette chose et de la laver ?

— Comme je vous ai dit, j'ai trouvé un mécano et même son numéro de téléphone personnel grâce à Internet. On s'est donné rendez-vous à son garage à cinq heures ce matin. On a remplacé l'alternateur, équilibré les pneus, nettoyé les passages de roues, resserré les bougies, et j'ai changé les essuie-glaces tant que j'y étais et remis un peu d'ordre, énumère-t-il alors que nous longeons West Bay, dépassant les restaurants et les boutiques aux façades de brique, de stuc ou de granit qui pointillent la rue bordée de chênes verts, de magnolias et de lilas des Indes.

Marino a passé des vêtements de terrain, mais il s'est montré plus raisonnable sur son choix personnel en emportant l'uniforme estival du centre de Cambridge : pantalon cargo kaki et polo beige en coton léger, gilet tactique en tulle de nylon et chaussures de sport en daim, au lieu de grosses bottes. Une casquette de base-ball protège son crâne chauve et le bout de son nez brûlé par le soleil. Il a chaussé des lunettes noires, sans oublier de se tartiner d'une crème écran total qui se liquéfie dans sa sueur et s'accumule en surlignant les rides profondes de son cou d'un trait blanchâtre.

— Merci d'avoir pensé à préparer mes vêtements de terrain, dis-je. Je me demandais quand vous aviez fait mon sac de voyage.

— Juste avant de partir.

— Oui, ça, je m'en doutais.

— J'aurais dû prendre la version en coton léger. Vous devez crever de chaud. C'est vraiment idiot de ma part de ne pas y avoir pensé.

— Vous avez pris ce que vous trouviez lorsque vous avez fouillé dans mes affaires, je temporise. Et puis les conditions météo et ce printemps inhabituellement frais que nous avions à Boston n'incitaient pas à passer à la version estivale de nos uniformes. Si vous aviez demandé à Bryce…

— Ouais, je sais, m'interrompt-il. Mais je voulais pas qu'il soit impliqué là-dedans. Plus il est impliqué, moins il est capable de la fermer, et en plus il en fait toujours trois tonnes ! Avec lui, préparer un sac de voyage aurait viré au défilé de mode et il m'aurait expédié à Savannah avec une malle paquebot.

— Vous avez donc fait mon bagage avant de partir, je reprends. Quand au juste ?

— J'ai ramassé quelques trucs la dernière fois que je suis passé au bureau. Je sais plus au juste quand. Le 14 ou le 15. Mais j'étais pas sûr de ce qui suivrait arrivé ici.

Nous bifurquons sur l'autoroute US-17, en direction du sud. L'air brûlant qui s'engouffre par nos vitres baissées me fait penser à celui d'un four.

— Je crois au contraire que vous le saviez très bien, je rectifie. Il vaudrait mieux jouer cartes sur table.

J'ouvre la boîte à gants et en tire des serviettes en papier que j'étale sur mes genoux, avant d'extirper notre petit déjeuner du sac renflé posé entre nos sièges et de poursuivre :

— Il serait préférable que vous admettiez que lorsque vous avez décidé soudainement de prendre ces vacances, vous saviez déjà que vous alliez descendre à Savannah afin d'aider Jaime Berger. Vous saviez également que je vous y suivrais de peu, sans me douter de la vraie raison de mon déplacement, et que je débarquerais avec pas grand-chose, hormis les vêtements que j'avais sur le dos.

— J'ai essayé de vous expliquer pourquoi vous pouviez pas être informée à l'avance.

— Je vous concède que vous avez essayé et je suis certaine que vous êtes convaincu par votre raisonnement, mais moi pas. En réalité il ne s'agit même pas de votre raisonnement, mais de celui de Jaime.

— J'arrive pas à comprendre ! On dirait qu'être espionnée par le FBI vous fait ni chaud ni froid.

— Parce que je n'y crois pas. D'autant que s'ils m'espionnent, ils doivent s'ennuyer à périr. Bien, lequel préférez-vous ? je propose en examinant les *scones* tièdes enveloppés dans des papiers jaunes luisant de beurre fondu.

— C'est tous les mêmes, sauf le vôtre.

— D'accord. Je crois avoir repéré le mien. Il pèse deux fois moins lourd que les autres. J'aimerais bien qu'on éclaircisse les choses. Pas à propos du FBI, à votre sujet.

Je déplie d'autres serviettes en papier, que je pose sur les cuisses de Marino.

— Vous refoutez pas en boule, Doc.

— Je vous demande juste un peu de clarté. Je n'ai pas envie d'une bagarre, ni même d'une dispute. Aviez-vous déjà cet appartement à Charleston avant l'appel de Jaime au centre de Cambridge il y a deux mois, lorsque vous avez pris le premier train à destination de New York pour vous entretenir secrètement avec elle ?

— J'y avais pensé.

— Ce n'est pas ce que je vous demande.

Je débarrasse un des *scones* poulet-œuf-fromage de son emballage. Il l'attrape de ses gros doigts et en avale un bon tiers en une seule bouchée. Une pluie de miettes dorées de beurre dégringole sur les serviettes étalées sur ses cuisses.

— Si, j'avais commencé à m'y intéresser, répète-t-il tout en mâchant. Ça fait un moment que je regarde les offres de locations dans la région de Charleston, un peu un château en Espagne, jusqu'à ce que j'en parle avec Jaime. Elle m'a expliqué son rôle dans l'affaire Lola Daggette et déclaré qu'elle avait besoin de mon aide. Ça m'a vraiment surpris et je me suis dit que c'était une sorte de signe. Je veux dire : dans le coin où je cherchais un truc à louer. D'un autre côté, c'est assez logique puisque les meilleurs endroits pour la pêche et la moto sont en général ceux où existe toujours la peine de mort. Bon. En tout cas j'ai pensé qu'elle avait raison, que ce serait futé de devenir un entrepreneur privé.

— Sa suggestion, je suppose ?

— Ben, elle est super-intelligente et, comme j'ai dit, c'est logique. Vous voyez, je vais pouvoir enfin choisir mes heures de boulot, choisir ce que je veux devenir, peut-être même gagner un peu plus d'argent, lâche-t-il en mordant dans son *scone* au poulet frit. Je me suis dit que c'était maintenant ou jamais, ma chance, quoi ! Si on laisse filer l'occasion de changer sa vie dans le sens qu'on souhaite, quand c'est à portée de main, ben, c'est pas sûr qu'elle se représentera.

— Jaime vous a-t-elle expliqué en détail ce qui s'était produit à New York, les raisons de sa démission ? je demande.

— J'imagine qu'elle vous a raconté ce qu'avait fabriqué Lucy.

— N'avez-vous pas dit qu'elle n'avait jamais mentionné Lucy devant vous ?

Je déballe mon *scone* aux œufs. D'habitude je ne mange pas de *fast-food* et je ne partage d'aucune manière l'addiction de Marino pour tout ce qui est frit. Mais soudain je meurs de faim.

Nous roulons maintenant sur le Veterans Parkway, assez vite grâce aux grandes étendues boisées. Le ciel immense, d'un bleu délavé, augure une journée caniculaire.

— On en a pas vraiment discuté, répond Marino. Elle a parlé seulement du Centre de criminologie en temps réel, que sa sécurité avait été menacée et qu'elle, Jaime je veux dire, avait été tenue pour responsable. Elle n'a pas été officiellement accusée, mais selon elle les commentaires ont pas manqué. Des gens se sont étonnés de la coïncidence : au moment où elle affirmait que les statistiques criminelles du département de police de New York étaient bidonnées, son système informatique était piraté et, comme par hasard, elle entretenait une relation intime avec une pirate très connue.

— Ce n'est pas la version de Lucy, je déclare. Elle soutient qu'il ne s'agissait pas du Centre de criminologie en temps réel. À l'entendre, il s'agissait d'un commissariat d'arrondissement dans lequel on aurait édulcoré des plaintes pour des vols supérieurs à 1 000 dollars, donc relevant du code pénal, en les réduisant à de simples infractions, et des cambriolages auraient ainsi reçu l'étiquette lénifiante de « méfaits ».

— Excusez-moi du peu ! ironise Marino.

— Je ne sais pas au juste dans quoi elle a pénétré, ni comment, mais vous avez raison. Et ça me désole que ce soit ainsi qu'on décrive Lucy, une pirate informatique très connue. Je suis vraiment navrée qu'on pense cela d'elle.

— Enfin merde, Doc ! Elle s'arrêtera jamais. Si elle peut s'infiltrer dans un système, elle hésitera pas. Et y a pas grand-chose qu'elle soit pas capable de pirater. Je sais que vous en êtes maintenant consciente, alors pourquoi essayer de prétendre qu'un jour ça changera ? Peut-être que je ferais la même chose si j'étais aussi doué qu'elle, se débrouiller pour obtenir ce qu'on veut parce qu'on en est capable. *Légal*, c'est comme de grosses bosses sur une piste noire. Un truc que vous contournez ou par-dessus quoi vous filez. Plus y en a, plus c'est difficile, plus Lucy aime ça.

Par ma vitre baissée je contemple les marécages cuivrés, les estuaires sinueux et les minces cours d'eau. L'air chaud qui s'engouffre est saturé par l'odeur d'œuf pourri que la vase exhale.

— Remarquez, Lucy se contrefout de ce qu'on peut penser d'elle, ajoute-t-il en froissant son papier d'emballage en boule.

— C'est ce qu'elle a envie que vous croyiez. Pas mal de choses lui importent beaucoup, contrairement à ce que vous pensez. Jaime incluse, je rectifie en mordant dans mon *scone* avant de commenter : Je sais que je vais le regretter, mais c'est plutôt bon.

— Je crois que je vais en manger un autre, des fois qu'on aurait pas l'occasion de déjeuner.

— On dirait pourtant que vous avez perdu du poids, et je me demande bien comment.

— Je mange que quand mon corps a faim, pas quand je crois que j'ai faim. Il m'a fallu une bonne moitié de ma vie pour parvenir à cette idée. En gros, j'attends que la faim me tenaille au niveau cellulaire, si vous voyez ce que je veux dire.

— Pas du tout, dis-je en lui tendant un autre *scone* poulet-œuf-fromage.

— Ça marche super. Sans déconner. Le but consiste à ne pas penser. Vos cellules vous font savoir quand il faut vous nourrir. À ce moment-là, il faut manger. Je ne pense plus aux repas, explique-t-il la bouche pleine. Je me demande plus ce que je vais manger ou pas, et je décide pas qu'il est l'heure de passer à table. J'attends que mes cellules me parlent et j'obéis. J'ai perdu sept kilos en cinq semaines et j'ai en tête d'écrire un bouquin là-dessus. *Ne pensez pas que vous êtes gros. Mangez !* Une boutade, quoi. Je ne conseille pas aux gens de pas penser qu'ils sont gros. Je leur dis juste de pas y penser du tout. Je crois que ça marcherait. Je pourrais engager quelqu'un qui tape mon texte pendant que je dicte.

— Je m'inquiète, Marino. Avez-vous recommencé à fumer ?

— Mais enfin, pourquoi vous arrêtez pas avec ça ?

— Quelqu'un a fumé dans votre camionnette.

— Je trouve que ça sent plutôt bon, moi.

— Eh bien, pas hier !

— Oh, c'est des copains de pêche. Vous savez, ce truc de rouler avec les vitres grandes ouvertes parce qu'il fait une chaleur à crever. Du coup, les gens ont envie de s'en griller une.

— Vous pourriez être encore plus évasif.

— Mais qu'est-ce que c'est que cette merde avec les clopes ? Quoi, vous êtes devenue la police anti-tabac ?

— Vous vous souvenez de la fin de Rose ? je lui rappelle, faisant allusion à la terrible agonie de mon ancienne secrétaire, terrassée par un cancer du poumon.

— Rose ne fumait pas, pas même une seule clope dans toute sa vie. Pas une seule mauvaise habitude, et pourtant elle est morte d'un cancer. Peut-être pour ça, justement. J'en suis arrivé à la conclusion que quand on force trop les choses, ça empire. C'est quoi, la logique ? Vous priver de tout pour pouvoir mourir prématurément en bonne santé ? J'aimerais tant qu'elle soit toujours parmi nous. Plus rien est comme avant. Bordel, je déteste que les gens me manquent. Des fois, quand je pénètre dans votre bureau, je me dis qu'elle sera là, derrière sa vieille machine à écrire IBM, avec son foutu caractère. Certaines personnes devraient jamais partir. Manque de bol, celles qui devraient dégager s'accrochent des quatre fers.

— On vous a diagnostiqué récemment des carcinomes basocellulaires et plusieurs lésions ont été enlevées. La dernière chose à faire est de reprendre la cigarette.

— La clope cause pas le cancer de la peau, bougonne-t-il.

— Ça triple vos chances, si je puis dire.

— D'accord ! Bon, de temps en temps j'en grille une en compagnie. Pas de quoi en faire un drame.

— *Ne fumez plus de cigarettes. Contentez-vous de les griller.* Peut-être un autre ouvrage que vous pourriez écrire ? je me moque. Les lecteurs se précipiteraient dessus, à n'en point douter.

— Cette merde qui inquiète Lucy ne pourra jamais être prouvée, biaise-t-il parce qu'il ne veut pas que je lui fasse la morale. Personne a été accusé ni le sera. Jaime a quitté définitivement les bureaux du procureur et c'est ce que des gens comme Farbman voulaient, aussi simple que ça. Il doit croire qu'il a enfin décroché le gros lot.

— Ce n'est pas ce que ressent Jaime, même si elle prétend le contraire.

— Elle a l'air plutôt satisfaite de ce qu'elle fait maintenant, rétorque-t-il.

— Je n'y crois pas.

— C'est juste qu'elle aime pas la façon dont c'est arrivé, parce qu'on lui a forcé la main. Ça vous ferait quoi si quelqu'un vous virait de votre carrière après tous vos efforts pour parvenir où vous en êtes ?

— En tout cas, j'aime croire que je ne persuaderais jamais une personne que je suis censée aimer de commettre un acte destructeur sous prétexte que je souhaite mettre un terme à notre relation.

— Ouais, mais la rupture avec Lucy a rien à voir avec le fait que Jaime a été poussée vers la porte des bureaux du procureur.

— Bien au contraire ! je rétorque. Jaime s'est détricotée, si je puis dire. Elle n'aimait pas ce qu'elle voyait d'elle, donc elle l'a piétiné, détruit, de manière à pouvoir tout reprendre à zéro. Mais ça ne marche pas de cette façon. Jamais. On ne peut pas se reconstruire sur un mensonge. Vous l'avez aidée à installer son système de sécurité. Elle porte une arme maintenant ?

— Je lui ai donné deux ou trois leçons de tir, dans un stand pas loin d'ici.

— De qui est venue l'idée ?

— D'elle.

— La plupart des New-Yorkais évitent les armes. Ça ne fait pas partie de leur culture, de leurs travers naturels. Pourquoi a-t-elle soudain pensé qu'elle en avait besoin ?

— Peut-être le fait de séjourner ici, alors qu'elle est pas originaire du coin. Et puis, soyons francs, tout ce qui touche à Dawn Kincaid fout la trouille. Je pense que ce qu'elle a fabriqué depuis sa démission l'effraie, et elle a pris l'habitude des flingues avec Lucy, qui est toujours armée. Votre nièce prend sa foutue douche son Glock à la main. Peut-être que Jaime s'est familiarisée avec les flingues à force de vivre avec.

— Tout comme elle s'est familiarisée avec le fait d'utiliser une SARL Anna Copper, une méchante blague forgée parce que Lucy avait été blessée. En effet, Groucho Marx avait mis beaucoup d'argent dans Anaconda Copper, une compagnie minière qui a plongé durant la Grande Dépression et est accusée de polluer l'environnement. Marino, vous ne voyez vraiment pas ce qui se passe, n'est-ce pas ?

— Je sais pas. Peut-être que si.

— Vous investissez dans quelque chose qui vous paraît mirifique mais qui s'avère un échec total, et vous perdez tout. Ça vous tue presque.

— Ça vous arrive d'écouter ses vieilles émissions de radio ? *Tu peux parier ta chemise.* Le genre « Quelle est la couleur de la Maison-Blanche ? » ou « Qui est enterré dans la tombe de Grant ? ». Il était assez marrant, Groucho Marx. Faut pas vous biler avec la merde de Jaime.

— Oh, mais si, je devrais m'en préoccuper, et vous aussi d'ailleurs. C'est une chose d'offrir une aide objective dans une enquête, c'en est une autre d'être poussé à partager les impératifs de quelqu'un d'autre, notamment s'ils sont vindicatifs, très personnels, pour ne pas dire malsains. Une forte motivation amène Jaime à chercher le gros lot, afin de se recréer grâce à une vengeance. Il y a en plus d'autres facteurs. Je pense que vous savez à quoi je fais allusion.

Marino plonge sa grosse main dans le sac de Bojangles' qui se froisse en gémissant. Il en tire d'autres serviettes alors que nous empruntons le pont qui enjambe la rivière Little Ogeechee. Je continue à enfoncer le clou :

— Je souhaite juste que vous fassiez attention. Je ne me mêlerai pas de vos choix, si vous préférez collaborer avec d'autres gens ou changer de statut professionnel concernant le centre de Cambridge, mais je vous conjure d'être très prudent avec Jaime Berger. Comprenez-vous qu'il peut être très difficile de garder la tête froide à son sujet ?

Il s'essuie les doigts et la bouche alors que nous traversons Forest River, où des bateaux de pêche à la crevette mouillent et où des mouettes se rassemblent le long d'une interminable jetée de bois.

— C'est toujours dangereux d'être guidé par des motivations qu'on n'entrevoit pas. Voilà ma conclusion.

Je n'espère pas le persuader, ni même qu'il me comprenne. Jaime flatte son ego d'une manière que je ne partage pas. Je refuse de le manipuler. Jamais je ne le flatterai ni ne le caresserai dans le sens du poil pour qu'il fasse ce que je veux. Je suis carrée et honnête, et le plus souvent ça l'agace.

— Écoutez, Doc... Je ne suis pas stupide. Je sais bien qu'elle a d'autres trucs sur le feu et que Lucy a tout compliqué. Elle est tellement conquérante. Je me souviens quand elle débarquait dans les bureaux du procureur, agissant comme si leur relation n'avait rien de confidentiel et même qu'il s'agissait d'un truc dont on pouvait se vanter.

Savannah Mall se trouve juste devant nous. J'y ai déjeuné de fruits de mer la dernière fois que je suis venue dans la région, en compagnie de Colin Dengate, je ne sais plus au juste quand. Peut-être il y a trois ans, lorsque j'habitais encore Charleston et qu'il se démenait avec une vague de crimes racistes perpétrés sur la côte géorgienne.

— Pourquoi faudrait-il le secret ? je réplique. En réalité, lorsque deux personnes s'aiment, il y a de quoi se vanter.

— Bon, écoutez, soyons honnêtes, lâche Marino. Tout le monde pense pas comme vous. Le fait qu'elles ont eu une relation sentimentale n'est pas exactement un conte de fées pour certaines personnes. C'est pas le prince William et Kate. Tout le monde n'applaudira pas le couple Lucy-Jaime. Bon, c'est juste mon opinion, mais je crois que Jaime voulait mettre un terme à cette histoire parce que ça lui créait pas mal de gros ennuis. Toute cette merde sur Internet, comme si elle s'était fait balancer d'un *reality-show* à la noix. La gouine procureure, la loi de Lesbos. Vraiment moche. Du coup, elle s'en est sortie et, bien sûr, elle le regrette même si elle refuse de l'admettre.

— Pourquoi pensez-vous qu'elle le regrette ?

Nous suivons une étroite route à deux voies, Middle Ground Drive, qui s'enfonce en sinuant dans des parcelles fédérales étouffées par une dense végétation de pins et de sous-bois, sans que nous apercevions une seule habitation. Le bureau d'investigation de Géorgie préserve cette étendue aussi isolée que possible, à juste titre, pour les bureaux du médecin expert et les labos de sciences légales.

— Enfin merde, Doc ! Vous pensez vraiment qu'elle est heureuse de la vie qu'elle s'est faite ? Je veux dire sur le plan personnel.

— J'aimerais savoir ce que vous en pensez.

— Juste après leur rupture, Jaime est sortie avec des hommes, notamment ce gars de NBC, Baker Thomas.

— C'est elle qui vous en a parlé ?

— J'ai toujours quelques potes au département de police de New York. Quand j'ai rendu visite à Jaime, il y a environ deux mois, j'en ai contacté certains et j'ai entendu des trucs. Ce que je veux dire, c'est qu'elle pouvait difficilement se faire davantage remarquer. Sortir avec un correspondant de la télé considéré comme un des célibataires les plus convoités de New York. Cela dit, j'ai quand même ma petite théorie à son sujet. C'est pas un hasard s'il a jamais été marié ! Lucy le voyait dans des bars du Village, le genre qu'aimerait Bryce.

Le laboratoire régional de sciences légales est niché sous les arbres et entouré d'un haut grillage surmonté de crocs anti-escalade. Un portail métallique en protège l'entrée, surveillé à gauche par une caméra surmontant un interphone.

Je m'enquiers :

— À quelle heure Jaime est-elle censée nous rejoindre ?

— Elle a pensé qu'il valait mieux vous laisser un peu de temps pour que vous consultiez d'abord les rapports.

— Vous lui avez parlé aujourd'hui ?

— Pas encore, mais c'était l'idée.

— Je vois. Je parcours toutes les pièces du dossier et elle ne se montre que lorsque bon lui semble, ou pas du tout, en fonction de son humeur !

— Tout dépend de ce que vous trouverez. Je dois lui téléphoner. Bordel, cet endroit est presque aussi sécurisé que le centre de Cambridge.

— Les crimes racistes. Des années et des années de crimes qui remontent au moment de la construction du labo. Colin n'a pas mâché ses mots à ce sujet. Une affaire a fait la une des médias lorsque nous étions à Charleston. Je ne sais pas si vous vous en souvenez.

Marino ralentit et gare la camionnette à hauteur de l'interphone. Je reprends :

— Le comté de Lanier, en Géorgie. Un Afro-Américain du nom de Roger Mosbly, un instituteur à la retraite qui fréquentait une femme blanche. Une nuit, il rentrait tard chez lui, et au moment où il s'engageait dans l'allée de son garage, deux Blancs sont apparus devant le capot de sa voiture…

Marino passe le bras par sa vitre de portière et enfonce la touche de l'interphone. Un lourd bourdonnement se fait aussitôt entendre.

— … Roger Mosbly a été tabassé à mort avec des bouteilles et une batte de base-ball. Des pressions ont été exercées en douce pour que Colin aide la défense, que les agresseurs s'en sortent avec une simple charge de « bagarre honorable », je débite. Selon cette version, Mosbly avait piqué une crise de rage, attaqué le premier, alors même que les accusés ne présentaient aucune forme de blessures et que son corps à lui révélait une multitude d'abrasions et de bleus qui prouvaient qu'ils avaient tenté de le tirer de la voiture alors qu'il était assis derrière le volant et qu'il avait toujours sa ceinture de sécurité.

— Des suprématistes blancs, des enfoirés de nazis.

— Colin a reçu des menaces parce qu'il s'obstinait à dire la vérité. Une nuit, peu avant le procès, les vitres de la façade du labo ont été mitraillées. La grille d'enceinte a été aussitôt surélevée.

— Il me fait pas l'effet d'un gars qui accepterait que quelqu'un soit exécuté pour un meurtre qu'il a pas commis, bougonne Marino en enfonçant à nouveau le bouton de l'interphone.

— S'il était ce genre de personne, son labo n'aurait pas besoin d'une telle débauche de mesures de sécurité !

Je n'ajoute pas que Jaime Berger a méjugé Colin Dengate, qu'elle lui a taillé une fausse réputation. Je ne répète pas à Marino que cette avocate avec qui il se félicite de travailler a des priorités très personnelles et n'est en vérité ni gentille ni honnête.

Une voix de femme filtre du haut-parleur de l'interphone :

— En quoi puis-je vous aider ?

— Le Dr Scarpetta et l'enquêteur Marino pour le Dr Dengate, annonce le grand flic pendant que je consulte les messages sur mon iPhone.

Benton et Lucy viennent d'atterrir à Millville, dans le New Jersey, pour refaire le plein de l'hélicoptère, me précise ma nièce, un message qui remonte à onze minutes. Ils sont terriblement ralentis par de forts vents de sud-ouest, des vents de face. Le message suivant, expédié par mon mari, me trouble :

DK n'est plus à Butler. T'en dirai plus dès que je saurai. Recommande prudence.

Un fort grésillement et le lourd portail métallique glisse dans son rail qui zèbre l'asphalte. J'aperçois le bâtiment de stuc et brique qui abrite le laboratoire, de plain-pied mais de taille très imposante. Des SUV blancs aux portières ornées de l'écusson bleu et doré du bureau d'investigation de Géorgie sont garés sur le parking qui fait face à l'immeuble, ainsi qu'une Land Rover blanche, à l'exception du toit bâché vert olive, que Colin conduit depuis que je le connais.

— Vous allez parler des résultats des nouvelles analyses ADN au Dr Dengate ? me demande Marino.

Mais je ne pense qu'au message que vient de m'envoyer Benton, incapable de fixer mon esprit ailleurs.

Pas un souffle d'air. Des drapeaux pendent mollement de leurs hampes. Le trottoir est doublé par une succession de massifs de callistémons à fleurs rouges que les colibris adorent. Un arrosage automatique leur permet de garder leur fraîcheur, les embouts déversant une pluie fine en bord de pelouse. Nous nous garons sur une place visiteurs, juste devant des fenêtres de rez-de-chaussée en verre réfléchissant, résistant au bris et aux balles et conçues pour supporter une explosion terroriste. Une seule idée tourne dans mon esprit : Dawn Kincaid s'est évadée de l'hôpital Butler pour criminels psychopathes.

Si cette information est exacte, quelqu'un d'autre va mourir. Peut-être plusieurs personnes. J'en suis certaine. Elle est d'une ahurissante intelligence. C'est une sadique qui parvient toujours à obtenir ce qu'elle veut. Tel fut le cas tout au long de sa vie de prédatrice, de destructrice. Personne n'a pu l'arrêter. Absolument personne, pas même moi. J'ai réussi à la freiner, sans être capable de mettre un terme définitif à ses agissements, et seule la chance explique que je sois toujours de ce monde. Une brume humide balancée par les becs d'arrosage automatique frôle ma joue et je me souviens de celle de son sang. Je me souviens du goût métallique et salé dans ma bouche, sur ma langue, contre mes dents. Un brouillard sanglant sur mon visage, mes cheveux, dans les yeux. Tara Grimm a suggéré que Kathleen Lawler pourrait sortir plus tôt du pénitencier. Soudain, l'idée que Dawn Kincaid a décidé de rejoindre la Géorgie me traverse l'esprit.

— Hé, on dirait que vous venez de voir un fantôme, Doc !

Je me rends compte que Marino s'adresse à moi, et me contente d'ouvrir le hayon de la camionnette pour toute réponse.

— Vous allez lui dire pour l'ADN ?

— Non, certainement pas. Ce n'est pas à moi de le faire. D'autant que je préfère explorer les dossiers avec un regard neuf. Je veux garder l'esprit ouvert, je souligne en extirpant des bouteilles d'eau dégoulinantes de la glacière. Je ne sais pas quand vous avez remis de la glace là-dedans, mais on pourrait maintenant y faire infuser notre thé.

— Au moins c'est du liquide, commente-t-il en récupérant une des bouteilles.

— Allez-y, je vous rejoins tout de suite. Je dois passer un coup de téléphone.

Je me protège du soleil en m'avançant dans l'ombre tiède projetée par un arbre et tente de joindre Benton, souhaitant que Lucy n'ait pas déjà redécollé. Il décroche et je lui lance d'une voix teintée d'émotion :

— Je suis si contente de t'entendre ! Désolée au sujet du vent. Je m'en veux de vous avoir demandé de descendre à Savannah puisque ça semble tourner à la corvée.

— Le vent est le cadet de mes soucis, lâche-t-il. Ça ralentit, rien de grave. Comment vas-tu ?

— Je n'ai pas les vêtements adéquats pour ce temps.

— Je bois un petit café pendant que Lucy règle le carburant. Mon Dieu, c'est la fournaise aussi dans le New Jersey.

— Que s'est-il passé ? je demande.

— Je n'ai aucune information officielle et je ne devrais sans doute pas t'inquiéter alors que, si ça se trouve, il n'y a pas de raison. Mais je la connais et sais de quoi elle est capable, tout comme toi. D'une façon ou d'une autre, il semble qu'elle soit parvenue à convaincre les gardiens et d'autres employés du Butler qu'elle devait être admise dans un service d'urgences.

— Pour quel motif ?

— Asthme.

D'un ton soudain hargneux, je rétorque :

— C'est bien la première fois !

— Jack en souffrait et, en toute honnêteté, on doit admettre que ça peut être génétique.

— Fausses maladies et encore des manipulations, je balance, peu encline à me montrer impartiale à l'égard de cette femme.

— Elle a été transportée en ambulance aux environs de sept heures ce matin. Quelqu'un que je connais à Butler, qui n'est pas impliqué dans l'affaire et donc n'a pas accès aux informations directes, en a entendu parler et m'a laissé un message il y a une demi-heure. Je suis drôlement soulagé que tu te trouves à mille cinq cents kilomètres de nous. Ce truc me rend nerveux, je n'ai pas confiance.

— Compréhensible, étant donné la personne impliquée. Mais elle est toujours en détention provisoire, non ?

La sueur me dégouline entre les seins et dans le dos, et l'air inerte m'évoque une buée épaisse.

— Je suppose, mais je n'ai pas de détails, biaise Benton.

— Tu supposes ?

— Kay, tout ce que j'ai appris, c'est qu'elle a été transférée au Massachusetts General Hospital il y a quelques heures. On ne peut donc plus débouler pour l'interroger alors qu'elle est considérée comme malade, que ce soit fondé ou pas. Elle a des droits.

— Bien sûr, et sans doute plus que nous.

— N'ignorant rien de ses capacités et talents de manipulatrice, je m'inquiète que tout cela ne soit qu'un piège, une autre stratégie.

— À mon avis, ils n'ont pas la moindre idée du cas qu'ils viennent de récupérer. Le Massachusetts General Hospital, je veux dire.

Benton poursuit son idée :

— À tout le moins, il peut s'agir d'une nouvelle ruse de la part de ses avocats pour engranger un petit capital sympathie, ou impliquer qu'elle a été maltraitée, ou encore pour en rajouter une couche avec ces conneries selon lesquelles tu as lourdement porté atteinte à sa santé physique et mentale. Bref, son asthme a été aggravé par le choc.

— J'ai lourdement porté atteinte à sa santé ? je répète en repensant aux déclarations de Jaime Berger la veille.

— C'est, à l'évidence, son argumentation, observe Benton.

— Ah, j'ignorais que tu pensais qu'elle avait des arguments !

— Je dis qu'elle va utiliser ce type de démonstration. Je n'ai jamais affirmé que je pensais sa défense légitime ou justifiée. Tu as l'air vraiment bouleversée.

— Si tu étais au courant qu'elle forgeait de toutes pièces un dossier de contre-attaque contre moi, j'aurais apprécié que tu m'en informes.

Une sorte de sensation de faiblesse m'envahit, alors que je me souviens que Marino a accusé Benton de savoir que le FBI enquêtait à mon sujet. Comment mon mari pouvait-il partager le même toit que moi en étant au courant d'une telle enquête, et pourquoi m'a-t-il laissée sortir en pleine nuit, agissant comme s'il était complètement indifférent ? Comme si je ne représentais rien à ses yeux ? Comme s'il ne m'aimait pas ? *Marino et sa jalousie,* je me serine.

— Nous en rediscuterons dès mon arrivée, écourte Benton. Néanmoins, si tu ne te doutais pas que sa ligne de défense va consister à tout te mettre sur le dos, tu es bien la seule dans ce cas. Lucy rejoint l'hélicoptère, il faut que j'y aille. Je t'appelle dès que nous aurons atterri.

Il termine en m'assurant qu'il m'aime et je raccroche. La chaleur s'élève du revêtement du trottoir, tel un voile chatoyant sous les vagues successives de bruine crachée par les embouts d'arrosage. Elle ruisselle sur le feuillage. Je m'avance vers l'entrée du laboratoire et pénètre dans un hall d'accueil meublé de canapés et de fauteuils confortables recouverts d'une tapisserie bleue. Un tapis persan Serapi aux motifs beige et rose recouvre partiellement le sol semé de petits palmiers en pot. Des photos encadrées d'arbres et de jardins d'Aspen ornent les murs blanc cassé. Une femme âgée, solitaire, est assise dans un coin. Son regard vide se perd en direction de la fenêtre, dans ce lieu assez élégant où personne ne souhaiterait jamais venir. Je tente d'appeler Jaime Berger.

Rien à faire de ses histoires de cabines téléphoniques ou de sa recommandation de ne pas évoquer notre discussion d'hier soir ! Peu m'importe que l'on écoute mes communications et, surtout, je ne la crois pas. La sonnerie de son portable résonne dans le vide et la boîte vocale prend la relève.

— Jaime, c'est Kay. Il y a du nouveau dans le Nord, et je suppose que vous êtes déjà au courant.

Mon ton accusateur ne m'échappe pas, au point que l'on pourrait croire que ce qui vient de se passer est la faute de Jaime. D'ailleurs, peut-être est-ce le cas.

Dawn Kincaid est en train de concocter un nouveau stratagème parce qu'elle a eu connaissance des récents résultats d'analyses ADN. J'en suis certaine, et Jaime est bien naïve ou aveugle pour penser le contraire. Au demeurant, d'autres gens potentiellement nuisibles sont peut-être également dans le secret. En dépit des certitudes de Jaime, l'information a fuité. Au fond, elle a initié quelque chose de terriblement dangereux.

D'un ton péremptoire, j'exige :

— Rappelez-moi dès que possible. Si je ne répondais pas, contactez le bureau de Colin, ils sauront où me trouver.

CHAPITRE 16

Les cheveux roux tirant peu à peu sur le gris de Colin Dengate sont taillés très court et une moustache cuivrée, soigneusement entretenue, orne le haut de sa lèvre supérieure, m'évoquant une trace de rouille. Il est bâti en obus, sans un gramme de graisse superflue et, à l'instar de pas mal de légistes de ma connaissance, possède un sens de l'humour parfois décapant.

Alors qu'il me précède vers les profondeurs de son quartier général, je passe devant un écorché habillé pour Mardi gras et sous des mobiles suspendus composés d'os, de chauves-souris, d'araignées et de goules qui frissonnent et se balancent mollement dans l'air frais soufflé par les grilles du système d'air conditionné. Une sonnerie de portable, quelques notes d'une musique macabre et un ricanement de sorcière : la femme de Colin ne parvient plus à retrouver la clef de l'antivol du vélo de leur fille. Il lui conseille d'utiliser des pinces coupantes. Alors que nous longeons un couloir, l'écho surnaturel du Tricorder de *Star Trek* traduit l'appel d'un enquêteur du bureau d'investigation de Géorgie, du nom de Sammy Chang, qui informe Colin qu'il quitte la scène d'un accident de la route mortel sur Harry Truman Parkway, et que le cadavre est en cours d'acheminement.

— Et dans mon cas ? dis-je, me demandant quelle sonnerie il m'attribuerait.

— Mais vous n'appelez jamais, Kay. Attendez, je réfléchis. Les Grateful Dead. « Ne faites jamais confiance à une femme », c'est bien, ça ! Je suis allé assister à deux de leurs concerts dans ma folle jeunesse. Leur musique n'est plus ce qu'elle était. Je ne suis pas certain que ça met les gens dans le même état qu'avant.

J'ai abandonné Marino dans la salle de repos, où il s'est servi un café pendant qu'il flirtait avec une toxicologue du nom de Suze, au biceps tatoué d'une tête de squelette ailée arborant un large sourire. Colin souhaite m'entretenir seul à seule. Jusque-là il s'est montré amical, en dépit de la raison de ma venue.

—Je peux vous offrir un café, une Vitaminwater ?

Nous pénétrons dans son bureau d'angle qui donne sur une baie de déchargement située à l'arrière du bâtiment. Un camion vient de s'y garer. Il reprend :

— L'eau au jus de noix de coco est très indiquée par cette température. Ça remplace le potassium perdu et j'en ai une provision dans mon réfrigérateur personnel. De plus, certaines eaux en bouteille sont très riches en électrolytes, une aide précieuse avec nos conditions météo. Que puis-je vous offrir ?

Son accent du Sud ne ralentit pas son élocution, contrairement à beaucoup de gens du coin. D'ailleurs on doit considérer ici qu'il parle vite et avec une énergie débordante. J'avale quelques gorgées au goulot de la bouteille d'eau tiède tirée de la glacière de Marino. Sans doute est-ce mon imagination, mais l'odeur de poisson mort me monte à nouveau aux narines.

—J'avais presque oublié les étés de Floride ou de Charleston, je plaisante. Quant à la camionnette de Marino, elle n'a plus l'air conditionné.

—Je ne sais pas pourquoi vous vous êtes habillée de cette façon, à moins de rechercher l'hyperthermie, sourit-il en détaillant ma tenue noire. Personnellement, je garde presque toujours mes vêtements de labo...

De fait, il porte une blouse et un pantalon de coton couleur crème de menthe.

— Confortable et rafraîchissant. Jamais de noir à cette époque de l'année, sauf en cas d'accès de mauvaise humeur.

— C'est une longue histoire et vous n'avez pas de temps à perdre, je réponds. Un peu d'eau très fraîche serait la bienvenue.

Il ouvre un petit réfrigérateur planté derrière son fauteuil ergonomique, en tire deux bouteilles d'eau et m'en tend une en continuant :

— On a parfois des surprises avec l'air conditionné en voiture. Certains automobilistes du coin dédaignent ce confort. Ma Land Rover par exemple, modèle 1983. Je l'ai complètement restaurée depuis la dernière fois que nous nous sommes vus. (Il s'installe derrière son bureau encombré de paperasse et d'objets de collection.) J'ai refait le sol en plaques d'aluminium, changé les sièges, mis une nouvelle galerie Gear Gator, sans oublier un pare-brise tout neuf. J'ai poncé les arceaux du toit et je les ai repeints en noir. Bref, traitement de choc, et pourtant je ne me suis pas enquiquiné à installer l'air conditionné. Conduire cette voiture me ramène des années en arrière, à mon époque de jeunot tout frais sorti de la fac de médecine. Vitres grandes ouvertes et laissez la sueur dévaler !

— Une façon de vous assurer que certaines personnes ne monteront jamais avec vous, je plaisante.

— Un avantage supplémentaire !

Je rapproche ma chaise. Un grand bureau en érable nous sépare. S'y alignent de hauts pots en verre destinés aux conserves, remplis de douilles, de cartouches de gros calibre en cuivre terni posées sur leur base à la manière d'obus, un cendrier des Services secrets débordant de balles Minié et de boutons d'uniformes confédérés, de petits dinosaures et engins spatiaux, des os de provenance animale, dont je soupçonne qu'on les a d'abord pris pour des os humains, un modèle réduit du sous-marin CSS *H.L. Hunley* qui a disparu à l'entrée du port de Charleston durant la guerre de Sécession, pour n'être localisé et sorti des eaux qu'il y a une dizaine d'années. Impossible de dresser un inventaire complet de tous ces petits souvenirs, parfois excentriques. Ils encombrent chaque surface libre, même les étagères des bibliothèques, et se succèdent, tassés les uns contre les autres, sur les murs. Pourtant je suis convaincue que tous possèdent une histoire et une signification, et que certains sont des jouets ayant appartenu à ses enfants lorsqu'ils étaient petits.

Il surprend mon regard curieux qui se pose un peu partout et désigne un élégant cadre accroché au mur à ma gauche, protégeant de la lumière directe une médaille d'or Agency Seal.

— Décernée par la CIA, explique-t-il.

Le certificat un peu ampoulé qui l'accompagne fait état d'une contribution importante aux efforts de renseignement de la CIA, mais ne mentionne ni nom, ni date.

— C'était il y a environ cinq ans, poursuit Colin Dengate. J'ai participé à une enquête sur un accident d'avion, un appareil qui s'est écrasé dans un marécage non loin d'ici. Les victimes étaient des gars des Services secrets, bien que je ne l'aie appris que lorsque la CIA a déboulé soudainement, en compagnie de médecins experts de vos forces armées. Un truc en relation avec la base de sous-marins nucléaires de Kings Bay. C'est tout ce que j'ai le droit de révéler et je suis certain que si vous êtes au courant, vous ne pourrez pas non plus en parler. Quoi qu'il en soit, ce fut une vraie galère, des histoires d'espionnage, et ensuite j'ai été convoqué à Langley pour une cérémonie de remise de récompenses. Inutile de souligner que c'était assez dingue. Je n'avais pas la moindre idée de qui étaient tous les gens présents et ils n'ont jamais vraiment précisé à qui était destinée la médaille, ou ce que j'avais bien pu faire pour la mériter, sinon dégager du passage et la fermer.

Ses yeux noisette tirant sur le vert me scrutent alors que j'avale une nouvelle gorgée d'eau fraîche.

— Kay, je ne comprends pas très bien pourquoi vous vous impliquez dans les meurtres de la famille Jordan, lâche-t-il, venant à la raison de ma présence dans son bureau. J'ai reçu un appel l'autre jour de votre amie Berger qui m'informait de votre arrivée et de votre souhait de parcourir les dossiers. (Il ouvre un tiroir avant de reprendre :) Je vous avoue que ma première réaction a été de me dire : *Mais pourquoi ne m'appelle-t-elle pas en personne ?* (Il me tend une petite boîte de pastilles pour la gorge à l'orme rouge.) Vous avez déjà essayé ça ?

J'en accepte une, ma gorge et ma bouche étant desséchées.

— La meilleure chose depuis l'invention du pain tranché si vous devez prendre la parole ou témoigner, ajoute-t-il. Très prisées des chanteurs professionnels, c'est d'ailleurs comme ça que j'ai connu leur existence.

Il me reprend la boîte des mains et enfourne une pastille.

— Si je ne vous ai pas téléphoné, Colin, c'est que j'ignorais jusqu'à hier soir que j'allais vous rendre visite, dis-je en repoussant contre mes dents la pastille à la surface un peu rugueuse et à l'agréable goût d'érable.

Il fronce les sourcils, l'air dubitatif, et son fauteuil gémit lorsqu'il se laisse aller contre le dossier. Il ne me quitte pas du regard, la joue légèrement déformée par le bonbon pour la gorge.

Ne sachant pas trop par quoi commencer, j'explique :

— Le seul but de ma visite à Savannah consistait à me rendre au GPFW, afin de m'entretenir avec une détenue du nom de Kathleen Lawler.

Il hoche la tête et intervient :

— Berger a évoqué cela, votre entretien avec une prisonnière. C'est d'ailleurs aussi pour ce motif que je n'ai pas compris que vous ne me passiez pas un coup de téléphone, juste pour dire bonjour ou même me proposer de déjeuner avec vous.

— Ah, Jaime vous a informé ? je répète, en me demandant ce qu'elle a pu dire au juste à Colin Dengate et aux autres, et à quel point elle a pu déformer la réalité afin de servir ses projets. Je suis vraiment désolée de ne pas vous avoir appelé et, en effet, de ne pas vous avoir proposé de manger un morceau. Mais je ne pensais pas m'attarder ici, comptant faire l'aller-retour.

— Oh, elle nous a inondés d'appels. Il n'y a pas un seul employé du bureau de la réception qui ne connaisse Jaime Berger…

La pastille va et vient au rythme de ses mots, passant d'une de ses joues à l'autre, tel un petit animal prisonnier dans sa bouche. Il poursuit :

— Super, la pastille, non ? C'est aussi un émollient. J'en ai essayé plein d'autres, qui n'ont d'émollient que le nom. Celles-ci marchent bien, apaisent vraiment les muqueuses. Sans sel et sans gluten. Pas de conservateurs non plus et surtout dépourvues de menthol. « Émollient » est vraiment un terme impropre dans le cas du menthol, qui passe pour le remède souverain pour la gorge, alors qu'en réalité cela induit une perte temporaire des cordes vocales. (Il lève la tête vers le plafond, savourant sa pastille avec la mine d'un sommelier expertisant un grand cru.) Je fais partie d'un quatuor masculin chantant *a cappella*, ajoute-t-il comme si cet aveu justifiait tout le reste.

— En résumé, je devais rester quelques heures à Savannah pour une tout autre raison, et n'ai été prévenue qu'hier soir, assez tard, qu'on m'avait arrangé une entrevue avec vous ce matin, ici. J'ai cru comprendre que Jaime Berger ne vous trouve pas aussi coopératif qu'elle le souhaiterait. Je lui ai rétorqué que vous étiez un peu du genre obstiné, mais certainement pas un plouc.

— Oh, mais je suis un plouc, rectifie-t-il. Je comprends enfin pourquoi vous ne m'avez pas appelé directement. Et j'avoue que ça me soulage, parce que je me sentais un peu dédaigné. C'est sans doute stupide, mais ça me semblait assez ahurissant qu'elle vous serve d'intermédiaire auprès de moi. Le commentaire qui va suivre n'a rien de personnel, toutefois je crois comprendre ce qui se passe bien mieux que vous l'imaginez. Jaime Berger a des côtés histrioniques et ça l'arrange de penser que je suis un bouseux intolérant, médecin expert à Savannah, qui lui colle des bâtons dans les roues parce qu'il veut impérativement que Lola Daggette soit exécutée. Vous savez, le fameux « Tuez-les tous, Dieu reconnaîtra les siens ». Comme si c'était ce que tout le monde voulait au sud de la ligne Mason-Dixon et à l'ouest.

— Jaime affirme que vous n'êtes pas venu l'accueillir lorsqu'elle a débarqué ici. Que vous l'avez ignorée.

— Alors ça, c'est vrai. Je ne me suis pas déplacé pour la saluer parce que j'étais au téléphone avec une pauvre femme qui refusait d'admettre que son mari s'était suicidé… (Il plisse les paupières, sa voix gagnant en ampleur au fur et à mesure que son indignation monte.) Que son arme ne s'était pas malencontreusement déchargée, le tuant, alors qu'il se trouvait dehors, buvant une bière et réparant ses pièges à crabes. Que le fait qu'il l'avait embrassée en lui disant qu'il l'aimait et avait paru de bonne humeur, à son habitude, juste avant de sortir dans la nuit, ne signifiait pas qu'il n'avait pas des pensées suicidaires. Et, croyez-moi, je regrette terriblement cette cause de la mort que j'ai dû porter sur le rapport d'autopsie et le certificat de décès. En effet, elle implique qu'elle ne touchera pas l'assurance-vie de son mari. Et donc me voilà en train de balancer ce genre de merde à une veuve, et Berger déboule, sapée à la manière d'un *trader* de Wall Street. Et la voilà qui se plante à l'entrée de mon foutu bureau, pendant que la femme sanglote de façon incontrôlable à l'autre bout du fil. Je n'allais certainement pas lui raccrocher au nez pour offrir un café à une avocate de New York qui pense que tout lui est dû !

— Je vois que c'est le grand amour entre vous, dis-je avec une ironie désabusée.

— J'ai sorti pour vous les dossiers concernant les meurtres des Jordan, accompagnés des photographies de scène de crime, dont je pense qu'elles devraient vous aider. Je vais vous laisser en prendre connaissance tranquillement, de manière à forger vos propres impressions, et ensuite j'en discuterai bien volontiers, si vous le souhaitez.

— Il semblerait que vous soyez convaincu que Lola Daggette est la coupable et que, de surcroît, elle a agi seule. Si je me souviens bien de la présentation que vous aviez faite de cette affaire lors de notre meeting professionnel à Los Angeles, vous paraissiez très affirmatif dans vos conclusions.

— Kay, tout comme vous je suis du côté de la vérité.

— Je vous avoue trouver étrange que l'ADN collecté sous les ongles de la petite Brenda, provenant à l'évidence du sang et de la peau de la tueuse, ne corresponde pas à celui de Lola Daggette. Pas plus qu'à ceux des autres membres de la famille, bref un ADN inconnu.

— *À l'évidence*, c'est la locution qui s'impose.

— *A priori*, je serais tentée d'en conclure qu'il est possible que plus d'un intrus ou intruse soit impliqué.

— Je n'interprète pas les résultats de laboratoire, ni ne décide ce qu'ils signifient.

— Néanmoins je serais curieuse de connaître votre opinion à ce sujet, Colin.

— Les mains de Brenda Jordan étaient couvertes de sang. En effet, un profil ADN inconnu a été retrouvé sur les écouvillons que j'avais réalisés durant son autopsie, en prélevant sous ses ongles. Je ne sais pas ce que cela signifie. Ça peut provenir d'une source sans lien avec les meurtres. Les labos ont également détecté son propre sang et celui de son frère dans les mêmes échantillons.

— Celui de son frère ?

— Les deux enfants partageaient le même lit et il est possible que le sang du petit garçon ait été transféré sur le corps de Brenda, sous ses ongles, lorsque le tueur l'a attaquée, sans doute après avoir assassiné Josh. Ou alors, peut-être que la meurtrière s'en est d'abord prise à Brenda. Elle a pensé l'avoir tuée, puis a poignardé son petit frère. Mais la fillette n'était pas morte et a tenté de s'enfuir. Je ne sais pas au juste la façon dont les choses se sont déroulées et ne l'apprendrai sans doute jamais. Ainsi que je vous l'ai dit, je n'interprète pas les résultats des labos et ne décide pas non plus de leur signification.

— Je suis dans l'obligation de souligner qu'un ADN inconnu trouvé sur la scène de crime aurait dû inciter la police à considérer que plus d'une ou un assaillants étaient présents sur les lieux.

— Tout d'abord, gardons à l'esprit que la scène de crime n'était pas parfaitement protégée et que pas mal de gens ont pénétré dans la maison alors qu'ils n'avaient rien à y faire.

— Et ces gens auraient eu un contact physique direct avec les corps ?

— Non, heureusement ! Les flics savent que personne n'approche de mes cadavres, à défaut de quoi je peux leur pourrir la vie. Mais au fond, à l'époque, la possibilité que Lola Daggette ne soit pas coupable était simplement inacceptable.

— Pourquoi cela ?

— Elle séjournait dans ce foyer de réadaptation, à la suite de ses problèmes avec la drogue et de comportements particulièrement agressifs. Quelques heures après les meurtres, elle a été surprise en train de laver ses vêtements imbibés du sang des Jordan. De plus, elle était du coin. Je me souviens qu'à l'époque la rumeur a couru qu'elle avait entendu parler du Dr Jordan par les médias, et compris qu'il avait beaucoup d'argent, qu'il était médecin et l'héritier d'une vieille famille de Savannah ayant fait fortune dans le coton. Sa demeure n'était pas très loin du foyer qui hébergeait Lola Daggette depuis plus d'un mois, lorsque les assassinats ont été perpétrés. En d'autres termes, elle avait eu largement le temps de recueillir des informations concernant la famille, et notamment qu'ils rebranchaient leur alarme quand ils y pensaient.

— À cause de déclenchements intempestifs.

— Les gamins, déclare-t-il. Un gros problème avec les systèmes de sécurité qu'ils mettent en marche accidentellement.

— Il s'agit là d'une conjecture, je souligne. Tout comme le fait que le cambriolage n'était pas le mobile de l'intrusion.

— Aucune preuve, nous sommes bien d'accord, mais qui sait ? Toute la famille a été massacrée. Si quelque chose a disparu, qui peut le dire ? argumente-t-il.

— La maison était-elle sens dessus dessous ?

— Non, mais encore une fois, tous étant morts, qui pouvait affirmer que rien n'avait été déplacé ou fouillé ?

— Et les résultats ADN de l'époque ne vous ont pas troublé ? Je ne veux surtout pas vous casser les pieds avec ça, mais ils m'ennuient beaucoup.

— Vous ne me cassez pas les pieds. Il s'agit de mon boulot. Les ADN étaient donc mélangés. Vous le savez aussi bien que moi : il n'est pas toujours aisé de décider de quel échantillon provient un résultat. Le profil inconnu correspondait-il au sang ou aux cellules de peau, ou à un autre tissu, et quand avait-il atterri sous les ongles de Brenda ? Il pouvait trahir une source sans rapport avec les meurtres. Un invité récent de la famille. Une personne avec qui la fillette avait été en contact plus tôt dans la journée. Vous savez ce qu'on dit : ne dépendez pas entièrement d'une blouse de labo pour élucider votre affaire. L'ADN ne signifie rien si vous ignorez quand et comment il a contaminé un échantillon quelconque. D'ailleurs ma théorie est que plus les tests deviendront sensibles, moins on en tirera de conclusions pertinentes. Ce n'est pas parce qu'une personne a respiré dans une pièce qu'elle y a tué quelqu'un. Bon, je m'arrête là, je suis intarissable sur le sujet. Vous n'avez pas fait tout ce chemin pour m'entendre philosopher à la manière d'un luddite.

— D'accord, mais aucun des profils ADN établis grâce à la scène de crime ou grâce aux prélèvements effectués sur les cadavres n'appartenait à Lola Daggette, je persiste.

— Exact. Cela étant, il ne m'appartient pas de décider qui est coupable ou innocent, ni même de m'en préoccuper. Je me contente de faire part de mes conclusions et le reste dépend du juge et du jury. Pourquoi ne prenez-vous pas connaissance des documents que j'ai sortis pour vous, et nous en discuterons ensuite ?

— J'ai cru comprendre que Jaime Berger avait évoqué avec vous le cas Barrie Lou Rivers. Serait-il possible que je parcoure également son dossier pendant que j'y suis ?

— Jaime Berger a obtenu des copies. Elle a déposé une demande de documents il y a environ deux mois, je crois, précise-t-il.

— Je préfère toujours consulter les originaux quand c'est faisable, si ça ne vous ennuie pas.

— Dans ce cas plus récent, je n'ai pas de traces papier. Vous savez sans doute que le bureau d'investigation de Géorgie a banni le papier. Je peux vous imprimer le fichier ou l'afficher à l'écran.

— Le plus simple pour vous. La version électronique me va parfaitement.

— Une fin vraiment étrange, je vous l'accorde, déclare-t-il. Mais surtout, n'espérez pas que j'abonde dans la théorie du « cruel et inhabituel ». Je sais très bien ce que Berger tente de monter avec cette deuxième affaire, et à quel point ça fait partie d'un joli puzzle bien ficelé qu'elle est en train d'assembler. Certainement pas « joli », qu'est-ce que je raconte ! Un puzzle dont le but consiste à choquer, horrifier. On dirait qu'elle répète sa conférence de presse, cherchant tous les aspects odieux qu'elle pourrait balancer pour démontrer que les condamnés à la peine capitale sont en réalité torturés à mort dans l'État de Géorgie.

— Il n'est pas très fréquent qu'un prisonnier décède soudainement dans la cellule voisine de la chambre d'exécution, je lui rappelle. D'autant que ledit prisonnier doit être surveillé à chaque seconde.

— Soyons lucides, Kay. Ce n'était sans doute pas le cas. D'après moi, elle a dû commencer à se sentir mal juste après avoir ingéré son sandwich. Peut-être ceux qui étaient sur place à ce moment-là ont-ils d'abord cru à une indigestion, alors qu'en fait elle manifestait les symptômes classiques d'une crise cardiaque. Lorsque les gardiens se sont assez inquiétés et ont enfin appelé une assistance médicale, il était trop tard.

— Tout cela s'est déroulé très peu de temps avant le moment prévu pour son transfert en salle d'exécution et sa préparation, j'argumente. On serait donc en droit de penser que le personnel médical se trouvait déjà sur les lieux, ne serait-ce que le médecin qui devait assister à l'exécution. On se dit qu'un médecin ou un membre de l'équipe de mort, formé à la réanimation cardio-pulmonaire, aurait dû être présent et en mesure de répondre aussitôt à un appel d'urgence.

— Le comble de l'ironie, avouez-le ! Un membre de l'équipe de mort ou l'exécuteur en personne ressuscitant la condamnée assez longtemps pour pouvoir l'exécuter.

Il se lève et me tend la boîte de pastilles pour la gorge, précisant :

— Au cas où vous en auriez besoin. Je les achète par wagons !

— Êtes-vous d'accord pour que Marino se joigne à moi ?

— Il travaille avec vous, vous lui faites confiance, donc ça ne me pose aucun problème. Je vais demander à un de mes techniciens en pathologie de vous assister.

Il faut en effet qu'un employé de Colin ne me quitte pas une seconde des yeux, pour sa propre protection, mais également pour la mienne. Il doit pouvoir témoigner sous serment que je n'ai pas ajouté de document ou, au contraire, fait disparaître une pièce du dossier.

Colin Dengate m'escorte jusqu'au hall de réception. Nous dépassons les portes des bureaux occupés par d'autres pathologistes médico-légaux, les laboratoires d'anthropologie et d'histologie, la salle de pause, les toilettes. La salle de conférences se trouve à notre droite. J'ajoute :

— Tous vêtements qui seraient encore en votre possession ou celle du bureau d'investigation de Géorgie m'intéressent aussi.

— Je suppose que vous faites référence à ceux que Lola Daggette lavait dans la salle de bains de son foyer de réadaptation ? Ou ceux que portaient les victimes au moment de leur mort ?

— Tout, si possible.

— Et ça inclut ce qui a été présenté comme preuves au tribunal ?

— Tout.

— Je pourrais vous emmener voir la maison des Jordan si vous le souhaitez, propose-t-il.

— Je l'ai vue, de l'extérieur.

— On pourrait arranger une visite rapide, je pense. J'ignore qui y habite aujourd'hui et je doute que cette perspective les enchante.

— Ça ne s'impose pas pour l'instant, mais nous en reparlerons lorsque j'aurai épluché les dossiers.

— Je peux vous installer un microscope si vous voulez examiner les lames originales des prélèvements. Mandy peut s'en occuper. Mandy O'Toole, qui restera à vos côtés. On peut aussi préparer des lames plus fraîches puisque j'ai, bien sûr, conservé des échantillons des différents tissus. Cependant, dans ce cas, nous allons créer de nouvelles preuves. Quoi qu'il en soit, faites ce que vous jugez judicieux afin de répondre à vos questions.

— Je vais d'abord les définir.

— Les vêtements sont stockés dans différents endroits, mais la plupart se trouvent chez nous. Je ne laisse rien s'éloigner trop de ma vue.

— J'en suis certaine.

— Je ne sais pas si vous vous êtes déjà rencontrées, lance-t-il alors que je remarque une femme portant un pantalon de labo bleu et une blouse blanche derrière la porte de la salle de conférences.

Mandy O'Toole nous rejoint et me serre la main. Elle doit avoir environ quarante ans. Elle est grande, toute en jambes et m'évoque un poulain. Ses longs cheveux noirs sont attachés. Elle est attirante d'une façon peu banale, avec ses traits asymétriques, ses yeux bleu cobalt qui lui donnent une apparence à la fois déroutante et irrésistible. Colin me salue d'un mouvement de l'index sur sa tempe et me laisse seule en compagnie de Mandy dans une salle de taille modeste, meublée d'une table au placage merisier entourée de huit chaises en cuir noir avec des coussins matelassés. Des fenêtres aux vitres d'une épaisseur peu commune, serties dans de robustes cadres d'aluminium, donnent sur un parking protégé par un haut grillage. Plus loin s'étend une interminable forêt de pins d'un vert sombre, leurs cimes se mêlant au ciel bleu pâle.

CHAPITRE 17

Mandy O'Toole rejoint l'extrémité la plus éloignée de la table, à l'endroit où sont posés une bouteille de Vitaminwater et un BlackBerry avec ses écouteurs. Elle s'assied sur une des chaises et me lance :

— Jaime Berger n'est pas avec vous ?

— Je pense qu'elle me rejoindra plus tard.

— Voilà une femme dépourvue d'interrupteur d'arrêt. Je suppose que c'est préférable pour quelqu'un de sa profession. Vous savez, une cible légitime pour tout le monde.

La technicienne pathologiste de Colin me parle de Jaime comme si je lui avais demandé des renseignements. Elle poursuit sur sa lancée :

— Je suis tombée sur elle dans les toilettes dames lorsqu'elle est venue ici, il y a environ deux semaines. J'étais en train de me laver les mains et elle commence à m'interroger sur le taux d'adrénaline de Barrie Lou Rivers. Avais-je remarqué à l'histologie des modifications pouvant indiquer une décharge d'adrénaline, bref un signe de stress ou d'état de panique qu'elle aurait pu subir si elle avait été maltraitée la nuit de son exécution ? J'ai répondu que l'histologie ne permettrait pas de voir de telles altérations parce qu'on ne voit pas l'adrénaline au microscope. Il faudrait pour cela une analyse biochimique spécifique.

— Qui a sans doute été demandée, connaissant Colin.

— Oh, c'est tout lui. Ne négligeons rien ! Le sang, l'humeur vitrée, le liquide cérébro-spinal, probablement le résultat que

Mme Berger a vu passer. La concentration d'adrénaline de Barrie Lou Rivers était modérément élevée. Mais les gens ont tendance à tirer des conclusions hâtives et des tas d'enseignements de ce genre de dosages, vous ne croyez pas ?

— Les gens sont souvent prêts à interpréter des résultats qui ne signifient pas toujours ce qu'ils pensent, je réplique.

— Eh bien, si quelqu'un est victime d'un événement aussi catastrophique qu'une crise cardiaque ou le fait de s'étouffer sur une bouchée de sandwich, on peut penser qu'il ou elle panique et sécrète beaucoup d'adrénaline *ante mortem*, raisonne-t-elle, son regard bleu dirigé vers moi. Je veux dire, si je faisais une fausse route alimentaire, je suis certaine que je relâcherais de l'adrénaline à gogo. Y a rien qui terrorise autant que d'être brusquement incapable de respirer. Mon Dieu, quelle horreur !

— En effet.

Je me demande à nouveau ce que Jaime Berger a pu raconter à mon sujet. Elle a informé Colin que j'avais rendu visite à Kathleen Lawler hier au GPFW. Et quoi d'autre ? Pourquoi Mandy O'Toole me dévisage-t-elle avec cette intensité ?

— J'avais l'habitude de vous regarder lorsque vous aviez ce show sur CNN, déclare-t-elle alors, raison possible de son intérêt pour moi. J'étais vraiment désolée que vous arrêtiez. Je trouvais ça très bon. Au moins vous, vous donniez une vision de bon sens des sciences légales et pas ces trucs sensationnels et hystériques qu'on voit dans d'autres émissions de ce genre. Ça doit être super d'animer son propre show. Si jamais vous vous relancez là-dedans et que vous ayez besoin de quelqu'un pour parler d'histologie...

— C'est gentil de votre part. Mais ce que je fais aujourd'hui n'est pas très compatible avec des passages à la télé.

— En tout cas, je sauterais sur l'occasion si vous me le proposiez. D'un autre côté, qui a envie de voir des fixations de tissus biologiques ? Selon moi, la partie la plus *cool*, c'est quand on prélève les échantillons d'un corps, on voit bien ce qu'on fait. Cependant trouver le meilleur fixateur et savoir lequel il faut utiliser pour un certain type d'échantillons est assez excitant.

— Depuis combien de temps travaillez-vous avec Colin ?

— Depuis 2003. L'année où le bureau d'investigation de Géorgie a commencé sa révolution « sans papier ». Du coup, vous avez ou non de la chance avec l'affaire Jordan, selon la façon dont vous voyez les choses. Tout est électronique aujourd'hui, mais pas à cette époque, en janvier 2002. Je ne sais pas pour vous, mais moi, j'aime beaucoup le papier. Il y a toujours ce truc que quelqu'un a décidé de ne pas scanner, sauf dans le cas de Colin, un obsessionnel pathologique. Il se fiche de savoir si le bout de feuille est une serviette en papier qui s'est retrouvée coincée dans un rapport. Tout va dans un dossier. Il serine à qui veut l'entendre que le diable est dans les détails.

— Et il a raison, je souris.

— J'aurais dû devenir enquêtrice. Je n'arrête pas de lui demander de m'envoyer dans une école qui forme aux enquêtes médico-légales, comme celle de New York qui dépend des bureaux du médecin expert en chef, où vous avez travaillé, mais c'est toujours une histoire d'argent. Et il n'y en a pas. (Elle récupère son BlackBerry et les écouteurs posés sur la table et conclut :) Il faut que je vous laisse travailler. N'hésitez pas à faire appel à moi si vous avez besoin de n'importe quoi.

Je saisis le dossier posé en haut d'une pile de quatre qui m'attend à l'autre bout de la table, proche de la porte de la salle. Un coup d'œil rapide me renseigne : j'ai à ma disposition ce dont je rêvais sans toutefois y croire. Colin Dengate fait preuve d'un respect de pair et de courtoisie professionnelle à mon égard, et d'encore bien davantage. La loi exige qu'il me communique les rapports émanant de lui et seulement ceux-là, c'est-à-dire le rapport d'investigation initiale du médecin expert, les rapports préliminaire et final d'autopsie, les photographies prises au cours de ladite autopsie et les demandes spéciales au laboratoire.

S'il en avait envie, il pourrait donc tout à fait se montrer parcimonieux en ce qui concerne ses notes personnelles ou ses conversations téléphoniques, et garder sous le coude presque tous les documents qu'il n'est pas d'humeur à partager, me contraignant à les réclamer et éventuellement à me prendre le bec avec lui. Pire, il pourrait décider de me traiter à la manière d'une citoyenne lambda ou d'une journaliste, m'obligeant à rédiger une requête officielle. Je devrais alors attendre une réponse accompagnée d'une facture pour les coûts des différents services demandés. Il me faudrait ensuite envoyer le paiement avant que les documents me soient transférés par *e-mail*, et lorsque enfin j'obtiendrais ce que je requiers, je serais de retour à Cambridge et deux semaines au moins se seraient écoulées.

— C'est Suze qu'a fait la toxicologie de Barrie Lou Rivers, braille la grosse voix de Marino, qui pénètre dans la salle de conférences et dévisage Mandy O'Toole assise à l'autre bout de la table. Ben, j'savais pas qu'on aurait de la compagnie, ajoute-t-il, et je sais toujours lorsqu'il apprécie ce qu'il voit.

Elle ôte ses écouteurs et se présente :

— Bonjour, je m'appelle Mandy.

— Ouais ? Et vous faites quoi ?

— Technicienne en pathologie et bien plus.

Il s'installe juste à côté d'elle.

— Moi, c'est Marino, mais vous pouvez m'appeler Pete. Je suis enquêteur et bien plus. Je suppose que vous êtes le chien de garde ?

— Ne faites pas attention à moi. J'écoute ma musique et prends connaissance d'anciens *e-mails*. (Elle replace ses écouteurs et ajoute :) Vous pouvez dire ce que bon vous semble. Je suis la potiche de service.

— Ouais, j'ai pratiqué pas mal de potiches. Je compte plus les cas où une affaire a explosé en plein vol parce que la potiche de service s'est montrée trop bavarde.

Je les écoute à peine tandis que je prends connaissance de ce que Colin Dengate a laissé à ma disposition. J'en suis soulagée et reconnaissante. J'ai presque envie d'aller le trouver pour le remercier. Sans doute cette réaction est-elle en partie motivée par le fait que Jaime Berger m'a trompée et traitée d'une façon que je n'apprécie guère. J'ai été vexée, troublée et je me sens rabaissée. Colin avait bien des tours dans son sac de nature à rendre ma consultation difficile, sinon impossible. Mais il n'a rien tenté de la sorte.

Quelle que soit sa véritable opinion sur la culpabilité de Lola Daggette, il n'essaie pas d'imposer sa conviction aux autres. Si j'en juge par le volume des dossiers qu'il me permet d'explorer, c'est même l'opposé. Après réflexion, il n'a pas omis grand-chose, voire rien, et notamment des documents dont certains pourraient juger qu'il n'a pas à permettre leur examen. Cette idée débouche sur d'autres. Colin ne se montrerait pas aussi généreux sans l'aval de Tucker Ridley, le procureur du comté de Chatham. Je n'aurais jamais cru que Ridley transigerait et déborderait d'un pouce de ses obligations, définies par la réglementation de l'État, concernant la consultation de pièces légales. J'aurais très bien pu n'avoir accès qu'aux rapports médico-légaux de base, alors que c'est le reste qui m'intéresse le plus.

Les rapports de police, d'incidents ou d'arrestation, et même les casiers judiciaires ou les actes médicaux, ou encore les témoignages, tout peut se retrouver d'une façon ou d'une autre dans le dossier d'un décédé, parfois juste parce qu'un enquêteur a tendu une copie au médecin expert. Si celui-ci procède de la même manière que moi, il conservera le moindre bout de papier ou le plus anodin des fichiers électroniques. Mais je pensais que tous ces documents annexes seraient exclus de la liste de ceux qu'on me fournirait. Lorsque Colin m'a précédée jusqu'à la salle de conférences, je songeais que je n'aurais pas grand-chose à passer en revue et me voyais revenir dans son bureau du bout du couloir moins d'une heure plus tard, afin qu'il complète les informations glanées, si toutefois il en éprouvait le désir.

Mandy a de nouveau ôté ses écouteurs et déclare :

— De toute façon, quoi qu'il se passe dans les parages, je suis au courant.

— Oh, vraiment ? rétorque Marino qui flirte ostensiblement avec elle. Et qu'est-ce que vous savez au sujet de Barrie Lou Rivers ? Des rumeurs qui circuleraient dans le coin ? Vous avez participé à cette affaire ?

— J'ai réalisé l'histologie, entrant et sortant de la salle pour réceptionner les échantillons pendant que Colin pratiquait l'autopsie.

— Ben alors, ça devait être hors des heures de présence, déclare Marino à la manière d'un détective interrogeant un suspect. En plus, vous étiez pas sur la liste des témoins officiels. Y avait un gardien de prison, un certain Macon, et deux autres personnes, mais je me souviens pas d'avoir vu votre nom.

— Parce que je n'étais pas témoin officiel.

Je pousse ma chaise afin d'avoir une vue sur les hauts pins filiformes et les énormes buses qui planent au-dessus de leurs cimes tels des cerfs-volants noirs. Une idée me traverse l'esprit : on pourrait légitimement arguer que l'affaire Jordan est classée, sans possibilité d'inclure de nouveaux arguments légaux. Du coup, le procureur aurait pu décider de ne pas entraver mes recherches. Lorsqu'une enquête est close, tous les documents qui s'y rattachent peuvent être rendus publics. Si je poursuis mon raisonnement jusqu'au bout, cela signifie que Tucker Ridley a sans doute tiré un trait définitif sur Lola Daggette. En dépit des nouvelles analyses demandées par Jaime Berger, dans l'esprit du procureur et peut-être dans celui de Colin Dengate l'enquête sur cette affaire s'est terminée quand tous les recours de Lola ont été épuisés et que le gouverneur a refusé de commuer sa peine capitale en détention à perpétuité.

— Il est toujours aussi difficile ? lance Mandy, et je mets un instant à comprendre qu'elle fait référence à Marino.

— Seulement lorsqu'il vous aime bien.

Cependant reste l'opinion publique. C'est un motif suffisant pour que le procureur ne mette pas de bâtons dans les roues à quelqu'un de ma notoriété et de mon statut. Il a donc entrouvert la porte de la confiserie et m'a permis de me servir. Pourquoi ? Parce que cela n'a plus aucune importance. Le point de vue de Tucker Ridley est limpide : Lola Daggette a rendez-vous avec la mort le jour de Halloween. Selon lui, il n'y a aucune raison pour qu'elle lui pose un lapin. À moins que je ne me trompe.

Peut-être que les nouveaux résultats des empreintes ADN ont fuité et qu'il importe peu que je me livre à mes recherches parce que la peine de mort de Lola sera bientôt annulée ? Peut-être aussi mon autre crainte est-elle fondée ? Dawn Kincaid sait qu'elle va devoir affronter de nouvelles accusations de meurtre en Géorgie, État dans lequel elle pourrait bien être condamnée à la peine capitale, contrairement au Massachusetts. Elle a donc mis un plan sur pied, une évasion d'un hôpital bostonien classique qui n'offre pas le même niveau de sécurité qu'un établissement spécialisé tel que Butler.

— Je cherche juste à savoir qui se trouvait dans le coin quand son corps est arrivé, dit Marino qui continue à harceler Mandy O'Toole. Parce que cette histoire me turlupine. Si vous voulez mon avis, y a un truc pas clair là-dedans. C'est quand même pas banal qu'une histologiste bosse encore à vingt et une heures, et ça aussi, ça me turlupine.

— La nuit du décès de Barrie Lou Rivers, j'ai travaillé très tard au labo afin de terminer à temps un article sur les différents fixateurs, répond-elle.

— Ben moi qui pensais que ça servait aux vieilles personnes pour maintenir leurs dentiers en place.

— Les avantages du glutaraldéhyde pour la microscopie électronique et les problèmes posés par les mercuriels.

— Ouais, je trouve aussi que les gens nés sous Mercure posent des problèmes. Trop changeants. De vraies plaies !

Mandy n'est pas en reste en matière de jeu de séduction :

— Se débarrasser ensuite des tissus est problématique parce que le mercure est un métal lourd. Vous voyez, il vaut mieux utiliser la liqueur de Bouin si vous vous intéressez aux noyaux. Mais bien sûr, quand je travaille avec le Bouin et que j'oublie de passer des gants, je me retrouve avec le bout des doigts jaune pendant un moment.

— Pas simple à expliquer à un rencard !

— Quand Colin a reçu l'appel de la prison, j'étais toujours ici, à l'autre bout du couloir, insiste-t-elle. Je lui ai dit que je n'étais pas pressée et que j'allais préparer sa table, l'aider du mieux que je pouvais. Mais je ne faisais pas partie des témoins officiels.

Marino revient à la charge :

— Et les rumeurs ? Qu'est-ce qui se racontait sur ce qui était arrivé à Barrie Lou Rivers ?

— Au début, on pensait qu'elle s'était étouffée en avalant une bouchée de son dernier repas. Mais nous n'avons trouvé aucune preuve dans ce sens. Ensuite, je ne me souviens pas d'avoir entendu d'autres théories pouvant expliquer son décès. Plus personne n'évoquait cette affaire, jusqu'à ce que Jaime Berger commence à s'y intéresser. (S'adressant à moi, elle embraie :) Je vous offrirais bien de l'eau ou un café, mais je n'ai pas le droit de quitter la pièce. Si vous voulez quelque chose, dites-le-moi. Je passerai un coup de fil.

Se tournant à nouveau vers Marino en replaçant ses écouteurs sur ses oreilles, elle termine :

— Et si vous avez envie de quelque chose, débrouillez-vous !

Marino, dont l'attention se porte surtout sur Mandy, me déclare :

— Suze a mentionné un truc qui paraît intéressant au sujet du niveau de CO de Barrie Lou Rivers. Dans les huit pour cent. Elle dit que le taux normal est de six.

Je parcours la transcription d'une audience de recours en grâce au profit de Lola Daggette au cours de laquelle Colin Dengate a témoigné, ainsi que Billy Long, l'enquêteur du bureau d'investigation de Géorgie. Je marmonne :

— Je ne sais pas si c'est ou non intéressant. Il faudra que je voie son dossier. Il ne s'agit pas d'une concentration inhabituelle chez une fumeuse.

— On peut plus fumer en prison, argumente Marino. Dans aucune que je connais. Et ça fait des années.

— En effet, tout comme les drogues, l'alcool, l'argent, les téléphones portables et les armes sont interdits en prison. Des gardiens auraient pu lui offrir une cigarette. Les règles se transgressent facilement. Tout dépend de celui qui a le pouvoir, je réplique en lisant le compte rendu factuel des événements qui se sont déroulés durant les premières heures de ce matin du 6 janvier 2002.

— Bon, mais fumer une clope pourrait expliquer son taux de CO. Dans ce cas, pourquoi quelqu'un lui en aurait filé une ?

— On ne sait pas si c'est le cas. Une certitude néanmoins : le monoxyde de carbone et la nicotine mettent le cœur à rude épreuve, ce que n'arrange pas du tout le rétrécissement du diamètre des artères dû à une maladie cardiaque, expliquant que je m'obstine à vous répéter de ne pas fumer. (Je fais glisser des feuillets dans sa direction au fur et à mesure de ma lecture, tout en continuant :) Son cœur est déjà très sollicité puisqu'elle est en situation de stress. Une exposition à la fumée ne fera qu'amplifier ce phénomène.

— C'est peut-être pour ça qu'elle a fait une crise cardiaque, persiste Marino.

— Si quelqu'un lui a donné une cigarette ou plusieurs alors qu'elle attendait son exécution, cela pouvait constituer un facteur aggravant.

Je prends ensuite connaissance d'un document concernant le centre de réadaptation Liberty, un établissement à but non lucratif et non sécurisé qui propose un programme aux jeunes filles. Il est situé sur East Liberty Street, à quelques pâtés de maisons du cimetière Colonial Park, non loin de la demeure des Jordan, à une quinzaine de minutes de marche à mon avis.

À six heures quarante-cinq environ, le matin du 6 janvier, une soignante bénévole du centre de réadaptation Liberty avait parcouru l'établissement afin de récolter des échantillons d'urine des pensionnaires, en vue d'une recherche aléatoire de métabolites de drogues. Elle avait frappé à la chambre de Lola sans obtenir de réponse. La bénévole était alors entrée et avait entendu l'eau couler dans la salle de bains attenante, dont la porte était fermée. Elle avait à nouveau frappé, appelé, sans résultat. Inquiète, elle avait pénétré dans la pièce.

Lola Daggette, nue, était assise dans le bac à douche, l'eau chaude dévalant sur elle. La bénévole avait ensuite témoigné que Lola semblait effrayée, mais dans un état d'excitation perceptible, et qu'elle tentait de laver avec du shampoing des vêtements qui paraissaient très ensanglantés. La soignante avait alors demandé à Lola si elle s'était blessée. Celle-ci avait répondu par la négative et exigé qu'on lui fiche la paix. Elle avait affirmé être contrainte de laver ses vêtements puisqu'elle n'avait pas accès à un lave-linge et lancé : « Laisse ce foutu gobelet sur le rebord du lavabo. Je pisserai dedans dans une minute. »

Selon la transcription, à ce moment-là la bénévole avait fermé le robinet et exigé que Lola Daggette sorte de la douche. Sur le sol carrelé étaient abandonnés « un pantalon de velours marron clair, un col roulé bleu, tous deux de taille 34, un coupe-vent rouge sombre en l'honneur de l'équipe des Atlanta Braves, taille médium, le tout souillé de sang. L'eau qui stagnait dans le bac à douche avait une coloration rouge rosé », avait déclaré le témoin. Lorsqu'elle avait demandé à Lola d'où venaient lesdits vêtements, celle-ci avait rétorqué qu'elle les portait quand elle avait été « enregistrée » au centre, cinq semaines plus tôt, au moment où on lui avait donné des uniformes. « Je portais ça avant d'atterrir ici, et depuis ils sont dans ma penderie », avait alors expliqué Lola.

Interrogée sur le sang qui maculait les vêtements, Lola Daggette avait d'abord affirmé qu'elle ignorait son origine. Elle avait ensuite rectifié d'un : « C'est cette période du mois », prétendant avoir eu un petit accident pendant qu'elle dormait, toujours selon les dires de la bénévole. « J'ai eu la nette conviction qu'elle racontait des histoires alors que je me tenais devant elle, mais Lola est réputée dans le centre pour ses mensonges. Il faut toujours qu'elle raconte des bobards et qu'elle se fasse mousser pour impressionner les autres ou s'éviter des ennuis. Elle ferait ou dirait à peu près n'importe quoi pour attirer l'attention ou pour se protéger ou obtenir un petit avantage. Elle ne semble pas réaliser comment un tel comportement est perçu ou même les conséquences possibles.

« Malheureusement, Lola, c'est un peu comme le garçon qui criait sans cesse au loup. Ça sautait aux yeux que ce sang ne pouvait pas provenir de ses règles », avait affirmé à l'audience la soignante sous serment, ajoutant : « Comment du sang menstruel pourrait-il se retrouver sur les cuisses, les genoux et les revers d'un pantalon, et sur le devant et les manches d'un pull et d'un coupe-vent ? Il y en avait encore plein, en dépit du lavage, parce que les vêtements en étaient imbibés. D'ailleurs ma première pensée a été que la personne qui les portait avait dû avoir une hémorragie, si toutefois il s'agissait d'un humain.

« J'ignore également pour quelle raison Lola aurait dormi dans ses vêtements de ville, alors que les pensionnaires ne sont censés porter que des uniformes durant leur séjour dans l'établissement, avait poursuivi la bénévole, livrant un témoignage accablant. Ils ne les ont sur le dos qu'en arrivant et le jour où ils repartent. Dans l'intervalle, ils enfilent leurs uniformes et il aurait été ahurissant que Lola garde son pantalon, son col roulé et son coupe-vent au lit. Rien de ce qu'elle m'a raconté à ce moment-là n'avait de logique. Lorsque je le lui ai fait remarquer, elle a changé de versions à maintes reprises.

« Elle a affirmé ensuite avoir découvert les vêtements ensanglantés dans sa salle de bains, fourrés dans un sac plastique. J'ai voulu voir le fameux sac. Du coup, elle est revenue sur ses déclarations, en précisant qu'en fait il n'y avait pas de sac. Elle m'a alors raconté qu'elle s'était réveillée pour une envie pressante et que les vêtements étaient au sol dans la salle de bains, à gauche de la porte. Je lui ai demandé si le sang qui les imbibait était sec ou frais. Selon elle, c'était collant par endroits et sec ailleurs. Elle a prétendu qu'elle ne savait pas comment ces vêtements étaient arrivés là, mais qu'elle avait eu peur au point de vouloir les laver, parce qu'elle craignait d'être accusée de quelque chose. »

La volontaire du centre avait alors fait remarquer à Lola que cela signifiait que quelqu'un avait récupéré ses vêtements dans sa penderie, les avait imprégnés de sang d'une façon ou d'une autre, puis était entré à nouveau dans sa chambre en profitant de son sommeil pour abandonner le tas souillé dans sa salle de bains. Qui aurait pu faire une telle chose et surtout pourquoi Lola ne s'était-elle pas réveillée ? La personne responsable de cette prétendue machination « était aussi discrète qu'un spectre et c'était le diable », avait alors affirmé Lola. « C'est ma punition pour quelque chose que j'ai fait avant d'être coincée ici, peut-être un dealer qui me fournissait de la drogue, je sais pas », avait-elle déclaré avant de se mettre en colère et de hurler.

« Tu dois le dire à personne ! Tu peux foutre ces putains de fringues à la poubelle, mais tu dis rien à personne. Je veux pas finir en taule ! Je jure que j'ai rien fait, je le jure sur Dieu ! » Ainsi la bénévole rapportait-elle les propos de Lola. Plus je lis, plus je comprends pourquoi à l'époque on n'avait envisagé aucun autre suspect que Lola Daggette.

CHAPITRE 18

Marino jette à peine un regard à ce que je fais glisser sur la table dans sa direction, tripotant les feuilles avec une désinvolture et un manque de curiosité tels que je le soupçonne de savoir ce qu'elles contiennent.

— Vous avez déjà pris connaissance de cette transcription ? je demande.

— Jaime l'a récupérée avec les documents qu'elle a réussi à réunir. Mais pas grâce à lui.

En d'autres termes, Colin Dengate n'a pas communiqué cette pièce à Jaime Berger.

— C'est assez logique puisqu'il n'a pas rédigé ce document. Elle n'a pu l'obtenir que de la Cour supérieure du comté de Chatham.

— Elle se doutait qu'il vous autoriserait à tout consulter.

— Déduction très juste de la part de Jaime. Cela étant, ce que j'ai vu jusqu'ici ne corrobore pas vraiment son point de vue dans l'affaire.

— Nan ! Lola Daggette a l'air aussi fautive que possible. C'est pas vraiment une surprise qu'elle ait été reconnue coupable. On voit bien comment on en est arrivé là.

— Quelque chose me trouble au sujet des uniformes, Marino. Jaime a mentionné que Lola sortait de son foyer de réadaptation pour aller à des entretiens d'embauche ou rendre visite à sa grand-mère malade dans une maison de retraite. En d'autres termes, elle aurait été libre de ses mouvements, pourvu qu'elle obtienne des permissions de sortie et, je suppose, qu'elle réponde présente à l'appel du soir. Que portait-elle lorsqu'elle était à l'extérieur ?

— D'après ce que j'ai compris, les fameux uniformes ressemblent comme deux gouttes d'eau à des vêtements de ville, du genre pantalon et chemise en jean. C'est ce que les « pupilles », on les appelait comme ça, portaient en permanence.

— Pourquoi utilisez-vous le passé ? je demande en avalant une gorgée d'eau au goulot de la bouteille offerte par Colin.

Mes vêtements noirs de terrain sont moites de sueur et l'air conditionné me glace.

— Lola Daggette était pas vraiment un atout pour le business, surtout dans un foyer fonctionnant grâce aux dons privés, débite Marino. Les gens riches de Savannah avaient plus trop envie de signer des chèques au profit du centre Liberty après la mise en accusation de Lola pour le meurtre du Dr Jordan et sa famille. Surtout qu'il était très apprécié pour l'aide gratuite qu'il offrait à différents foyers, centres médicaux, et aux démunis qu'avaient pas les moyens de consulter un médecin.

Je me lève afin de modifier la température qui règne dans la pièce.

— Travaillait-il gratuitement au profit du foyer de réadaptation Liberty ?

— Pas que je sache.

— J'en conclus donc que le centre Liberty a disparu. Dites-moi si vous avez trop chaud.

Je me réinstalle, remarquant que Mandy O'Toole nous ignore ou du moins le prétend.

— C'est devenu un refuge de l'Armée du Salut pour les femmes SDF. Mais plus personne de cette époque y travaille. En plus, ça a plus grand-chose à voir avec ce que c'était. Quand vous lisez ce truc, vous pensez aussitôt que Lola Daggette était pas assez intelligente pour tuer quelqu'un et s'en sortir.

— Mais, justement, elle ne s'en est pas sortie. De plus, nous ignorons si elle a bien tué quelqu'un, j'argumente.

— Le diable portait donc ses fringues et les a abandonnées dans sa salle de bains après les faits. Et elle veut dire à personne qui est ce diable qu'elle nomme seulement *Payback*, me rappelle Marino.

Je rectifie les piles de papiers posées devant moi et observe :

— À l'évidence, elle a commencé à évoquer *Payback* lorsqu'elle a été surprise en train de laver les vêtements ensanglantés dans la douche. Quelqu'un la remboursait ou lui rendait la monnaie de sa pièce, quelqu'un ayant à voir avec sa période de SDF junkie. On dirait qu'elle a compris qu'elle se faisait embarquer dans une sale histoire et *Payback* est le surnom qu'elle a donné à la personne responsable de cette mise en scène.

— Vous pensez vraiment que Lola a rien à voir là-dedans, mais ignore qui a fait le coup ?

— Je ne sais pas trop ce que je pense. Pas complètement, pas encore, Marino.

— Ben, moi, je sais à quoi cette histoire ressemble : la même chose qu'au début. Rien, ça n'a aucun sens, bordel ! Et attendez d'arriver à la partie concernant l'ADN qui correspond à tout le monde. Les fringues de Lola étaient imbibées du sang de toute la famille Jordan. Je m'échine à répéter à Jaime que je vois vraiment pas comment on peut se sortir d'un truc pareil !

— Jaime l'explique d'une façon très simple, un peu de la même façon que les avocats de Lola. On n'a pas retrouvé l'ADN de Lola chez les Jordan, ni sur leurs cadavres, ni sur ce qu'ils portaient au moment des meurtres, je réplique en parvenant à un paragraphe de la transcription assorti de photos. Son ADN a, bien sûr, été trouvé sur les vêtements que Lola lavait dans la douche, nulle part ailleurs. Prélevé du pantalon de velours, du col roulé et du coupe-vent, tout comme les ADN des victimes. Aux yeux d'un jury, une telle trouvaille est très incriminante. Cependant, d'un point de vue scientifique, ça pose des questions, je termine sans les énumérer.

Pas devant Mandy O'Toole, qui pourtant ne fait pas mine de s'intéresser une seconde à nous, alors qu'elle tape sur son BlackBerry, ses écouteurs vissés aux oreilles, prétendument plongée dans la musique.

— Bon, donc elle est à poil dans la douche, en train de laver des fringues, résume Marino. Forcément, elle va y laisser son

ADN rien qu'en faisant ça puisqu'elle les touche. D'autant qu'il s'y trouvait sans doute déjà puisqu'il s'agissait des nippes qu'elle portait quand elle est arrivée au centre Liberty.

— Tout à fait. En conclusion, et d'où que proviennent ces vêtements, elle les avait déjà contaminés avec son ADN au moment où on lui a ordonné de sortir de la douche. Que son matériel génétique soit retrouvé sur ses propres habits ne prouve donc rien en soi. Néanmoins, si l'ADN d'un autre individu a été détecté en plus de celui de Lola Daggette, c'est une tout autre histoire, j'ajoute en pensant à Dawn Kincaid que je ne mentionnerai pas. Si quelqu'un d'autre a porté ses vêtements et que l'ADN de cette personne a été retrouvé sur le pantalon, le col roulé et le coupe-vent, soi-disant abandonnés sur le sol de la salle de bains.

J'avance avec prudence, sondant Marino, à la recherche d'informations.

Je ne prendrai pas le risque que Mandy O'Toole entende des allusions à de nouveaux résultats d'empreintes génétiques. Si j'en crois Jaime Berger, Colin Dengate n'est pas au courant. D'ailleurs presque personne n'en serait informé, même si je ne comprends pas comment elle peut se montrer si catégorique, sauf à imaginer que c'est ce qu'elle veut croire au point de se leurrer gravement. Je pense qu'il y a des semaines qu'elle aurait dû rédiger une requête afin que la sentence de Lola soit annulée. La vérité aurait alors été connue de tous, sans plus de craintes de fuites possibles. Une stratégie plus sûre en ce qui concernait l'affaire, mais pas pour elle. En effet, si j'avais été au courant de sa nouvelle carrière et de cette grosse affaire, elle n'aurait pas pu me pousser à venir à Savannah.

Elle n'était pas du tout à côté de la plaque hier soir, quand elle doutait que je lui eusse proposé mes services d'expert en sciences médico-légales si j'avais eu le temps de la réflexion, si elle m'avait dit la vérité au lieu de me mentir, me manipuler et manœuvrer afin que je me retrouve assise dans cette pièce en cet instant même. Plus je réfléchis à cette histoire et plus je suis certaine que j'aurais refusé sa requête. Je lui aurais conseillé d'avoir recours à l'un de mes confrères. Ce n'est pas tant que j'aurais craint la réaction de Colin concernant l'expertise que je ferais de son travail et peut-être sa remise en cause. En revanche, je me serais inquiétée de la possible désapprobation de Lucy. J'aurais eu le sentiment que ma collaboration avec Jaime était entachée par un déplaisant passé. En bref, une très mauvaise idée pour plein de raisons.

— Ouais, admettons que quelqu'un ait emprunté les fringues de Lola pour commettre une série de meurtres. Pourquoi alors on a pas retrouvé l'ADN de cette personne sur le pantalon, le col roulé et le coupe-vent ?

C'est la façon qu'a choisie Marino pour confirmer que seul le matériel génétique de Lola Daggette était présent sur ses vêtements de ville. En d'autres termes, pas celui de Dawn Kincaid. Je réfléchis à haute voix :

— Un lavage à l'eau chaude savonneuse peut avoir éradiqué l'ADN d'un second donneur, du moins celui présent dans la sueur ou des cellules de peau. Peut-être pas celui du sang, quoique tout dépende de la quantité. C'est envisageable si on parle d'un faible volume, celui provoqué par une griffure d'enfant par exemple, qui aurait pu disparaître avec l'eau de la douche. Surtout en 2002, alors que les méthodes d'analyses n'étaient pas aussi performantes qu'aujourd'hui. A-t-on examiné les chaussures de Lola ?

— De quelles chaussures vous parlez ?

— Elle devait bien en avoir. Peut-être prêtées par le foyer Liberty ?

— Je crois pas qu'ils en filaient aux pupilles. Juste des pantalons et des chemises en jean. Mais je sais pas trop, avoue Marino en dévisageant avec obstination Mandy O'Toole, qui ne lui adresse pas un regard. En tout cas, j'ai jamais rien entendu à propos de godasses.

— On aurait dû rechercher la présence de sang sur elles. Rien de ce que je lis ici n'indique que Lola tentait également de laver une paire de chaussures dans la douche. Ni d'ailleurs des sous-vêtements. Lorsque des couches vestimentaires superficielles sont saturées de sang, ça finit par atteindre également un slip, un tee-shirt, un soutien-gorge, des chaussettes, que sais-je ? Or elle ne frottait qu'un pantalon, un pull et un coupe-vent !

— Vous et vos chaussures ! plaisante le grand flic.

— Il s'agit d'un élément crucial pour nous.

Les chaussures sont toujours désireuses de me révéler où se trouvaient les pieds d'une personne lors d'un événement fatal. Sur une scène de crime, par exemple. Sur un appui de fenêtre ou un balcon poussiéreux, juste avant que cette personne saute dans le vide, ou tombe, ou soit poussée. Sur le corps d'une victime piétinée, tabassée à coups de pied ou, dans une affaire qui me fut confiée, dans du ciment frais lorsque le meurtrier s'était enfui en traversant un chantier de construction. Les mocassins, les bottes, les sandales, toutes les chaussures et leurs semelles laissent des marques et possèdent des défauts distinctifs. Elles abandonnent une piste qui se poursuit plus loin.

— Qui que soit l'assassin des Jordan, il ou elle devait avoir du sang sur ses chaussures, j'insiste. Peut-être de simples traces, mais il y avait nécessairement quelque chose.

— Ben, comme j'vous ai dit, j'en ai jamais entendu parler.

— De toute façon, c'est trop tard, sauf si Colin les a gardées au labo, rangées avec les autres indices, je conclus.

J'examine les photos incluses dans le recours en grâce de Lola Daggette à l'automne dernier.

Sur les premières pages sont réunis des portraits et des instantanés dont l'objet est de rendre les victimes encore plus humaines et d'ulcérer le gouverneur de Géorgie, Zebulon Manfred, qui a d'ailleurs refusé la grâce de Lola Daggette. La photocopie d'un article de journal ajoutée à la transcription relate une de ses déclarations selon laquelle les efforts pour épargner la vie de la condamnée sont fondés sur des preuves déjà présentées et rejetées par un jury populaire et par les cours d'appel. « On peut ruminer sur cet acte de dépravation humaine jusqu'à la fin des temps, avait-il déclaré lors d'une conférence de presse. On en revient toujours à la même monstruosité commise par Lola Daggette, qui s'est sentie d'humeur à massacrer une famille entière tôt le matin, le dimanche 6 janvier 2002. Elle n'a pas hésité, sans aucun motif, hormis son envie du moment. »

J'imagine parfaitement l'indignation du gouverneur lorsqu'il a contemplé le portrait de studio qui représente la famille Jordan durant ce qui devait être leurs dernières vacances de Noël, quelques semaines à peine avant leur massacre. Clarence Jordan, avec son gentil sourire timide et ses yeux gris emplis de bonté, est vêtu d'habits de fête, un costume vert sombre sur un gilet écossais. Gloria, son épouse assise à son côté, une femme jeune au physique plutôt quelconque, à l'allure discrète, aux cheveux châtain foncé séparés par une raie médiane, est habillée de velours vert et porte un chemisier à jabot et manchettes. Leurs jumeaux âgés de cinq ans sont assis de chaque côté des parents, de jolis blonds aux joues roses, avec de grands yeux bleus. Josh est vêtu comme son père et Brenda comme sa mère. Je détaille d'autres photos, tournant les pages, comprenant parfaitement l'axe choisi : conduire ceux qui les regardent vers le cauchemar qui débute à la page 17 de la transcription.

Un bras nu et ensanglanté d'enfant dépasse d'un lit maculé d'une onde rouge sombre. Des petits Winnie l'Ourson parsèment le papier peint de la chambre, les draps sont imprimés de motifs western : lassos, chapeaux de cow-boy et cactus, le tout parsemé de projections de gouttes de sang allongées, de coulées et de grandes traînées sombres qui m'évoquent des mains s'essuyant. Dawn Kincaid s'impose à mon esprit, malgré moi. Je la vois dans la chambre à coucher obscure, marquant une pause durant son déchaînement de violence, se servant des draps et du couvre-lit pour s'essuyer les mains et nettoyer la lame de son couteau. Je perçois sa soif de sang, sa rage. J'entends presque le rythme effréné de son cœur, son souffle court, précipité. Puis elle frappe et taillade, et je me demande pourquoi elle a massacré deux enfants, deux enfants âgés de cinq ans.

Des jumeaux, une fille et un garçon, presque identiques à cet âge, de charmants blonds aux yeux bleus. Les avait-elle déjà rencontrés ? Les avaient-elles surveillés alors qu'elle traînait dans le coin pour recueillir des renseignements sur leur maison, les habitudes de leur famille ? Comment connaissait-elle leur existence, la localisation de leur chambre ? D'ailleurs les connaissait-elle ? Quel schéma psychologique peut expliquer qu'elle s'en soit prise à eux dans ce que j'interprète comme un accès de fureur ? Qui tuait-elle vraiment lorsqu'elle les a poignardés dans leur lit ?

Cela n'était pas nécessaire. Ni utile, ni opportun, si j'ose dire, ni motivé par un but précis, comme voler. La tuerie des parents peut trouver une explication cohérente, mais pas celle de jeunes enfants incapables de se défendre et surtout guère en mesure d'identifier une meurtrière. En d'autres termes, il n'existait aucune raison logique. Ne reste que la pulsion. Je prends de plein fouet la haine qui habite Dawn Kincaid. Le sang de ses victimes est la traduction d'une furie dans laquelle elle se délecte. Pourtant je ne crois pas qu'elle les a ciblés au hasard, sur le moment, pas plus que je n'adhère à la théorie qu'elle a tenté de me tuer par caprice. C'était calculé. Son intention était de les tuer, toute la famille, même les enfants. *Pourquoi ?*

Leur prendre ce qu'elle n'avait jamais obtenu, la phrase se forme dans ma tête. Les dépouiller de leur belle maison sereine, de leurs parents qui les dorlotaient, s'occupaient d'eux, ne les abandonnaient pas. Je m'efforce de ne pas peupler la scène de crime avec l'image de Dawn Kincaid, cette femme qui neuf ans plus tard tenterait de m'ôter la vie. Le sang qui enlaidit le sol de la chambre devient celui qui coulera un soir dans mon garage, et je sens à nouveau le voile tiède et rouge sur mon visage. Je perçois son odeur métallique, je peux presque le goûter, et j'exige de Dawn Kincaid qu'elle me laisse en paix. Je la repousse de mon esprit, je la chasse hors de moi alors que je suis sur les photos la trace sanglante du couloir.

Des empreintes partielles de pas, des gouttes, des taches, des traînées, tout le long du couloir parqueté en sapin. Des impositions de petites mains et des giclées rouge sombre abandonnées par des vêtements ou des cheveux ensanglantés, bas sur le mur de plâtre blanc, à hauteur d'une rambarde. Et puis une sorte de constellation de gouttes punctiformes, comme si quelqu'un venait d'être frappé. Enfin les plus grosses gouttes, une fougère qui trahit une bourrasque artérielle qui éclabousse et dégouline le long du mur blanc. Une blessure fatale qui ne laisse plus que quelques minutes à vivre. La carotide a été sectionnée, du moins partiellement, sans doute par-derrière, la tueuse pourchassant sa proie. Les panaches artériels cessent. D'autres gouttes et une sorte de chaos de figures sanglantes les remplacent sur les marches menant à une large nappe qui commence à coaguler sous un petit corps frêle, tassé en position fœtale, dans l'entrée, non loin de la porte. Des cheveux blonds en bataille et un pyjama rose parsemé de dessins de Bob l'Éponge.

Le sol carrelé blanc et noir de la cuisine m'évoque un échiquier souillé par des empreintes de pas partielles, sanglantes. Dans l'évier blanc deux torchons ensanglantés sont roulés en boule. Une assiette en élégante porcelaine trône sur le comptoir, un sandwich à moitié dévoré abandonné en son centre. Partout des taches, des traînées rouge sombre. À proximité, un gros morceau de fromage qui ressemble à du cheddar et un sachet de jambon ouvert. Le gros plan d'un manche de couteau révèle d'autres traînées de sang. Marino se lève de sa chaise. Me parvient un son saccadé assez aigu.

Des tranches de pain blanc, des pots de moutarde et de mayonnaise traînent à côté de deux bouteilles vides de Sam Adams. Suit la salle de bains des invités, encore des gouttes de sang, des empreintes rouges qui parsèment le sol de marbre gris. Des serviettes de courtoisie, initialement de couleur pêche, elles aussi imbibées de sang, sont éparpillées près du lavabo, à côté d'un flacon de savon liquide qui gît sur le flanc, des empreintes sanglantes de doigts nettement visibles sur le plastique. Dans une petite coupelle en forme de coquille, un savon se dissout dans un peu d'eau rougie. Une autre photo me montre la fameuse cuvette des toilettes dont on n'a pas tiré la chasse. Je tourne les pages du document, à la recherche des rapports concernant les empreintes digitales. *Où sont les rapports de laboratoire ? Colin les a-t-il inclus ?*

Je les trouve enfin. L'analyse des empreintes digitales fournie par le bureau d'investigation de Géorgie. Celles déposées sur le flacon de savon liquide et sur le manche d'un couteau provenaient du même individu, qui n'a jamais été identifié. La banque de données qui stocke les empreintes, l'IAFIS, n'a détecté aucune concordance à l'époque avec un individu déjà enregistré. Mais une alerte aurait dû se manifester lorsqu'on a ajouté les empreintes de Dawn Kincaid dans le système, neuf ans plus tard, après son arrestation, en février dernier. En effet, en toute logique, les empreintes digitales inconnues relevées sur le flacon et le manche de couteau dans le cadre de l'affaire Jordan devaient toujours être dans les mémoires de l'IAFIS. Pourquoi donc le système n'a-t-il pas réagi lorsqu'on a enregistré celles de Dawn Kincaid ? Se pourrait-il que deux labos différents aient lié son ADN aux meurtres, mais que les empreintes digitales trouvées chez les Jordan ne soient pas les siennes ?

— Quelque chose ne cadre pas, je marmonne en parcourant les feuillets et en détaillant d'autres photographies.

Un escalier étroit qui part de l'arrière de la maison, puis le sol en terre cuite d'une véranda vitrée. À nouveau des gouttes de sang à côté desquelles on a posé une règle servant d'étalon. Une petite règle en plastique blanc longue de quinze centimètres a été placée à côté de chaque goutte de sang. Je répertorie sept gros plans de gouttes sombres espacées sur les pavés couleur brique. Des gouttes rondes, aux contours très peu festonnés, de plus d'un centimètre de diamètre. Leur forme évoque un impact après une chute de vélocité faible ou moyenne, selon un angle d'environ quatre-vingt-dix degrés. Chaque goutte est entourée par une couronne de minuscules projections. En conclusion, la larme de sang a explosé lors du contact sur une surface plane, sans aspérité et dure, les pavés.

Je suis la piste sanglante dehors, dans la cour arrière, dans un jardin qui s'épanouit au milieu des vestiges de ce qui ressemble à une dépendance bien plus ancienne que la maison. Ses murs de pierre en ruine, béants, ont été intégrés dans l'aménagement paysager. Une sorte de vaste cuvette de terre a été plantée d'une multitude de végétaux, sans doute la cave du bâtiment initial. La pierre des statues qui sèment le jardin a pris une couleur grise, parfois dévorée par des langues verdâtres de moisissure : un Apollon, un ange tendant un bouquet, un garçonnet brandissant une lanterne, une jeune fille avec un oiseau perché sur la main. Des gouttes de sang sec mouchettent des brins d'herbe, les feuilles d'aralias du Japon, de buis anglais, d'oliviers de Chine. D'autres gouttes sombres, plus proches les unes des autres, maculent les pierres d'un jardin de rocailles qui doit refleurir à chaque printemps. Je m'efforce à la prudence. Je dois prendre garde à ne pas trop interpréter ce que je découvre.

Bien plus que quelques projections sanglantes sont nécessaires pour établir un profil. Mais ce sang-là n'a pas été projeté. Il ne provient pas d'éclaboussures, ni vers l'avant, ni vers l'arrière. Il n'a pas été abandonné par des semelles jusque sous la véranda, ou à l'extérieur en direction du jardin. Je ne crois pas non plus qu'il ait dégouliné de vêtements ensanglantés ou d'une lame de couteau, ni même qu'une meurtrière griffée par un enfant aurait pu saigner autant. Les sept gouttes découvertes sur les pavés en terre cuite de la véranda sont rondes, espacées d'une cinquantaine de centimètres environ, l'une d'elles est étalée comme si on avait marché dedans.

J'imagine un individu qui saigne. Il ou elle traverse la véranda, se rapprochant de la porte qui mène à la cour, puis au jardin. À moins que cette personne n'ait fait le chemin inverse. Peut-être est-elle entrée dans la maison au lieu d'en sortir. Je n'ai vu jusque-là aucune mention de ce détail très important. Jaime n'y a pas fait allusion hier soir. Marino ne l'a pas non plus évoqué. Soudain, je me rends compte que des gens discutent. Je lève les yeux, me souvenant où je me trouve. Marino se tient dans l'embrasure de la porte avec Mandy O'Toole. Derrière eux, Colin Dengate plaque son téléphone sur son oreille, un air étrange sur le visage.

— ... est-ce qu'ils vous entendent ? Parce que je refuse que vous continuiez à m'appeler à ce sujet pour me contraindre à répéter la même chose. Dites-leur de ma part que je n'ai rien à foutre de ce qu'ils veulent ! Ils ne toucheront à rien !... Allô ? Parfaitement ! Vous ne pouvez pas affirmer que l'un d'eux, l'un des gardiens n'a pas... On doit toujours inclure ça dans l'équation. Sans même mentionner le fait qu'ils ne savent certainement pas comment traiter une scène de crime, débite Colin en s'adressant probablement à l'enquêteur Sammy Chang du bureau d'investigation de Géorgie.

Ce son aigu et saccadé que je viens d'entendre n'est autre que les quelques notes du *Star Trek* Tricorder, sonnerie spécifique que lui a réservée mon confrère.

— D'accord, bien... entendu, oui. Dans une heure... oui, elle me l'a dit.

Colin Dengate me fixe comme si j'étais la personne concernée par ce qu'il évoque à demi-mot.

— Je comprends. Je vais lui demander… Et non ! Pour la troisième fois, je répète que la directrice ne doit pas poser un pied là-dedans ! martèle-t-il alors que je me lève.

Colin coupe la communication et me lance :

— Kathleen Lawler. Je pense que vous devriez venir. Puisque vous êtes passée là-bas, ça pourrait nous aider.

— Là-bas ? je demande tout en sachant à quoi il fait allusion.

Se tournant vers Mandy O'Toole, il lance :

— Va chercher mon matériel, s'il te plaît. Vois si le Dr Gillan peut me remplacer au pied levé pour le décès sur la route qui devrait arriver sous peu. Tu peux peut-être lui filer un coup de main. La pauvre mère de la victime a attendu dans ce foutu hall de réception toute la matinée. Ce serait sympa de voir comment elle tient le coup. J'allais le faire, mais je n'ai plus le temps. Demande-lui si elle veut un verre d'eau, un soda, n'importe quoi. Ce foutu policier lui a conseillé de foncer ici pour identifier son fils. Si j'en juge par ce qu'on m'a raconté sur son état, on ne peut pas le montrer à sa mère comme ça.

CHAPITRE 19

Colin Dengate passe la quatrième, et le gros moteur de sa vieille Land Rover rugit à la manière d'un fauve affamé. Nous prenons de la vitesse sur une bande étroite d'asphalte dissimulée par des bois impénétrables, la route tournant abruptement sous l'ombre projetée par de grands pins, puis s'étirant en traversant une étendue plate hérissée de petits immeubles de logements écrasés de soleil. Le laboratoire régional de sciences légales s'est terré loin de la civilisation.

Le vent chaud chahute la bâche de toit vert olive de la voiture, en tirant une protestation qui m'évoque un roulement de tambour. Colin me fournit toutes les informations qu'il possède, d'une précision presque suspecte puisque Kathleen Lawler était seule durant les dernières heures de sa vie. Les autres détenues ont pu l'entendre mais pas la voir lorsqu'elle est décédée dans sa cellule, sans doute d'une crise cardiaque, d'après la version confiée par l'officier M.P. Macon à l'enquêteur Sammy Chang avant que ce dernier ne débarque au GPFW. La prison avait déjà établi la cause de la mort de Kathleen Lawler avant même d'appeler Chang : un de ces tristes accidents sans doute liés à la fournaise du Lowcountry en cette période estivale. Une attaque de chaleur. Une crise cardiaque. Beaucoup de cholestérol. Kathleen n'avait jamais fait attention à elle, ainsi qu'on l'avait expliqué à Chang.

Selon les déclarations de l'officier Macon, Kathleen n'avait rien signalé de particulier en début de journée. Elle n'avait pas l'air malade ou simplement patraque lorsqu'on lui avait passé son petit déjeuner, composé d'œufs en poudre en brouillade, de gruau de maïs, de toasts de pain blanc, d'une orange et d'un quart de litre de lait. Le plateau avait été poussé vers elle par le tiroir de sa porte de cellule à cinq heures quarante ce matin. Au contraire, elle semblait de très bonne humeur, désireuse de bavarder, avait témoigné le gardien qui lui avait porté son repas lorsque l'officier Macon l'avait interrogé plus tard.

— Il a dit à Sammy qu'elle avait demandé en plaisantant ce qu'elle devrait faire pour qu'on lui serve une omelette texane aux pommes de terre sautées, me renseigne Colin. À l'évidence, dernièrement elle était encore plus obsédée par la nourriture. D'après les déclarations des uns et des autres, Sammy a eu l'impression qu'elle estimait ne plus devoir rester très longtemps au pénitencier. Peut-être qu'elle pensait sans cesse à ses plats préférés parce qu'elle était convaincue qu'elle pourrait les avoir sous peu. J'ai déjà vu ce genre d'attitude. Les gens relèguent très loin dans leur cerveau le souvenir des choses dont ils ont été privés jusqu'à ce qu'ils croient qu'elles seront bientôt à nouveau à leur portée. Ensuite, ils n'ont plus que ça à l'esprit : la bouffe, le sexe, l'alcool, la drogue.

— Dans son cas, je dirais un cocktail des quatre, lance la grosse voix de Marino installé sur la banquette arrière.

— Je pense que Kathleen avait l'impression qu'un marché était dans les tuyaux, du moins si elle collaborait, dis-je à Colin tout en tapant un texto à destination de Benton. Selon elle, sa peine allait être réduite et elle était à deux doigts de retrouver le monde libre.

J'explique à mon mari et à Lucy qu'ils auront peut-être des difficultés à nous joindre après leur atterrissage à Savannah, que nous sommes en route pour examiner un corps, lui précisant qu'il s'agit de celui de Kathleen Lawler. Je lui demande aussi s'il a obtenu des informations au sujet de Dawn Kincaid et de sa prétendue crise d'asthme.

— Quelqu'un a-t-il pris la peine d'informer Jaime Berger qu'en termes de leviers vis-à-vis des procureurs et des juges du coin elle n'avait que dalle ? demande Colin en lançant un regard appuyé à Marino dans le rétroviseur.

— Je peux pas entendre grand-chose dans cette soufflerie de bagnole, proteste bruyamment l'intéressé.

— Oh, je ne crois pas qu'il soit souhaitable que je remonte les vitres, hurle Colin en retour.

— Que Jaime dispose ou non de leviers dans le coin, mieux vaudrait ne pas sous-estimer le pouvoir d'une protestation organisée, surtout de nos jours, à cause d'Internet, je rétorque en rappelant à Colin les dommages que peut causer Jaime Berger. Elle pourrait parfaitement organiser une campagne de pression sociale et politique, similaire à ce que nous avons vu récemment dans le Mississippi. Des groupes de défense des droits de l'homme ont contraint le gouverneur à suspendre les peines d'emprisonnement à perpétuité de deux sœurs coupables de vol.

— C'est complètement crétin, lâche Colin d'un ton dégoûté. Enfin quoi, qui prend perpète pour un vol !

Marino s'est redressé en bout de banquette et se penche vers l'avant, ruisselant de sueur, en criant, exaspéré :

— Merde, j'entends rien derrière !

— Attachez votre ceinture, j'ordonne dans le courant d'air chaud qui s'engouffre par les vitres des portières.

Le moteur gronde de plus belle. La Land Rover semble prête à mordre le désert ou à escalader une pente rocheuse. Elle semble rétive, exaspérée par la facilité de cette bande d'autoroute très civilisée.

Nous roulons à vive allure sur la 204 Est, dépassant le Savannah Mall, nous dirigeant vers Forest River et Little Ogeechee, les marécages et d'interminables kilomètres au cœur de buissons enchevêtrés. Le soleil, juste au-dessus de nos têtes, darde ses implacables rayons qui se réverbèrent sur le museau carré de la Land Rover blanche et sur les pare-brise des autres véhicules. Je reprends :

— Ce que je veux dire, c'est que Jaime est parfaitement capable de solliciter les médias en faisant passer la Géorgie pour un bastion de barbares fanatiques. D'ailleurs je crois que ça l'amuserait assez, mais je doute que ce soit du goût de Tucker Ridley ou du gouverneur Manfred.

— Un point discutable puisque ça n'a plus d'objet, Kay.

Il a raison, du moins en ce qui concerne Kathleen Lawler. Sa condamnation ne sera pas réexaminée, sa peine pas même écourtée, et elle n'aura plus jamais l'occasion de déguster les plats du monde libre.

— À huit heures ce matin, on l'a conduite dans la zone grillagée de récréation pour son heure d'exercice, m'explique Colin en précisant que cette courte période à l'extérieur est programmée très tôt le matin en été.

Selon le récit qu'on lui a fait, Kathleen se serait déplacée plus lentement qu'à l'habitude, s'arrêtant souvent pour se reposer, tout en se plaignant de la chaleur. Elle était fatiguée et l'humidité ambiante rendait sa respiration difficile. Dès son retour en cellule, à neuf heures passées de quelques minutes, elle avait lancé aux autres détenues que la chaleur l'avait épuisée et qu'elle aurait mieux fait de ne pas accepter la promenade. Au cours des deux heures suivantes, Kathleen s'était lamentée épisodiquement, affirmant qu'elle ne se sentait pas bien, qu'elle était exténuée. Elle éprouvait des difficultés à bouger et à respirer normalement.

Elle s'était inquiétée de ce que son petit déjeuner ne passait pas, insistant sur le fait qu'elle n'aurait jamais dû sortir par cette chaleur et avec cette humidité, « de quoi tuer un cheval », avait-elle précisé. Aux environs de midi, elle avait déclaré souffrir de douleurs de poitrine et espérait ne pas avoir une crise cardiaque. Ensuite, Kathleen Lawler s'était soudain tue. Les prisonnières des cellules avoisinantes avaient crié à l'aide. La porte de Kathleen avait été ouverte à douze heures quinze environ. Elle gisait sur son lit et n'avait pu être réanimée.

Colin conduit comme s'il se rendait sur une scène où il espérerait encore sauver une vie, slalomant entre les véhicules. Il déclare :

— J'admets que ce qu'elle vous a dit prend une étrange résonance. Cela étant, il est impossible qu'une détenue du couloir de la mort s'en soit prise à elle.

Il fait allusion aux déclarations de Kathleen Lawler. Elle prétendait qu'on l'avait transférée à Bravo Pod à cause de Lola Daggette, qui lui faisait peur.

— Je me suis contentée de répéter ce qu'elle m'a confié, Colin. Non que j'y aie accordé beaucoup de poids sur le moment. Je ne voyais pas non plus comment Lola Daggette aurait proféré des menaces contre elle, selon ses mots. Néanmoins Kathleen semblait convaincue que Lola voulait lui nuire.

— Étrange *timing*, mais ce n'est pas la première fois que j'en suis témoin. Ces cas où le décédé a eu une prémonition à laquelle personne autour de lui n'a ajouté foi. Et boum, la personne meurt !

J'ai moi aussi entendu des proches me confier que leur cher défunt avait rêvé ou senti sa mort imminente. D'autres l'ont évitée. Quelque chose a empêché la personne de monter dans tel avion ou telle voiture, ou de sortir de l'autoroute en empruntant telle bretelle, ou l'a contrainte à renoncer à une partie de chasse, à un jogging, à une randonnée. Rien de nouveau dans ces histoires, ou même dans celles où une victime a proféré des mises en garde, voire donné des instructions au sujet de sa fin violente et de son responsable. Mais je ne parviens pas à m'ôter les commentaires de Kathleen Lawler de l'esprit, ni à me défaire de l'idée qu'on a enregistré notre conservation.

Si tel est le cas, d'autres personnes sont au courant des doléances de Kathleen sur ce qu'elle considérait comme un injuste et scandaleux transfert de cellule. Juste au-dessus de sa tête, à l'étage supérieur, se terrait le danger, ainsi qu'elle me l'a affirmé il n'y a pas vingt-quatre heures.

Je poursuis :

— Elle se plaignait aussi de son isolement à Bravo Pod, soulignant que les gardiens pourraient lui faire du mal sans que personne le sache. Selon elle, ce transfert et cette solitude la rendaient beaucoup plus vulnérable. J'ai eu le sentiment qu'elle était sincère, à défaut d'être rationnelle. Bref, je ne pense pas qu'elle m'ait raconté cela pour me manipuler.

— C'est le problème avec les détenus, notamment ceux qui ont passé la majeure partie de leur vie derrière les barreaux. Ils sont très crédibles. En fait, ils sont tellement manipulateurs qu'on ne peut même plus appeler cela de la manipulation, du moins à leurs yeux. Le refrain est classique : quelqu'un va les coincer, leur faire du mal, les blesser, les tuer. Et, bien sûr, ils ne sont pas coupables et n'auraient jamais dû finir en prison.

Nous tournons à Dean Forest Road, dépassant le petit centre commercial où je me suis arrêtée hier pour téléphoner d'une cabine publique. J'interroge Colin au sujet des gouttes de sang que j'ai repérées sur les photos que j'examinais lorsque Sammy Chang a téléphoné. Colin ou Marino les ont-ils vues, sous la véranda des Jordan, dans la cour et le jardin ? Quelqu'un a saigné, un individu qui quittait peut-être la maison en traversant le jardin et en sortant du côté du bosquet d'arbres qui mène à East Liberty Street. Ou alors, peut-être que cette personne s'est blessée dans la cour et qu'elle a rejoint la maison, son sang gouttant au sol. Du sang qui n'a pas été nettoyé, au point que je me demande s'il a bien été versé au moment des meurtres, j'ajoute.

— Une effusion régulière. Une personne debout qui saignait alors qu'elle était en mouvement, marchant, entrant ou sortant de la maison, je précise. Le profil de gouttes qu'on trouverait dans le cas d'un individu qui s'est coupé la main et la tient en hauteur, ou alors la tête, ou un saignement de nez.

— Curieux que vous mentionniez cela, déclare Colin.

Marino brame à mon oreille :

— Ben, j'suis pas au courant !

— Je suppose que les taches de sang dont je parle ont été écouvillonnées en vue d'une analyse ADN ? j'insiste.

— Je sais rien au sujet de traces de sang sous la véranda ou dans la cour, et je crois pas que Jaime ait vu les photos en question, affirme Marino.

Nous empruntons la même route que celle que j'ai suivie hier. Le GPFW n'est qu'à quelques minutes.

— Réponse hors micro ! lance Colin. Parce qu'il faut s'en remettre aux véritables rapports d'analyse ADN. À l'époque, personne n'a pensé que ces taches de sang avaient un lien avec les meurtres. Vous avez la même réaction que la mienne en 2002 et vous allez vous embarquer dans une impasse.

— Les photos ont été prises lors de l'investigation de scène de crime, n'est-ce pas ?

— Par l'enquêteur Long. Elles font partie du dossier, mais n'ont pas été soumises au jury en tant que preuves, précise Colin. Il a été décidé qu'elles étaient sans relation avec l'affaire. Avez-vous vu les photos de Gloria Jordan ?

— Pas encore.

— Lorsque vous les examinerez, vous remarquerez qu'elle porte une plaie au pouce gauche, entre la première et la seconde jointure. Une coupure fraîche, qui évoque une blessure de défense, ce qui m'a d'abord plongé dans la perplexité parce que je n'en ai vu aucune autre sur son cadavre. Elle a été frappée à vingt-sept reprises au cou, à la poitrine, dans le dos, et a été égorgée. Elle a été tuée dans son lit et rien n'indique qu'elle se soit débattue, ni même qu'elle ait eu conscience de ce qui se passait. Quoi qu'il en soit, l'ADN du sang repéré sur le sol de la véranda est celui de Gloria Jordan. Lorsque j'ai eu connaissance de ce résultat, j'ai pensé qu'elle avait pu se couper le pouce plus tôt et que cela n'avait aucun lien avec son meurtre. Ce genre de choses arrive de plus en plus souvent. De vieux échantillons, sang, salive, sueur, qui n'ont pas de rapport avec le crime sur lequel vous travaillez, interfèrent. Vous les trouvez sur les vêtements, dans un véhicule, dans une salle de bains, un garage, sur des marches ou même un clavier d'ordinateur.

— Son pouce coupé était ensanglanté lorsque vous avez examiné le cadavre ? demande Marino alors que nous longeons la ferraille où s'amoncellent les épaves de voitures ou de camions.

— Mon Dieu ! Il y avait du sang partout, répond Colin. Ses mains étaient comme ça… (il lâche le volant et place ses mains sous son menton.) Peut-être un réflexe pour bloquer l'hémorragie de la gorge ou pour se tasser en position fœtale alors qu'elle mourait. À moins que ce ne soit une mise en scène de la tueuse. Je crois qu'elle a pris le temps de positionner les corps pour les rendre ridicules. Bref, les mains de Mme Jordan étaient couvertes de sang.

— Et dans la salle de bains ? Y avait quelque chose qui puisse vous permettre de penser qu'elle s'était coupée plus tôt dans la journée ? insiste le grand flic.

— Non, mais un des voisins a affirmé qu'elle avait passé du temps dans le jardin cet après-midi-là, sans doute pour la taille d'hiver, poursuit Colin.

J'imagine le jardin situé à l'arrière de la maison, en dormance à cette saison-là, je revois les photographies, les chicots de branches, les gourmands et les drageons.

Gloria Jordan n'était sans doute pas une experte ou alors elle n'avait pas beaucoup avancé avec sa taille d'hiver lorsqu'elle s'est blessée et a dû s'arrêter.

— Le type d'à côté ? Celui qui avait un caniche ? intervient Marino. Lenny Casper, le voisin qui a appelé la police le matin des meurtres après avoir remarqué la vitre brisée de la porte de la cuisine ?

— Oui, je crois qu'il s'agit de ce nom. Si je me souviens bien, plusieurs des fenêtres de sa maison donnaient sur le jardin des Jordan. C'est ainsi qu'il a remarqué la présence de Mme Jordan cet après-midi-là. Une théorie plausible en découlait : elle s'était coupée en jardinant, puis avait foncé dans la maison, abandonnant un sillage de gouttes de sang. Selon moi, elle tenait sa main en hauteur, expliquant le profil que vous avez remarqué sur les photos. Le sang a aussi dégouliné sur le sol de la véranda et on a retrouvé quelques gouttes dans l'entrée, non loin de la salle de bains des invités.

— Possible, je murmure, assez dubitative.

— Il s'agissait d'une blessure d'origine vitale. Il y avait un pouls et des réactions tissulaires lors de sa survenue, souligne Colin. Vous le constaterez sur les photos et l'histologie.

— Peut-être, je réponds sans me défaire de mes doutes. Pourquoi n'avait-elle pas un sparadrap, un pansement quelconque ?

— Je ne sais pas. J'avais, moi aussi, trouvé cela un peu bizarre. Mais les gens font des choses étranges plus souvent qu'on le pense.

— Elle était mariée à un médecin, qui donc savait que les infections sont la cause la plus évidente des complications de blessures ouvertes, je commente. D'ailleurs, si elle n'avait pas eu un rappel du tétanos assez récent et qu'elle se soit coupée avec un outil de jardin, il aurait aussi fallu prendre cet aspect en compte.

— Il n'existe pas d'autre explication logique à la présence de sang sous la véranda et dans le jardin, insiste Colin. Il provient d'elle, fait indiscutable. Donc, à l'évidence, quelque chose s'est produit occasionnant un saignement, et cela n'a rien à voir avec le fait qu'elle ait été poignardée durant son sommeil. Par ailleurs, la toxico a révélé que son mari et elle avaient pris un sédatif. Du clonazépam. En d'autres termes du Klonopin, utilisé pour lutter contre l'anxiété, les attaques de panique et comme relaxant musculaire. Certaines personnes l'utilisent comme somnifère, explique-t-il à l'adresse de Marino. On peut donc espérer que les Jordan n'ont pas compris ce qui leur arrivait.

— À l'époque, avez-vous pensé que le mari avait été abattu en premier ? je demande.

— Impossible de déterminer la succession des meurtres. Cela étant, en toute logique on peut imaginer que la tueuse s'est d'abord débarrassée de l'homme, puis de Gloria Jordan, pour finir par les enfants.

— Son époux est couché à son côté. On le poignarde à mort et ça ne la réveille pas ? Elle avait dû prendre une sacrée dose de clonazépam, j'observe.

— Je pense que tout s'est déroulé très vite, répond Colin.

— Et ses chaussures ? Si on admet qu'elle ait saigné sur le trajet de retour dans la maison plus tôt ce jour-là, il serait vraisemblable de retrouver du sang sur les chaussures qu'elle portait au jardin. Quelqu'un a-t-il pensé à vérifier ce point ?

— Je crois que vous virez fétichiste, lance Marino de la banquette arrière.

— Au moment de sa mort, elle ne portait qu'une chemise de nuit. Personne ne s'est donc préoccupé de chaussures.

Alors que nous dépassons la serre avec ses arbustes aux couleurs diaprées et ses arbres en pots alignés devant l'entrée, je résume :

— Durant l'après-midi ayant précédé les meurtres, elle tache de sang le sol de la véranda et du couloir. C'est resté là toute la fin de la journée et la nuit sans que personne ne songe à nettoyer ?

— Sans doute n'utilisaient-ils pas la véranda à la mauvaise saison. Ajoutez à cela son sol rouge brique sombre. Le plancher du couloir est en bois dur, sombre lui aussi. Peut-être ne s'en est-elle pas aperçue, ou alors elle a oublié. Je sais de source sûre que l'ADN est bien le sien. C'était son sang, insiste-t-il. Je pense que vous serez d'accord : elle n'a pas pissé le sang en bas des marches ou dehors aux petites heures du matin, durant les meurtres. Tout porte à croire qu'elle n'a pas eu le temps de sortir de son lit avant de décéder.

— Certes, impossible d'imaginer qu'elle aurait saigné sous la véranda, puis dans le jardin, pour foncer dans sa chambre et être poignardée à plusieurs reprises dans son lit pendant qu'une ou un intrus se trouvait chez elle en train de massacrer sa famille.

Et pourtant je connais les nombreux pièges de ces enquêtes qui se terminent avant d'avoir véritablement commencé, au prétexte que les gens impliqués sont certains que le meurtrier a été arrêté.

Lorsque Lola Daggette a été découverte lavant des vêtements pleins de sang dans sa douche, les suppositions sont allées bon train. Peu importait qu'elles fussent erronées. Du sang sur le sol de la véranda, une coupure au pouce de Gloria Jordan, l'alarme désactivée ou des empreintes digitales non identifiées passaient largement au second plan. Les mensonges à dormir debout de Lola, ses alibis relevant de l'affabulation n'ont pas arrangé les choses. L'affaire était pliée, le dossier clos. La tueuse était présentée devant le tribunal, accusée, reléguée dans le couloir de la mort.

Les questions s'évanouissent lorsque les gens sont certains d'avoir les réponses.

CHAPITRE 20

Nous récupérons des mallettes de scène de crime et des équipements de protection entassés à l'arrière de la Land Rover et suivons le trottoir de ciment bordé d'arbustes en fleur et de massifs colorés, nimbés par l'éblouissante lumière solaire. La directrice du pénitencier et l'officier Macon nous attendent dans le poste de contrôle du bâtiment de briques rouges à colonnades blanches.

Tara Grimm nous accueille d'une voix sinistre :

— Une bien infortunée occasion de se revoir, j'en ai peur.

Son visage est fermé, ses yeux sombres me dévisagent sans la moindre cordialité et sa bouche a adopté un pli sévère. Contraste étonnant avec son élégante robe noire de la veille, elle porte aujourd'hui un tailleur-jupe bleu pâle, un chemisier au criard motif floral fermé d'une sorte de mince cravate et des sandales plates à bouts ouverts.

— Je suppose que vous accompagnez le Dr Dengate, me balance-t-elle d'un ton où je perçois de la déception et même de l'hostilité. Je pensais que vous étiez repartie pour Boston.

Elle croyait que j'avais regagné mon Nord. Je lis dans son regard et sur son visage qu'elle réfléchit et soupèse à toute vitesse cette information, comme si ma présence changeait considérablement la donne.

— Mon responsable des opérations d'investigation, j'annonce en désignant Marino.

— Et pour quelle raison vous trouvez-vous à Savannah ? lui demande-t-elle sans faire un effort de courtoisie.

— La pêche.

— La pêche à quoi ?

— Ben, pour l'instant, je récupère surtout des crapauds.

Si Tara Grimm a compris sa désobligeante allusion, elle n'en laisse rien paraître et reprend en s'adressant à Colin :

— Nous vous sommes tellement reconnaissants du temps que vous nous consacrez et de tous vos efforts.

L'officier Macon et deux gardiens en uniforme inspectent le contenu de nos mallettes et nos équipements.

Lorsqu'ils font mine de s'attaquer à une combinaison de protection, Colin leur intime :

— Non, vous ne touchez pas à cela. Sauf si vous voulez tartiner votre ADN partout, et franchement j'en doute puisque nous ne savons pas encore de quoi cette dame est morte.

— Laissez-les passer !

La voix habituellement chantante de la directrice a pris des inflexions métalliques de commandant en chef.

— Vous me suivez, ordonne-t-elle à l'officier Macon. Nous allons les escorter jusqu'à Bravo Pod.

— Sammy Chang, du bureau d'investigation de Géorgie, devrait être là, s'enquiert Colin.

— Oui, je suppose que c'est bien le nom de cet enquêteur qui a inspecté la cellule. Bon, comment voulez-vous que nous procédions ? demande-t-elle à Colin, en changeant radicalement de ton, au point qu'on pourrait croire que je suis invisible ou que nous leur rendons une simple visite de courtoisie.

— Procéder à quoi exactement ?

La première porte en acier s'ouvre et se referme brutalement derrière nous dans un claquement sec. Puis c'est au tour de la deuxième. L'officier Macon nous devance de quelques mètres, s'entretenant par radio avec le poste central de contrôle.

— Nous pouvons nous charger du transport jusqu'à votre centre, suggère Tara Grimm.

— Dans le but de simplifier, nous allons nous en occuper, répond Colin. Un de nos fourgons est en route.

Le couloir dans lequel nous précède la directrice donne l'impression d'un labyrinthe. Ses larges miroirs convexes scellés en haut des murs réfléchissent les coins, les portes closes de métal, les couloirs secondaires, le tout en ciment gris et acier vert. Nous émergeons à nouveau au creux de cet étouffant après-midi, environnés par une chaleur oppressante. Des femmes vêtues de gris vont et viennent dans la cour de la prison, telles des ombres, se déplaçant en groupes entre les bâtiments, arrachant les herbes folles des massifs qui bordent les trottoirs, se réunissant sous de hauts mimosas. Trois lévriers haletants sont assis ou allongés sur l'herbe.

Les prisonnières nous suivent d'un regard dépourvu d'expression, et je suis certaine que la nouvelle du décès de Kathleen Lawler s'est déjà répandue partout. Un membre très connu de leur communauté, prétendument contraint à un placement par mesure de protection parce qu'on craignait que certaines de ses camarades de prison lui fassent du mal, n'a tenu que deux petites semaines dans le quartier de haute sécurité.

— On ne les garde pas dehors trop longtemps, déclare Tara Grimm en s'adressant enfin à moi, alors que l'officier Macon ouvre la grille qui mène à l'intérieur de Bravo Pod. Par ce temps ils restent à l'intérieur presque toute la journée, sauf lorsqu'ils doivent faire leurs besoins.

Je comprends soudain qu'elle parle des chiens. J'imagine le tracas dans une prison lorsqu'un des lévriers réformés fait comprendre qu'il doit sortir.

— Bien sûr, ils supportent assez bien nos fournaises avec leurs longs museaux et leur minceur. Ils n'ont pas de sous-poil et vous imaginez sans peine la chaleur qui peut régner sur les champs de course. Donc tout se passe bien ici pour eux, mais nous restons vigilants, poursuit-elle comme si je l'avais accusée de maltraitance envers les animaux.

Les clefs cliquettent au bout de leur longue chaîne attachée à la ceinture de l'officier Macon lorsqu'il déverrouille la porte de Bravo Pod et que nous pénétrons dans ce monde d'un gris triste et monotone. Je ressens presque physiquement le niveau de surveillance renforcé alors que nous dépassons le poste de contrôle du premier étage aux parois de glace sans tain, dans lequel des gardiens invisibles observent et contrôlent tous les huis intérieurs. Au lieu de tourner à gauche en direction de la salle d'entretiens où j'étais installée hier, nous prenons à droite, dépassons une cuisine déserte, toute d'acier brossé, puis la buanderie avec ses rangées d'énormes machines à laver de type industriel.

Encore une lourde porte et nous pénétrons dans une zone ouverte, meublée de tabourets et de tables scellés au sol de ciment. Au-dessus de nos têtes est suspendue une passerelle, le long de laquelle se succèdent les cellules de haute sécurité à porte de métal vert, seulement trouée par une sorte de hublot. Les visages baissés des détenues s'y pressent. Elles nous regardent avec une terrible intensité et le bruit commence, comme si un signal venait d'être donné. Elles cognent les panneaux de métal qui ferment leurs cellules de leurs pieds et le martèlement vire en un insoutenable vacarme.

— Bordel de merde ! souffle Marino.

Tara Grimm se tient parfaitement immobile, la tête levée. Elle parcourt la passerelle du regard et fixe soudain une cellule située juste au-dessus de la porte que nous venons de franchir. Le visage qui s'encadre dans le hublot de verre est pâle, non identifiable depuis l'endroit où je me trouve un étage plus bas, mais je distingue les longs cheveux bruns, la bouche dépourvue de sourire. Une main glisse sous le visage et dresse un majeur injurieux à destination de la directrice.

— Lola, déclare Tara en ne lâchant pas le regard de la prisonnière alors que l'effrayant bruit rythmique se poursuit. La si gentille, si inoffensive et innocente Lola, énumère-t-elle d'une voix cassante. Eh bien, les présentations sont faites maintenant. La pauvre Lola accusée à tort, dont certains affirment qu'elle doit retrouver l'air libre et la société.

Nous dépassons une porte en verre armé, puis un chariot sur lequel s'entassent des ouvrages de la bibliothèque, abandonné non loin d'un puzzle de Las Vegas en cours de réalisation, dont les pièces sont réunies en petites piles sur le plateau métallique d'une table. L'officier Macon se sert de son trousseau de clefs cliquetantes afin d'ouvrir un autre épais panneau. Dès que nous le passons, le martèlement assourdissant cesse et un absolu silence le remplace. Devant nous, de chaque côté, s'alignent six cellules, à l'écart du reste de Bravo Pod. Des sacs à ordures vides en plastique blanc pendent de certaines des petites poignées de porte en acier brillant. Les visages plaqués aux hublots sont jeunes ou âgés, et la tension et l'énergie que j'y lis me font penser à un animal qui s'apprête à bondir pour se libérer, telle une créature sauvage terrorisée. Elles veulent sortir. Elles veulent savoir ce qui se passe. Je perçois la peur et la colère. Je peux presque les humer.

L'officier Macon nous précède jusqu'à une cellule située à l'extrémité, la seule dont le hublot soit vide, dont la porte soit entrouverte. Marino nous tend les vêtements de protection. Nous posons mallettes de scène de crime et matériel de photographie par terre. Planté dans la cellule de Kathleen Lawler, aussi exiguë qu'un box d'écurie, l'enquêteur Sammy Chang, du bureau d'investigation de Géorgie, parcourt un bloc-notes qu'il a apparemment trouvé parmi les livres et d'autres blocs alignés sur les deux étagères de métal peint en gris. Il tourne les pages de ses doigts gantés, habillé de la tête aux pieds de tyvek blanc, ce que Marino appelle la *combinaison d'exagération* puisqu'il est d'une époque où les précautions prises par la plupart des investigateurs se limitaient à une paire de gants de latex et une application de Vicks sous les narines.

Le regard noir de Chang passe de Marino à moi pour s'arrêter sur Colin, à qui il dit :

— J'ai pris des photos d'à peu près tout ici. Je ne suis pas certain que cela vaille la peine d'en faire beaucoup plus, à cause des problèmes d'accès.

Sa formulation fait référence au fait que les gardiens et autres membres du personnel de la prison ont pu entrer et sortir de la cellule de Kathleen Lawler, et que d'innombrables autres détenues y ont séjourné dans le passé. En d'autres termes, rechercher les empreintes digitales et se livrer à toutes les procédures de collecte d'échantillons, habituelles en cas de mort suspecte, ne sera pas d'une très grande aide puisque la scène est contaminée. Les décès en détention sont assez similaires aux homicides domestiques, rendus complexes parce que les empreintes digitales et l'ADN signifient peu de chose si le tueur est un visiteur régulier du lieu où la mort est survenue.

Mais Chang fait très attention à ses paroles. Il ne tient pas à suggérer ouvertement que si un employé de la prison est responsable de la mort de Kathleen Lawler, nous ne parviendrons pas à le déterminer en traitant sa cellule comme nous le ferions pour une scène de crime usuelle. Jamais il n'avouera en face de l'officier Macon et de Tara Grimm que son but principal depuis son arrivée a consisté à sécuriser la cellule de la défunte et à s'assurer que personne, pas même la directrice, n'altérerait les indices potentiels. Certes, à son arrivée il était déjà trop tard pour protéger l'intégrité des preuves éventuelles. Nous ne pouvons pas être certains du temps qui s'est véritablement écoulé entre le décès de Kathleen Lawler et l'appel au bureau d'investigation de Géorgie et à Colin Dengate.

—Je n'ai pas touché au corps, lance Chang à Colin. Elle se trouvait exactement dans cette position à mon arrivée, à treize heures. Si j'en juge par les informations qui m'ont été fournies, à ce moment-là elle était morte depuis environ une heure. Mais le *timing* communiqué est assez flou.

Kathleen Lawler gît sur une couverture grise en boule et le drap miteux d'un bat-flanc métallique qui ressemble à une étagère un peu plus grande que les autres, scellé au mur sous une mince fenêtre grillagée. Elle est allongée à moitié sur le dos, à moitié sur le côté, les yeux entrouverts, la bouche béante. Le bas de son corps pend du mince matelas. Les jambes de son pantalon blanc d'uniforme sont remontées au-dessus de ses genoux, et sa chemise, blanche aussi, est entortillée autour de ses seins, peut-être mise en désordre par les tentatives de réanimation qui ont échoué. Ou alors peut-être s'est-elle débattue dans l'agonie, changeant de position dans le vain espoir de trouver un peu de confort, de soulager les symptômes dont elle souffrait.

— On a tenté une réanimation cardio-pulmonaire ? je demande à Tara Grimm.

— Évidemment, rien n'a été négligé. Mais il était déjà trop tard. Quoi qu'elle ait eu, ce fut très rapide.

Marino, Colin et moi enfilons nos combinaisons blanches. Depuis le hublot de la cellule située juste en face de celle de Kathleen Lawler, un visage nous épie. Un visage impérieux, avec une bouche mince et creuse, surmonté d'un casque de petites boucles serrées de cheveux gris. Nous nous dévisageons un instant et la femme commence à débiter d'une voix forte quoique étouffée par l'épaisseur de la lourde porte d'acier :

— Très rapide ? Mon œil, oui ! J'ai braillé durant une demiheure avant que quelqu'un se pointe, bordel ! *Trente putains de minutes !* Elle était là-dedans en train de s'étouffer. Je veux dire, je l'entendais et je braillais, mais personne ne s'est ramené ! Elle haletait : « Je peux plus respirer, je peux plus, je deviens aveugle, aidez-moi, je vous en prie ! » *Trente putains de minutes !* Et puis plus rien. Elle me répondait plus et je me mets à hurler à pleins poumons pour que quelqu'un rapplique...

Trois pas hâtifs. Tara Grimm se plante devant la porte de cellule de la femme âgée et cogne contre la vitre du hublot de son poing.

— Calme-toi, Ellenora !

Je comprends au ton de la directrice qu'Ellenora n'a pas mentionné ce fait auparavant. Tara Grimm est décontenancée et furieuse.

— Ces gens vont faire leur travail. Et ensuite on te laissera sortir pour que tu leur racontes dans le détail ce que tu sais, intimet-elle à la prisonnière.

— Trente minutes, au moins ! Pourquoi ça a pris tant de temps ? Si quelqu'un sait qu'il meurt là-dedans, c'est vraiment trop dur. Si il y a un incendie ou une inondation ou que je m'étrangle avec un os de poulet, c'est trop dur ! lance Ellenora.

— Il faut te calmer maintenant, répète la directrice. On passera te voir ensuite et tu pourras leur dire ce que tu as observé.

— Leur dire ce que j'ai observé ? J'ai rien observé ! Je pouvais pas la voir. Je vous ai déjà dit, comme aux autres, que je pouvais rien voir !

— Tout à fait, rétorque Tara Grimm d'un ton froid, condescendant. Ta première déclaration a été que tu n'avais rien vu. As-tu changé de version ?

— Parce que je pouvais pas ! Je pouvais rien observer ! Elle se tenait pas debout contre son hublot de porte. Je pouvais pas la voir et c'était horrible. Je l'entendais juste supplier, souffrir et gémir. Elle faisait des bruits à vous retourner les sangs, comme un animal à l'agonie. Quelqu'un peut claquer ici et qui va intervenir ? On a pas un bouton de panique qu'on peut enfoncer en cas de pépin. (Elle tourne un regard vide et mort vers moi et assène :) Ils l'ont laissée crever, un point c'est tout !

— Nous allons devoir te déplacer dans une cellule de haute sécurité si tu n'arrêtes pas, la prévient Tara Grimm et je sens qu'elle ne sait plus très bien comment réagir.

Elle ne s'attendait pas à cet étalage. La prisonnière du nom d'Ellenora est aussi méfiante que la plupart des autres détenues. Elle s'est très bien comportée lorsque le personnel de la prison l'a d'abord interrogée parce qu'elle voulait se garder une chance de faire exactement ce qu'elle est en train de faire : un scandale à notre arrivée. Si elle avait explosé avant, je suis presque certaine qu'elle aurait très vite été transférée en haute sécurité, un euphémisme pour « cellule d'isolement » dans ce cas, ou alors dans une des unités où l'on boucle les patients psychiatriques.

Les protège-chaussures de Colin laissent échapper des chuintements quand il pénètre dans la cellule de Kathleen Lawler. Marino ouvre une mallette de scène de crime posée sur le sol de béton ciré. Il vérifie les appareils photo pendant que je m'appuie contre le mur afin d'enfiler à mon tour les protège-chaussures sur mes énormes boots noires et leurs grosses semelles. Je mets des gants d'examen et perçois le regard de la détenue posé sur moi. Je sens ce qu'il renferme : une peur extrême, proche de la crise nerveuse. Tara Grimm cogne à nouveau à la vitre du hublot comme si elle voulait arrêter d'autres mots dans la gorge d'Ellenora. Le visage effrayé de la prisonnière tressaille lorsque les phalanges de la directrice heurtent le verre épais.

— Qu'est-ce qui te fait croire qu'elle ne pouvait plus respirer ? lui lance Tara Grimm.

Ellenora répond derrière le lourd battant :

— Je suis sûre parce qu'elle l'a dit. Et elle avait mal partout, et elle se sentait faible. Si fatiguée qu'elle pouvait à peine bouger, et elle suffoquait. Elle gueulait : « Je peux plus respirer. Mais qu'est-ce qui m'arrive ? »

— En général, quand les gens ne peuvent plus respirer, ils ne peuvent plus non plus parler. Je me demande si tu n'as pas mal interprété ses paroles. Si tu ne peux plus respirer, tu ne gueules pas, surtout au travers de portes en acier. Il faut avoir les poumons pleins pour brailler, lui déclare Tara assez fort pour que je puisse l'entendre.

— Elle a dit qu'elle pouvait plus parler ! Elle arrivait plus à former ses mots. Comme si sa gorge était très enflée, s'entête Ellenora.

— Allons, allons, comment peut-on dire à quelqu'un qu'on ne peut plus parler ? N'est-ce pas une singulière contradiction ?

— C'est ce qu'elle a dit ! J'le jure sur Dieu tout-puissant !

— Dire « je ne peux plus parler » serait comme courir pour chercher de l'aide parce qu'on ne tient plus debout, insiste la directrice.

— J'le jure sur Dieu tout-puissant et sur Jésus-Christ ! C'est bien ce qu'elle a dit.

— Ça n'a aucun sens ! tonne Tara Grimm à sa prisonnière plaquée derrière l'épais panneau d'acier. Et tu dois te calmer, Ellenora, et baisser le ton. Quand je te pose des questions, tu y réponds sans te mettre à hurler, ni faire toute une histoire.

— La vérité sort de ma bouche et c'est pas ma faute si c'est embêtant ! crie Ellenora, de plus en plus remontée. Elle suppliait qu'on l'aide et c'est ce que j'ai entendu de plus affreux dans ma vie. « Je vois plus ! Je peux plus parler ! Je suis en train de crever ! Oh, merde ! Oh, mon Dieu ! C'est insupportable ! »

— Assez, Ellenora !

— C'est ce qu'elle a dit ! En cherchant son souffle et en suppliant : « Je vous en prie, aidez-moi ! » C'était de la terreur, de la terreur pure. Et elle suppliait : « Oh, putain, je comprends pas ! S'il vous plaît, aidez-moi ! »

Tara Grimm cogne à nouveau contre le hublot, ordonnant :

— Ça suffit avec ce langage !

— C'est ce qu'elle a dit, pas moi. C'est pas mes mots, d'accord ? Elle a dit : « Putain, mais aidez-moi, je vous en supplie ! J'ai dû récupérer un truc ! »

S'adressant à moi, la directrice suggère :

— Je me demande si elle souffrait d'allergies alimentaires ou aux insectes. Que sais-je ? Peut-être aux guêpes, aux abeilles ? Des allergies dont elle n'aurait jamais fait mention. Aurait-elle été piquée durant son heure d'exercice à l'extérieur ? Juste une idée, comme ça. Il faut dire que nous avons beaucoup de guêpes quand il fait aussi chaud, lourd et humide, et qu'en plus tout est en fleur.

— Les réactions anaphylactiques aux piqûres d'insectes ou après un contact avec des crustacés, des cacahuètes ou autres chez une personne allergique se manifestent très rapidement. Or, d'après ce qu'on nous a expliqué, je n'ai pas le sentiment que le décès ait été rapide. Cela a duré pas mal de temps au contraire.

— Elle s'est sentie mal durant au moins une heure et demie ! hurle Ellenora depuis sa cellule. Et pourquoi ça a pris si longtemps avant qu'ils viennent ?

Je fixe le visage de la prisonnière derrière l'épaisse vitre et lui demande :

— Qu'avez-vous entendu d'autre ? Pensez-vous qu'elle ait pu vomir ou avoir la diarrhée ?

— Je sais pas si elle a été malade comme ça, mais elle a dit qu'elle avait des aigreurs d'estomac. J'l'ai pas entendue vomir, ni la chasse d'eau de ses toilettes, ni rien d'autre. Elle gueulait qu'elle avait été empoisonnée.

Tara Grimm se tourne vers moi et plisse les yeux, adoptant un petit air entendu, de crainte que j'oublie l'identité de notre témoin inattendu. Elle lance :

— Ah bon, alors maintenant elle a été empoisonnée ?

Ellenora semble de plus en plus agitée et son regard est comme fou.

— Elle a dit : « J'ai été empoisonnée ! C'est Lola ! C'est Lola qui a fait le coup ! C'est cette merde que j'ai mangée ! »

— Bon, ça suffit, on arrête ! s'énerve Tara alors que je pénètre dans la cellule de Kathleen Lawler et que ses mots me suivent. Fais un peu attention à ce que tu racontes. Nous avons des visiteurs.

CHAPITRE 21

Je devine le reflet de l'enquêteur Sammy Chang dans le miroir en métal poli dont s'est plainte Kathleen Lawler hier après-midi. Il passe derrière moi et s'immobilise sur le pas de la porte de la cellule, m'indiquant :

— Je suis juste à côté, pour vous libérer un peu d'espace.

Les toilettes et le lavabo forment un bloc d'acier inoxydable sans partie dévissable, à l'exception du bouton de chasse d'eau et du robinet. Je ne vois ni ne sens rien qui puisse indiquer que Kathleen Lawler a été malade avant de mourir. En revanche une vague odeur électrique me parvient. Je demande à Chang :

— Vous ne sentez pas quelque chose de bizarre ?

— Pas vraiment.

— Comme une odeur électrique... Non, pas exactement. En tout cas assez désagréable.

— Non, je ne crois pas avoir senti quoi que ce soit de particulier quand je fouillais un peu partout. La télé peut-être ? suggère-t-il en désignant le petit appareil posé sur une étagère et protégé par du plastique transparent.

— J'en doute.

Je remarque alors des taches d'eau dans le lavabo d'acier, ainsi qu'une sorte de résidu crayeux. Je me penche et l'odeur devient plus forte. Je tente de la décrire le mieux possible :

— Âcre. Ça m'évoque un appareil qui court-circuite. Un sèche-cheveux qui a trop chauffé par exemple. Une pile électrique, ce genre-là.

Il fronce les sourcils et répète :

— Une pile ? Je n'en ai pas vu, ni de sèche-cheveux d'ailleurs.

Il me rejoint au lavabo et se penche à son tour.

— Hum, en effet. Oui, je crois que je renifle un truc. Je n'ai pas un flair de chien de chasse.

— Je pense qu'il faudrait écouvillonner cette espèce de dépôt. Votre laboratoire d'analyses de traces est-il équipé d'un microscope électronique à balayage couplé à l'analyse dispersive en énergie ? Il faudrait examiner la morphologie à très fort grossissement, voir s'il s'agit de particules en solution et, dans ce cas, tenter de les identifier. Du métal ou autre. Si c'est une substance chimique, un médicament, quelque chose qui ne sera pas révélé par une spectroscopie aux rayons X. J'ignore quels sont les autres détecteurs qui équipent le microscope électronique à balayage du bureau d'investigation de Géorgie, mais si possible j'aimerais bien qu'on ait recours à l'analyse dispersive en énergie ou à la spectroscopie infrarouge à transformée de Fourier pour avoir la structure moléculaire de ce résidu.

— Ah oui, la FTIR. On a pensé s'équiper avec des appareils portatifs, ceux qu'utilisent les gars de l'équipe des matériaux dangereux.

— Une excellente idée de nos jours, avec le risque de se trouver face à des explosifs, des engins de destruction massive, des neurotoxiques ou des vésicants, que sais-je ! Une autre bonne idée consisterait à faire du charme au responsable de votre labo d'analyse de traces pour obtenir l'analyse au plus vite, c'est-à-dire tout de suite. Ça peut être bouclé en quelques heures s'ils la mettent en haut de la pile des urgences. Je n'aime pas les symptômes qu'on nous a décrits.

Ne sachant qui peut nous entendre, je déclare cela d'une voix calme, en choisissant mes mots.

De fait, je suis certaine que quelqu'un nous écoute.

— Je peux me montrer terriblement charmant, plaisante-t-il.

Chang est mince et de petite taille, avec des cheveux courts et noirs, le visage impassible, mais ses yeux très sombres sont amicaux.

— Bien ! Nous en avons vraiment besoin.

— Vous pensez qu'elle a vomi ? me demande-t-il.

— Il ne s'agit pas de cette odeur-là. Ce qui ne signifie pas qu'elle n'avait pas la nausée. D'ailleurs ça irait dans le sens de ce que nous a confié sa voisine Ellenora. Des aigreurs d'estomac. La discussion en matière de diagnostic différentiel tournera autour de ce qui a déjà été évoqué par ceux qui n'ont aucune qualification et ne se montrent pas objectifs. L'hypothèse d'une crise cardiaque soudaine, favorisée par des efforts physiques dans des conditions risquées pour une femme de son âge, qui n'avait jamais pris soin de sa santé, va resurgir. Elle portait un uniforme en fibres synthétiques, un pantalon et une chemise à manches longues, et il doit faire trente-huit degrés à l'extérieur, avec une humidité d'au moins soixante pour cent. S'ajoute le facteur aggravant du stress. À l'évidence, Kathleen était stressée et très contrariée d'avoir été transférée à Bravo Pod, à l'isolement, et je ne serais pas surprise que nous découvrions chez elle une cardiopathie consécutive à de mauvaises habitudes alimentaires et l'abus de drogue et d'alcool.

— Et les ordures ? je reprends. J'ai remarqué des sacs-poubelles en plastique blanc suspendus à certaines des portes, mais aucun à celle-ci. Vide ou plein.

Nos regards entendus se croisent.

— Question judicieuse, remarque Chang.

S'il y avait un sac-poubelle à cette poignée, il a disparu avant l'arrivée de l'enquêteur.

— Je peux regarder ? Je ne toucherai à rien sans votre autorisation.

— Sauf si vous souhaitiez d'autres analyses, j'ai déjà tout collecté, répond-il. Alors je vous en prie, faites comme chez vous.

Il ouvre le sachet plastique d'applicateurs stériles et s'approche à nouveau du lavabo.

— Je vous préviendrai le cas échéant, je précise, puisque légalement il s'agit de la scène de crime de Chang.

Le cadavre et donc les échantillons biologiques et traces qui lui sont associés se trouvent placés sous la responsabilité de Colin Dengate. Quant à moi, je ne suis qu'une invitée, un expert extérieur, et je ne puis rien décider sans permission préalable. Je n'ai aucune autorité en dehors du Massachusetts, hormis dans les cas dépendant de la juridiction des médecins experts des forces armées, c'est-à-dire du département de la Défense. En conclusion, je solliciterai l'accord de Chang avant de tenter la moindre chose.

Les deux étagères en métal gris sont scellées dans le mur qui fait face aux toilettes. S'y alignent des livres, des blocs-notes et des conteneurs en plastique transparent supposés rendre très difficile toute contrebande. Je les ouvre tour à tour et reconnais les odeurs du beurre de cacao, de la crème de visage Noxzéma, du shampoing à la balsamine, du bain de bouche et du dentifrice à la menthe. Un gros savon blanc est posé sur une coupelle et une brosse à dents allongée dans un tube en plastique. Un autre flacon en plastique renferme ce qui ressemble à du gel pour cheveux. Je remarque également un petit peigne en plastique, une brosse sans manche et des rouleaux en mousse de gros diamètre, datant peut-être de l'époque où Kathleen Lawler avait les cheveux plus longs.

Je repère des romans, des recueils de poésie, des livres de développement personnel et des paniers en plastique transparent remplis de courrier, de carnets et de plaquettes permettant d'écrire. Aucun détail ne peut me permettre de penser qu'on a inventorié ou retourné les possessions de Kathleen Lawler. Cela étant, je ne m'attendais pas non plus à découvrir d'évidents indices d'une fouille en règle. Si ses affaires ont été passées au crible avant l'arrivée de Chang, le but n'était pas de découvrir un peu de marijuana, ou un couteau improvisé, ou tout autre objet interdit en ces lieux, mais une chose que je ne parviens pas à définir. Que pourrait donc chercher un officiel de la prison ? Je l'ignore. Cependant je ne parviens pas à trouver une seule bonne raison expliquant qu'on ait fait disparaître son sac de déchets avant l'arrivée du bureau d'investigation de Géorgie, et mon mauvais pressentiment se renforce.

Je demande à Sammy Chang en désignant les paniers de rangement :

— J'aimerais bien regarder là-dedans si vous n'y voyez pas d'inconvénient.

Il répond tout en écouvillonnant la paroi du lavabo :

— Bien sûr. Ouais, vous avez raison, ça dégage une drôle d'odeur. Et c'est grisâtre, un gris laiteux.

Il fourre la tige de l'applicateur dans un tube en plastique et écrit au feutre sur son bouchon bleu à vis.

Tous les carnets de notes à feuilles réglées possèdent un dos en carton et sont encollés. Ils proviennent sans doute du magasin du pénitencier qui ne vend pas leurs équivalents à spirale, de crainte que le fil de fer torsadé ne soit transformé en arme. Certaines de leurs pages sont couvertes de vers ou de prose qui alternent avec des gribouillages ou des dessins. Mais la plupart sont consacrées à un journal intime, daté. Kathleen était à l'évidence en veine d'épanchements et le tenait régulièrement, du moins dans le passé. En effet, alors que je tourne les feuillets de chaque carnet, je suis frappée par le fait qu'elle y consignait tous les jours avec fidélité et dans le détail les événements de sa vie depuis trois ans, quand elle avait réintégré le GPFW à la suite d'un homicide involontaire commis ivre au volant. Cependant je ne vois rien de postérieur au 3 juin, sur la dernière page du carnet recto-verso noircie de son écriture très reconnaissable :

Vendredi 3 juin.

La pluie s'abat sur un monde que j'ai perdu et cette nuit, lorsque le vent a giflé de plein fouet le grillage de ma fenêtre, on aurait cru que quelqu'un jouait de la scie musicale. Discordante puis stridente, une plainte de câbles d'acier tendus à l'extrême. Telle une monstrueuse bête faite de métal. Une sorte de mise en garde. Je suis allongée, écoutant les geignements et les réverbérations métalliques et je songe : Quelque chose va arriver.

Pendant le souper dans la cafétéria, il y a deux heures à peine, je le sentais. Je ne saurais décrire de quoi il s'agit au juste. Rien de tangible, contrairement à un regard appuyé ou un commentaire, juste une impression, plutôt une vive sensation. Quelque chose se prépare.

Toutes engouffraient leur hachis d'une viande indéterminée, aucune ne me regardait, comme si je n'étais pas là ou qu'elles gardaient jalousement un secret. Je ne leur ai pas parlé, je ne les ai pas vues. Je sais quand il ne faut faire attention à personne, et elles sentent que je le sais.

Tout le monde sait tout en ce lieu.

Je continue à penser qu'il s'agit de nourriture, d'attention aussi. Les gens tueraient pour la nourriture, même la mauvaise. Ils tueraient pour être reconnus, pour un petit honneur, même s'il est stupide et peu mérité. J'ai publié ces recettes dans Inklings. Je n'ai précisé aucun nom, manifesté aucune reconnaissance à personne parce qu'il n'y avait vraiment pas de quoi, même en faisant preuve d'indulgence, d'autant qu'il ne s'agissait pas de mon choix. Le mot de la fin ne m'appartient pas et pourtant je m'inquiétais des reproches que l'on pourrait me faire. Un reproche de rien du tout peut aller très loin ici. Je ne sais quoi penser d'autre. Mon magazine vient de sortir et, tout d'un coup, se produit un changement.

Dans l'unité, nous partageons à soixante un seul four micro-ondes et nous faisons toutes les mêmes foutus trucs dans la cuisine expérimentale de Maman, ainsi que m'ont nommée les autres détenues, en référence à ma créativité culinaire. Ou du moins me nommaient. Peut-être n'utiliseront-elles plus jamais ce surnom, même si les petits plaisirs sont mon idée. Les petits plaisirs, c'est moi, uniquement moi et mon inventivité. Qui d'autre pourrait les réaliser quand on n'a rien à sa disposition pour travailler, hormis de la merde et encore de la merde ?

La merde que nous refile le magasin. Celle de la cafétéria. Des brochettes de bœuf au fromage, des tortillas et quelques noix de beurre. Je leur ai montré comment les transformer en bouchées. Les pop-tarts, les biscuits à la crème vanillée et l'extrait de fraise pour confectionner un gâteau à la fraise. Oui, toutes réalisent mes petits plaisirs, uniquement parce que j'en ai inventé les recettes.

Peu m'importe qui a soumis quoi au magazine. Les recettes m'appartiennent ! Qui a enseigné aux autres l'art de gratter la crème à la vanille des biscuits pour la fouetter avec l'extrait de fraise et obtenir un glaçage rose ? Qui leur a montré l'art de dissoudre des pop-tarts et des biscuits écrasés en chapelure dans de l'eau (reconstituer et réinventer comme je l'explique toujours) et à cuire le mélange au micro-ondes jusqu'à ce que le cœur moelleux ne s'écrase pas au toucher ?

La chef étoilée de la taule, voilà qui ! Et c'était moi. PAS VOUS ! J'ai fait tout cela, tout ce temps, parce que j'étais déjà derrière les barreaux alors que la plupart d'entre vous n'étaient pas nées, et mes recettes sont devenues si légendaires qu'elles sont maintenant à l'image de ces citations, de ces clichés ou de ces proverbes dont l'origine s'est depuis longtemps perdue, permettant aux petits esprits ignorants de se les approprier. A good man is hard to find n'est pas à l'origine un titre de Flannery O'Connor mais celui d'une chanson, et ce n'est pas Lincoln qui a dit « une maison divisée contre elle-même ne saurait subsister », c'est Jésus. Personne ne se souvient de l'origine des choses et tous se servent. Ils volent !

J'ai fait ce qu'on m'avait ordonné et publié ces recettes, mes recettes. Sans citer les auteurs, pas même moi, putain d'ironie. C'est moi que l'on a dépossédée. Et vous toutes, faisant la moue, boudant, ravalant votre rancœur lorsque je suis à portée d'oreille comme si vous étiez les victimes. Plus aucune place à votre table parce que le siège libre est en réalité réservé.

Ne pensez pas que je n'en connaisse par l'origine. Des moutons de Panurge qu'on mènerait à la mer pour qu'ils s'y noient.

La lumière sera coupée dans cinq minutes. Les ténèbres déferleront à nouveau.

Me méfiant des yeux et des oreilles qui peuvent m'épier au-delà de la porte ouverte de la cellule, je ne commente pas ce que je viens de lire. Pas plus que je ne ferai remarquer qu'au moins un des carnets de notes manque, peut-être un journal intime, peut-être plusieurs, rédigés par Kathleen Lawler depuis le 3 juin et, plus important encore, depuis son transfert à Bravo Pod. Je ne crois pas qu'elle ait brusquement cessé d'écrire, certainement pas alors qu'elle était placée à l'isolement.

Je me serais attendue à ce qu'elle écrive davantage au cours de ces deux dernières semaines en raison de son peu d'activité vingt-trois heures par jour. Aucun dérivatif, si ce n'est rester assise dans sa minuscule cellule, sans vue ou presque, avec une télévision marchant mal, séparée des autres détenues et privée de son travail à la bibliothèque, ainsi que d'un accès à Internet ou aux périodiques. Qu'a-t-elle pu coucher par écrit que quelqu'un ne voulait surtout pas que nous lisions ? Mais je ne pose pas la question, je ne dis pas à quel point sa métaphore sur les moutons de Panurge me frappe.

Les autres détenues sont-elles ces moutons et qui les mène ? Je revois Lola Daggette alors qu'elle brandissait un majeur obscène à Tara Grimm il y a quelques minutes, d'autant que je l'imagine assez bien déclenchant le vacarme de coups de pied contre les portes des cellules. Bravache, l'hostilité à fleur de peau, sans maîtrise d'elle-même et dotée d'un faible QI. Pourtant Kathleen la craignait. Toutefois Lola Daggette n'explique en rien que Kathleen Lawler soit morte en travers de son lit. Lola n'est pas non plus à l'origine du rejet de Kathleen par les pensionnaires des unités de sécurité moyenne ce soir-là au réfectoire. En effet, comment les détenues d'autres bâtiments sauraient-elles ce que pense ou dit Lola, ou si elle en veut à une personne en particulier ? Elle est aussi isolée et confinée dans sa cellule de l'étage que l'était Kathleen dans la sienne.

Je soupçonne que Kathleen Lawler faisait référence à une autre personne. Je me souviens que Tara Grimm m'a expliqué qu'elle avait été placée en détention par mesure de protection, après que la rumeur s'était répandue qu'elle avait abusé sexuellement d'un jeune garçon. Quelle rumeur ? Qu'est-ce qui s'est répandu ? Des informations pour lesquelles la directrice pouvait incriminer une autre source, une diffusion à la télé entendue par une prisonnière, par quelqu'un, elle ne savait plus trop qui. Je ne l'ai pas crue lorsqu'elle m'a confié ça hier dans son bureau, et je ne la crois toujours pas.

Je pense avoir compris qui a tenté de jouer de son influence, provoquer la hargne des détenues par un événement aussi mesquin et insignifiant que la mention d'un nom dans un magazine. Or rien ne paraissait dans *Inklings* sans la bénédiction de Tara Grimm. C'est elle qui a eu le dernier mot lors de la publication de recettes sans mention d'auteurs, et les détenues ont été offensées. Il est exact que des événements insignifiants peuvent soudain prendre d'énormes proportions et Kathleen a été transférée. Peut-être qu'alors sa paranoïa et sa propension à l'agitation mentale lui ont fait entrevoir une autre version : Lola Daggette était derrière cette ultime perte de liberté, qu'elle a dû ressentir à la manière d'une punition insupportable. Ou alors, peut-être cette version a-t-elle été suggérée à Kathleen. Des gardiens, tel l'officier Macon, peuvent l'avoir informée, narguée, tourmentée en lui faisant croire que Lola se laissait aller à des menaces, et peut-être est-ce vrai. Peu importe cependant, puisque Lola ne l'a pas tuée.

Lorsque Marino passe devant moi dans un bruissement de combinaison blanche pour positionner un thermomètre digital au pied du lit afin de relever la température ambiante, je m'abstiens de lui dire que quelque chose me dérange. Il tend un autre thermomètre à Colin pour qu'il prenne la température du corps.

En dépit des témoignages qui font remonter le décès à environ douze heures quinze, nous calculerons nous-mêmes le moment de la mort en nous fiant aux signes *post mortem*. Les gens commettent des erreurs. Ils sont souvent sous le choc, traumatisés, et se souviennent des détails de façon erronée. Et puis il y a ceux qui mentent, et peut-être est-ce le cas pour tous au GPFW.

J'observe à nouveau autour de moi, comme si j'espérais qu'un carnet commencé après le 3 juin surgisse, examinant les murs gris auxquels sont scotchés des poèmes ou des extraits manuscrits de la prose de Kathleen, ceux-là mêmes mentionnés dans les *e-mails* qu'elle m'a adressés. Le poème intitulé *Destin* trône au-dessus du mince rebord d'acier d'un bureau scellé au mur. Non loin d'un tabouret, lui aussi métallique, lui aussi riveté au sol, traîne un autre conteneur en plastique transparent, de grandes dimensions, bourré de sous-vêtements, d'un uniforme nettement plié, de sachets de nouilles japonaises lyophilisées et de *muffins* au miel que Kathleen a dû se procurer au magasin du pénitencier. Elle m'avait dit ne plus avoir d'argent depuis qu'elle ne travaillait plus à la bibliothèque. Pourtant on dirait qu'elle a fait des emplettes. Mais peut-être datent-elles d'avant son déplacement à Bravo Pod, deux semaines plus tôt ? Je tâte les *muffins* du bout de mon index ganté. Ils n'ont pas l'air rassis.

Au fond du grand panier en plastique se trouvent des exemplaires d'*Inklings*, plusieurs dizaines, et notamment le numéro de juin dont parle Kathleen dans le passage de son journal intime. La couverture du périodique présente des portraits à la Andy Warhol des contributeurs du numéro en question, des femmes qui connaîtront une célébrité d'un mois parce qu'elles ont écrit quelque chose qui sera lu par toutes les détenues du GPFW ou toute autre personne ayant accès à la publication. La quatrième de couverture énumère les membres de l'équipe, la directrice artistique, les graphistes et, bien sûr, l'éditrice, Kathleen Lawler. Tara Grimm y est particulièrement remerciée pour son soutien aux arts, « pour son humanité et son ouverture d'esprit ».

— Elle est encore chaude, annonce Colin, accroupi à côté du lit métallique, le thermomètre à hauteur d'yeux. Trente-cinq degrés.

— Il fait vingt-quatre dans la cellule, précise Marino en récupérant de ses gros doigts gantés le thermomètre qu'il avait posé en bas du lit.

Il jette un regard à sa montre et ajoute :

— À quatorze heures dix-neuf.

— Elle serait donc morte depuis deux heures, en perdant environ trois degrés. Un peu rapide mais dans les limites normales, je déduis.

— Elle est habillée et il fait chaud ici, approuve Colin. De toute façon, on va se retrouver dans la fourchette.

Sa remarque est limpide : que Kathleen Lawler soit morte trente minutes ou une heure plus tôt que ce qu'on nous a donné à penser, nous ne parviendrons pas à le déterminer avec des indicateurs *post mortem* tels que la température corporelle ou la *rigor mortis.*

Colin fait bouger les doigts gauches de la défunte et commente :

— La *rigor* a déjà débuté dans les doigts. Quant à la *livor*, elle n'est pas encore apparente.

— Et si elle avait pris un coup de chaud dehors, dans la cage d'exercice ? demande Marino en détaillant les feuilles manuscrites scotchées au mur, couvrant chaque centimètre de la cellule. Peut-être un genre d'épuisement dû à la chaleur. Ça peut arriver, non ? On retourne à l'intérieur, mais, en fait, on a déjà le problème.

Colin se redresse et argumente :

— Si elle était morte d'hyperthermie, sa température corporelle serait plus élevée. Elle serait supérieure à la normale, même après plusieurs heures, et la *rigor* aurait été accélérée et serait disproportionnée par rapport à la *livor.* En plus, les symptômes évoqués par l'occupante de la cellule située juste en face ne sont pas cohérents avec une exposition prolongée à une chaleur excessive. Arrêt cardiaque ? C'est très possible en revanche. D'autant que ça peut survenir après des activités éprouvantes durant une journée très chaude.

Répétant ce que l'on nous a dit, Marino contre :

— Tout ce qu'elle a fait, c'est marcher un peu en s'arrêtant tous les dix ou vingt mètres.

— La définition d'« éprouvant » est variable en fonction des individus, réplique Colin. Une sédentaire bouclée dans une cellule la majeure partie du temps ? Elle sort et il fait très chaud et humide. Du coup, elle se déshydrate. Le volume de sang décroît et ça peut provoquer un stress cardiaque.

— Elle a bu pendant sa promenade, rectifie Marino.

— Mais buvait-elle assez d'eau, notamment lorsqu'elle restait en cellule ? J'en doute. Par une journée normale, une personne perd à peu près deux litres cinq d'eau. En cas de grosse chaleur lourde, donc de suées abondantes, ça peut monter à une dizaine de litres, voire plus.

Il sort de la cellule et je demande à Chang s'il voit une objection à ce que je continue mon inventaire des étagères et du bureau. Il répond par la négative. Je tire un panier en plastique transparent dans lequel Kathleen rangeait son courrier, en me remémorant les fameuses lettres que Jack Fielding lui aurait écrites et dans lesquelles il se serait plaint de mon caractère difficile et du fait que j'étais infernale au travail. Je cherche les missives que lui ou Dawn Kincaid auraient pu adresser à Kathleen Lawler, en vain. Je ne découvre rien qui puisse receler une quelconque importance, à l'exception d'une lettre dont on pourrait croire qu'elle provient de moi. Interloquée, je découvre au dos d'une de ces grandes enveloppes blanches que Bryce nous commande par lot de cinq mille le logo du centre de sciences légales de Cambridge et l'adresse de l'expéditeur :

> Kay Scarpetta, docteur en médecine, docteur en droit,
> colonel de l'US Air Force,
> médecin expert en chef et directrice du centre de sciences
> légales de Cambridge

Le rabat autocollant a été tranché de façon nette, sans doute par le personnel de la prison qui vérifie tout le courrier entrant. À l'intérieur de l'enveloppe se trouve une feuille pliée à l'en-tête de mon bureau. La lettre est tapée et prétendument signée de ma main, à l'encre noire.

26 juin

Chère Kathleen,

J'apprécie beaucoup vos *e-mails* au sujet de Jack et imagine fort bien votre chagrin et ces conséquences pendant votre confinement, à l'évidence oppressant, puisqu'on vous a transférée par mesure de protection. J'attends avec impatience le 30 juin, cette occasion de bavarder avec vous, d'échanger nos confidences sur un homme spécial que nous avons partagé. Il a eu, sans conteste, une influence considérable sur nos vies à toutes deux, et il est important pour moi que vous soyez convaincue que je voulais le meilleur pour lui et que jamais je ne lui aurais porté préjudice de façon intentionnelle.

J'ai hâte de vous rencontrer enfin après toutes ces années et j'espère que nos échanges se poursuivront. Comme à l'habitude, je vous le répète, n'hésitez pas à me faire savoir si vous avez besoin de quelque chose.

Bien cordialement,

Kay.

CHAPITRE 22

Je perçois la présence de Marino. Il se tient à côté de moi et prend connaissance de la lettre que je tiens entre mes mains gantées de nitrile violet. Je croise son regard et hoche imperceptiblement la tête.

— C'est quoi cette merde ? souffle-t-il.

Je pointe le démonstratif « ces » qui devrait être l'adjectif possessif « ses », une erreur que je ne commettrais pas. Peine perdue avec Marino, qui ne voit pas la différence, et je ne vais pas entreprendre de lui montrer les invraisemblances et une formulation qui ne me ressemblent pas. D'autant que jamais je ne terminerais une lettre de ce genre d'un « Bien cordialement, Kay », puisque Kathleen Lawler et moi n'étions pas amies.

Jamais je n'aurais écrit ou dit à cette femme que « jamais je ne lui aurais porté préjudice de façon intentionnelle » en évoquant Jack Fielding, sous-entendant que j'aurais pu le faire non intentionnellement. Je repense à ce que Jaime Berger a dit hier. Dawn Kincaid, la fille de Kathleen, est en train de monter de toutes pièces un dossier dont il ressortira que je suis instable, violente. Néanmoins Dawn Kincaid n'aurait pas pu créer ce faux, pas dans un hôpital tel que Butler où elle était internée lorsque cette missive a été envoyée.

J'expose la feuille de papier à la lumière du jour, indiquant à Marino l'absence de filigrane du centre de Cambridge, m'assurant qu'il comprend bien que le document est un faux. Ensuite je pose la feuille sur le bureau et entreprends une manipulation qu'il ne verra pas souvent. Je retire mes gants et les fourre dans la poche de ma combinaison blanche. Puis je prends des photos de la lettre à l'aide de mon portable.

L'air perplexe, il me propose :

— Je vous passe le Nikon ? Une règle...

— Non.

Je ne veux ni de l'appareil photo trente-cinq millimètres, ni des objectifs pour gros plans, ni d'un trépied, ni d'un éclairage spécial. Je ne veux pas d'un double décimètre comme étalon. Je ne lui dis rien d'autre. En revanche je me sens obligée de m'expliquer vis-à-vis de Chang, qui m'observe avec attention depuis l'embrasure de la porte :

— Je suppose que vous avez un labo d'analyse de documents ?

— Tout à fait.

Il me surveille alors que j'envoie un texto à mon directeur du personnel, Bryce.

— Des échantillons de notre papier à lettres professionnel vont vous parvenir dès demain par FedEx. Qui les réceptionnera ?

— Moi, j'imagine.

— D'accord. Sammy Chang, division des enquêteurs du bureau d'investigation de Géorgie, je tape en soliloquant. Je parie qu'un examen mettra en évidence des différences très significatives entre ce que vous allez recevoir et cette feuille, dis-je en désignant la lettre posée sur le bureau. L'absence de filigrane par exemple. Je m'assure que mon responsable du personnel vous expédie tout de suite le même papier à en-tête, la même enveloppe, afin que vous soyez en mesure de comparer vous-même et de parvenir à une certitude.

— Un filigrane ?

— Il n'y en a pas. Possiblement un autre papier, ce qu'on pourra déterminer sous grossissement ou avec une analyse chimique des additifs. En plus, je me demande si la police d'écriture n'est pas légèrement différente. À vérifier. Tiens, grosse surprise ! Je n'ai pas de signal ici. Je réessayerai tout à l'heure.

Je sauvegarde dans un dossier « brouillon » le message et les photographies jointes que je comptais envoyer à Bryce, puis tourne la tête : le visage qui s'encadrait contre le hublot de la cellule d'en face a disparu. Ellenora ne nous observe plus. Elle s'est tue.

M'adressant à Chang, je déclare :

— De toute évidence, la prison prend connaissance du courrier entrant. En d'autres termes, quelqu'un a parcouru cette lettre à son arrivée. Elle a été scannée ou ouverte devant Kathleen, en fonction du protocole suivi. Pourriez-vous trouver ce qui se trouvait éventuellement dans l'enveloppe avec la lettre ? Un affranchissement d'un dollar et soixante-seize *cents* est abusif pour une simple feuille et une enveloppe en tyvek. Bien sûr, l'expéditeur a pu coller trop de timbres.

— Et donc vous n'avez pas...

Il s'interrompt en jetant un regard derrière lui.

— Absolument pas, j'affirme en secouant la tête en signe de dénégation. Je n'ai jamais écrit cette lettre ! Je n'ai pas expédié cette enveloppe, quoi qu'elle ait pu contenir. Tout le monde a disparu ?

— Ils ont emmené Ellenora dans un endroit tranquille où le Dr Dengate pouvait l'interroger. Bien sûr, son récit est de plus en plus détaillé, m'explique-t-il. Mais l'officier Macon est toujours avec nous, termine-t-il d'une voix assez forte pour que l'intéressé l'entende.

— Peut-être pourriez-vous l'interroger au sujet du courrier que Kathleen Lawler aurait pu recevoir ces derniers jours ?

Je m'abstiens d'ajouter qu'il ne devrait pas trop compter sur une réponse honnête, que ce soit en ce qui concerne les lettres ou autre chose.

J'enfile une nouvelle paire de gants et récupère la missive écrite sur ce qui ressemble à mon papier à lettres professionnel. Je l'incline à nouveau sous la lumière, soulagée de l'absence de filigrane. De plus, je soupçonne que la personne qui a réalisé ce faux ne savait pas que le centre de Cambridge commandait un papier peu cher, recyclé avec vingt-cinq pour cent de pulpe de tissu, sans oublier un filigrane très particulier, justement pour protéger notre correspondance, ainsi que nous, de ce genre de mésaventures. S'il est envisageable de créer un faux assez convaincant de mon en-tête ou d'un document en prétendant que je l'ai rédigé, il est impossible de reproduire une missive sans dérober une feuille du véritable papier du centre de Cambridge. Soudain, je songe que l'auteur de cette lettre ne se préoccupait guère que la police, les scientifiques ou moi-même croyions un instant à l'authenticité de ce message. Si cela se trouve, le seul but de cette personne était d'abuser Kathleen Lawler, de la persuader que j'en étais l'expéditrice.

Je plie la lettre en deux, ainsi que je l'ai trouvée, et la replace dans cette immense enveloppe, me demandant à nouveau si quelque chose d'autre y était inclus. Dans ce cas, qu'aurais-je été susceptible d'envoyer à Kathleen Lawler ? Qu'avait-elle reçu d'autre, certaine que cela venait de moi ? Qui se fait passer pour moi et dans quel but ? Je me souviens des sous-entendus de Tara Grimm et de Kathleen Lawler hier, la première sur mon côté « abordable » et la seconde au sujet de ma générosité. Sur le moment, j'avais trouvé ces commentaires assez déroutants, et je rappelle à ma mémoire les mots de Kathleen. Une réflexion sur les gens tels que moi qui pensaient à des gens comme elle, sur le fait qu'elle semblait certaine que je m'intéressais à elle, et j'avais pensé que c'était une allusion à ma venue au GPFW.

En réalité, elle me remerciait de lui avoir écrit et peut-être envoyé quelque chose. En toute logique, elle avait reçu la lettre contrefaite avant de s'entretenir avec moi. En effet, celle-ci avait été postée à Savannah le 26 juin à seize heures cinquante-cinq, d'un endroit avec le code postal 31401. Cinq jours plus tôt donc, un dimanche, et j'étais chez moi, dans le Massachusetts. Lucy nous avait invités, Benton et moi, dans un bar à tequila, qui est devenu une de ses cantines préférées, le Lolita Cocina. Le personnel doit pouvoir témoigner de ma présence ce soir-là. En d'autres termes, je ne pouvais pas me trouver à mille cinq cents kilomètres, à Savannah, à seize heures cinquante-cinq, et être installée pour le dîner à dix-neuf heures dans un établissement de Back Bay, à Boston.

Marino se faufile entre moi et le mur en déclarant :

— Je vais ramasser des trucs et tenter de trouver le pipi-room des garçons.

La voix de l'officier Macon nous parvient :

— Faut que je vous y conduise.

Je me dis que quelqu'un pourrait fort bien prétendre que Marino a posté cette lettre pour moi. Il se trouvait ici le 26 juin ou du moins pas loin, en Caroline du Sud.

Je reporte ensuite mon attention sur Chang. Il se tient dans l'embrasure de la porte de la cellule, ses yeux noirs rivés sur moi.

— Si ça ne vous ennuie pas que je vérifie encore quelques petites choses, j'en aurai ensuite terminé et je vous indiquerai ce que je souhaite voir collecté, lui lancé-je.

Il consulte sa montre, puis tourne la tête pour suivre du regard l'officier Macon qui escorte Marino aux toilettes.

— Le fourgon est-il arrivé ? je demande.

— Tout est prêt à votre convenance.

— Et Colin ?

— Je crois qu'il attend votre feu vert pour en finir ici. Il ne veut rien entreprendre d'autre tant que le corps ne sera pas transporté.

— D'accord. Je vais protéger ses mains avec des sacs, prendre quelques photos, si cela vous va.

— J'ai déjà pas mal mitraillé, précise-t-il.

Je temporise :

— Oh, j'en suis certaine, mais, ainsi que vous pouvez le constater, j'ai tendance à toujours en faire trop.

— Vous ne préférez pas un vrai appareil photo ? propose-t-il. Et tant qu'à en faire trop, il y a aussi un compartiment cadenassé.

— Un compartiment cadenassé ? je demande en jetant un regard circulaire dans la cellule, cherchant de quoi il parle.

— Rivé au pied du lit, caché par les couvertures, précise-t-il.

— J'aimerais bien y jeter un œil.

— Je vous en prie, amusez-vous !

— Je serai rapide, de sorte que vous puissiez collecter les éléments qui doivent être envoyés au labo. Je suis consciente que vous avez envie de vous retrouver à l'air libre.

— Oh non. J'adore les prisons. Ça me rappelle mon premier mariage, ironise-t-il.

Je reprends l'examen des objets posés sur le petit bureau de Kathleen : une mince pile de feuilles de papier blanc bas de gamme et des enveloppes, un stylo Bic en plastique transparent, un carnet de timbres autocollants et un petit calepin à la couverture retournée qui m'évoque un répertoire. Je ne reconnais aucun des noms, mais le feuillette, cherchant ceux de Dawn Kincaid et Jack Fielding, sans résultat. D'ailleurs la plupart des entrées sont assorties d'adresses en Géorgie. Ce n'est que lorsque je tombe sur « Triple Q Ranch », situé à l'extérieur d'Atlanta, que je me rends compte de l'ancienneté du répertoire. Il s'agit en effet du centre où Kathleen exerçait en qualité de thérapeute et où elle a rencontré Jack au milieu des années 1970. Il y a plus de trente ans, selon moi. Je continue à déchiffrer les pages. Les gens auxquels elle a écrit récemment ne sont sans doute pas inscrits dedans. Si elle utilisait un carnet plus récent, il a disparu.

— Ce serait bien d'ajouter ce répertoire à la liste des objets qu'on emmène, dis-je à Chang.

— Ouais, je l'avais remarqué.

— Vieux.

— Tout à fait, répond-il, conscient de ce que je sous-entends. Si ça se trouve, elle n'avait plus d'amis, de gens à qui parler ou écrire.

J'entrouvre le carnet de timbres. Sur les vingt initiaux, six manquent. Je commente :

— On m'a dit qu'elle aimait tenir une correspondance. Elle travaillait à la bibliothèque pour alimenter son compte au magasin du pénitencier. Peut-être a-t-elle également reçu un peu d'argent, de temps en temps, de membres de sa famille, j'ajoute en pensant à Dawn Kincaid.

— En tout cas pas au cours des cinq derniers mois, et encore moins après son transfert en quartier de haute sécurité, rectifie Sammy Chang.

Kathleen n'était en effet pas en position de réapprovisionner son compte après son transfert à Bravo Pod. Quant à Dawn Kincaid, impossible pour elle d'envoyer de l'argent à sa mère depuis l'hôpital Butler ou, avant, de sa geôle de Cambridge.

— Vous avez raison, Chang. Ce serait intéressant de savoir combien d'argent reste sur ce compte et ce qu'elle a pu acheter récemment.

— Bonne idée.

Je repère deux dictionnaires, l'un classique, l'autre de synonymes, ainsi que deux recueils de poésie empruntés à la bibliothèque, Wordsworth et Keats. Je me retourne ensuite vers le lit. Je m'accroupis, repoussant la couverture et les draps, prenant garde aux jambes de la défunte qui pendent. Mon épaule gauche frôle sa hanche, contact tiède, toutefois pas la tiédeur de la vie. Elle refroidit de minute en minute.

J'ouvre la boîte équipée d'un cadenas, un simple tiroir en métal, qui renferme un salmigondis de trucs et de machins personnels. Des dessins, des poèmes, des photos de famille, notamment d'une adorable petite fille blonde, de plus en plus belle au fil des années, se transformant peu à peu en tentatrice, trop maquillée, avec un corps voluptueux mais le regard vide. Je retrouve la photographie de Jack Fielding que j'ai apportée hier au milieu des autres, comme si Kathleen jugeait qu'il faisait partie de sa famille. J'en découvre d'autres de lui, plus jeune, qu'il lui a peut-être fait parvenir il y a des années. Les clichés sont un peu abîmés, cornés, suggérant qu'ils ont été maintes fois contemplés.

Je ne trouve pas d'autres journaux intimes, mais un carnet de timbres de quinze *cents* et du papier à lettres avec une curieuse bordure de chapeaux pointus et de ballons festifs, un choix assez étrange pour une prisonnière, à moins qu'il ne s'agisse d'un reliquat offert par quelqu'un qui l'utilisait pour ses invitations à une soirée d'anniversaire ou tout autre événement heureux. En tout cas, ce n'est pas le genre de papier à lettres vendu dans un pénitencier. Cela étant, Kathleen aurait pu le conserver d'une époque antérieure, avant son incarcération pour homicide involontaire. Peut-être est-ce également l'origine des timbres à quinze *cents,* qui représentent une plage de sable blanc plantée d'un parasol jaune et rouge, contrastant avec un ciel d'un bleu intense où plane une mouette blanche.

Ça doit faire environ vingt ans que je n'ai pas acheté de timbres à quinze *cents.* Peut-être les gardait-elle pour une occasion spéciale, ou bien quelqu'un les lui aura envoyés ? En effet, Kathleen a évoqué les difficultés financières qu'elle rencontrait avec les affranchissements. Le carnet contenait initialement deux feuillets de dix timbres, et le premier a été utilisé. Je soulève la mince pile de feuilles posée sur le bureau et en examine une sous la lumière, ne repérant aucun relief qui pourrait suggérer que quelqu'un a pris appui dessus afin d'écrire. Je reproduis la même expérience avec le papier à lettres festif, l'inclinant sous différents angles jusqu'à découvrir des indentations assez profondes que je déchiffre : *27 juin*, puis *ma chère fille*.

Une voix me parvient depuis l'autre côté de la porte ouverte de la cellule, celle de Colin :

— … Oui, parce que j'aimerais savoir ce qu'elle a fait exactement. On vous a rapporté qu'elle a marché dans la zone d'exercice durant une heure, toute l'heure. Bien. Je comprends, mais je voudrais discuter avec la gardienne qui se trouvait à ses côtés à ce moment-là. A-t-elle bu de l'eau ? Quel volume ? Combien de fois s'est-elle arrêtée pour se reposer ? S'est-elle plainte de vertiges, de faiblesse musculaire, de migraine, de nausée ? Bref, a-t-elle manifesté une quelconque gêne ?

La voix de Tara Grimm, calme et mélodieuse, répond :

— Mais j'ai posé toutes ces questions et vous ai transmis les informations mot pour mot.

— Désolé, cela ne suffit pas. Je vous serais reconnaissant de demander à la gardienne en question de venir discuter avec nous, ou alors nous pouvons la rejoindre. Je veux m'entretenir avec elle personnellement et je souhaiterais voir la zone d'exercice. L'idéal serait d'en finir au plus vite avec ça, afin de transférer le corps dans mon centre sans retard superflu…

Je parviens à reconstituer certains des mots gravés en relief, pas tous cependant. Il me faudra de meilleures conditions pour déterminer avec précision ce que Kathleen a pu écrire en prenant appui sur cette feuille. La petite fenêtre grillagée et l'éclairage parcimonieux de la cellule, probablement contrôlé par une commande extérieure et sécurisée afin d'éviter qu'un détenu n'éteigne pour sauter sur un gardien à son entrée, m'offrent des possibilités limitées. Je suis les ombres d'un tracé réalisé par une main élégante qui m'est maintenant familière :

Je sais... une blague, n'est-ce pas ?... j'ai pensé te le dire... de PNG... Ça va un peu avec tout... qui tente de me soudoyer et m'amadouer... Comment vas-tu... ?

PNG, l'abréviation de *persona non grata* ? Une personne qui n'est pas la bienvenue, ou alors, en termes légaux, quelqu'un, en général un diplomate étranger, qui est prié de ne plus poser le pied dans un pays quelconque ? À qui Kathleen Lawler faisait-elle allusion ? Je perçois le bruit de froissement qui escorte Marino alors qu'il reparaît dans la cellule. Il pose au sol, non loin du lit, une robuste mallette étanche Pelican.

— J'suis sûr qu'il y a une loupe là-dedans, bougonne-t-il en ouvrant les fermoirs raides. Grossissement 10, avec des diodes électroluminescentes, ça serait super ! L'éclairage a rien de géant ici.

Il pêche en effet une loupe. Je bascule l'interrupteur de lampe intégrée, grâce à laquelle j'examine lentement le dos des mains pâles de Kathleen Lawler. Les paumes douces et rosées, les doigts, leurs extrémités, les rides de peau, les détails de ses empreintes et les fines veines à peine bleutées m'apparaissent dix fois grossis. Ses ongles dépourvus de vernis sont propres et un peu striés. Je détecte quelques fibres blanchâtres sous certains, provenant peut-être de son uniforme ou des draps, et de minuscules particules orange sous l'ongle de son pouce droit.

— Pourriez-vous trouver des pinces fines et un kit de détection de résidus de tir, s'il vous plaît ? Si Colin n'en a pas, je suis certaine que l'enquêteur Chang nous dépannera, je précise à Marino en soulevant la main de la défunte par la seconde phalange du pouce. Son corps refroidit mais reste encore flexible, comme celui d'une dormeuse.

Marino fouille dans la mallette et s'exclame :

— J'ai !

Il plaque la pince à épiler dans ma paume gantée de nitrile à la manière d'une infirmière de salle d'opération et me tend un petit cylindre métallique. Un disque d'adhésif carbone plaqué sur son extrémité permet de collecter les résidus de tir du dos et de la paume des mains. Je demande à Marino de maintenir la loupe éclairante au-dessus de l'ongle du pouce et manipule la pince pour extraire avec ménagements les filaments blanchâtres et les éclats d'une substance friable orange, les capturant avec le disque d'adhésif que je fourre ensuite dans un sachet à indices en plastique, avant de le sceller et d'y apposer mes initiales.

Accroupie au bas du lit, j'entreprends d'examiner les parties découvertes du cadavre, notamment les jambes et les pieds nus. Je maintiens la loupe au-dessus d'une zone située sur le pied gauche où je remarque un ensemble de petites marques rouge vif.

— Elle s'est peut-être fait piquer par une bestiole, suggère Marino.

— Je crois plutôt qu'elle s'est ébouillantée à cet endroit, j'argumente. Ça m'évoque une brûlure au premier degré, lorsqu'on se renverse un liquide bouillant sur la peau.

Il se penche vers le corps, détaillant la zone et réplique :

— Je vois pas trop comment elle aurait pu faire chauffer quoi que ce soit ici. L'eau du lavabo ?

— Vous pouvez la faire couler et vérifier ? Mais j'en doute.

— Ça pose pas de problèmes si j'ouvre le robinet ? s'inquiète-t-il.

— J'ai écouvillonné le lavabo, lui lance Chang depuis l'embrasure de la porte. Donc faites couler pour vérifier si ça devient très chaud. Peut-être qu'elle avait un truc dans la cellule, un truc électrique ? Selon vous, elle aurait pu être électrocutée ?

— À ce stade des investigations, plein de choses sont possibles, je rétorque.

— Un sèche-cheveux, un fer à friser, un appareil qu'on aurait pu lui prêter ? poursuit Sammy Chang. D'accord, ce serait contraire au règlement. D'un autre côté, ça expliquerait cette odeur électrique.

— Et où l'aurait-elle branché, je demande, ne voyant aucune prise, à l'exception de la connexion de la télé qui passe dans la tablette scellée au mur.

Marino fait couler l'eau dans le lavabo, y allant d'autres hypothèses :

— Un truc alimenté par piles qui aurait pu exploser. Quand trop de chaleur s'accumule dans ce genre d'appareil, ça peut péter. Bon, mais alors y aurait autre chose que ces petites marques sur son pied. Et vous êtes certaine que c'est pas des piqûres d'insecte ? (Il tient la main sous le jet pour apprécier la température de l'eau.) Du coup, ça deviendrait plus logique puisqu'elle se trouvait dehors quand elle a commencé à se sentir patraque. Ça m'est arrivé. Une foutue guêpe s'est glissée dans ma godasse ou dans ma chaussette et m'a piqué jusqu'à ce qu'elle crève. Et puis, un jour, je roulais à pas loin de cent kilomètres-heure sur ma Harley et j'ai traversé un essaim d'abeilles. Je peux vous assurer qu'être piqué sous un casque, c'est pas une partie de plaisir.

J'énumère :

— Un peu d'œdème, un gonflement modeste. Ça m'évoque vraiment des brûlures, très récentes, localisées à la couche externe de la peau, premier degré ou deuxième degré superficiel. Ça a quand même dû être douloureux.

Marino ferme le robinet et déclare :

— En tout cas, aucune chance que ce soit la flotte ! Pas chaude du tout, vaguement tiède.

— Peut-être pourriez-vous vous renseigner. Kathleen Lawler s'est-elle brûlé le pied d'une façon ou d'une autre ?

Il passe devant Chang et disparaît en beuglant :

— La Doc veut savoir si elle aurait pu se brûler !

— Qui ça ? répond la voix de Colin.

— Kathleen Lawler. Si quelqu'un aurait pu, par exemple, lui offrir un gobelet de café ou de thé super-chaud qui aurait dégouliné sur son pied.

— Pourquoi ? s'enquiert Colin.

— Impossible, assène Tara Grimm. Les détenues à l'isolement n'ont pas accès aux fours à micro-ondes. D'ailleurs il n'y en a pas à Bravo Pod, sauf dans la cuisine, et elle n'avait plus le droit d'y pénétrer. En d'autres termes, elle n'a pu, à aucun moment, se procurer quelque chose d'assez chaud pour la brûler.

Colin s'avance vers la porte. Il a enlevé sa combinaison de tyvek blanc, transpire à grosses gouttes et n'a pas l'air content du tout. Il demande :

— Pourquoi cette question ?

— Son pied gauche présente des brûlures, je l'informe. On dirait que quelque chose a giclé ou coulé sur cette zone.

— On regardera cela de plus près lorsque le corps aura été transporté chez nous, décide-t-il en disparaissant à nouveau.

— Portait-elle des chaussures ou des chaussettes lorsqu'elle a été découverte ? je lance à la cantonade.

Tara Grimm apparaît à son tour dans l'encadrement de la porte et s'insurge :

— Bien sûr que non ! Jamais nous n'aurions altéré à quoi que ce soit. Elle les a sans doute retirées en rentrant de sa promenade. Nous n'avons touché à rien, répète-t-elle.

— Selon moi, enfiler une chaussette sur une brûlure doit être très désagréable. A-t-elle boité au cours de son heure d'exercice ou fait part d'un inconfort ?

— Elle s'est plainte de la chaleur et de sa fatigue.

— Aurait-elle pu se brûler à son retour en cellule ? A-t-elle pris une douche après la promenade quotidienne ?

— Je vous le répète : non, c'est impossible, énonce Tara Grimm d'un ton plat, lent et indiscutablement hostile. Rien ne peut lui avoir occasionné ça !

— Et un appareil électrique ? Aurait-elle pu en utiliser un à un moment quelconque de ce début de matinée ? j'insiste.

— Absolument pas ! Aucune des cellules de Bravo Pod n'est équipée de prises électriques. Elle ne pouvait pas se brûler. Reposez-moi la question sous cinquante formes différentes, ma réponse sera identique : non !

— Quoi qu'il en soit, elle s'est bien brûlée au pied gauche, je réplique.

— Je ne suis pas au courant et c'est impossible. Vous devez commettre une erreur, contre Tara Grimm en me décochant un regard dur. Il n'y a rien dans cette cellule qui aurait pu causer une telle chose. Sans doute des piqûres d'insectes, de moustiques.

— Il ne s'agit pas de cela.

Je palpe le crâne de Kathleen. Mes doigts recouverts de nitrile violet frôlent les contours de sa tête, pour redescendre le long de son cou, vérifiant ce dont je m'assure avec chaque cadavre, me fiant à mon sens du toucher pour déceler une blessure, si infime soit-elle, fracture ou zone spongieuse, enflée, pouvant indiquer une hémorragie des tissus mous, dissimulée par les cheveux. Elle est tiède, sa tête s'inclinant au gré des mouvements de mes mains, les lèvres légèrement entrouvertes évoquant une dormeuse qui pourrait soudain se réveiller et peut-être me confier des secrets. Je ne perçois aucune blessure, rien d'anormal, et je demande à Marino de me donner l'appareil photo et un double décimètre en plastique transparent.

Je photographie le corps, insistant sur la main, les ongles sous lesquels je viens de découvrir le résidu orange et les fibres blanchâtres. Je prends également quelques clichés de la brûlure du pied gauche, puis l'enveloppe, ainsi que les mains de la défunte, de sacs marron que je resserre au niveau de la cheville et des poignets à l'aide de gros élastiques. Je tiens à m'assurer que rien ne sera perdu ou ajouté lors du transfert vers la morgue. Tara Grimm épie chacun de mes gestes sans plus feindre la discrétion. Elle se tient dans l'embrasure de la porte, poings sur les hanches, pendant que je mitraille le corps, exagérant le nombre de photographies dont j'ai besoin. Je prends mon temps parce que ma colère monte.

CHAPITRE 23

Colin déverrouille une porte située à l'arrière du laboratoire régional de sciences légales. Une chaleur étouffante et une luminosité insoutenable nous environnent à nouveau. Au loin, le tonnerre gronde et un océan de nuages sombres s'avance vers nous. Il est un peu plus de seize heures. Un vent de sud-ouest souffle à trente nœuds, giflant l'hélicoptère de Lucy, semblant décidé à le repousser coûte que coûte, m'explique-t-elle au téléphone.

— On a dû se poser à Lumberton pour faire le plein une troisième fois, après avoir patienté à Rocky Mount, en Caroline du Nord, pour que les averses nous dépassent et que la visibilité soit un peu moins mauvaise. Un vol interminable au-dessus des forêts de pins et des porcheries ! La prochaine fois, Benton ferait mieux de prendre le car !

Je préviens ma nièce :

— Marino vient de partir pour l'aéroport, il y a quelques minutes, et je crois que l'orage se rapproche.

J'emboîte le pas à Colin, qui traverse la large surface goudronnée faisant office de parking réservé au personnel et d'aire de livraison. L'air est si épais, si lourd d'humidité que je peux presque le voir.

— Tout va bien, répond Lucy. Vol à vue jusqu'à notre atterrissage. On devrait arriver d'ici une heure, une heure et quart au plus, à moins que je me fasse guider pour contourner Gamecock Charlie et que je suive la côte vers le sud à partir de Myrtle Beach. L'itinéraire touristique quoi, mais c'est plus lent.

Gamecock Charlie est un MOA, pour *military operations area*, un espace aérien militaire réservé à l'entraînement et à des manœuvres assez discrètes, une zone peu recommandée, voire dangereuse, pour les engins volants civils qui pourraient se trouver dans le coin. Lorsqu'un MOA est en activité, ou « chaud » comme on dit, le mieux est de passer au large.

Je lance :

— Tu sais ce que je dis toujours. Mieux vaut ne pas se presser que d'avoir un problème.

— Eh bien, je crois qu'il est chaud si j'en juge par ce que j'ai entendu sur le Milcom, poursuit Lucy en faisant référence aux communications militaires, ou *UHF monitoring*. Je n'ai pas trop envie de me retrouver au milieu d'exercices d'interception, ou de tactiques de vol à basse altitude, ou d'acrobaties, que sais-je ?

— Et je te saurais gré de les éviter, j'approuve.

— Sans compter les drones, avec un appareil qui vrombit juste à côté de toi alors qu'il est contrôlé par un ordinateur localisé en Californie. As-tu remarqué combien il existe de bases militaires et de zones d'accès réservé, pour ne pas dire interdit, dans le coin ? Ça et les abris de chasse. Je suppose que tu ne sais pas encore ce qui s'est passé ? lâche-t-elle en passant à Kathleen Lawler. Tu n'as pas l'air guilleret.

— On le saura bientôt, avec un peu de chance.

— D'habitude tu n'invoques pas la chance.

— Sans doute parce que la situation est inhabituelle. Je n'ai pas l'air guilleret parce que je ne le suis pas, et on nous a donné du fil à retordre au pénitencier.

Je revois le visage de Tara Grimm alors qu'elle se tenait dans l'embrasure de la porte de la cellule, me fusillant du regard. Me revient ce qui s'est ensuite passé avec la gardienne qui avait surveillé Kathleen Lawler durant son heure d'exercice.

Selon l'officier Slater, une grande femme baraquée, le regard plein de ressentiment mais également de défi, rien de surprenant ne s'était déroulé ce matin, entre huit et neuf heures. Kathleen avait été escortée à l'extérieur pour sa promenade, « comme tous les jours » depuis qu'elle avait été transférée à Bravo Pod, a précisé l'officier Slater après qu'on nous a menés jusqu'à la cage d'exercice, juste avant notre départ. J'ai alors demandé si Kathleen avait manifesté des signes d'inconfort ou des difficultés particulières.

Avait-elle la tête qui tournait, par exemple ? S'était-elle plainte d'être fatiguée ou d'éprouver des difficultés à respirer ? L'officier pensait-elle que Kathleen aurait pu être piquée par un insecte ? Boitait-elle ? Paraissait-elle souffrir ? Avait-elle mentionné un problème de forme survenu avant son heure d'exercice ? L'officier Slater a alors répondu que Kathleen avait pesté contre la chaleur, nous resservant à peu près les mêmes informations que celles que nous avions obtenues jusque-là.

Kathleen avait fait le tour de la cage, se reposant périodiquement en s'appuyant contre le grillage. Elle s'était baissée à plusieurs reprises pour lacer sa basket et cela aurait pu concerner le pied gauche, sans jamais mentionner aucune brûlure, nous a affirmé la gardienne. D'autant qu'il aurait été impossible qu'elle se brûle à Bravo Pod, a martelé l'officier Slater, étrangement sur la défensive, véritable écho de Tara Grimm.

Jetant un regard furtif à la directrice, la gardienne a poursuivi :

— Je vois donc pas du tout comment vous êtes arrivée à cette conclusion.

Elle a continué en précisant que les détenues n'avaient pas accès aux fours micro-ondes à Bravo Pod, et que l'eau des lavabos n'était pas assez chaude pour occasionner ce genre de choses. Kathleen avait demandé à boire à plusieurs reprises pendant son heure de promenade, précisant qu'elle avait la gorge desséchée, qui la grattait, sans doute à cause du pollen ou de la poussière, ou alors parce qu'elle « était en train de choper un truc du genre grippe ». Peut-être, en effet, avait-elle mentionné qu'elle se sentait endormie.

— Que voulait-elle dire par « endormie » ? j'ai relevé, remarquant que l'officier Slater était agacé par mon insistance et semblait regretter d'avoir fourni ce détail.

— Ben, endormie, quoi !

J'ai alors expliqué qu'il existait une différence entre « fatiguée » et « endormie ». Ainsi l'activité physique ou une maladie peut fatiguer. Mais « endormissement » signifie selon moi une somnolence, la difficulté de garder les yeux ouverts, ce qui peut se produire lorsqu'un sujet manque de sommeil ou dans certaines conditions, telle une hypoglycémie.

L'officier Slater a encore jeté un regard à Tara Grimm avant de nous préciser, à Colin et à moi, que Kathleen avait regretté d'avoir mangé juste avant de sortir dans la fournaise humide de ce début de matinée. Engouffrer un repas conséquent lui avait peut-être provoqué une indigestion et des brûlures d'estomac, sans certitude de la part de la gardienne, mais Kathleen se plaignait toujours de la nourriture du GPFW.

Kathleen « faisait toujours des histoires » au sujet de ses repas, qu'ils lui soient servis dans sa cellule de Bravo Pod ou à la cafétéria. D'ailleurs, elle n'arrêtait pas de parler de nourriture, en général pour récriminer parce que ce n'était pas bon à son goût, ou alors que les quantités étaient insuffisantes.

— … mais elle n'était jamais satisfaite des menus, a conclu l'officier Slater.

Les inflexions de sa voix et ses fréquents coups d'œil vers la directrice m'ont rappelé ma conversation de la veille avec Kathleen Lawler. L'officier Slater prêtait une grande attention à Tara Grimm, et beaucoup moins à la vérité.

— Et que fabrique Benton ? je demande à Lucy.

— Il discute avec l'antenne FBI de Boston.

— On a des nouvelles ? je m'enquiers, très désireuse d'être informée des développements concernant Dawn Kincaid.

— Pas que je sache, mais il a l'air sacrément exalté, là-bas sur la piste, où personne ne peut l'entendre, comme d'habitude. Tu veux lui parler ?

— Non, je ne veux pas vous retarder. On discutera lorsque vous serez arrivés. Je ne sais pas qui sera présent.

J'essaie de lui faire comprendre qu'elle pourrait croiser Jaime Berger, qui ne m'a toujours pas rappelée.

— Eh bien, ce sera son problème, répond Lucy.

— Je préférerais que ce ne soit le problème de personne et que tu ne sois pas victime d'une rencontre déplaisante.

— Il faut que je paie le plein.

Je perçois les remugles de la créosote et des bennes à ordures surchauffées par le soleil alors que Colin et moi parvenons devant la morgue, un bloc de béton jaune pâle dépourvu de fenêtres, flanqué d'un côté du système d'air conditionné et d'un générateur industriel, et de l'autre une baie de déchargement. De l'autre côté de la grille noire, de hauts pins s'inclinent sous le vent. Plus loin, au sud-ouest, des éclairs zèbrent des nuages sombres de plus en plus impressionnants et je distingue les voiles de pluie qui s'abattent. Un sérieux orage se dirige vers nous depuis la Floride. Un énorme rideau métallique est relevé et nous traversons une zone vide, en ciment, pour nous arrêter devant une porte que Colin déverrouille.

Il reprend où il s'était interrompu lorsque Lucy a appelé, passant en revue le genre de cas qu'il reçoit du GPFW :

— En général, on en autopsie deux par an, et cinq-six autres qu'on se contente d'examiner.

— À votre place, je reprendrais tous les dossiers concernant les sujets qui vous ont été envoyés depuis la prise de fonction de Tara Grimm.

— La plupart étaient décédés de cancer, broncho-pneumopathie chronique obstructive, maladie hépatique, insuffisance cardiaque, énumère Colin. La Géorgie n'est pas particulièrement réputée pour relâcher par compassion des prisonniers atteints de maladies incurables. Il ne manquerait plus que ça. Des criminels incarcérés qui ressortent au prétexte qu'ils sont atteints d'un cancer en phase terminale et qui braquent une banque ou descendent quelqu'un !

J'insiste :

— À moins que la détenue ne soit décédée en soins palliatifs, en d'autres termes une cause indiscutable de la mort, je reprendrais mes dossiers.

— Je réfléchis.

— Je passerais en revue tous les cas où j'ai eu le moindre souci, Colin.

— « Souci » n'est pas le terme, mais, en y réfléchissant, ça éveille en moi une certaine gêne. Shania Plames. Une histoire si triste. Un cas de *post partum* qui vire à la problématique psychiatrique. Dépression, délire. Elle a fini par tuer ses enfants, tous les trois. Elle les a pendus à la rambarde d'un balcon. Son mari possédait une tuilerie à Ludowici. Il était absent, parti pêcher. Vous vous rendez compte ? Rentrer chez soi et découvrir un truc pareil !

Il consulte le grand registre noir posé dans la zone de réception équipée d'une balance de sol, d'une chambre froide et d'un petit bureau où trônent des casiers « entrants » et « sortants ».

— Bien, elle nous attend, déclare-t-il, faisant allusion à Kathleen Lawler.

— Je suppose que Shania Plames est décédée soudainement au GPFW ?

— Dans le couloir de la mort, en effet. Il y a environ quatre ans. Elle s'est suicidée en s'asphyxiant après son heure de promenade matinale, à l'aide de son pantalon d'uniforme. Elle a enroulé une des jambes autour de son cou, l'autre autour de ses chevilles, en se ligotant donc, et elle s'est couchée sur le ventre. Le poids de ses jambes qui pendaient du lit a induit une pression suffisante sur la jugulaire pour couper l'oxygénation du cerveau.

Nous longeons le couloir carrelé de blanc, dépassant des vestiaires, des salles de douche, des toilettes et des pièces de stockage, puis la salle de décomposition, avec sa table solitaire et son réfrigérateur-congélateur à doubles tiroirs. Colin poursuit sur sa lancée, insistant sur le fait qu'il s'agissait là d'un suicide d'une rare inventivité dans un environnement où tout est fait pour éviter qu'un prisonnier ne commette ce genre d'acte. À l'époque il n'était pas certain que l'improvisation de Shania Plames fût d'une totale efficacité, mais il n'avait pas eu envie de le vérifier. Il me fournit tous les détails qui lui reviennent à la mémoire et continue en évoquant un autre décès, celui de Rea Abernathy, découverte l'année dernière la tête plongée dans la cuvette des toilettes, dont le bord en acier avait comprimé son cou jusqu'à provoquer une asphyxie positionnelle.

Revenant à Shania Plames, il précise :

— Je n'ai pas trouvé de marque de ligature, ce qui n'était pas surprenant puisqu'elle était supposée s'être étranglée avec un matériau mou, un large morceau de tissu. Aucune lésion interne au niveau du cou. Pas inhabituel non plus lors d'une pendaison suicidaire avec suspension partielle, ou dans une strangulation positionnelle. Donc pas de blessure, rien qui me permette de poursuivre, que ce soit dans son cas ou dans celui de Rea Abernathy.

Comme dans le cas de Barrie Lou Rivers, les diagnostics de Colin ont été principalement fondés sur l'histoire, la cause de la mort déterminée par élimination.

Nous entrons dans une antichambre où se succèdent des éviers profonds en acier inoxydable, des poubelles rouges pour les déchets biologiques, des paniers et des étagères sur lesquelles sont alignés des vêtements de protection jetables. Sombre et dépité, il avoue :

— Ce n'est pas du tout de cette manière que je conçois mon métier de médecin légiste. Frustrant au possible !

— Pour quelle raison Rea Abernathy se trouvait-elle derrière les barreaux ?

— Elle avait payé quelqu'un pour noyer son mari dans la piscine. C'était supposé ressembler à un accident : raté ! Le mort portait une énorme contusion derrière le crâne, accompagnée d'un hématome intracrânien de belle taille. Le gars avait rendu l'âme avant de toucher l'eau. D'autant que le tueur qu'elle avait recruté n'était autre que son amant.

— Et elle ? Est-on certain qu'elle ne s'est pas noyée dans la cuvette des toilettes de sa cellule ?

— Impossible. Les toilettes de prison sont peu profondes et de forme allongée. L'eau ne monte jamais au niveau de la cuvette. C'est conçu pour être anti-suicide, si je puis dire, à l'instar de tout le reste dans une cellule. Il faudrait que vous fourriez votre tête tout au fond, presque dans le tuyau d'évacuation, pour vous noyer ou suffoquer. Invraisemblable, sauf si quelqu'un vous maintient avec force dans cette position, et rien ne l'indiquait. Ainsi que je vous l'ai dit, je n'ai constaté aucune blessure. L'histoire, c'est qu'elle aurait été malade, souffrant de nausées. Ou alors elle aurait tenté de vomir. On a même suggéré à l'époque qu'elle présentait un désordre alimentaire. Et puis elle s'est évanouie ou a eu une arythmie.

Je rectifie :

— En supposant qu'elle ait été vivante lorsqu'elle s'est retrouvée dans cette position.

— Mon métier ne consiste pas à supposer, rétorque Colin tristement. Cependant il n'y avait rien d'autre. Toxicologie négative. Encore un diagnostic par exclusion.

— La symbolique me perturbe. Son mari devait périr par noyade et on la retrouve la tête dans la cuvette des toilettes, ce qui à première vue, du moins pour les profanes, évoque une noyade. Shania Plames pend ses enfants et ensuite elle-même. Barrie Lou Rivers empoisonne ses clients avec des sandwichs au thon et c'est ce qu'elle consomme pour son dernier repas, j'énumère en me souvenant d'une déclaration de Tara Grimm : quiconque maltraite un enfant ou un animal ne mérite pas le pardon et la vie est un cadeau qui peut être donné et repris.

Nous enfilons des protège-manches et des tabliers qui résistent aux projections liquides, puis des protège-chaussures, des bonnets et des masques de chirurgie.

— Je regrette l'époque où nous n'avions pas à nous harnacher avec toute cette merde, bougonne Colin, mécontent.

Je couvre mon nez et ma bouche d'un masque, temporisant :

— Ce qui ne signifie pas que nous n'en avions pas besoin. Mais on l'ignorait.

Je chausse des lunettes de protection.

— Oui, il existe bien d'autres choses dont nous devons nous inquiéter maintenant, lâche-t-il, l'air affreusement triste. Je m'attends à un effroyable fléau qui nous tombera dessus un jour et dont nous n'avons pas la moindre idée, pour lequel nous ne sommes absolument pas préparés. Substances chimiques ou maladies utilisées comme armes de destruction. Je me fous de ce qu'on répète. Personne n'est prêt à affronter une avalanche de cadavres contaminants.

— La technologie ne peut réparer ce que la technologie a détruit, et si le pire survient, personne ne saura y faire face de manière optimale.

— C'est le genre de propos que vous pouvez tenir avec les ressources à votre disposition. Mais la réalité, c'est qu'il n'existe aucun traitement contre la nature humaine. Pas moyen de forcer le foutu génie à rentrer dans sa lampe lorsqu'on a affaire à des individus de merde et à ce qu'ils peuvent s'infliger les uns aux autres de nos jours.

— Le génie n'a jamais été dans la lampe, Colin. D'ailleurs je ne suis pas sûre qu'il y ait jamais eu une lampe.

Nous dépassons la salle de radiographie dont la porte est ouverte, et je remarque du coin de l'œil un fluoroscope d'un modèle que je n'utilise plus. Cela étant, des techniques très sophistiquées telles que la tomodensitométrie ou l'IRM en 3D ne nous aideraient pas, même si nous en disposions. Ce qui a tué Kathleen Lawler n'est probablement pas visible sur un CT-scan, une IRM ou tout autre type de scan. J'espère que Sammy Chang est déjà en train de distribuer les documents et les prélèvements aux laboratoires.

Dans la salle d'autopsie principale, un jeune homme musclé engoncé dans ses vêtements de protection souillés, la taille serrée par un tablier de plastique ensanglanté, suture un corps dont je suppose qu'il s'agit de celui de l'accidenté de la route. Sa tête a été déformée à la manière d'une canette cabossée, son visage abîmé au point d'être méconnaissable, la chair zébrée de sang, douloureux contraste avec le ciment et le métal luisant à l'allure glacée et stérile, avec l'absence de couleur et la plate monotonie des morgues.

Je serais incapable de préciser l'âge du défunt, mais ses cheveux sont très noirs. Il est mince, bien bâti, et sans doute ne ménageait-il pas ses efforts pour entretenir sa forme. Me parviennent les premiers relents de la mort, l'odeur du sang et des cellules qui se lysent, de cette biologie qui déclare forfait et accepte la décomposition, alors qu'une longue aiguille de chirurgie étincelle sous la puissante lumière d'un scialytique et pointe, entraînant le fil blanc à chaque mouvement. L'eau goutte dans un évier, martelant rythmiquement l'acier des parois. À l'autre bout de la pièce, Kathleen Lawler est allongée sur un chariot, forme humaine sous une housse blanche.

— Sait-on pourquoi on l'a autopsié, plutôt que de se contenter d'un examen ? demande Colin à l'assistant de morgue aux cheveux très courts, qui porte un tatouage des Marines, le fameux bouledogue, sur le cou. Il ne reste pas grand-chose de sa tête, au point qu'on pourrait croire qu'il s'est fait exploser par un coup de fusil à bout touchant. À mon avis, un simple examen aurait pu suffire. Il s'agissait d'un accident de la route. Pourquoi dépenser l'argent des contribuables ?

— Ben, il aurait pu être victime d'une crise cardiaque, expliquant son embardée et le fait qu'il a percuté les véhicules venant en face en pleine heure de pointe. Il y avait un doute vu qu'il avait été hospitalisé la semaine dernière pour des douleurs de poitrine, répond l'assistant en piquant à grands gestes, tirant sur le fil et réalisant la classique suture en Y qui ressemble à une voie de chemin de fer partant du sternum pour descendre jusqu'au pelvis.

— Et qu'avons-nous décidé ?

— Hé, pas moi, je décide pas. Je suis pas assez payé pour ça.

— Personne ici n'est assez payé, lui balance Colin.

— Le camion Mack qui arrivait en face l'a réduit en petits morceaux et il est mort d'un arrêt cardiaque… parce que son cœur s'est arrêté.

— Et un arrêt cardio-respiratoire ? George, je ne sais pas si tu as été présenté au Dr Scarpetta, poursuit Colin, lugubre.

— Ouais, il a cessé de respirer, c'est certain. Ravi de vous rencontrer. Je lui fais juste des misères. Faut bien que quelqu'un s'y colle, me lance George en clignant de l'œil et en poursuivant sa suture. Combien de fois par semaine tu répètes à des étudiants en médecine qui passent chez nous qu'un arrêt cardiaque n'est pas une cause de mort, continue-t-il en imitant son patron. On vous tire dessus dix fois et votre cœur s'arrête et vous ne respirez plus, mais ce n'est pas ce qui vous a tué, taquine-t-il Colin, qui ne rit pas ni ne sourit.

Plus sérieusement, George reprend :

— J'en ai encore pour quelques minutes. Vous avez besoin de moi pour la suite ?

Il coupe le robuste fil à suture avec la pointe tranchante et incurvée de l'aiguille, qu'il plante ensuite dans un bloc de polystyrène.

— Sinon, on a reçu des commandes ce matin et faut que je range tout. En plus, je voudrais bien nettoyer la baie au jet à haute pression. Il va falloir qu'on s'occupe des conteneurs de stockage un de ces quatre. Désolé de répéter la même chose. Ce serait très emmerdant si ces foutues étagères s'écroulaient sous le poids et que la formaline se répande partout, sans compter plein de bouts de machins biologiques ! Plus assez de place, plus assez d'argent. J'envisage de composer une chanson de *country music* sur cet endroit, me dit-il.

— Tu sais très bien ce que j'en pense. Je déteste jeter des trucs. Reste un peu dans les parages. Le Dr Scarpetta et moi-même allons commencer et voir comment ça se déroule.

Le visage de Colin est dur et je peux lire ses pensées dans son regard.

Il se demande s'il est passé à côté de quelque chose d'important, ce que nous redoutons tous, nous qui nous occupons des défunts. Si notre diagnostic est erroné, un autre être peut mourir. Empoisonnement accidentel au monoxyde de carbone ou homicide ? Si nous parvenons à une certitude, nous sommes en mesure d'empêcher des récidives. Certes, il est rare que nous parvenions à sauver un vivant, mais nous avons l'obligation d'aborder chaque investigation en nous persuadant du contraire.

— Vous avez conservé les échantillons provenant des autres affaires ? je demande, faisant référence à Barrie Lou Rivers, Shania Plames et Rea Abernathy.

— Eh bien, je n'ai pas gardé leurs contenus gastriques. Merde ! J'aurais dû les congeler.

— Pourquoi y auriez-vous pensé ?

— Je n'y ai pas pensé parce que je n'avais aucune raison, mais je le déplore.

— Si on comptait le nombre de fois où les gens exerçant notre profession ont eu ce regret ! dis-je, tentant de lui remonter le moral. On trouve parfois des choses en analysant des échantillons fixés dans de la formaline, ça dépend de ce qu'on recherche.

— Bien résumé ! On cherche quoi ?

Nous traversons la salle au sol recouvert d'une résine époxy d'un brun tirant sur le roux, dans laquelle trônent trois autres tables montées sur un pied central, équipées d'éviers et surmontées de hottes de ventilation illuminées. Un chariot est poussé contre chacune d'elles. Des instruments chirurgicaux, des tubes ou fioles à échantillons, une planche de dissection, une scie oscillante qui se branche dans une prise-rallonge située au-dessus de la tête du manipulateur et un conteneur rouge vif pour consommables tranchants ou piquants, telles les aiguilles ou les lames de scalpel, sont alignés avec soin sur leur plateau. Des placards, des négatoscopes et des purificateurs d'air par ultraviolets sont scellés aux murs. Mon regard frôle également des séchoirs pour indices, des paillasses et des chaises pliantes en métal qui permettent de s'installer pour s'occuper un peu de la paperasse.

— Certes, je ne suis pas chargée de ce dossier, mais la première chose que je ferais serait de vérifier à quoi elle a pu être exposée, dis-je à Colin. Une sorte de résidu crayeux gris-blanc dont émanait une vague odeur évoquant la surchauffe de l'isolant d'un appareil électrique. Je l'ai remarqué sur les parois du lavabo. Ce serait très précieux d'obtenir son analyse aussi vite que possible. Il est clair que ça ne provenait de rien d'habituel, si je puis dire, dans la cellule. Je ne veux surtout pas vous donner de conseils, mais si vous avez quelque influence…

— Sammy en possède assez pour nous tous. De plus les labos des traces, des marques et des documents aiment bien qu'on leur lance un défi. Tout tourne autour de l'ADN aujourd'hui. Or on ne peut pas tout résoudre avec leur foutu ADN. Mais essayez de dire ça aux procureurs et surtout à la police ! Je vous parie que les gars du labo des traces vont sauter là-dessus. Bon, moi je n'ai rien senti, mais je vous crois sur parole et, de grâce, donnez-moi tous les conseils qui vous traversent l'esprit ! Comme ça, je ne pense à aucun toxique dont l'odeur ressemblerait à un appareil électrique en surchauffe.

— Alors qu'était-ce ? je demande. Qu'a-t-elle récupéré et de quelle manière ? Il serait invraisemblable d'imaginer qu'elle se soit baladée dans les parties communes pour papoter avec les autres prisonnières, empruntant un objet qu'elle n'était pas censée avoir. Pas dans un quartier de haute sécurité comme Bravo Pod.

— En d'autres termes, nous devons nous intéresser à ceux qui pouvaient avoir accès à sa cellule. Il s'agit d'un de mes soucis lorsque survient un décès en détention, même lorsque tous les paramètres semblent parfaitement normaux. Or ce cas sort de la catégorie « normale ». C'est très clair.

CHAPITRE 24

Des boîtes de gants de différentes tailles sont posées sur la paillasse et j'en tire deux paires pour chacun de nous. Colin baisse la fermeture éclair de la housse à cadavres qui proteste dans un chuintement.

Je l'aide à faire glisser Kathleen Lawler sur la table d'acier. Il se dirige ensuite vers des corbeilles à papier scellées au mur et en tire des formulaires vierges, les pinçant sur une planchette en métal. Pendant ce temps, j'enlève les élastiques de la cheville et des poignets de la défunte, plie avec soin les sacs de papier marron dont je m'étais servie pour les protéger. Ils partiront au labo des traces. J'arrache ensuite une longue bande de papier d'un distributeur posé sur une paillasse afin d'en couvrir la table d'autopsie située à côté de celle que nous utilisons.

Son corps s'est considérablement refroidi, mais reste encore flexible et aisé à manipuler. Nous entreprenons de la dévêtir, déposant chaque vêtement sur la table recouverte de papier. La chemise blanche boutonnée jusqu'en haut du cou, avec le terme DÉTENUE imprimé au dos, en larges lettres bleu marine. Le pantalon blanc à braguette à boutons, qui porte sur chaque côté de jambe les initiales GPFW, bleues elles aussi. Un soutien-gorge. Une culotte. Je récupère une loupe à main sur un des chariots et allume le scialytique. Grâce au grossissement, je distingue une légère salissure orangée, comme si Kathleen s'était essuyé la main sur la jambe droite de son pantalon. Je prends l'appareil photo rangé sur une étagère et positionne sous l'éclairage une règle à côté de la tache.

— Je ne sais pas où on peut faire analyser un aliment dans votre coin, dis-je à Colin. On dirait du fromage, mais il conviendrait de le vérifier. Je ne vais pas écouvillonner. Il vaut mieux que le labo des traces s'en charge. De plus, il y avait aussi un résidu orange sous l'ongle de son pouce droit. Peut-être la même chose, qu'elle a touchée ou mangée peu avant son décès.

— Le bureau d'investigation de Géorgie fait appel à un labo privé d'Atlanta qui analyse les aliments, les cosmétiques, bref tous les produits de consommation que vous pouvez imaginer. Je me demande si les détenues peuvent trouver ces plaquettes de fromage ou des pâtes à tartiner au magasin du pénitencier.

— Ça évoque indiscutablement le jaune orangé du *cheddar* ou d'une pâte à base de ce fromage. Certes, je n'ai pas vu de restes de cette nature dans sa cellule, mais cela ne signifie pas qu'elle n'en avait pas mangé plus tôt. Bon, on en saurait davantage si son sac-poubelle n'avait pas disparu...

Revenant au cas Plames, je demande en me rapprochant de la table sur laquelle gît Kathleen Lawler :

— ... et les hémorragies pétéchiales au niveau des yeux, du visage de Mme Plames ?

— Rien. Mais on ne les observe pas toujours lors des suicides par pendaison avec compression vasculaire totale.

— Si j'en juge par l'improvisation que vous avez décrite, la façon dont son pantalon d'uniforme était enroulé autour de son cou et ses jambes, je ne suis pas sûre qu'elle soit parvenue à une compression vasculaire aussi complète, celle qu'on obtient avec une strangulation brutale au lien ou avec une suspension totale, et non partielle comme dans son cas.

— Inhabituel, concède-t-il d'un ton grave.

— Une mise en scène ?

— Ça ne m'a pas traversé l'esprit à l'époque.

— Et je le comprends fort bien. J'aurais sans doute été dans le même cas.

— Bon, je n'affirmerais pas que la mort n'a pas été mise en scène, poursuit-il. Mais, dans ce cas, on aurait pu s'attendre à des preuves de lutte, des indices qu'on l'avait immobilisée. Or rien, pas le moindre bleu.

— Et si, déjà morte, elle avait été ligotée avec son pantalon et placée dans la position où on l'a trouvée ?

— Je vous avoue qu'en ce moment je me pose plein de questions, déclare-t-il, l'air sévère.

J'entreprends de mesurer le tatouage situé en bas à droite de l'abdomen de Kathleen Lawler, une fée Clochette de seize centimètres de long d'aile à aile. Étant donné de la déformation du dessin, j'en conclus que la défunte devait être plus mince lorsque le tatouage a été réalisé. Je continue à propos de Shania Plames :

— Si elle était déjà morte lorsque son corps a été positionné de cette manière, la question est : de quoi ?

— En effet, de quoi ? Sans aucune indication de meurtre ou de quoi que ce soit qui sorte de l'ordinaire. Une cause indécelable à l'autopsie ou sur des analyses de toxicologie, résume Colin en remontant sur son nez le masque qui pend à son cou.

— Il existe un nombre impressionnant de substances toxiques qu'on ne met pas en évidence sur un test toxico standard, je rétorque alors que nous basculons le cadavre sur le flanc afin d'examiner son dos. Une molécule à action assez rapide, provoquant des symptômes qui passent relativement inaperçus parce que les témoins ne sont pas fiables, ou que la victime est isolée dans son coin, ou le tout à la fois.

Je mesure un autre tatouage, une licorne, avant de reprendre :

— Une molécule létale surtout, de sorte que la victime ne puisse s'en sortir et parler. Aucune tentative ratée ne peut alors être signalée.

— En tout cas, aucune dont nous ayons appris l'existence. D'un autre côté, comment serions-nous au courant ? Si un individu est terriblement malade en prison et s'en remet, nous ne serons jamais informés. On ne nous avertit jamais des « presque décès ».

Il presse ses doigts sur un bras, une jambe, et note sur le formulaire un blêmissement modéré des zones. Il entrouvre une paupière et mesure le diamètre d'une pupille.

— Dilatation symétrique, six millimètres, annonce-t-il. En théorie, lors de prise d'opiacés on obtient une constriction des pupilles *post mortem.* Personnellement, je ne l'ai jamais observée. D'autres drogues engendrent une dilatation. Mais, de toute façon, les pupilles des défunts sont dilatées.

Il pratique des incisions rapides à l'aide de la lame de son scalpel, d'une clavicule à l'autre et vers le bas du corps, en suggérant :

— On va utiliser un kit pour déterminer s'il y a eu agression sexuelle. Bref, on va balancer toute la batterie de ce qu'on peut faire.

Il commence à repousser les tissus, guidant le scalpel de son index droit et s'aidant de son pouce, tout en tenant fermement les pinces dans la main gauche.

— Quel placard ? je demande.

Il le désigne d'un doigt ganté et ensanglanté.

Je trouve le kit et entreprends d'examiner le corps afin d'y découvrir des traces de viol, écouvillonnant chaque orifice naturel, prenant des photos et caractérisant chaque sachet à indices. Je précise :

— Je vais écouvillonner l'intérieur du nez et la cavité buccale, tant que j'y suis, et prélever quelques cheveux pour le labo de toxicologie.

Il extrait la partie antérieure de la cage thoracique et la laisse tomber dans un seau posé à ses pieds. George, l'assistant de morgue, entre à cet instant, tenant des radios. Il les suspend aux négatoscopes et je le rejoins afin de les découvrir.

Je passe d'une boîte lumineuse à l'autre, détaillant les os d'un blanc luisant et les masses ombrées des organes. Je commente :

— Vieille fracture du tibia droit. Vraiment pas récente. Modifications arthrosiques classiques. Le contenu gastrique est important. Étonnant si elle a mangé à cinq heures quarante-cinq pour décéder aux environs de midi, c'est-à-dire six heures plus tard. Vidange gastrique retardée.

Je retourne vers la table d'autopsie et saisis un scalpel en résumant :

— Quelque chose qui arrête la digestion. Le dernier repas de Barrie Lou Rivers n'était pas non plus digéré. Et les deux autres ? Shania Plames et Rea Abernathy ?

— Je m'en souviens vaguement. Bol alimentaire non digéré. C'était évident pour Barrie Lou Rivers, mais je me suis dit qu'il s'agissait d'une conséquence du stress. Un phénomène que j'ai déjà constaté lors d'exécutions capitales. Le prisonnier consomme son dernier repas, qui stagne dans l'estomac à cause de l'anxiété, de la panique. D'ailleurs je me demande toujours comment ils parviennent à manger. Si j'attendais l'injection létale, je crois que je ne pourrais pas avaler une bouchée. Je réclamerais plutôt une bouteille de bourbon et une boîte de cigares cubains !

J'incise l'estomac et verse son contenu dans un récipient en carton.

— En tout cas, elle n'a pas ingéré ce qu'on nous a décrit pour son petit déjeuner, j'annonce.

— Pas d'œufs, ni de gruau de maïs ? s'informe Colin en jetant un regard au contenu du récipient, tout en soulevant des deux mains le foie qu'il vient de peser dans le grand bol d'une balance électronique en acier inoxydable.

Il attrape un couteau d'autopsie à long manche et lame large.

— Deux cent quatre-vingts millilitres de contenu avec des morceaux de ce qui ressemble à du poulet, des pâtes, sans oublier un truc orange.

— Orange comme dans le fruit ? *A priori*, il y avait une orange sur le plateau du petit déjeuner, me rappelle-t-il en découpant des sections de foie avec autant d'aisance que des tranches de pain.

Je le détrompe :

— Pas ce genre d'orange. Je ne vois rien qui m'évoque un fruit. Orange, la couleur. Plutôt un fromage orangé, de même teinte que ce que j'ai récupéré sous son ongle et que j'ai retrouvé sur sa jambe de pantalon. Mais où a-t-elle pu se procurer du poulet, des pâtes et du fromage ce matin ?

— Quelques modifications graisseuses dans le foie, rien d'alarmant. Cela étant, le foie d'un alcoolique sur trois est normal, rappelle-t-il en passant aux poumons. Vous savez comment on détermine que vous êtes alcoolique ? C'est quand vous buvez plus que votre médecin ! Donc ils ont menti au sujet de la composition de son plateau de petit déjeuner. Poulet-pâtes ? Je n'en ai pas la moindre idée.

Il récupère un poumon sanglant du bol de la balance et s'essuie les mains sur une serviette, puis poursuit tout en notant le poids des organes sur son formulaire :

— Selon moi, s'ils l'ont tuée d'une façon ou d'une autre, ils devaient quand même être assez futés pour se dire que le corps atterrirait ici et qu'on pourrait déterminer ce qu'elle a ingéré.

— Tout le monde n'est pas aussi astucieux. Si elle a vraiment mangé entre cinq heures trente et six heures ce matin, bref lors de la distribution du petit déjeuner à Bravo Pod, le présupposé était peut-être que les aliments seraient digérés avant le moment de sa mort. Tel aurait d'ailleurs été le cas dans des conditions normales, j'argumente en étiquetant un récipient de carton destiné à la toxicologie.

— Un peu de congestion, œdème modeste, débite-t-il en découpant des sections de poumons. Engorgement des capillaires alvéolaires, fluide mousseux rosâtre dans les espaces alvéolaires. Typique d'une insuffisance respiratoire aiguë.

— Ou d'un arrêt cardiaque. Justement, le cœur est en bon état, assez surprenant, je commente en découpant des sections de l'organe sur la large planche à dissection. Juste un peu pâle. Pas de cicatrice. Vascularisation claire, sans oblitération. Valves, cordons d'ancrage fibreux, muscles papillaires, rien à signaler, je dicte tout en disséquant. Épaisseur de la paroi ventriculaire, diamètre des chambres : appropriés. Pas d'oblitération des gros vaisseaux sortants. Pas de lésions du myocarde.

— Alors ça, c'est vraiment une surprise ! s'exclame Colin en s'essuyant à nouveau les mains et en notant ces précisions. Rien n'évoque donc un infarctus du myocarde. Décidément, tout nous ramène à la toxicologie !

— En effet, je ne vois absolument rien qui permette de soupçonner un IDM. Bien sûr, on peut affiner à l'histologie, avec cette théorie de la division des myocytes après infarctus. Cela étant, en général, quand je ne détecte aucune anomalie anatomique, je suis sceptique. C'est le cas. L'athérosclérose de l'aorte est minimale. Rien n'indique que le décès soit en relation avec un quelconque problème cardiaque, selon moi.

Les portes battantes de la salle d'autopsie s'ouvrent et George pénètre à nouveau, escorté par l'écho de voix familières.

Je reconnais le baryton paisible et chaud de Benton, et mon humeur s'allège dès que je le vois, vêtu d'un pantalon de toile froissée et d'un polo vert, grand, mince et si élégant. Il a repoussé ses cheveux argentés vers l'arrière, sans doute à cause de la suée récoltée dans l'odieuse camionnette sans air conditionné, et peu importe que nous nous trouvions dans une austère et triste salle d'autopsie qui sent la mort, ou que ma blouse blanche et mes gants soient maculés de sang, ou même que le corps de Kathleen Lawler ait été ouvert sur toute sa longueur et ses organes abandonnés dans le seau posé au sol, sous la table.

Je suis si heureuse de voir Benton. Mais ce n'est pas parce que nous sommes dans cette pièce que je refuse qu'il m'approche. Lucy apparaît ensuite, élancée et presque intimidante dans son uniforme noir de pilote, ses cheveux auburn flottant sur ses épaules, prenant des reflets d'or rose sous la vive lumière des scialytiques. Tous deux s'immobilisent de l'autre côté de la salle.

— N'approchez pas davantage ! leur lancé-je quand même, tout en percevant un trouble dans l'attitude de mon mari. On ne sait toujours pas de quoi elle est morte, mais une intoxication fatale arrive en premier sur notre liste. Où est Marino ?

— Il n'a pas voulu nous suivre. Sans doute parce qu'il se méfiait aussi, lâche Benton, et je pressens que quelque chose ne va pas.

Je le vois à son visage, à la tension de ses épaules, à son impassibilité. Son regard est rivé au mien et il dissimule une indiscutable agitation sous un calme trompeur, signe d'une très vive préoccupation.

— Dawn Kincaid serait dans le coma, voire pire, articule-t-il.

Une alarme lointaine se déclenche dans mon esprit.

— J'ai reçu les dernières informations au moment où nous nous posions. Ils pensent qu'elle est en mort cérébrale, sans certitude absolue, déclare-t-il à haute voix afin que Colin puisse également l'entendre. Bon, mais tu sais comment ça se passe. Ils ne sont jamais sûrs, même lorsqu'ils le sont. Bref, quelles que soient la cause et la gravité de son état, c'est très suspect.

La vision de Jaime Berger hier soir, juste avant que je quitte son appartement, s'impose à ma mémoire. Elle semblait endormie et ses pupilles étaient dilatées.

— D'après ce que j'ai compris, le cerveau a été privé d'oxygène durant trop longtemps, poursuit Benton. Au moment où ils l'ont découverte dans sa cellule, elle ne respirait plus. Ils sont parvenus à la maintenir dans une sorte d'état végétatif, mais le cerveau serait trop endommagé.

Je me rappelle le débit pâteux de Jaime peu avant une heure du matin. Elle butait sur les mots.

Soudain, je revois le sac du traiteur que j'ai monté jusqu'à l'appartement, sa provenance, cette étrangère qui me l'avait tendu dans la rue. Je l'avais accepté sans même y penser à deux fois. D'un ton incertain, je commence :

— Mais je pensais qu'elle allait bien. Une crise d'asthme et…

— Peu d'informations ont filtré à ce moment-là et cette histoire est hautement confidentielle, m'interrompt Benton. Ils ont d'abord pensé à une grosse crise d'asthme, en effet, mais ses symptômes se sont considérablement aggravés et le personnel du Butler a tenté une injection d'adrénaline, justement en pensant à un choc anaphylactique, sans amélioration. Elle ne pouvait plus ni respirer ni parler. Une hypothèse serait qu'elle a été empoisonnée, même si on ignore comment.

La vision de cette femme qui portait un casque éclairant alors qu'elle appuyait sa bicyclette contre un lampadaire de rue.

— Inutile de te dire que personne ne sait comment elle aurait pu mettre la main sur une substance toxique au Butler, lance Benton planté de l'autre côté de la salle.

Cette livreuse qui me tendait le sac de sushis. Je me souviens vaguement d'avoir songé que quelque chose n'allait pas, sans toutefois m'y attarder, parce que tant de choses ce jour-là m'avaient paru totalement décalées. Tout ce qui s'était déroulé depuis le moment où Benton m'avait conduite à l'aéroport de Boston, toute la journée m'avait semblé anormale, et les événements défilent dans mon esprit. Jaime débarquant dans son appartement après que Marino et moi avions discuté presqu'une heure en tête à tête. Elle ne semblait pas se souvenir de sa commande de sushis, mais ce détail ne m'avait pas particulièrement intriguée.

Je pose le scalpel, lançant à la cantonade :

— Quelqu'un s'est-il entretenu avec Jaime aujourd'hui ? Elle n'a toujours pas téléphoné.

Personne ne me répond.

— Elle devait passer ici. Je lui ai laissé un message, mais elle n'a pas rappelé...

J'arrache mon bonnet et ma blouse jetables, débitant :

— ... Et Marino ? Quelqu'un sait s'il a discuté avec elle ? Il devait lui passer un coup de fil.

— Il a essayé durant le trajet jusqu'ici, mais n'a pas obtenu de réponse, m'informe Lucy, et à son expression il est évident qu'elle a compris mes soupçons.

Je balance mes vêtements souillés dans une poubelle et retire mes gants en me tournant vers Colin :

— Composez immédiatement le numéro d'urgence. Peut-être pouvez-vous localiser Sammy Chang et lui demander de nous rejoindre là-bas. Exigez qu'ils envoient une ambulance, s'il vous plaît.

Je lui communique l'adresse.

CHAPITRE 25

Deux voitures de police et le SUV blanc de Sammy Chang sont garés devant l'immeuble en briques de sept étages. Aucun gyrophare, pas de signe de tragédie ou de désastre. Je n'entends à proximité ou même au loin que le ronflement du puissant moteur de la camionnette et le raclement de ses essuie-glaces neufs. Les vitres de portière sont fermées et l'ambiance dans l'habitacle est lourde, étouffante, l'air chaud et humide étant recyclé par la ventilation. La pluie martèle avec fracas, au point qu'on se croirait sous le jet d'un lavage automatique. Le tonnerre gronde, éclate, et la vieille ville est noyée dans le brouillard.

Chang et deux officiers de la police métropolitaine de Savannah-Chatham se sont protégés des éléments en se blottissant sous la marquise du haut des marches, devant cette même porte qui s'était ouverte alors qu'une livreuse à vélo était apparue de nulle part, à la manière d'un fantôme, hier soir. Lucy, Benton, Marino et moi descendons de la camionnette, affrontant la pluie et le vent. Je regarde autour de moi dans l'espoir de découvrir une ambulance, en vain. Ce constat me hérisse parce que j'avais insisté sur ce point. Par précaution, je veux une équipe d'urgence. Pour gagner du temps, s'il en reste, pour sauver ce qui peut l'être. La pluie tambourine sur l'allée de briques dont s'échappe une buée légère, et le son m'évoque des applaudissements nourris.

— Police ! Y a quelqu'un ? s'époumone un policier en maintenant le bouton de l'interphone enfoncé. Bon, elle répond pas.

Il s'écarte de quelques pas, jette un regard circulaire, la pluie dévalant avec encore plus de force, et poursuit :

— Bon, faut trouver une autre solution. Et plus vite que ça.

Il lève les yeux vers le ciel noir, agité, et l'épais rideau de pluie qui dégringole en bougonnant :

— Bien sûr ! J'ai encore oublié mon ciré dans la bagnole !

— Oh, ça durera pas longtemps. À mon avis, ça sera terminé avant qu'on ressorte, prophétise l'autre policier.

— J'espère juste que ça virera pas à la grêle. J'ai déjà bousillé une caisse avec ça. On aurait dit que quelqu'un avait attaqué la carrosserie avec une godasse à talon aiguille.

— Et puis, d'abord, qu'est-ce que fiche un procureur de New York ici ? Elle était en vacances ? Y a pas mal de résidents permanents dans cet immeuble, mais ils se barrent durant l'été et quelques-uns louent leur appartement à la semaine. Elle était là pour une courte période ou quoi ?

— A-t-on appelé une ambulance ? je crie pour couvrir le rugissement du vent qui secoue les chênes verts géants.

Les langues de mousse espagnole parasite qui colonisent leurs branches giflent l'air comme des guenilles sales et effrangées. Je m'obstine :

— ... Ce serait vraiment bien d'avoir une ambulance !

Les deux officiers et Chang nous regardent, alors que nous les rejoignons au pas de charge, poussés par l'orage qui tonne de plus en plus près, presque sur nous. La pluie crépite dans l'allée et la rue, et dévale en douche de l'auvent.

— Je me demande s'ils ont un bureau de location, s'interroge un des officiers. Parce que dans ce cas ils auraient une clef de rechange.

— Pas dans cet immeuble, je crois pas.

— La plupart de ces vieilles constructions n'ont pas de service de location à demeure, renchérit Chang.

— On peut tenter le coup avec des voisins...

Marino fonce soudain, bousculant presque les policiers hors de son chemin, des clefs à la main.

— Waouh, du calme, mon pote ! Qui t'es ?

Chang explique qui nous sommes, ce que nous faisons ici. Ses mots me parviennent dans un brouillard pendant que Marino ouvre la porte. J'ai à peine conscience de mes vêtements noirs de terrain imbibés de pluie et de mes grosses boots. Je balaie vers l'arrière mes cheveux trempés, entendant vaguement *FBI* et *Boston* et *le médecin expert en chef qui travaille avec le Dr Dengate* alors que nous nous dirigeons en troupeau vers l'ascenseur. Lucy se tient juste derrière moi, sa main à plat contre mes omoplates, me poussant, s'attardant, et je traduis l'intensité de son contact. Je sens le désespoir dans la pression de sa paume au milieu de mon dos, un geste qu'elle n'a pas eu depuis longtemps, un geste de petite fille, lorsqu'elle se montrait protectrice ou qu'elle avait peur, lorsqu'elle ne voulait pas risquer qu'une foule nous sépare ou qu'elle refusait que je la quitte.

J'ai répété à ma nièce que tout irait bien. D'une certaine manière ce sera le cas, mais pas de la façon dont nous l'espérons, pas de la façon dont les choses se dérouleraient dans un monde parfait. Nous ne savons rien, ai-je seriné à Lucy alors même que je ne me fais aucune illusion. Je le sais au plus profond de moi. Jaime ne répond plus sur son téléphone portable ou sur la ligne fixe de son appartement, pas plus qu'aux *e-mails* ou textos. Nous n'avons plus de nouvelles d'elle depuis que Marino et moi l'avons quittée avant l'aube, vers une heure du matin. Néanmoins, il pourrait y avoir une explication parfaitement rationnelle, ai-je tenté de rassurer Lucy. J'ai répété jusqu'à plus soif que nous devions agir au plus vite et au mieux, sans nécessairement envisager le pire.

Cependant je m'attends précisément au pire. Ce que je ressens est d'une pénible familiarité, à la manière d'un vieil ami triste qui referait surface, un lugubre compagnon, déprimant leitmotiv qui a rythmé ma vie entière. Quant à ma réaction, je la connais aussi tellement bien, une plongée à pic, une sorte de solidification, comme une nappe de ciment qui prendrait soudain en masse, quelque chose qui se décanterait lourdement dans les ténèbres, un obscur gouffre sans fin, hors d'atteinte, hors de tout. Je ressens toujours la même impression lorsque je pénètre dans un lieu où la mort m'attend, tranquillement, afin que je m'occupe d'elle comme seule je sais le faire. J'ignore l'état d'esprit de Lucy. Rien de comparable, sans doute, à cette espèce de prémonition qui m'habite. Plutôt quelque chose de très embrouillé et contradictoire, de très changeant aussi.

Durant les vingt minutes de trajet jusqu'ici, elle s'est comportée de façon logique et contrôlée. Pourtant son visage est livide et elle semble terrifiée et furieuse. Je repère la succession de ses émotions, leurs éclats et leurs ombres, dans le vert intense de ses yeux, et j'ai compris l'ampleur du chaos qu'elle dissimule à quelques phrases qu'elle a prononcées sur la route. Lucy a dit qu'elle n'avait pas discuté avec Jaime depuis six mois, lorsque ma nièce l'a accusée de s'intéresser à quelque chose pour de mauvaises raisons. « S'intéresser à quoi ? ai-je demandé. — Défendre des gens et sauver leur peau, quitte à transformer leurs mensonges en vérités s'il le faut. Après tout, elle s'applique la même stratégie. Elle s'y sent très à l'aise, a dit Lucy. C'est comme si Jaime était parvenue à gravir une haute montagne de vérité pour dégringoler de l'autre côté », a déclaré ma nièce dans l'habitacle surchauffé de la bruyante camionnette au moment où la pluie commençait à s'abattre. Sa voix était tendue de peur et de rage. « Je l'ai mise en garde parce que je le voyais arriver gros comme une maison. Je lui ai déballé ce qu'elle était en train de faire, mais elle a quand même persisté. »

— Passez le premier, propose Benton à Marino.

« Il fallait toujours qu'elle pousse le bouchon jusqu'au danger suivant, a poursuivi Lucy alors que nous nous enfoncions dans l'orage, sa voix tremblant légèrement, semblant à bout de souffle. Pourquoi s'est-elle entêtée ? Pourquoi ? »

— Elle avait des problèmes, un truc de ce genre ? demande un des policiers à Marino. Des problèmes personnels, ou des ennuis financiers, ou je sais pas quoi ?

— Nan.

— Bof, j'suis sûr qu'elle est sortie pour une jolie promenade et qu'elle n'a prévenu personne.

— Oh, bordel, non, ce n'est pas du tout elle ! lance Lucy.

— Et puis elle a oublié son portable, ou la batterie est à plat. Vous savez combien de cas du même ordre on a dans le coin ?

— Ce n'est pas le genre à partir en foutues balades touristiques ! siffle ma nièce derrière mon dos.

Marino essuie son visage trempé sur sa manche, son regard passant au crible le moindre détail, une attitude coutumière lorsqu'il est bouleversé et le dissimule sous une indifférence et une impolitesse de façade. Les portes de l'ascenseur coulissent et nous nous entassons dans la cabine, à l'exception de Lucy et Benton. Les deux policiers ne cessent de nous offrir des scénarios bénins dans l'espoir de nous détourner de notre sensation croissante d'urgence, alors qu'ils feraient mieux de se taire.

— Je suis presque certain qu'elle va très bien. Je vois des histoires comme ça tous les jours. Des visiteurs débarquent et donnent pas de nouvelles. Du coup, forcément, on s'inquiète.

Ce sont des flics de quartier, et cette situation n'est à leurs yeux que ce qu'ils appellent une « vérification bien-être », sans doute plus spectaculaire qu'à l'habitude, nécessitant la présence d'une petite troupe plus officielle, mais une « vérification bien-être » quand même. En bref, le lot quotidien des flics, surtout à cette époque de l'année, au pic de la saison touristique et des vacances, hors périodes scolaires. On compose le numéro d'urgence pour que la police vérifie si un ami, un membre de sa famille va bien parce qu'il n'a pas répondu au téléphone ou n'a pas donné de nouvelles depuis un certain temps. Dans quatre-vingt-dix-neuf pour-cent des cas, l'alarme est totalement superflue. Pour le pour cent restant, il existe une explication simple. Il est très rare que la personne en question soit décédée.

— Je t'accompagne, déclare Lucy.

— J'entre d'abord seule.

— Je dois venir avec toi.

— Pas maintenant.

— Il le faut, insiste ma nièce.

Benton l'enveloppe de son bras, la plaquant contre lui, et ce geste va au-delà d'une manifestation d'affection. Il s'assure qu'elle ne filera pas telle une flèche vers l'escalier pour pénétrer, de force si besoin, dans l'appartement.

— Je t'appellerai dès que je serai à l'intérieur, je promets à ma nièce depuis la cabine exiguë, alors que les portes se referment.

Elle disparaît à ma vue et une douleur de poitrine effroyable me suffoque.

L'ascenseur de vieux bois brillant et de cuivre étincelant tressaute durant son ascension. J'explique aux policiers que personne n'a de nouvelles de Jaime Berger et qu'elle n'est pas descendue à Savannah pour faire des excursions. Il ne s'agit pas d'un séjour de vacances. Peut-être rien d'important ne lui est-il arrivé, je l'espère. Mais ce silence ne lui ressemble absolument pas. Elle était attendue dans les bureaux du Dr Dengate aujourd'hui et elle ne s'est pas montrée, n'a pas prévenu. On aurait dû faire venir une ambulance, et il n'est pas trop tard. Je suis consciente de me répéter, de m'obstiner, et les deux jeunes officiers ne démordent pas de leur théorie sur ce qui s'est passé.

Il est évident qu'ils se sont convaincus que Marino vit avec cette femme étrangère à la ville, qui ne répond pas au téléphone et n'a pas donné signe de vie. Sans cela, il n'aurait pas les clefs. Sans doute ont-ils affaire à l'une de ces situations domestiques embrouillées et peu reluisantes dont personne ne veut discuter. Je répète que Jaime Berger est, ou plutôt était, un procureur très réputé de New York et que nous avons de bonnes raisons de craindre pour sa sécurité.

— C'est quand que vous l'avez vue la dernière fois ? demande un des officiers à Marino.

— Hier soir.

— Il ne s'est rien passé de spécial ?

— Nan.

— Tout le monde semblait bien s'entendre ?

— Ouais.

— Pas d'échange désagréable par exemple ?

— Nan.

— Un petit désaccord peut-être ?

— Nan.

— Un petit conflit ?

— Commence surtout pas ce genre de merde avec moi ! grogne le grand flic.

— Certains éléments sortent de l'habituel, explique Chang aux officiers de police alors que l'ascenseur s'arrête dans un sursaut.

Il est évident que ni Chang ni aucun d'entre nous ne fournira beaucoup plus d'explications.

Ainsi nous n'allons pas mentionner Kathleen Lawler, ni le fait qu'elle pourrait avoir été empoisonnée. Je n'ai nulle intention de divulguer quoi que ce soit à propos de Lola Daggette ou des fameux meurtres dits de la Mensa. Je ne vais certainement pas révéler que Dawn Kincaid, bouclée dans un hôpital d'État pour assassins psychopathes, pourrait être en mort cérébrale et qu'elle aussi a probablement été intoxiquée. Je ne ferai pas non plus, du moins pas maintenant, de commentaires sur cette femme à vélo apparue hier soir avec un sac de sushis que Jaime Berger n'avait, à l'évidence, pas commandés. Je n'ai pas envie de parler, d'expliquer, de spéculer ou d'imaginer. Je suis affolée en sachant d'ores et déjà ce qui nous attend, du moins ce que je redoute. Nous fonçons hors de l'ascenseur et filons jusqu'au bout du couloir. Marino déverrouille la lourde porte de chêne.

Il beugle de sa grosse voix :

— Jaime ?

Je remarque aussitôt que le système d'alarme n'est pas activé.

— Merde ! tonne Marino en jetant un regard au pavé numérique situé à côté de la porte et en constatant le même détail de mauvais augure. Elle branche toujours ce fichu truc. Même en sa présence. Jaime ? Hello ? Vous êtes à la maison ? Merde !

Son visage bronzé est empourpré et luisant de sueur. Son treillis du centre de sciences légales de Cambridge, détrempé de pluie, a pris une teinte grisâtre.

La cuisine me paraît identique à la veille, lorsque je suis partie, à ceci près qu'un flacon d'anti-acide trône sur le comptoir. Je suis certaine de ne pas l'avoir vu lorsque j'ai fait la vaisselle et rangé les restes de notre repas. Son grand sac n'est plus suspendu par la bandoulière au dos de la chaise où elle l'avait abandonné hier en rentrant du traiteur Broughton and Bull. Il se trouve maintenant sur le canapé de cuir du salon, son contenu répandu sur la table basse. Mais nous ne nous préoccupons pas de ce qui pourrait manquer ou de ce qu'elle cherchait. Chang et moi emboîtons le pas à

Marino, qui foule à grandes enjambées le parquet de bois du couloir et se dirige vers la chambre à coucher située à l'arrière. Un lit Empire est visible depuis le pas de la porte, ses couvertures marron et verte en désordre. Jaime est vêtue d'un peignoir bordeaux à la ceinture dénouée. Elle est allongée sur le flanc, le visage tourné vers le sol. Ses bras et sa tête pendent du lit, une position qui ne concorde pas avec l'hypothèse d'une mort au cours du sommeil et qui m'évoque fortement Kathleen Lawler, comme si leurs derniers instants s'étaient soldés par une lutte, une lutte atroce.

— Merde ! Jésus ! marmonne Marino.

Je m'approche d'elle et détecte une odeur légère de fruits brûlés et de tourbe. Une large tache qui sent également le scotch noircit la table de nuit, à côté d'un verre renversé et de la base d'un téléphone sans fil.

J'applique mes doigts contre son cou, cherchant un pouls. Mais elle est froide, la *rigor mortis* déjà avancée. Je lève la tête vers Chang, puis regarde un des policiers en uniforme qui entre dans la chambre.

— Je reviens tout de suite ! lâche Chang. Faut que je récupère des trucs dans la voiture, ajoute-t-il avant de sortir.

L'officier fixe le corps qui pend du côté droit du lit. Il s'en rapproche en tirant la radio pendue à son ceinturon.

— Tu recules et tu touches à rien, lui ordonne Marino d'un ton sec, ses yeux luisant de colère.

— Hé, on se calme !

— Tu connais rien à rien ! explose Marino. Y a pas une seule putain de raison pour que tu te trouves dans cette chambre. Tu connais que dalle, alors tu te barres, et vite fait !

— Monsieur, faut vous calmer.

— Monsieur ? Quoi ? J'ai l'air d'un putain de gentleman ? M'appelle pas « monsieur » !

— Marino, s'il vous plaît, calmez-vous, j'interviens.

— Oh bordel ! J'arrive pas à y croire. Mon Dieu ! Bordel, mais qu'est-ce qui s'est passé ?

— Plus nous limiterons l'exposition éventuelle, mieux ce sera, dis-je au policier. Nous ne savons vraiment pas à quoi nous avons affaire, j'ajoute.

Il recule de plusieurs pas et se plante dans l'encadrement de la porte. Marino fixe le corps, puis détourne le regard, le visage rouge brique.

— Vous voulez dire... un truc qu'on pourrait attraper, genre contagieux ? bafouille le jeune policier.

— Je l'ignore, et le mieux consiste donc à ne pas vous approcher et à ne toucher à rien.

Je détaille chaque millimètre de Jaime, mais ne vois rien qui me mette sur une piste quelconque, et cette absence me renseigne un peu. Je poursuis pour Marino :

— Benton et Lucy ne doivent pas nous rejoindre. Il ne faut pas que Lucy soit exposée à cela. Il ne faut pas qu'elle la voie.

— Jésus ! Oh, merde !

— Pouvez-vous vous assurer qu'elle ne pourra pas rentrer ? Vérifier que la porte de l'appartement est bien verrouillée ?

— Jésus ! Bordel, mais qu'est-ce qui a pu se passer ? bafouille-t-il d'une voix tremblante, les yeux humides et injectés de sang.

— S'il vous plaît, Marino, assurez-vous que la porte est bien fermée, je répète. (Me tournant vers le policier aux yeux d'un bleu intense et aux cheveux roux coupés très court, j'ordonne :) Votre partenaire ne doit pas pénétrer dans cette pièce, ni personne qui n'a rien de précis à y faire. Nous ne pouvons pas tenter beaucoup plus et nous ne devons toucher à rien. Il s'agit d'une mort suspecte et il faut donc traiter cette chambre à l'instar d'une scène de crime. Je soupçonne un empoisonnement et nous ne devons rien déranger. Je préférerais que vous ne vous approchiez pas parce que nous ne savons pas à quoi nous avons affaire, je répète. Toutefois j'ai besoin que vous restiez avec moi, dis-je au policier alors que Marino sort de la chambre, ses pas résonnant lourdement sur le plancher.

L'officier de police aux cheveux roux regarde un peu partout, sans bouger de l'embrasure de la porte. Il ne manifeste pas l'intention de pénétrer plus avant après mes mises en garde. Il ne veut surtout pas s'approcher du cadavre.

— Qu'est-ce qui vous fait penser qu'il s'agit d'une scène de crime ? Sauf son sac dans l'autre pièce. Mais si elle a ouvert à quelqu'un qui l'a volée, elle devait le connaître, sans ça jamais il n'aurait pu ouvrir la porte d'entrée de l'immeuble.

— On ne sait pas si quelqu'un a pénétré dans l'appartement, je rectifie.

— Vous voulez dire que du poison pourrait traîner ici ?

— Oui.

— Peut-être qu'il s'agit d'une overdose et qu'elle fouillait dans son sac à la recherche de pilules, suggère le policier sans faire mine de bouger. Faudrait que j'aille inspecter sa salle de bains.

Il jette un regard à la porte entrouverte située à gauche du lit, mais n'avance pas d'un pouce.

— Le mieux est de ne rien entreprendre pour l'instant, mais je souhaite que vous restiez avec moi, dis-je en tapant le numéro de Benton sur mon portable.

— L'année dernière, je me suis retrouvé sur une scène de crime. Une femme qui avait fait une overdose avec de l'oxycodone. Ça ressemblait beaucoup à ça. Rien n'avait été dérangé, à part les endroits où elle avait fouillé pour trouver les pilules, dans les tiroirs, son sac à main. Elle est morte allongée sur son lit, sur les couvertures, en travers du lit, pas dedans. Une très jolie fille qui espérait faire une carrière de danseuse et qui est devenue accro à l'oxy.

J'appuie sur la touche d'appel, le regard perdu en direction de la salle de bains. Mais je n'y entrerai pas. La lumière filtre par le battant entrouvert. Les lampes de chevet sont allumées, tout comme le plafonnier de la salle de bains. En d'autres termes, Jaime ne s'est pas couchée hier, ou plutôt ce matin, ou alors elle s'est levée à un moment donné.

— Ils ont parlé d'accident, mais, personnellement, je crois qu'il s'agissait d'un suicide. Son petit ami venait de la plaquer, vous voyez. Elle avait plein de problèmes, poursuit l'officier de police sans se rendre compte qu'il se parle à lui-même.

Je lance dès que Benton répond :

— Je ne veux pas que Lucy monte. (Il ne répond rien, sachant parfaitement ce que j'ai en tête.) Je ne sais que te suggérer.

En effet, je n'ai pas la moindre idée du prétexte qu'il pourra fournir à Lucy. Ma nièce apprendra la vérité, si ce n'est déjà le cas. Il n'existe qu'une question et deux réponses possibles : Jaime est morte dans son appartement ou elle ne l'est pas. Lucy connaît la bonne. Elle la devine à cet instant même, alors que Benton m'écoute, alors que je lui décris ce que je vois et qu'il n'essaie pas de dissiper sa peur. Une mimique, un sourire, un geste ou un mot suffirait. Mais il n'en fait rien et je l'imagine, le regard fixé droit devant lui, alors qu'il se concentre sur ce que je lui apprends. Lucy se rend compte que le pire est advenu. Que tenter alors que je ne peux ni la rejoindre ni l'aider ? Je dois m'occuper de ce qui s'est produit ici. De Jaime. Je dois également envisager ce qui pourrait se passer ensuite.

Je détaille son corps allongé sur le lit, son peignoir ouvert, froissé et remonté sur ses hanches. Elle est nue en dessous et je ne supporte pas que le jeune policier aux cheveux roux planté sur le pas de la porte ou quiconque d'autre la voie ainsi. Cependant je ne peux pas même l'effleurer, ni rien d'autre dans la chambre. Je me tiens proche d'une fenêtre, sans aller et venir, sans m'approcher.

— Je t'en prie, reste aux côtés de Lucy. Je te rappelle dès que possible. Le mieux serait que tu la ramènes à l'hôtel. Je vous y rejoindrai. Il n'est pas souhaitable qu'elle traîne dans les parages et tu ne peux pas faire grand-chose. Pas ici, pas maintenant. Prends juste soin d'elle, s'il te plaît.

Peu m'importe qu'il fasse partie du FBI. Peu m'importe qui il est et les pouvoirs dont il dispose.

— Bien sûr.

— Je vous rejoindrai à l'hôtel, je répète.

— D'accord.

Je lui indique ensuite qu'il doit changer ma réservation. Je veux une suite avec kitchenette, si possible. Je veux des chambres qui communiquent entre elles, parce que je me doute de ce qui va se passer bientôt. Je suis presque certaine de ce que nous allons devoir affronter, et surtout j'ai la conviction que nous devons rester proches.

— Je m'en occupe, promet Benton.

— Tous ensemble, une condition non négociable, j'insiste. Peut-être peux-tu nous louer une voiture ou récupérer un véhicule du Bureau. On ne va pas continuer avec la poubelle sur roues de Marino. Je ne sais pas combien de temps nous allons devoir demeurer dans le coin.

— J'ai des questions à ce sujet, biaise Benton d'une voix neutre et douce.

En prenant garde à ses mots, il m'indique que si Jaime a été assassinée, Marino pourrait avoir des ennuis avec la police. Il ferait un suspect de choix puisqu'il possède les clefs de l'immeuble et de l'appartement. De plus, sans doute connaît-il le code du système d'alarme. Il était proche d'elle. Les deux officiers ont déjà demandé s'ils avaient pu se disputer ou se bagarrer hier soir. En d'autres termes, ils risquent de sauter à la conclusion que Jaime et Marino étaient amants.

— Je ne sais pas au juste ce qui a pu se passer, dis-je à Benton. En revanche j'ai des soupçons, de gros soupçons, et je vais traiter la chose du mieux que je peux. Autant que faire se peut.

Je sous-entends que Jaime a été assassinée. Je continue :

— Mais j'ai également des questions à son sujet, et au nôtre d'ailleurs.

Benton comprendra que nous sommes dans le même bateau car Marino ne sera pas le seul suspect. C'est moi qui ai monté le sac de sushis hier soir, moi qui ai, en quelque sorte, apporté la mort à Jaime, sous emballage de papier blanc.

— Je vais tenter d'aider au mieux, j'ajoute.

— D'accord.

La réponse laconique de Benton me prouve que Lucy est à ses côtés et qu'il ne peut parler.

Je raccroche, avec pour seule compagnie, dans cette chambre où gît le cadavre de Jaime, un jeune officier de police de Savannah-Chatham du nom de *T.J. Harley*, si j'en juge par son badge de poitrine. Il n'a pas bougé de l'encadrement de la porte, son regard balayant la pièce, le corps, sans savoir au juste s'il doit vérifier des détails, rester avec moi ainsi que je l'en ai prié, rejoindre son partenaire, appeler un supérieur ou un enquêteur de la brigade des homicides. Je vois les interrogations se succéder dans son regard.

— Mais pourquoi vous pensez qu'il s'agit d'un truc pas clair ? Enfin, à part le fait qu'on a renversé le contenu de son sac ? demande-t-il.

— Nous ne savons pas si quelqu'un d'autre qu'elle a fouillé dans son sac, je rectifie.

— Pour trouver quoi, à part des pilules ?

— Nous ne savons pas s'il s'agit d'une overdose.

— Elle avait l'habitude de garder beaucoup d'argent dans son portefeuille ?

— J'ignore combien d'argent elle avait sur elle.

— Ben, si c'était le cas, ça pourrait être un mobile, insiste-t-il.

— Nous ne pouvons pas affirmer que quelque chose a été volé.

— Elle a peut-être été étranglée ou étouffée ?

— Pas de marque de ligature ni d'hémorragies pétéchiales, je réponds. Rien de ce que j'ai vu ne m'incite à envisager une telle chose. Mais elle devra être examinée avec soin, une autopsie, quoi. Parce que à cet instant précis nous ignorons pour quelle raison elle est morte.

— Vous connaissez un peu sa relation avec son ami ? demande-t-il, faisant allusion à Marino.

— Il travaillait pour elle lorsqu'il était au département de police de New York et lui prêtait main-forte depuis quelque temps, en tant que consultant. Il est normal qu'il soit bouleversé.

— Le département de police de New York ! s'exclame-t-il.

— Enquêteur affecté aux crimes sexuels, donc à Jaime Berger.

— Donc, du coup, peut-être qu'il y avait un truc entre eux, persiste-t-il.

— Peut-être que notre première priorité serait de vérifier si elle a bien commandé des sushis hier, plutôt que de s'accrocher au plus évident : le genre de scénario selon lequel un proche qui aurait eu tout intérêt à ce qu'elle meure a commis l'irréparable !

— Ben, c'est quand même en général le cas.

— En général ? Je dirais souvent, mais ni en général, ni surtout toujours, je rectifie.

— Ben, vraiment, quand même, s'acharne-t-il, sûr de lui. On vérifie en premier dans le cercle proche.

— Non, on suit les indices.

— C'est une plaisanterie pour les sushis ?

— Non.

— Oh, je pensais que vous soupçonniez le poisson cru. Moi, jamais vous me ferez manger un truc pareil. Surtout maintenant. Les marées noires, l'eau radioactive. Je vais même peut-être arrêter complètement de bouffer du poisson cuit.

Je l'informe :

— Il y a des emballages de traiteur, un sac et une facture dans la poubelle, et des restes du dîner dans le réfrigérateur. Surtout ne touchez à rien, ni vous ni votre partenaire. Mon conseil, c'est de ne pas pénétrer dans l'espace cuisine et de laisser l'enquêteur Chang ou le Dr Dengate s'en débrouiller, ou alors une personne qu'ils enverront.

— Ouais, Sammy, c'est l'enquêteur, pas moi, et je vais certainement pas bidouiller sa scène de crime. C'est pas que je pourrais pas. D'ailleurs je pense qu'un jour je vais passer à la brigade des enquêteurs parce que je crois que j'ai le profil. Vous savez, faire vraiment attention aux détails, c'est le plus important. Je suis même maniaque quand il s'agit de détails. J'ai déjà travaillé avec lui, cette overdose dont je vous ai parlé.

L'officier Harley décroche la radio pendue à son ceinturon et transmet :

— Ça pourrait être une exposition à un truc toxique. Touche à rien dans la cuisine, la poubelle, ni nulle part.

— Une quoi ? grésille la voix de son partenaire dans la chambre.

— Touche à rien de rien.

— Reçu cinq sur cinq.

Je décide de ne rien révéler d'autre à propos des sushis ou de mes soupçons. Je ne décrirai pas non plus ma soirée d'hier en compagnie de Jaime. Je garderai toutes ces informations pour Chang, Colin ou autres. Je sais que Marino et moi devrons faire des déclarations séparément, sans doute à un détective de la brigade des homicides de Savannah, mais pas à l'officier T.J. Harley. Il est gentil, mais si naïf, si désireux de se prendre pour un grand flic. Chang s'assurera que Marino et moi répondrons aux questions d'une personne compétente, en fonction de la juridiction concernée, et il y a fort à parier qu'il s'agisse d'une enquête jointe. Le bureau d'investigation de Géorgie et la police locale collaboreront, puis le FBI interviendra. Si la mort de Jaime a quelque chose à voir avec les meurtres du Massachusetts – notamment le supposé empoisonnement de Dawn Kincaid –, le dossier dépassera les frontières de l'État et le FBI sera fondé à enquêter sur ce qui s'est déroulé à Savannah. Il récupérera la direction des opérations, ainsi que cela s'est déjà produit dans le Nord.

Je soulève les doubles rideaux tirés et jette un regard dans la rue. Chang tire son matériel de scène de crime de son SUV. Il tombe des cordes et la pluie heurte le toit de l'immeuble à la manière de gravillons. Les éclairs déchirent la ligne d'horizon basse formée par les maisons, les bâtiments historiques et les arbres. Le tonnerre, encore lointain, m'évoque un bruit métallique ou le tir d'artillerie d'une guerre distante qui fissurerait l'air, et je sais ce que je ferais si Cambridge ne se trouvait pas à mille cinq cents kilomètres d'ici.

J'ordonnerais que le camion – notre équipement mobile pour les autopsies ou le confinement – soit envoyé aussitôt à Savannah. La distance rend ce plan ardu, pour ne pas dire impossible, d'autant que Colin Dengate ne va pas attendre deux jours pour pratiquer l'examen *post mortem* du corps, à juste titre. Nous ne devons pas perdre de temps. C'est impératif. Nous avons besoin de sérum, d'échantillons de tissus, de contenu gastrique. Certes, il y a le centre de contrôle et de prévention des maladies, le CDC, à Atlanta, non loin de nous, mais Colin n'attendra pas non plus leur camion : après tout, nous avons été exposés et jusqu'ici nous allons bien. Et il y a pas mal de gens dans ce cas. Je suis restée assez longtemps dans la cellule de Kathleen Lawler. Je l'ai touchée, j'ai reniflé le résidu qui collait à la paroi de son lavabo. J'ai été exposée à son sang, son contenu gastrique, ses organes. Je ne me sens pas du tout malade. Pas plus que Marino, Colin ou Chang. Aucun signe ne permet de soupçonner que nous soyons atteints d'une quelconque pathologie.

Ce qui a tué Kathleen et Jaime et empoisonné Dawn, si tant est qu'il s'agisse de la même molécule toxique, agit assez rapidement. Ça arrête la digestion et perturbe la respiration. Une substance paralysante dans la nourriture ou la boisson. Me revient à nouveau l'image de Jaime lorsque je l'ai quittée vers une heure du matin, ses paupières lourdes et ses pupilles dilatées. Elle éprouvait des difficultés à parler, bredouillait. J'avais conclu à un excès de boisson expliquant sa soudaine somnolence. Cependant le flacon d'anti-acide posé sur le comptoir de la cuisine suggère qu'elle ressentait des douleurs d'estomac, ce dont s'était plainte aussi Kathleen Lawler, du moins si le témoignage de la détenue plus âgée est fiable.

— Vous voyez, depuis qu'ils ont suivi une formation dans l'académie de sciences légales de Knoxville, cette « ferme de corps », ce sont eux qui se chargent de toutes nos scènes de crime..., continue l'officier Harley.

Je l'écoute à peine, scrutant toujours le bas de la rue noyée par l'orage de cette fin d'après-midi, les arbres malmenés par le vent, les phares des voitures qui brillent dans Abercorn Street.

— ... Tous les enquêteurs du bureau d'investigation de Géorgie ont été formés là-bas, ce qui veut dire que nous avons les meilleurs professionnels de scènes de crime, peut-être même de tous les États-Unis, se vante le jeune policier, qui semble n'éprouver qu'indifférence pour le corps allongé sur le lit, comme si rien de monstrueux n'était survenu.

L'officier T.J. Harley n'a pas connu Jaime Berger. Il n'a aucune idée de qui elle était, de qui nous sommes tous et de ce que nous représentons les uns pour les autres. Quelque chose bascule soudain en moi, au moment où Colin gare sa voiture en bas avant d'éteindre ses phares. Un calme immense m'envahit, un détachement, alors même qu'il va falloir que je fonctionne au mieux de mes capacités. Je sais ce qui m'attend – il faudrait être idiote pour l'ignorer – et je fourre les mains dans les poches de mon pantalon de treillis en revoyant la silhouette de Jaime se découper derrière les doubles rideaux lorsque j'ai levé le visage vers la fenêtre de sa chambre pour la dernière fois.

Marino et moi étions installés dans la camionnette, suivant des yeux l'ombre qui passait et repassait devant la fenêtre, arpentant la pièce. Elle s'est ensuite dévêtue. Les vêtements qu'elle portait durant le dîner d'hier sont abandonnés sur une chaise, à côté d'une commode, jetés en tas, le geste classique d'une personne saoule, qui ne se sent pas bien, ou pressée, ou bouleversée. Elle a enfilé le peignoir bordeaux dans lequel elle devait mourir et s'est approchée de la fenêtre pour nous regarder, alors que nous démarrions, et j'ignorais tout. Je n'ai pas eu la moindre intuition de ce qui se passait et du rôle que j'y avais involontairement tenu.

CHAPITRE 26

Je me détourne de la baie vitrée. Le corps raidi de Jaime Berger allongé d'un côté du lit me fait penser à un tableau de Dali.

Son existence biologique est terminée et son sang, sa chair commencent à se dégrader, à la manière d'un décor de théâtre que l'on démolit dès la fin d'un drame. Elle n'est plus et rien ne peut permettre de revenir en arrière. Le reste doit suivre son cours et je connais cette partie sur le bout des doigts, d'autant que ma motivation est extrême. Cependant de sérieuses complications ne manqueront pas.

M'adressant à l'officier Harley, je précise :

— Je ne vais toucher à rien et j'attendrai des instructions avant d'entreprendre quoi que ce soit. Le Dr Dengate vient tout juste de se garer, mais je souhaite que vous restiez où vous êtes. Si je me déplace ailleurs dans l'appartement, il faut que vous m'escortiez, je lui rappelle. Vous ou l'enquêteur Chang devez m'accompagner partout pour être à même d'en témoigner sous serment.

— Oui, m'dame, approuve-t-il tout en me lançant un regard qui indique qu'il ne comprend pas trop à quoi je fais allusion.

Je l'éclaire :

— J'étais ici hier soir. Pas dans cette chambre, mais ailleurs dans l'appartement, et il est probable que je sois la dernière personne à l'avoir vue vivante.

— C'est le problème avec ce boulot, commence-t-il en se laissant aller contre le chambranle, son lourd ceinturon d'uniforme raclant le bois. On sait jamais à qui ou à quoi on a affaire. Ça m'est déjà arrivé de débouler sur des scènes de crime et de me rendre compte que je connaissais la victime. Y a pas si longtemps que ça, un gars avec qui j'avais étudié au lycée s'est tué à moto. Ça fait super-bizarre.

Je lutte contre l'envie de la déplacer, de la couvrir, de l'allonger, pour qu'elle ne soit plus pliée en épingle à cheveux, ses bras et sa tête pendant du lit. Une suffusion d'un rouge violacé a envahi son visage et son cou, résultant de la stagnation du sang sous l'effet de la gravité, lorsque la circulation sanguine s'est interrompue. Ses lèvres entrouvertes découvrent ses dents du haut. L'un de ses yeux est clos, l'autre ouvert en fente. La mort a tourné en dérision la beauté parfaite de Jaime Berger, tordant et déformant son corps de manière grotesque et presque obscène. Je refuse que Lucy la voie ainsi, pas même sur un cliché. Je remarque à nouveau le verre renversé et la base solitaire de téléphone sans fil. Je m'agenouille et découvre l'appareil sous le lit, à une dizaine de centimètres du bord. Jaime a-t-elle tâtonné à sa recherche, le faisant tomber ? Cependant je ne le ramasse pas, je ne touche à rien.

— Je me trouvais dans la cuisine et le salon entre vingt et une heures et une heure du matin, j'informe l'officier Harley. Je me suis rendue une fois dans la salle de bains des invités, peu avant mon départ. J'ai manipulé pas mal de choses durant la soirée. Des documents, des ustensiles de cuisine. Je transmettrai ces informations à l'enquêteur Chang.

— Et donc vous avez fait le déplacement depuis Boston pour la rencontrer ?

— Non. Ma venue avait un autre motif. Elle m'a demandé de passer alors que j'étais en ville. (Je n'ai aucune intention d'entrer dans les détails, pas au profit d'un policier en uniforme qui répond à un appel d'urgence et ne sera pas chargé de l'enquête.) La victime et moi avons un long passé commun, assez compliqué, dont je suis tout à fait désireuse de discuter avec la personne idoine, le moment venu. Jusque-là, ainsi que je vous l'ai dit, le mieux est que vous restiez à proximité afin de pouvoir témoigner de ce que j'ai fait.

— D'accord. Mais on peut aussi sortir si vous préférez…

Je décline avec fermeté :

— Je me trouve déjà dans l'appartement et j'entends bien aider autant que possible.

En d'autres circonstances j'aurais déjà quitté les lieux. Néanmoins je refuse de céder à ce que certains de mes collègues considéreraient comme une réaction salutaire. Je repousse cette partie de moi qui me souffle que je devrais partir au plus vite, qu'il ne faut pas que je me compromette plus avant. Aucun médecin expert ne souhaiterait se retrouver dans ma position. Pourtant je peux aider à déterminer ce qui est arrivé à Jaime. Je m'y sens moralement contrainte : je le dois ! Elle n'est d'ailleurs pas la seule concernée. Je ne peux plus la sauver, mais je m'inquiète pour d'autres.

L'empoisonnement criminel est rare. Cependant il terrorise parce qu'il ne cible pas nécessairement une victime en particulier et, même dans ce cas, la personne qui en décède n'est pas toujours celle qui était visée. Ainsi Barrie Lou Rivers se fichait de l'identité des clients qu'elle décimait avec ses sandwichs au thon assaisonnés d'arsenic. Quel qu'ait été le message cruel et calculé qu'elle voulait faire passer, il n'impliquait pas des victimes précises puisque les denrées qu'elle vendait pouvaient échoir à n'importe qui. Le poison n'abandonne ni empreintes digitales ni ADN. Il n'a en général ni taille ni forme, au contraire d'une lame ou d'une balle, et il ne laisse qu'exceptionnellement une trace aussi visible qu'une plaie. Je n'ai connu que quelques cas d'empoisonnements criminels dans ma carrière, des affaires à la fois frustrantes et terrifiantes. Arrêter le meurtrier s'est toujours soldé par une course contre la montre.

Chang est de retour et pose sa mallette de scène de crime au sol. Il me tend des gants, ainsi qu'il procéderait avec un partenaire d'enquête, et j'en enfile deux paires. Je plonge ensuite les mains dans mes poches alors qu'un écho de pas me parvient du couloir.

— Le téléphone a glissé sous le lit, j'indique.

Colin pénètre dans la chambre à cet instant, habillé en vêtements de ville, avec une chemise écossaise, un pantalon gris pâle, sans oublier son coupe-vent bleu marine au sigle du bureau d'investigation de Géorgie et ses lunettes constellées de pluie.

Il traîne avec lui la mallette renforcée qu'il avait plus tôt au pénitencier. Il la pose par terre et me lance :

— Bon, qu'est-ce qu'on a ?

— Aucune blessure évidente. Cependant je ne pouvais pas l'examiner. On dirait qu'elle a tenté de récupérer le téléphone, en renversant peut-être son verre. Du scotch, je pense. Elle en buvait lorsque je suis sortie de chez elle, très tôt ce matin. Le combiné est sous le lit.

— Elle s'est servie elle-même ? me demande Chang en se penchant et en soulevant les couvertures de sa main gantée.

— Oui, le scotch et le vin.

— Je veux juste savoir quels ADN et empreintes digitales on va trouver sur les différentes surfaces.

— Votre présence n'est plus nécessaire, indique Colin à l'officier Harley. Merci, les gars, pour votre aide, mais moins il y aura de monde ici, mieux ce sera, d'accord ? Ne mangez et ne buvez rien, inutile de vous le préciser, et faites très attention à ce que vous touchez. Nous avons déjà plusieurs décès après exposition à un truc inconnu.

— Et donc vous pensez pas qu'il s'agit de drogue ou de médicaments ? J'ai pas remarqué de flacons ou autres, mais j'ai pas non plus ouvert les placards et les tiroirs, s'obstine l'officier Harley. J'ai pas pu jeter un œil à droite ou à gauche parce que je suis resté avec elle tout le temps, précise-t-il afin d'indiquer qu'il a surveillé mes faits et gestes. Je peux fouiller la salle de bains, le placard à pharmacie, si vous voulez.

— Comme je vous l'ai dit, on ignore à quoi on est confronté, souligne Colin. Ça pourrait être de la drogue ou autre chose, ou même une foutue balle en glace !

— Y a pas…

— On ne sait pas du tout ce qu'on cherche, l'interrompt Colin en examinant la chambre. Et le moins de personnes… le mieux…

— Ça n'existe pas, ce coup de la balle en glace…

— Pas avec cette chaleur, ironise Colin.

Chang intervient :

— Bon, on prend la suite. Ce qui serait bien, c'est que vous et votre partenaire gardiez le périmètre. On n'a pas du tout envie que quelqu'un débarque et on ne sait pas qui d'autre peut avoir un jeu de clefs, par exemple.

— Hier soir au dîner, Jaime a reçu une livraison de sushis, dis-je à Colin et Chang, toujours plantée vers la fenêtre, me débrouillant pour ne pas me trouver dans le champ des appareils photo ou dans les pattes de Colin qui ouvre sa robuste mallette en plastique, s'apprêtant à examiner le corps *in situ*. Je pense qu'il serait souhaitable de vérifier la commande passée chez Sushi Fusion. Ma présence vous gêne ?... (Je suis prête à quitter les lieux, même si je préférerais rester ici.) Vous auriez toutes les raisons. Je discutais hier avec Kathleen Lawler et ce matin elle était morte. Je dînais avec Jaime Berger hier soir et elle est également décédée.

Colin enfile des gants et souligne :

— À moins que vous ne passiez aux aveux, jamais je ne croirais que vous avez quelque chose à voir avec ces morts. En tout cas, je suis vachement content de vous voir en bonne santé. Sans oublier Sammy, Marino et moi-même. Normalement, puisque vous la connaissiez et que vous l'avez vue hier, je suggérerais que le mieux est que vous ne soyez pas présente. Mais vous êtes déjà là et vous pouvez nous faire part d'observations importantes. Maintenant je comprendrais que vous choisissiez de partir.

— Ce qui me soucie avant tout, ce sont d'autres victimes potentielles, je réplique. Surtout si nous avons vraiment affaire à des empoisonnements.

— Inquiétude que je partage !

— Vous êtes sans doute la seule à pouvoir nous dire si quelque chose semble dérangé, intervient Chang. Donc j'apprécierais si vous pouviez jeter un œil avec moi.

Le flash de son appareil étincelle et l'obturateur produit un petit claquement sec alors qu'il photographie le combiné qui a glissé sous le lit.

L'aide qu'il me demande est d'un autre ordre, et je sais pourquoi. Je comprends la pertinence de son approche. Sammy

Chang a gagné mon respect. Je ne le sous-estime pas, pas plus que son raisonnement, et ne lui en veux pas. En réalité, je m'y attendais. C'est un enquêteur perspicace, intelligent, fin observateur et très compétent. Son métier consiste à être objectif et implacable. Quoi qu'il puisse penser de moi, il serait bête de ne pas profiter de la moindre information à sa portée. Ne pas m'observer serait une négligence de sa part et il n'a guère d'autres choix que de me considérer avec méfiance, même s'il ne le laisse aucunement paraître dans ses relations professionnelles avec moi. J'attaque donc :

— Jusque-là, je n'ai vu aucun détail qui permette de penser qu'un individu est passé ici après notre départ, à Marino et à moi.

— Quelque chose entre eux ? demande Chang.

— En dehors du travail ? Pas que je sache et j'aurais du mal à l'imaginer. Marino a pris deux semaines de vacances du centre de sciences légales de Cambridge pour la rejoindre ici et lui donner un coup de main dans l'affaire Jordan. D'après ce que j'ai compris, tous deux travaillaient ensemble dans cet appartement.

— Et avant ? Ont-ils pu avoir une relation plus que professionnelle ?

— Ça me surprendrait beaucoup, je répète pendant que Colin pose un thermomètre digital sur la table de chevet.

Il lutte contre le bras droit rigide afin de le plier et passer un second thermomètre sous l'aisselle.

— Et pourquoi cela ? insiste Chang, et je comprends que l'interrogatoire vient de commencer.

Je pourrais parfaitement y mettre un terme, déclarer que je ne dirai plus un mot en l'absence de mon avocat, Leonard Brazzo, mais je ne le ferai pas.

— Je n'ai jamais rien constaté qui puisse m'inciter à penser que la relation entre Marino et Jaime débordait du strict cadre professionnel, j'affirme à Chang. En plus, je ne croirai jamais qu'il ait pu avoir un mobile, si mince soit-il, pour lui faire du mal.

— Oui, mais vous le connaissez. Difficile de garder son objectivité quand on connaît très bien les gens. D'ailleurs je suppose que vous ne parviendriez pas à penser des choses négatives au sujet de Marino.

Chang fait mine d'être de mon côté. Le jeu du gentil flic/méchant flic, une très ancienne stratégie.

— Dans le cas contraire, je serais franche avec vous.

— Cela étant, vous ne savez pas ce qui se passait entre eux dans le privé, persiste-t-il en examinant le combiné qu'il vient de repêcher, le tenant avec délicatesse entre ses doigts gantés, le touchant aussi peu que possible. Peut-être que ce ne sera pas une perte complète de temps, réfléchit-il. Sans doute est-elle la seule à l'avoir manipulé. Mais bon, par prudence je devrais sans doute l'ajouter aux indices. Qu'en pensez-vous ? Que feriez-vous, docteur Scarpetta ?

— Personnellement, je vérifierais les empreintes digitales et l'ADN qui pourraient se trouver dessus. Je conserverais des écouvillons pour une éventuelle recherche de substances chimiques.

— Vous pensez qu'on aurait pu empoisonner son téléphone ? s'enquiert-il, le visage impassible.

— Vous m'avez demandé ce que je ferais. Certains poisons ou substances chimiques empruntent la voie transdermique, au travers de muqueuses, au travers de la peau. Toutefois, dans ce cas, j'en doute, parce que nous aurions davantage de victimes, dont nous.

Il enfonce la touche « menu » et me lance :

— Vous n'avez pas utilisé ce téléphone, à aucun moment ?

— Je n'ai jamais mis les pieds dans cette chambre.

Chang consulte le dernier appel passé par Jaime et déclare :

— Un numéro commençant par 9-1-7, à une heure trente-deux ce matin.

— New York, je traduis, consciente à nouveau de l'odeur de fruits brûlés du scotch.

Une bouffée d'émotion m'envahit.

— On dirait que c'est son dernier appel, du moins avec ce téléphone, poursuit-il en lisant à haute voix la suite du numéro et en l'inscrivant sur son calepin.

Un numéro qui me paraît familier. Pourtant il me faut quelques secondes pour l'identifier.

— Lucy. Ma nièce. Il s'agissait de son numéro de portable quand elle habitait New York, j'annonce en dissimulant mes sentiments. Elle en a changé après avoir déménagé à Boston. En début d'année, en janvier, je crois. Je n'en suis pas certaine, mais ce numéro n'est plus le sien.

Jaime devait savoir que Lucy avait changé de numéro. Lorsqu'elle avait lancé à ma nièce qu'elle ne voulait plus aucun contact avec elle, elle était de toute évidence sincère. Du moins jusqu'à très tôt ce matin.

— Vous avez une idée de la raison pour laquelle elle aurait voulu contacter Lucy à une heure trente-deux ?

— Jaime et moi avons discuté d'elle dans la soirée. De leur relation et des raisons de leur éloignement. Peut-être un accès de sentimentalisme ? Je l'ignore.

— Quel genre de relation ?

— Elles sont restées ensemble plusieurs années.

— « Ensemble » comment ?

— Compagnes. Un couple.

Chang fourre le combiné dans un sachet à indices et reprend :

— Et donc vous êtes partie à quelle heure hier ?

— Vers une heure ce matin.

— Une demi-heure plus tard elle compose l'ancien numéro de Lucy, puis l'appareil lui échappe des mains lorsqu'elle le repose sur sa base et il glisse sous le lit.

— Je ne sais pas.

— Ce qui indiquerait que quelque chose n'allait vraiment pas ou qu'elle était terriblement saoule.

— Je ne sais pas, je répète.

— Quand m'avez-vous dit être passée ici ? Avant hier soir, je veux dire.

— Je vous ai dit que je n'avais jamais mis les pieds dans cet appartement avant le dîner d'hier, je corrige.

— Et vous n'êtes jamais entrée ici, dans la chambre, avant tout à l'heure ? Pas même hier soir, ou ce matin très tôt, juste avant de partir, pour utiliser le téléphone ou accéder à la salle de bains ?

— Non.

— Et Marino ?

Chang est accroupi près du lit et lève le regard vers moi. On pourrait croire qu'il tient à me donner une fausse impression de supériorité.

— Je ne me souviens pas qu'il se soit dirigé vers la chambre à aucun moment de la soirée, je réponds. Mais il était déjà présent lorsque je suis arrivée.

Chang se relève et trace quelques lettres sur le sachet à indices en commentant :

— Détail intéressant : il possède un double des clefs.

— Peut-être parce que tous deux utilisaient l'appartement comme bureau. Le mieux serait que vous l'interrogiez directement à ce sujet.

J'ai presque l'impression qu'il va m'entraîner à l'extérieur d'une seconde à l'autre pour me réciter mes droits.

— Ça me semble un peu étrange. Vous lui confieriez les clefs de votre appartement ? demande-t-il.

— Si besoin était, j'aurais toute confiance en lui. Je comprends que mes opinions vous importent peu, dis-je alors en me souvenant de sa réflexion au sujet de mon manque d'objectivité concernant Marino. Aussi vais-je m'en tenir aux faits. Les faits, c'est que Jaime a rapporté notre repas, à l'exception des sushis. Elle nous a servis dans le salon. Ensuite, Marino nous a quittées un moment. Il devait être vingt-deux heures trente ou quarante-cinq. Il est revenu me prendre alors que je l'attendais devant l'immeuble, aux alentours d'une heure du matin. À ce moment-là, Jaime semblait bien, quoique enivrée. Elle avait bu du vin et du scotch et bafouillait un peu. Rétrospectivement, je me dis qu'il s'agissait des premiers symptômes qui n'avaient rien à voir avec l'alcool ingéré. Pupilles dilatées, difficulté d'élocution. Ses paupières devenaient lourdes. Cela a commencé deux heures et demie ou trois heures après qu'elle a consommé les sushis.

Colin presse ses doigts gantés sur un bras, une jambe, prenant note du blêmissement, tout en lançant :

— Pupilles dilatées, ça ne peut donc pas être des opioïdes, mais plein d'autres drogues pourraient l'expliquer. Amphétamines, cocaïne, sédatifs, sans oublier l'alcool, bien sûr. Selon vous, elle n'aurait pas pu prendre quelque chose au cours de la soirée ?

— Je n'ai assisté à rien de tel, ni eu le moindre soupçon au sujet d'une prise de substances durant ma présence. En revanche, elle a pas mal bu. Plusieurs verres de vin et plusieurs scotchs.

Chang revient à la charge :

— Et après votre départ ? Qu'avez-vous fait, où êtes-vous allée ?

Je n'ai pas à répondre. Je pourrais parfaitement lui dire que je coopérerais avec plaisir, mais à certaines conditions, dont la présence de mon avocat. Néanmoins je ne suis pas faite ainsi. Je n'ai rien à cacher et suis certaine que Marino n'a rien commis de mal. Nous sommes tous du même côté de la barrière. J'explique donc que nous avons roulé jusqu'à la maison des Jordan en discutant de l'affaire et que je suis rentrée à l'hôtel aux environs de deux heures du matin.

— Vous l'avez vu pénétrer dans sa chambre ?

— Il avait oublié quelque chose dans sa camionnette et il est parti le récupérer. Je suis montée seule jusqu'à mon étage.

— Un peu curieux, non ? Donc il vous accompagne jusqu'à l'hôtel et il ressort pour chercher quelque chose dans sa voiture ?

— Le voiturier de service cette nuit-là devrait confirmer que Marino a bien été chercher un sac d'épicerie oublié sur sa banquette arrière ou qu'il s'est absenté, je rétorque d'un ton tranchant. De plus, la camionnette avait de gros problèmes mécaniques et Marino l'a emmenée chez un garagiste ce matin.

— Il aurait pu se déplacer à pied. L'hôtel n'est qu'à vingt minutes de marche de l'appartement.

— Vous pourrez lui demander.

— Température ambiante : vingt et un degrés sept. Température corporelle : vingt-deux degrés huit, annonce Colin en repoussant le corps de Jaime du bord du lit.

Ses bras et sa tête se montrent récalcitrants et il doit bagarrer pour les faire coopérer. La scène m'est pénible. J'ai cassé des rigidités cadavériques un nombre incalculable de fois, et je n'éprouve rien de spécial lorsque je contrains les défunts à adopter des positions plus pratiques et raisonnables. Mais j'ai du mal à regarder Colin. Je ne cesse de repenser à ce sac de traiteur que j'ai monté chez Jaime et me sens coupable, je m'en veux. *Pourquoi n'ai-je rien demandé à cette femme surgie de l'ombre sur le trottoir hier soir ? Pourquoi ne me suis-je pas alarmée du fait que Jaime n'avait pas commandé de sushis ?*

— Il y a autre chose que je devrais vérifier ici ? reprend Chang en m'interrogeant sur des points qui n'ont que peu à voir avec ce qu'il cherche vraiment.

— Le verre renversé. Je collecterais des échantillons du liquide sur la table de chevet, même si ça évoque fortement du scotch. Mais peut-être préférez-vous attendre que nous nous occupions des restes rangés dans le réfrigérateur ou de ce que j'ai jeté dans la poubelle ? Tout doit être manipulé avec précautions. Tout ce qu'elle peut avoir mangé ou bu.

Je garde les mains fourrées dans mes poches alors que nous entreprenons de vérifier chaque coin. Je répète à Sammy Chang ce que je lui ai déjà dit dans la cellule de Kathleen Lawler. Je ne regarderai et ne fouillerai que s'il approuve, m'abstenant de toucher quoi que ce soit sans son autorisation. Nous passons dans la salle de bains attenante.

CHAPITRE 27

Les portes en miroir des armoires à pharmacie et des placards sont grandes ouvertes, leur contenu renversé sur les étagères, tombé sur le comptoir de granit, dans le lavabo, semé sur le sol, au point qu'on pourrait croire qu'un ouragan s'est engouffré dans la salle de bains ou qu'un intrus l'a retournée avec brutalité.

Un chaos de ciseaux de manucure, de pinces à épiler, de limes, de gouttes pour les yeux, de dentifrice, de fil dentaire et de bandes pour blanchir les dents, de crèmes écran total, d'antalgiques, de crèmes gommantes pour le corps et de lotions démaquillantes jonche toutes les surfaces. S'y mélangent quelques médicaments délivrés sur ordonnance, tels le zolpidem ou l'anxiolytique lorazépam, plus connu sous le nom d'Ativan. Jaime ne dormait pas bien. Elle était anxieuse et vaniteuse, refusant l'avancée de l'âge. Pourtant rien de ce qu'elle avait sous la main, lui permettant de soulager ses inconforts coutumiers et ses insatisfactions, ne pouvait lutter contre l'ennemi qui l'affronterait durant les dernières heures, les dernières minutes de sa vie, un agresseur violent, sadique, implacable et invisible.

Alors que je tente d'interpréter sa mort au travers des artefacts *post mortem* et du terrible désordre qui règne dans sa salle de bains, ma métaphore se justifie. Il est évident qu'à un moment, très tôt ce matin, les premiers symptômes ont débuté et qu'elle a désespérément fouillé pour trouver quelque chose, n'importe quoi, qui soit capable d'apaiser sa panique et une souffrance physique si violente qu'on dirait vraiment qu'un intrus a pillé son appartement et l'a tuée.

Certes, il n'y a jamais eu d'intrus, seulement Jaime. Et je l'imagine renversant le contenu de son sac, cherchant un remède pour alléger sa douleur. Je l'imagine se précipiter dans la salle de bains pour y découvrir un médicament, balayant, vidant les étagères dans sa terreur, rendue folle par la torture que l'invisible tortionnaire lui infligeait. Mais le tueur n'était pas humain, du moins pas directement. Je crois qu'il s'agissait d'un poison, si puissant qu'il a transformé le corps de Jaime en son pire ennemi, et je n'étais pas là.

Je ne m'étais pas attardée, si soulagée de partir que j'avais préféré attendre l'utilitaire de Marino dans l'obscurité de la rue, sous un arbre. Je ne peux m'empêcher de penser que si je n'avais pas été si blessée, si en colère, j'aurais pu reconnaître les signes avant-coureurs. Sans doute aurais-je remarqué que quelque chose n'allait pas, qu'elle n'était pas seulement saoule. J'étais sur la défensive à cause de Lucy, ma plus grande faiblesse. Aujourd'hui une femme qu'elle aime est morte, peut-être même l'amour de sa vie.

— Vous n'y voyez pas d'inconvénient ? dis-je à Chang en désignant ce que je souhaite examiner alors qu'il prend des photographies.

Si j'avais été présente pendant le malaise de Jaime, j'aurais pu la sauver. J'ai ignoré les symptômes, les signes. Comment vais-je pouvoir avouer cela à ma nièce ?

— Je vous en prie. Pensez-vous qu'elle aurait pu conserver une chose précieuse dans son appartement, qu'on aurait pu convoiter ? J'ai remarqué plusieurs ordinateurs et ce qui ressemble à des archives d'affaires criminelles, ainsi que d'autres documents confidentiels dans le salon. Des renseignements sensibles étaient-ils stockés dans ses ordinateurs ?

— Je n'ai pas la moindre idée de ce qui peut s'y trouver. D'ailleurs je ne sais même pas s'il s'agit bien des ordinateurs de Jaime.

J'aurais pu obtenir une équipe d'intervention. J'aurais pu pratiquer une réanimation cardio-pulmonaire. J'aurais pu respirer pour elle jusqu'à l'arrivée des ambulanciers avec leur respirateur manuel Ambu, jusqu'à ce qu'ils la transfèrent dans un service d'urgences. Elle devrait être à l'hôpital à cet instant même, sous assistance respiratoire. Elle devrait être en vie. En aucun cas elle ne devrait être froide et raide sur son lit, et il va me falloir avouer à Lucy que j'ai fait défaut à Jaime et à elle aussi. Je ne suis pas certaine que ma nièce me pardonnera. Et d'ailleurs je ne lui en voudrais pas si tel était le cas. Durant toutes ces années, elle n'a cessé de me répéter les mêmes choses, parce que j'ai toujours reproduit les mêmes erreurs. *Ne lutte pas pour mes batailles. Ne ressens pas mes sentiments. Ne tente pas de tout réparer parce que tu aggraves les choses.*

J'ai tout aggravé. Je n'aurais pu faire pire. Je m'entends dire à Chang :

— Je pense que vous êtes au courant de ce que faisait Jaime à Savannah, et donc de la nature des documents que vous mentionnez. Toutefois, pour répondre à votre question, j'ignore si elle conservait ici quelque chose qui aurait pu tenter un individu quelconque. Je n'ai pas la moindre idée de ce que renferment les mémoires des ordinateurs du salon.

— Au cours de cette dernière soirée passée avec elle, a-t-elle prononcé une phrase qui vous incite à croire qu'elle redoutait quelqu'un ?

— Elle était devenue très maniaque sur la sécurité. Mais elle n'a rien mentionné de particulier au sujet de quelqu'un ou de quelque chose qui l'aurait effrayée.

— Je ne sais pas au juste quels bijoux ou objets de valeur elle aurait pu apporter de New York, mais sa montre est toujours là. (Il désigne une Cartier en or à bracelet de cuir noir posée sur le comptoir, à côté d'un verre dans lequel stagne un fond d'eau.) C'est le genre de truc luxueux qui se dérobe. Je me demande si elle a commencé à farfouiller partout à la recherche d'un médicament ou autre quand elle était saoule.

Je récupère une boîte de Benadryl, un antihistaminique, tombée au fond du lavabo. Le rabat a été arraché, témoignant d'une hâte qui confinait à la panique. Au sol gît une plaquette argentée dont deux comprimés roses manquent.

— Je ne suis plus si certaine qu'elle était saoule. En tout cas pas autant que je l'ai pensé à ce moment-là. (Je regarde l'étiquette de prix collée sur la boîte de Benadryl.) La pharmacie Monck's. À moins qu'il ne s'agisse d'une chaîne, elle est située dans le petit centre commercial non loin du GPFW, à côté d'une armurerie.

— Elle a acheté ça après son arrivée à Savannah puisqu'elle est allée interviewer des détenues de la prison. Peut-être qu'elle souffrait d'allergies. Vous savez quand elle est descendue ici la première fois, quand elle a loué cet appartement ? demande-t-il.

— Il y a plusieurs mois, d'après ce qu'elle m'a confié.

— Peut-être avril ou mai. On a eu une saison de pollen affreuse ce printemps. On aurait cru que tout avait été passé à la bombe de peinture jaune-vert. D'ailleurs, pendant un temps, j'ai dû arrêter de courir ou de faire du vélo. Je respirais tout ce pollen. Mes yeux me piquaient et gonflaient. Ma gorge se contractait.

Il fait la conversation, se montre cordial, le gentil flic qui papote avec moi.

Sammy Chang la joue confraternelle et je connais ce plan. Détends-toi, laisse-toi aller, je suis ton ami. Et j'entends bien le traiter en ami puisque je ne suis pas son ennemie. Je n'ai rien à cacher. J'accepterais même le détecteur de mensonges. Je témoignerais sous serment s'il le fallait. Peu m'importe qu'il ne m'ait pas lu mes droits ou ce qu'il me demande. Je suis prête à admettre de mon plein gré que je me sens coupable puisque tel est le cas. Certes, je ne suis pas coupable d'avoir causé la mort de Jaime Berger. Plutôt de ne pas l'avoir empêchée.

— Je ne serais pas étonnée qu'elle ait pris du Benadryl la nuit dernière, si j'en juge par la boîte déchirée et la plaquette tombée au sol, dis-je à Chang. Deux comprimés manquants pourraient suggérer d'importants symptômes, avec d'éventuelles difficultés respiratoires. Bien sûr, seuls les résultats de toxicologie nous confirmeront la présence de diphénhydramine dans son organisme.

— Peut-être une réaction sévère à un aliment ? Les sushis ? Était-elle allergique au poisson ou aux coquillages ?

— Ou alors c'est ce qu'elle a cru parce qu'elle éprouvait des difficultés à respirer, avaler ou garder les yeux ouverts, je rectifie en ramassant d'autres articles de toilette pour savoir où Jaime les a achetés. Comme vous l'avez entendu tout à l'heure au GPFW, Kathleen Lawler s'est également plainte de problèmes respiratoires en rentrant de sa promenade. Elle aurait eu du mal à parler, somnolait. Bref des symptômes qu'on est tenté d'associer à une paralysie flasque.

— C'est quoi au juste ?

— Les nerfs ne stimulent plus les muscles, en commençant souvent par la tête. Paupières tombantes, vision double ou floue, élocution et déglutition laborieuses. La paralysie progresse vers le bas, la respiration devient très difficile. Ensuite, c'est l'insuffisance respiratoire et la mort.

— Dont la cause est ? Je veux dire : à quoi aurait-elle pu être exposée ?

— La première chose qui vient à l'esprit, c'est une neurotoxine.

J'évoque alors Dawn Kincaid. Je lui apprends que la fille de Kathleen Lawler, accusée de plusieurs meurtres dans le Massachusetts, en plus d'une tentative contre moi, a été victime d'un arrêt respiratoire ce matin dans sa cellule de Butler. D'après les dernières informations, elle serait en mort encéphalique et le personnel de l'hôpital a évoqué un empoisonnement.

Je poursuis :

— À ma connaissance, Jaime ne souffrait d'aucune allergie de cet ordre, sauf si elle a développé une hypersensibilité récemment. Même si, en effet, un choc anaphylactique suivant l'ingestion de coquillages peut causer une paralysie flasque et la mort. Tout comme d'autres types d'empoisonnements d'ailleurs. J'ai l'impression que Jaime achetait pas mal de médicaments chez Monck's. Ce serait une bonne idée de s'intéresser à tout ce qu'elle a pu se procurer dans cette pharmacie, produits et médicaments délivrés avec ou sans ordonnance, sans oublier des substances qu'elle aurait pu acheter dans le passé mais qu'on ne trouvera pas ici. L'idée est de s'assurer qu'elle n'a pas commis d'acte désespéré ou qu'elle n'est pas tombée sur un produit trafiqué.

— Vous voulez dire un flacon d'étagère assaisonné à des fins criminelles dans la pharmacie ?

— N'excluons aucune possibilité et procédons à un inventaire soigneux de ce qui se trouve dans l'appartement, j'insiste. Il est hors de question que nous négligions un poison potentiel, au risque d'avoir d'autres victimes.

— Vous envisagez un suicide ?

— Pas du tout.

— Ou alors qu'elle serait tombée par hasard sur quelque chose de dangereux ?

— Je pense que vous savez ce que je crois, dis-je. Quelqu'un l'a empoisonnée. Il s'agissait d'un acte délibéré et prémédité. L'urgence pour moi est de savoir avec quoi.

— Bon, admettons qu'on ait collé du poison dans son repas, reprend-il. Quelle substance pourrait provoquer les symptômes que vous venez de décrire ? Vous, que choisiriez-vous comme toxique pour que la personne décède en quelques heures d'une paralysie flasque ?

— Je n'ajouterais jamais rien de cette nature dans les aliments de quiconque !

— Je n'ai pas voulu dire ça !

Il photographie chaque objet de la salle de bains, chaque accessoire, produit pour le bain ou cosmétique, même les savons, tout en prenant des notes, et je sais ce qu'il cherche au fond.

Il gagne du temps et récolte des informations, de façon méthodique, minutieuse, patiente. En effet, plus le temps passe, plus je parle. Je ne suis pas naïve et il ne l'ignore pas. Ce petit jeu continue parce que j'ai décidé de ne pas y mettre un terme.

— Et cette neurotoxine, ce serait quoi ? Donnez-moi des exemples.

Il me sonde pour tirer des informations qui puissent lui indiquer que j'ai tué Jaime Berger ou les autres, ou que je connais le meurtrier.

— Toutes toxines interagissant de façon délétère avec le tissu nerveux. La liste est longue, le toluène, l'acétone, l'éthylène glycol, la codéine phosphate, l'arsenic, par exemple.

Pourtant il ne s'agit pas des substances qui m'inquiètent. En effet, je ne pense pas une seconde que Jaime ait été exposée à de fortes doses de toluène ou d'antigel, ni qu'on ait renversé le contenu d'un flacon de dissolvant pour vernis à ongles ou un pesticide d'usage domestique dans ses sushis ou son scotch. Ce type d'empoisonnement est le plus souvent accidentel ou le résultat d'un acte irrationnel. Mes pires cauchemars sont d'une autre nature. Je redoute des choses bien plus terribles. Les agents chimiques ou biologiques de la terreur. Des armes de destruction massive sous forme d'eau, de poudre, de gaz, nous décimant lorsque nous mangeons, buvons, touchons ou respirons, empoisonnant nos aliments. Je mentionne pêle-mêle la saxitoxine, la ricine, certaines mycotoxines, la ciguatoxine. Je termine en conseillant à Sammy Chang de rechercher la présence de toxine botulique, le poison le plus puissant sur terre.

— On peut choper le botulisme en mangeant des sushis, non ? demande-t-il en tirant la porte de la cabine de douche.

— *Clostridium botulinum*, la bactérie anaérobie qui produit ces neurotoxines, est ubiquiste. On la retrouve dans le sol, les sédiments des lacs, des étangs, et dans le tube digestif de certains animaux. Pas mal d'aliments peuvent devenir des vecteurs de contamination. Si nous sommes bien en présence de cette bactérie, le début des symptômes a été très rapide. En général ils ne surviennent pas avant douze à trente-six heures, parfois au bout de quatre à six heures.

— C'est ce truc avec les boîtes de conserve bombées à cause d'une production de gaz. On vous répète qu'il ne faut surtout pas les consommer. C'est ça, le botulisme ? s'enquiert-il.

— Le botulisme alimentaire est souvent associé à des procédés de stérilisation insuffisants ou des problèmes survenus durant l'abattage d'animaux que nous consommons, voire des légumes crus. Certains cas plus anecdotiques ont été signalés en rapport avec des huiles additionnées d'ail ou d'herbes aromatiques et insuffisamment réfrigérées. Ça représente pas mal de sources potentielles.

— Merde alors ! Bon, eh bien, ça va me gâcher des tas de recettes. Donc, si vous étiez l'horrible…

— Je ne suis pas « l'horrible ».

— Admettons que si, juste pour le raisonnement. Vous vous débrouilleriez pour cultiver cette fameuse bactérie d'une manière ou d'une autre, puis vous la balanceriez dans les aliments de quelqu'un et il mourrait du botulisme ?

— J'ignore comment les choses se sont déroulées, je souligne. Si tant est qu'il s'agisse bien d'une toxine botulique.

— Et cette possibilité vous inquiète ?

— Il s'agit d'une hypothèse à considérer avec beaucoup de sérieux. Énormément de sérieux.

— C'est une substance classique dans les empoisonnements criminels ?

Je le détrompe :

— Absolument pas. D'ailleurs je ne me souviens d'aucun cas. Cependant la toxine botulique est très dure à détecter si on n'a pas une raison de soupçonner son implication.

— D'accord, mais si elle ne pouvait plus respirer et qu'elle avait tous ces affreux symptômes que vous évoquez, pourquoi ne pas composer le numéro d'urgence ?

Il prend des clichés des sels de bain et des bougies posés sur le rebord de la baignoire. Lavande et vanille. Eucalyptus et baumier.

— Le nombre de gens qui n'y pensent pas vous surprendrait, je déclare.

Je poursuis en indiquant que j'aimerais examiner les médicaments prescrits sur ordonnance, ce qui ne le gêne pas du tout. En réalité, peu lui importe ce que je fais tant qu'il me mène où il le souhaite. J'ajoute :

— Les gens ont tendance à croire que tout va bien se passer ou qu'ils peuvent résoudre le problème avec ce qu'ils ont chez eux. Ensuite, il est trop tard.

J'ouvre le flacon de zolpidem, dont l'étiquette m'informe qu'il a été délivré dix jours plus tôt, toujours par la même pharmacie proche du pénitencier, celle devant laquelle je me suis arrêtée hier pour trouver une cabine téléphonique. Trente comprimés de dix milligrammes que je compte.

— Il en reste vingt et un.

Je replace les comprimés dans le flacon et vérifie ensuite celui de lorazépam.

— Même date de délivrance, même pharmacie, où elle semble avoir acheté la plupart de ses médicaments. Le pharmacien se nomme Herb Monck.

Peut-être le propriétaire de la pharmacie Monck's. Je me souviens de l'homme en blouse blanche à qui j'ai acheté de l'Advil hier. Une pharmacie qui livre à domicile. *Le jour même, sur le pas de votre porte,* promettaient des écriteaux à l'intérieur. Jaime se serait-elle fait livrer autre chose que des aliments ?

— Dix-huit comprimés dosés à un milligramme, je résume tout haut. Le médecin qui a prescrit les deux médicaments est un certain Carl Diego.

Chang arrache ses gants et plonge une main dans la poche de son treillis pour en extraire son BlackBerry en remarquant :

— En général, les gens qui veulent se suicider avalent tout le flacon. Voyons qui est ce Dr Diego.

J'insiste lourdement :

— Rien n'indique une overdose suicidaire.

J'ouvre tiroirs et placards, découvrant des échantillons de parfums ou de cosmétiques sans doute offerts à Jaime dans une parfumerie ou lors d'achats sur Internet. Des livraisons. La vie du dehors livrée à sa porte, puis la mort enveloppée dans un sac en papier blanc. Remise entre mes mains.

— Ne nous accrochons pas à cette théorie de suicide alors qu'un assassin court peut-être toujours. Morts multiples. Évitons-en d'autres.

Je suggère de façon plutôt brutale à Chang qu'il ne doit pas faire une fixation sur Marino ou moi, au risque de passer à côté du plus important.

— Un médecin de New York dans la 81e Rue Est. Peut-être son généraliste qui a transféré ses ordonnances chez nous ?

Chang surfe sur Internet, mais en réalité son but est de m'offrir le plus d'espace possible pour que je trébuche dans le piège qu'il me tend. Il reprend :

— Si on avait ajouté un poison à son repas, il faudrait qu'il soit insipide et inodore, vous ne croyez pas ? Surtout avec des sushis.

— En effet, du moins pour ce qu'on sait des substances insipides !

— Ça veut dire quoi ?

— Peu de gens goûtent un poison violent et s'en remettent.

— Vous avez des exemples de poisons super-puissants qui sont dépourvus d'odeur et de goût ? Vous, par exemple, qu'est-ce que vous utiliseriez si vous étiez une tueuse ?

On dirait qu'il tente d'extirper une monstrueuse vérité de moi, me poussant de plus en plus résolument.

— Rien, parce que je n'empoisonnerais jamais personne, alors que je connais les toxiques, j'articule en le fixant. Je ne deviendrais pas non plus complice d'un empoisonneur, même en étant certaine de m'en tirer.

— Attendez, c'est juste une façon de m'exprimer. Je vous demande simplement quelles substances, selon vous, pourraient convenir pour ce genre de but. Un truc sans odeur ni goût qu'on peut ajouter à des sushis. Je veux dire à part la bactérie responsable du botulisme. Quoi d'autre par exemple ?

Il fourre son BlackBerry dans sa poche de pantalon et passe une paire de gants neufs, balançant les autres dans un sachet à indices, de sorte qu'ils soient ensuite jetés sans danger.

— Par où commencer ? D'autant que de nos jours il est difficile de savoir ce qui existe déjà, je biaise. Des agents chimiques ou biologiques effrayants produits dans des labos et transformés en armes par notre propre armée.

CHAPITRE 28

Nous retournons dans la chambre à coucher. Colin arpente la pièce, son téléphone plaqué à l'oreille, donnant des instructions au service chargé de transporter le corps de Jaime. Il l'a recouverte d'un drap jetable, un geste de bonté, de respect, qui n'était pas obligatoire. L'ironie de la chose me frappe. Il fait preuve de bien plus de considération pour Jaime Berger qu'elle ne lui en a montré.

— Il faut prévoir au moins deux housses à cadavre, indique-t-il, passant et repassant devant la fenêtre dont les doubles rideaux sont toujours tirés.

Je ne sais pas au juste quelle heure il est, mais la pluie continue de tomber avec autant de force. Je l'entends tambouriner sur le toit et éclabousser les vitres. Colin poursuit :

— C'est ça. Prenez les mêmes précautions qu'en situation d'infection. D'ailleurs on ne sait toujours pas si c'est le cas. En plus, on traite *a priori* tous les corps en gardant cette hypothèse à l'esprit, n'est-ce pas ?

J'énumère :

— Le fentanyl, la fameuse drogue du viol ou Rohypnol, des agents neurotoxiques comme le tabun ou le sarin, l'oxylidinum ou l'anthrax, autrement connu sous le nom de maladie du charbon. Mais certains d'entre eux agissent très vite. Par exemple, si quelqu'un avait versé du fentanyl ou du Rohypnol dans sa nourriture, elle n'aurait pas fini son repas. En conclusion, la priorité, selon moi, est de rechercher la présence de *Clostridium botulinum* ou de ses toxines.

Il lâche le sachet contenant ses gants usagés au pied du lit et lance :

— Waouh, le botulisme, ça fiche la trouille. Mais pourquoi vous arrêter là-dessus plutôt qu'autre chose ?

— Les symptômes, tels qu'on nous les a décrits.

— Étrange d'empoisonner quelqu'un avec une bactérie.

— Pas avec la bactérie, mais avec la neurotoxine qu'elle produit, et dans le cas de *Clostridium botulinum* il y en a plusieurs, je rectifie. Ce serait la meilleure façon de procéder. Et c'est à quoi pense l'armée. Il ne s'agit pas de « militariser » cette bactérie, mais de transformer sa toxine en arme. À propos, et pour ce qu'on en sait, elle est inodore et insipide, assez facile à obtenir et donc très difficile à tracer. (Pour parer à toutes ses suspicions à mon égard, j'ajoute :) Nous n'avons pas trop de temps pour mener un test sur la souris, d'autant qu'il ne s'agit pas d'un spectacle plaisant. On lui injecte du sérum et on attend de voir si elle meurt.

Colin plaque la main sur le micro de son téléphone et me lance :

— C'est quoi, cette histoire de botulisme ?

Je lui réponds que nous devrions procéder à des analyses.

— Vous connaissez un endroit pour ça ?

Je laisse entendre que je pense avoir une idée.

Il hoche la tête et reprend sa conversation avec le service d'enlèvement des corps :

— Tout à fait. Le protocole habituel pour le transfert, mort subite suspecte, donc des housses qui ne fuient pas ! Oui, je sais bien qu'elles fuient toutes, soyons honnêtes, mais dans ce cas vous les doublez ou triplez, et vous les autoclavez ou incinérez ensuite, avec tous les vêtements contaminés, les gants et le reste. En d'autres termes, le même genre de précautions que si vous redoutiez un cas d'hépatite, de sida, de méningite ou de septicémie. Pour l'amour de Dieu, ne réutilisez pas les housses ensuite et lavez tout, désinfectez à tout va. De l'eau de Javel… Oui, en effet.

— Selon vous ? me demande Chang.

— Une attaque surprise, très agressive. Il faut cribler tout ce qui est raisonnablement probable, *botulinum* en tête de liste, tous les sérotypes. Aussi vite que possible, je veux dire maintenant. Deux personnes sont mortes en vingt-quatre heures et une troisième est sous assistance respiratoire. Nous ne pouvons pas nous offrir le luxe de patienter plusieurs jours pour des tests de la vieille école alors que nous disposons de méthodes plus récentes et surtout plus rapides. Les anticorps monoclonaux ou l'électro-chimiluminescence ou ECL. Je sais que l'USAMRIID, l'institut de recherche médicale de l'armée pour les maladies infectieuses, situé à Fort Detrick, y a recours. Si vous le souhaitez, je serais heureuse de les contacter afin de faciliter les analyses, le cas échéant. Cela étant, le plus rapide et le plus pratique serait sans doute de s'arranger avec le CDC. C'est ainsi que je procéderais. Beaucoup moins de tracas administratifs et je suis certaine qu'ils disposent du matériel pour analyser des agents biologiques, dont les neurotoxines botuliques, mais aussi les toxines de staphylocoques, la ricine ou autres.

Colin raccroche et lance :

— L'USAMRIID ? Pourquoi penser à l'armée et qu'est-ce que c'est, cette histoire de *Clostridium botulinum* ? Je crois aussi vous avoir entendue mentionner l'anthrax.

— Je me contente de suggérer des hypothèses qui intègrent tous les cas, pas seulement Jaime. Trois, donc, et les symptômes rapportés sont similaires, pour ne pas dire identiques.

— Vous pensez qu'on a affaire à un problème de sécurité nationale ou de terrorisme ? L'USAMRIID ne nous aidera pas sans cela, même si je me doute que vous connaissez des gens chez eux.

Je persiste :

— La seule réponse cohérente en ce moment est : nous ne savons pas à quoi nous sommes confrontés. Toutefois je repense aux autres cas dont vous m'avez parlé. Barrie Lou Rivers et ces détenues décédées de façon soudaine et suspecte au GPFW. Un malaise qui débute et les gens ne peuvent plus respirer. Rien à l'autopsie, ni sur l'analyse toxicologique classique. Je suppose que vous n'avez pas fait procéder à une recherche de toxines botuliques dans les échantillons ?

— Franchement, il n'y avait aucune raison pour que ni moi ni personne y pense un seul instant, réplique-t-il.

— Bon, je vais vous dire ce qui me trotte dans la tête : un empoisonneur en série, et ça m'inquiète terriblement. Je vous assure que j'espère me tromper.

Je leur raconte en détail ma rencontre avec cette livreuse à vélo, surgie de l'obscurité au moment où je pénétrais dans l'immeuble. J'insiste sur le fait que j'ai eu l'impression que Jaime n'avait jamais commandé ces sushis et que la femme à vélo avait précisé que son numéro de carte de crédit était enregistré dans l'ordinateur du restaurant. La femme avait même ajouté que Jaime se faisait très régulièrement livrer un repas. Je déclare alors :

— En y repensant, je trouve que cette femme m'a donné beaucoup d'informations. Trop. Je me souviens d'avoir été troublée. Quelque chose clochait.

— Peut-être essayait-elle de vous convaincre qu'elle était véritablement livreuse ? suppute Colin. Une femme commande des sushis, va les chercher pour les empoisonner, puis prétend être la livreuse du restaurant.

— Si un employé du restaurant est mouillé, rien de plus facile à déterminer, remarque Chang. Mais ce serait très risqué de sa part, pour ne pas dire stupide.

— Personnellement, je crains qu'il ne s'agisse pas d'une ou un employé, intervient Colin. Du coup, on restera avec quelqu'un de très difficile à coincer. Si cette personne n'en est pas à son premier coup, cela démontre qu'elle a oublié d'être bête !

Chang regarde le corps allongé sur le lit recouvert d'un drap jetable en réfléchissant à haute voix :

— Faudrait arriver à comprendre ses modes de comportement. Par exemple, où elle commandait ses repas, ce qu'elle préférait, où elle vivait et tout le reste. Marino a-t-il mentionné d'autres associés de Jaime Berger ou des amis dans le coin ?

Non, Marino ne m'en a jamais parlé, dis-je. Je reviens à ma priorité : les sushis n'étaient pas prévus au menu d'hier soir. À l'évidence, Jaime n'avait l'intention ni d'en manger, ni d'en servir. D'ailleurs elle savait que ni Marino ni moi n'en étions amateurs. Je leur décris mon arrivée à l'appartement, le fait que Jaime était sortie pour aller chercher notre dîner dans un restaurant voisin et qu'elle était rentrée avec une quantité amplement suffisante pour remplir trois estomacs. En dépit de cela, lorsqu'elle avait appris que des sushis venaient d'être livrés, elle avait plaisanté, affirmant qu'elle était accro et qu'elle en consommait au moins trois fois par semaine. Elle les avait donc mangés, contrairement à nous, qui n'y avions pas touché.

Je leur rappelle :

— Kathleen Lawler avait également consommé des aliments qui ne faisaient pas partie de son menu. Son contenu gastrique a révélé l'ingestion de poulet, de pâtes et peut-être de fromage, alors que les autres détenues avaient dû se contenter de leur petit déjeuner habituel : brouillade d'œufs en poudre et gruau de maïs.

— En tout cas, elle n'avait pas acheté le poulet et les pâtes à la boutique du pénitencier, observe Chang. Ajoutez à cela que son sac-poubelle avait disparu et qu'on a trouvé un résidu étrange sur la paroi de son lavabo. S'il s'agissait de poison, il n'était pas sans odeur ni couleur.

Je résume :

— À moins d'imaginer qu'on l'ait escortée quelque part pour lui servir un menu spécial, la seule solution logique est qu'on lui avait livré ce repas dans sa cellule. Sans doute avez-vous remarqué que Jaime avait fait installer des caméras de sécurité à l'entrée de l'immeuble et juste à l'extérieur de la porte de son appartement. Reste à savoir si elles enregistrent, mais Marino pourra nous répondre. Je crois qu'il avait aidé à leur installation, ou, du moins, avait-il dû conseiller Jaime. D'un autre côté, peut-être existe-t-il un enregistreur digital ici ?

— Il s'agit de ses caméras ? Celle à l'entrée de l'immeuble également ? demande Colin.

— En effet.

— Génial, opine Chang. À quoi ressemblait cette livreuse ?

— Il faisait nuit et la scène s'est déroulée très vite. Son casque était équipé d'un éclairage. Elle roulait à vélo et portait une sorte de sac à dos dans lequel était fourré le paquet de traiteur. Sexe féminin, Blanche. Assez jeune. Pantalon noir, chemisier de couleur claire. Elle m'a tendu le sac en précisant ce qu'il contenait et je lui ai offert 10 dollars de pourboire. Ensuite, je suis entrée dans l'immeuble et j'ai pris l'ascenseur jusqu'à l'étage de Jaime.

— Et le sac du traiteur, rien de bizarre ? demande Colin.

— Non, juste un sac en papier blanc avec le nom du restaurant imprimé dessus. Fermé par des agrafes avec le reçu. Marino l'a ouvert et a rangé les sushis au réfrigérateur. Jaime s'est servie et elle a presque tout mangé. Des petits rouleaux et de la salade d'algues. Il devrait rester un conteneur de salade que j'ai fourré ensuite dans le réfrigérateur, lorsque je l'ai aidée à tout nettoyer après le repas, aux environs de minuit et demie-une heure moins le quart. Il faudrait sortir tous les récipients de la poubelle et réunir les restes.

— Sans oublier le sac et le reçu, ajoute Chang. Je veux vraiment que le labo recherche les empreintes digitales et l'ADN dessus.

Colin finit de refermer sa mallette de scène de crime et déclare :

— Selon moi, la mort remonte à douze heures. Donc tôt ce matin. Entre quatre et cinq heures, sans trop m'avancer. Difficile d'être beaucoup plus précis. Je ne vois rien qui m'indique nettement ce qui a pu lui arriver, à part l'évidence, surtout si les deux autres ont aussi été empoisonnées, poursuit-il en faisant allusion à Kathleen Lawler et Dawn Kincaid. Et comment l'expliquer ? Comment empoisonner deux détenues incarcérées à mille cinq cents kilomètres de distance et ensuite Jaime Berger ? La bonne nouvelle, si je puis m'exprimer ainsi, c'est la voie d'administration de la drogue ou de la toxine. Ingérée *a priori*, et pas par voie respiratoire ou transdermique. En d'autres termes, avec un peu de chance nous ne risquons rien.

— Sympa, conclut Chang. D'autant qu'on a farfouillé partout dans la cellule d'une des victimes et qu'on s'apprête à retourner la poubelle d'une autre.

Je repasse dans le salon. Le désordre d'objets éparpillés sur la table basse ressemble comme deux gouttes d'eau à celui que nous avons découvert dans la salle de bains, comme si Jaime avait renversé son sac et tout vidé à la hâte. Un flacon d'antidouleur acheté sans ordonnance, des bâtons de rouge à lèvres, un poudrier, une brosse à fard, une petite bouteille de parfum. Des pastilles à la menthe pour rafraîchir l'haleine, des lingettes démaquillantes, plusieurs plaquettes vides de médicaments, de la ranitidine et du Sudafed. Chang inventorie le contenu d'un portefeuille en crocodile et y trouve argent liquide et cartes de crédit. Il en conclut qu'il n'existe aucun signe de vol et je lui conseille de vérifier la présence éventuelle d'une arme. Le revolver qu'il tire d'une poche latérale du grand sac en cuir marron est un Smith & Wesson à canon court, calibre 38. Il pointe la gueule du canon vers le plafond et pousse la tige d'éjection. Six balles tombent dans la paume de sa main.

— Des Plus P Gold Dots de marque Speer ! Elle faisait pas semblant. Malheureusement, ce qui a eu sa peau n'était pas du genre qu'on tire à vue.

— Je voudrais bien qu'on commence avec la poubelle, dis-je en me dirigeant vers la cuisine. Ce que je peux faire, c'est placer chaque conteneur de plat à emporter dans un sac-poubelle. J'en ai repéré une boîte hier, lorsque j'ai aidé Jaime à ranger. Le genre cent vingt litres en plastique très épais fera l'affaire, du moins temporairement.

Je fouille dans le placard situé sous l'évier et secoue des sacs-poubelles en plastique noir pour les déplier, décidant d'envelopper chaque conteneur du restaurant de sushis dans un sac distinct. Pendant que j'inspecte la poubelle, Chang ouvre le réfrigérateur et inventorie son contenu sans toucher à rien.

— Vous avez du ruban adhésif imperméable, je suppose ?

L'odeur écœurante des fruits de mer et du poisson en décomposition s'élève.

— Bordel, ça pue, se plaint-il.

— Elle n'a pas sorti la poubelle hier soir et je n'ai pas non plus proposé de le faire en partant. Une chance. Merci, mon Dieu ! On se débrouille pour que tout soit aussi hermétique que possible, j'explique. Il ne faut pas qu'un des sacs fuie, surtout si vous comptez transporter ces indices dans votre véhicule.

— Il existe peut-être une meilleure option.

Il ouvre à nouveau sa mallette de scène de crime et en tire des rouleaux de ruban adhésif pour indices qu'il pose sur le comptoir de la cuisine. Il se couvre le nez d'un masque de protection et m'en tend un.

— On devrait peut-être appeler les gars de l'équipe des matériaux dangereux, suggère-t-il.

— Si je l'avais cru nécessaire, je ne serais pas là à vous donner un coup de main !

J'étale des sacs en plastique sur le comptoir, sans me préoccuper de nouer le masque derrière mon crâne. Mon odorat est mon ami, même lorsque je n'aime pas ce que je sens. Je poursuis :

— J'ai déjà manipulé tout cela lorsque j'ai aidé à ranger et je ne portais pas de gants, d'autant que je n'avais pas la moindre idée qu'un danger pouvait rôder. Je suis certaine que Colin a des contacts avec le CDC, et dans le cas contraire je connais des gens là-bas. Je suggère que nous les appelions pour qu'ils décident de la meilleure option de transport. Par exemple, qu'est-ce qui fait l'objet de mesures réglementaires de contrôle, puisque nous sommes potentiellement confrontés à des pathogènes, ou des toxines, présents dans des fluides corporels et des tissus prélevés lors d'une autopsie, mais également dans des aliments, leurs conteneurs, etc. ? Cela étant, la première étape consiste à tout sceller dans les sacs aussi rigoureusement que possible, tripler l'épaisseur de plastique et clairement identifier chaque élément. Je ne sais pas si Colin ou vous avez apporté des étiquettes spéciales pour biorisques ou échantillons contaminés, et aussi des sacs parfaitement hermétiques pour prélèvements. Ensuite, il faudra ramener l'ensemble au labo et tout réfrigérer.

— On n'a pas trop l'habitude de se trouver nez à nez avec ce genre de choses, et j'en suis heureux, plaisante Chang. Non, je n'ai ni étiquettes ni récipients particuliers pour les dangers biologiques.

— Bon, on va se débrouiller du mieux qu'on peut. Comme ça !

Je tire un petit récipient contenant le reste de salade d'algues d'hier soir, vérifiant qu'il est bien fermé, et continue :

— Ça va dans un premier sac, que je vais serrer pour en faire un petit paquet bien scotché. Puis je le place dans un deuxième sac en procédant de la même façon, et enfin un troisième. Je suppose que je pourrais le lâcher et qu'il tomberait par terre sans s'abîmer, mais nous n'allons pas tenter le diable. Je peux m'en occuper, ou vous pouvez m'aider, ou alors vous contenter de rester là et me regarder. Ou bien préférez-vous que Colin s'en charge ?

— Qui m'a porté volontaire pour quoi ? lance Colin en nous rejoignant.

— Vous avez une idée brillante sur la façon de rapporter ça au labo ? lui demande Chang. Elle dit qu'il faut que ce soit conservé au froid.

— Donc le message, c'est que vous ne voulez pas d'un truc potentiellement dangereux dans votre superbe SUV de mauviette avec air conditionné ? se moque gentiment Colin.

— De préférence !

— Bon, je vais balancer les sacs à l'arrière de ma voiture. Vitres baissées. Et je la passerai au jet en la décontaminant à fond, et Dieu sait que ce ne sera pas la première fois. Il n'y a que l'eau de Javel que je ne peux pas utiliser pour ne pas abîmer le magnifique revêtement des sièges.

Chang transporte sa mallette de scène de crime jusqu'au bureau, non loin duquel sont entassées des piles de dossiers à soufflet de différentes couleurs. Il entreprend de collecter des indices sur les deux ordinateurs. Il écouvillonne soigneusement claviers et souris. En effet, il n'a pas envie de regretter d'être intervenu tardivement après les faits s'il s'avère que quelqu'un a tenté de pénétrer dans les mémoires des ordinateurs de Jaime.

— Je vais les embarquer, m'annonce-t-il, mais je veux d'abord y jeter un œil. Du moins ce qui n'est pas protégé par un mot de passe, ajoute-t-il en manipulant la souris d'un doigt ganté. Touché ! s'exclame-t-il. Si votre livreuse est bien réelle, nous allons la rencontrer sous peu. Ce bébé est équipé d'une carte DVR. On dirait que c'est en liaison avec les deux caméras de surveillance, celle de l'entrée de l'immeuble et celle de la porte de l'appartement.

J'ouvre en les secouant d'autres sacs de plastique noir, et Colin et moi enveloppons avec soin chaque conteneur extirpé de la poubelle.

— Y a même l'audio, nous informe Chang. Un truc haut de gamme, la caméra extérieure. On va commencer par là et voir qui se montre. Longue portée, panoramique et basculement à un angle de trois cent soixante degrés. Infrarouge thermique, ce qui implique que ça fonctionne dans l'obscurité totale, le brouillard, la fumée ou la brume. À quelle heure êtes-vous arrivée hier soir ?

Je le renseigne en repêchant des baguettes chinoises dans la poubelle :

— Aux alentours de vingt et une heures.

— On devrait aussi envelopper son verre à whisky, lance Colin. Et écouvillonner la table de chevet, comme vous l'avez suggéré. Assurons-nous de ne pas oublier.

— Le scotch est dans ce placard, Colin. Cependant, je doute qu'il soit en cause parce que la bouteille n'était pas ouverte lorsqu'elle l'a sortie. Ah, voici la bouteille de vin !

Je la tire de la poubelle et la pose sur un sac en plastique. Je me revois discutant, assise sur le canapé, et buvant du pinot noir. Ma poitrine se serre au point que j'ai du mal à inspirer.

— Rien de plus plaisant que des coquillages datant de la veille, grimace Colin.

— De la bisque de crevette, des pétoncles.

— Ça me rappelle l'odeur des noyés. Mon Dieu, que ça sent mauvais !

Il enveloppe un conteneur vide. Installé au bureau, Chang lance :

— Alors, ça, c'est pas banal ! Bordel, mais qu'est-ce qui est arrivé à sa tête ? J'ai jamais vu un truc pareil avant. Ah, merde ! Ça craint !

Colin et moi arrachons nos gants souillés et le rejoignons pour comprendre la raison de ses récriminations. Les doigts de Chang manipulent la souris.

— Attendez, je reviens en arrière, au moment où la caméra la saisit pour la première fois.

Les images en haute résolution sont remarquablement claires, bien qu'en noir et blanc. L'entrée de l'immeuble de briques, la rambarde en acier, l'allée, les arbres. L'écho d'une voiture qui passe dans la rue et l'éclair de ses phares. Soudain elle est là, silhouette un peu lointaine sur la chaussée. Chang fige l'image.

— Bon. Elle est un peu à gauche, juste là devant, indique-t-il, faisant référence à la rue au pied de l'immeuble. On la distingue à peine avec son vélo.

Chang pointe le cadran supérieur gauche de l'écran de l'ordinateur.

Colin continue :

— Vous voilà, Kay. Vous enfoncez le bouton de l'interphone et elle se rapproche. Mais elle n'est pas sur la bicyclette. Elle marche à côté, sur la chaussée. Un peu étrange.

— Et pas d'éclairage de sécurité, je commente en scrutant l'écran. On dirait qu'elle n'avait pas envie qu'on la repère.

— Je pense que c'était le but, en effet, renchérit Colin.

Chang touche la souris et le défilé d'images reprend.

— Et c'est de mieux en mieux, bougonne-t-il. De pire en pire plutôt.

La silhouette bouge, environnée par l'obscurité de la rue. Je distingue ses formes, mais absolument pas son visage. Une ombre en nuances de gris, les contours d'un vélo qui se rapproche. Je saisis un mouvement, sa main droite qui s'élève à hauteur de son casque, et soudain un éclat. Une lumière blanche, éblouissante. On dirait qu'une boule de feu blanche vient de dévorer son visage.

— Son casque ! Elle vient d'allumer les lumières de son casque ! je m'exclame.

— Et pourquoi allumer ses lumières de sécurité lorsqu'on est descendu de son vélo ? interroge Colin. Pourquoi attendre d'avoir atteint sa destination ?

— Mais parce que son but était autre, répond Chang.

CHAPITRE 29

Il est presque vingt et une heures lorsque Marino et moi rejoignons l'hôtel, l'arrière de sa camionnette bourré de sacs d'épicerie et autres éléments nécessaires à la subsistance, dont des cartons de bouteilles d'eau, des poêles et casseroles, des ustensiles divers et variés, un four avec gril et un réchaud à butane.

Après qu'il est venu me chercher devant l'immeuble de Jaime, Chang et Colin restant dans l'appartement pour boucler la scène de crime, j'ai demandé à Marino de m'emmener faire quelques courses. Nous avons d'abord sillonné les allées d'un Walmart pour y trouver les articles nécessaires à l'installation d'un campement, ainsi que je le nomme. Nous avons ensuite foncé dans un Fresh Market pour y acheter les aliments de base, puis dans une cave. Une dernière étape nous a conduits au marché de spécialités de Drayton Street, celui que Jaime avait recommandé la veille pour sa sélection de bières sans alcool. Certains y verront sans doute une coïncidence, mais sans signification.

Je comprends bien le concept de « caractère aléatoire fondamental », la théorie privilégiée des physiciens selon laquelle l'univers existe grâce à un lancer de dés du Big Bang. Il en découle que nous devons nous attendre à ce que nos vies quotidiennes soient dominées par une sorte de désordre gratuit. Mais je ne l'accepte pas. Honnêtement, je n'y crois pas. La nature possède ses symétries, ses lois, même lorsqu'elles nous sont incompréhensibles. Il n'existe pas d'accidents, pas véritablement, seulement des définitions, un étiquetage auquel nous recourons, à défaut de trouver des explications à certains événements, et notamment les plus affreux.

Chippewa Market n'est qu'à quelques pâtés de maisons de l'appartement de Jaime et de l'ancienne demeure des Jordan, et juste au coin de Liberty Street, le centre de réadaptation où séjournait Lola Daggette lorsqu'elle a été arrêtée pour meurtres. En revanche, le restaurant Sushi Fusion de Savannah est situé à plus de vingt kilomètres au nord-ouest de l'immeuble de Jaime Berger, en réalité bien plus proche du GPFW que du quartier historique de la ville, qui s'étend sur environ neuf kilomètres carrés.

Nous descendons du véhicule, aussitôt environnés par la brume tiède de ce début de nuit, l'eau dévalant des gouttières, dégoulinant des arbres, formant de véritables mares dans les rues basses de la ville. Je déclare à Marino :

— Les localisations sont significatives. Il existe une raison derrière cette répartition, une sorte de message. Jaime s'est installée en plein milieu d'une espèce de matrice, l'arrière-cour du mal. Ce restaurant de sushis est l'élément dissemblable, complètement au nord-ouest, en direction de l'aéroport ou du pénitencier. C'est d'ailleurs peut-être de cette façon qu'elle a découvert cette adresse. Cela étant, pourquoi ne pas choisir un endroit plus proche de chez elle, surtout si elle se faisait livrer plusieurs fois par semaine ?

— Ils sont réputés préparer les meilleurs sushis de Savannah, argumente Marino. C'est en tout cas ce que Jaime m'a affirmé un jour que j'étais avec elle et qu'elle a commandé chez eux. J'me souviens que je lui ai demandé comment elle pouvait manger cette merde et elle a répondu qu'ils étaient censés être les meilleurs en ville. Mais pas aussi bons que ce qu'elle trouvait à New York. Moi, je dis que c'est jamais bon. Un appât de pêche, c'est toujours un appât. Et le ver solitaire, c'est toujours le ver solitaire !

— Comment peut-on apporter une commande jusqu'ici à vélo ? Il doit falloir emprunter un tronçon d'autoroute. Sans même évoquer la distance à couvrir par ce temps !

— Hé, il me faut deux chariots ! beugle Marino à un chasseur.

Se tournant vers moi, il précise :

—Je vais certainement pas autoriser quiconque à remorquer cette merde en haut. Quand on se casse la tête pour s'assurer que des trucs présentent aucun danger, on les quitte pas de l'œil ! Zéro possibilité qu'on puisse bidouiller notre matos. J'irais pas jusqu'à dire que vous avez l'air timbrée. Mais les gens doivent penser qu'on est pas mal frappés. On croirait presque des loqueteux en vacances qui peuvent pas sortir et s'offrir un hamburger ou une pizza.

Je n'ai confiance en rien, pas même une tasse de café ou une bouteille d'eau, à moins que je ne l'aie achetée. Nous allons demeurer à Savannah jusqu'à ce que nous comprenions un peu mieux ce qui se passe. Ni aliments ni boissons ne nous seront livrés par des restaurants ou le service d'étage, pas plus que nous ne toucherons à des plats tout préparés ou n'irons dîner à l'extérieur. J'ai aussi prévenu que je ne voulais pas de femme de chambre. Personne, hormis notre petite troupe, ne sera autorisé à poser un pied dans nos chambres, à l'exception d'un policier ou d'un agent en qui nous avons confiance, un point c'est tout ! De plus, l'un d'entre nous devra rester en permanence sur place afin de s'assurer qu'aucun intrus ne se faufile ou ne touche nos objets, parce que nous ne savons pas qui est l'ennemi. Nous ferons nos lits, viderons nos poubelles, nettoierons le mieux possible, et nous mangerons ce que je préparerai, un peu comme si nous étions soumis à une quarantaine.

Marino pousse deux chariots à bagages jusqu'à l'arrière de la camionnette et nous commençons à tirer une batterie de cuisine, des appareils ménagers, de l'eau, de la bière non alcoolisée, des bouteilles de vin, du café, des fruits et légumes frais, de la viande, du fromage, des pâtes, des épices, des boîtes de conserve et des condiments.

Réfléchissant à la topographie, je lance :

—Je ne vois vraiment pas comment il pourrait s'agir d'une coïncidence. Je veux une vue aérienne. Peut-être que Lucy pourra projeter une carte satellite sur l'écran de télévision, de sorte que nous visualisions parfaitement les lieux, parce que ça signifie quelque chose.

Nous poussons nos chariots surchargés dans le hall de réception, longeons le bureau d'accueil, dépassons le bar bondé de clients. Des gens dévisagent le couple étrange que nous formons, en uniforme d'enquêteur, qui semble s'installer ou établir un avant-poste à l'hôtel, et d'une certaine façon c'est exact.

— Mais Jaime était pas dans le coin quand c'est arrivé, rétorque Marino alors que nous menons notre caravane vers l'ascenseur vitré. Elle occupait pas cet appartement au milieu de la matrice, ou de la cour du mal, ou ce que vous voulez. Elle était pas ici en 2002, quand les Jordan se sont fait massacrer. (À son habitude, il enfonce le bouton d'appel à plusieurs reprises.) Donc, même si à l'époque ces localisations signifiaient un truc, c'est plus le cas aujourd'hui. Ça s'appelle compter des carottes et des navets. C'est juste vous qui vous racontez des histoires affreuses. Remarquez, j'ai aussi un doute au sujet de cette taule à sushis et du vélo.

— Ce ne sont pas des carottes et des navets.

— Admettons qu'on veuille empoisonner sa bouffe. Ça devient super-facile si elle est une fidèle cliente d'un restau quelconque et qu'elle se fait souvent livrer, continue-t-il sur sa lancée. C'est le seul lien que je vois. Un endroit auquel elle faisait régulièrement appel. Peu importe où il se trouvait.

— En ce cas, comment sauriez-vous qu'elle est une habituée et que son numéro de carte est archivé si ce n'est parce que vous l'avez déjà vue ? Qu'elle se trouve dans le périmètre ? Cela ne s'explique que si vous faites partie du même environnement.

— Mais vous moulinez des neurones en permanence ? Moi, y a plus une seule idée cohérente dans ma tête. En plus, je meurs d'envie d'en griller une, j'admets. Voyez, vous pourrez pas dire que je me dérobe ! J'ai même pas acheté un paquet de clopes pendant notre shopping-thon. Je vous indique juste que j'ai vraiment besoin de fumer et que je risque de descendre deux packs de Buckler pour me calmer.

— Je suis désolée pour vous, sincèrement.

Les portes de l'ascenseur coulissent et nous poussons notre chargement dans la cabine, les sacs en plastique bringuebalant dangereusement du haut des chariots.

— En plus, j'ai vraiment la dalle. J'suis sûr que c'est une de ces journées où tout ce que je ferai clochera, bougonne-t-il de plus en plus ronchon, à un cheveu de la crise.

— Je vais nous concocter un menu tout simple : spaghettis et salade de crudités.

— Ouais, ben, peut-être que je préfère un foutu *cheeseburger* avec du bacon et des frites livré par le service en chambre !

Il enfonce nerveusement le bouton correspondant à notre étage, puis s'énerve sur celui qui commande la fermeture des portes.

— Ça ne me prendra que quelques minutes. Buvez toute la Buckler que vous voulez, prenez une douche bien chaude, et vous allez vous sentir mieux.

L'ascenseur en verre s'élève à la manière d'un hélicoptère paresseux, dépassant les étages protégés de balcons autour desquels la vigne vierge s'enroule.

— Une foutue cigarette, voilà de quoi j'ai besoin ! En plus, j'vous serais reconnaissant d'arrêter de me seriner que je vais me sentir mieux. C'est pour ça que les gens assistent aux réunions. Parce qu'ils se sentent comme une foutue merde et qu'ils ont envie de buter tous ceux qui les gavent avec leurs « Vous allez vous sentir aussi frais qu'une rose » !

— Si vous souhaitez assister à une réunion des Alcooliques anonymes, je suis certaine qu'on doit pouvoir en trouver une.

— Putain, non, jamais de la vie !

— Ça n'améliorera pas votre état de replonger dans des comportements qui vous détruisent.

— Épargnez-moi la leçon de morale, Doc. Là, ce serait trop.

— Il ne s'agit pas de morale, Marino. Je vous en prie, ne refumez pas.

— Même s'il faut que j'aille dans un bar pour m'en griller une, je le ferai. Vous ne voulez pas que je me montre évasif, hein ? Eh ben, je vous le dis. Je veux une putain de clope !

— Bon, alors je vous accompagne, ou bien Benton.

— Ah non, pitié ! Je l'ai assez vu pour toute la journée.

Je réponds avec calme :

— Marino, vous avez le droit d'être dévasté, déçu.

— Ça a rien à voir avec un foutu désappointement.

— Bien sûr que si.

— Mon cul ! Et me dites pas avec quoi ça a à voir !

Chacun d'un côté de la montagne de sacs et de boîtes empilés sur les chariots, nous parvenons à peine à nous voir, tout en nous disputant sur ce qu'il ressent ou pas. Cependant je sais que la peine est à la base de sa colère. Il est effondré. Il éprouvait des sentiments pour Jaime, que je ne perçois que de façon très superficielle. Sans doute ne les connaîtrai-je jamais vraiment. Sans doute ne saurai-je jamais si elle l'attirait ou s'il était amoureux d'elle. En revanche, il ne fait aucun doute dans mon esprit qu'il avait décidé de lier son avenir à celui de l'ex-procureure de New York. Il avait l'intention de l'aider, et de l'aider dans ce coin du monde dont il aime la façon de vivre et la météo. Tout cela n'a plus aucun sens aujourd'hui.

L'ascenseur s'arrête au dernier étage. Marino dit :

— Écoutez… Parfois y a rien qui remonte les gens. Je supporte pas ce qu'on lui a fait subir, d'accord ? Ça me rend dingue de penser qu'on était assis tous les trois dans son salon, qu'on mangeait et qu'elle s'empoisonnait pendant ce temps. Merde ! Elle était en train d'ingérer du poison devant nos yeux et elle allait bientôt y laisser sa peau, et on avait pas idée de ce qui allait se passer. Et puis je m'en vais, et vous après. Bordel de merde ! Et elle a agonisé avant de mourir toute seule. Mais, bordel, pourquoi elle a pas composé le numéro d'urgence ?

Il se pose la même question que Sammy Chang, question incontournable en pareil cas.

Nous poussons nos chariots, longeant le balcon qui ceinture l'étage circulaire dont l'atrium en bas est le pivot, nous dirigeant vers les chambres qui vont constituer notre campement : une suite pour Benton et moi, et une chambre mitoyenne de chaque côté, celle de Lucy et celle de Marino.

— Elle avait pas mal bu et ça n'a pas dû améliorer son jugement, je réponds. Cela étant, le facteur crucial est sans doute la nature humaine. En général, les gens repoussent les solutions radicales, appeler une ambulance par exemple. Étrangement, ils composent plus facilement le numéro de la police que celui d'une équipe de secours ou des pompiers. On se sent un peu honteux de réclamer de l'aide lorsqu'on se blesse ou qu'on met accidentellement le feu chez soi. Il est plus facile d'alerter la police à cause de quelqu'un d'autre.

— Ouais, vous vous souvenez de la fois où j'ai eu un feu de cheminée ? Dans ma vieille baraque de Southside ? J'ai jamais voulu les appeler. J'ai grimpé sur le toit avec le tuyau d'arrosage. Vraiment crétin !

— Les gens attendent, remettent à plus tard.

Nous avançons, poussant nos chariots. La vigne vierge qui prolifère et cascade des balcons de chaque étage m'évoque les lianes prenant d'assaut le bureau de Tara Grimm, qu'elle laisse pousser anarchiquement, sans jamais les tailler, une leçon de vie selon elle.

Méfie-toi de ce qui germe parce qu'un jour ne restera que cela. Quelque chose a pris racine en elle, et seul le mal est resté.

— Ils s'obstinent à penser que leur malaise va passer ou qu'ils peuvent régler le problème tout seuls, jusqu'à atteindre le point de non-retour, dis-je à Marino. Comme la femme au seau d'eau. Vous vous souvenez d'elle ? Elle est morte asphyxiée par le monoxyde de carbone alors qu'elle s'était transformée à elle seule en chaîne humaine pour amener des récipients d'eau et éteindre l'incendie de sa maison. Les pompiers ont retrouvé son corps carbonisé à côté de son baquet. C'est encore pire pour les gens qui exercent nos professions. Vous, Jaime, Benton, Lucy et moi, on hésiterait tous à contacter les services d'urgences. On sait trop de choses. Nous faisons d'affreux patients et en général nous n'appliquons pas les règles dont nous vantons la pertinence.

— J'sais pas. Je pense que si j'étouffais, j'appellerais, insiste Marino.

— Ou alors vous avaleriez du Benadryl ou du Sudafed, ou vous fouilleriez la maison à la recherche d'un inhalateur ou d'une seringue d'Epipen. Lorsque vous constateriez que rien ne marche, vous ne seriez sans doute plus en état d'appeler personne.

Benton a dû nous entendre arriver sur le palier ouvert. La porte de notre suite s'entrebâille avant que nous ne soyons parvenus devant. Il avance de quelques pas, tenant le battant. Ses cheveux sont encore humides de la douche, il s'est changé et paraît rafraîchi. Pourtant une ombre ternit son regard et je perçois l'inquiétude chez lui, une inquiétude qui se concentre sans doute sur Lucy. Je ne lui ai pas parlé depuis la dernière fois que je l'ai vue, il y a quelques heures, alors que les portes de l'ascenseur se refermaient sur moi, que je m'apprêtais à découvrir une réponse dans un appartement, une réponse que je ferais tout pour inverser.

— Comment vont les choses ? je demande en évitant de prononcer le prénom de ma nièce.

— On va. Tu as l'air épuisée.

— J'ai l'impression d'être passée sous un train. Jamais cette image ne m'a paru aussi adaptée, je réponds.

Il nous aide à pousser les chariots à l'intérieur et je retire mes boots en poursuivant :

— Je prendrai une douche tout à l'heure. Je vais d'abord tout installer et commencer à préparer le dîner. Je te promets que je vais bien. J'ai passé la journée dans une voiture sans air conditionné, je me suis fait saucer par la pluie, j'ai l'air de sortir d'une poubelle et je sens mauvais, mais ne t'inquiète pas.

On pourrait croire qu'ils ne m'ont jamais vue après une investigation de scène de crime ou une journée à la morgue.

— Désolée, il n'y avait pas de vestiaires à la sortie de l'appartement, je continue, enchaînant les banalités et les excuses parce que je ne vois pas Lucy, un mauvais signe.

Je suis certaine qu'elle sait que nous venons d'arriver, mais elle n'est pas venue nous accueillir, et j'interprète son absence à la manière d'une menace. J'explique alors :

— Nous sommes presque certains qu'il s'agit d'un empoisonnement avec un vecteur alimentaire. Je pense très sérieusement à une addition de toxines botuliques dans ses sushis et je ne serais pas étonnée que le repas de Kathleen Lawler ait également été visé. Le Massachusetts General Hospital devrait aussi mener une recherche dans ce sens pour Dawn Kincaid. Ils y ont probablement déjà pensé et je suis certaine qu'ils possèdent des tests en fluorescence, très sensibles et rapides. Ce serait bien que tu en discutes avec quelqu'un. Un des agents chargés de l'enquête.

— Selon ce que j'ai appris, elle n'avait rien mangé lorsque les symptômes ont débuté. Je ne pense pas qu'ils aient envisagé l'hypothèse d'un empoisonnement *via* l'alimentation. Mais je leur ai fait part de tes soupçons à l'égard du botulisme.

— Peut-être dans une boisson ? je persiste.

— Ce n'est pas exclu.

— Pourrais-tu obtenir un inventaire précis de ce qui se trouvait dans sa cellule, des diverses choses auxquelles elle a eu accès ?

— Je doute qu'on t'autorise à obtenir ce genre d'informations, dit Benton. D'ailleurs je ne suis pas certain qu'on me les fournisse. Pour des raisons évidentes, si on garde à l'esprit ce dont Dawn Kincaid t'a accusée.

— Votre grande erreur a été de pas la cogner beaucoup plus fort avec cette foutue torche, commente Marino.

— En tout cas, on ne peut pas me reprocher ce qui vient de lui arriver, je souligne. Et le restaurant de sushis ? En a-t-on appris davantage ?

— Kay, qui m'en informerait ? demande Benton d'un ton patient.

— Bien sûr, tout le monde va la jouer « secret d'État », alors que mon seul but est d'empêcher que cette personne fasse d'autres victimes ! je peste.

— Nous voulons tous la même chose, temporise Benton. Mais tes liens avec Dawn Kincaid, Kathleen Lawler et Jaime génèrent un problème qui n'a rien de mineur dès qu'on envisage un partage d'informations. Tu ne peux pas enquêter sur ces affaires, Kay. C'est impossible.

— Certes, je ne vais pas transmettre les neurotoxines du *botulinum* par mes vêtements ou mes boots. Mais j'ai bien l'intention d'en changer quand même ! Malheureusement, ils n'ont pas de chambres avec lave- et sèche-linge. Tu peux trouver les sacs-poubelles que je viens d'acheter ? je demande à Benton. Pour y fourrer ma chemise et mon pantalon. Je les enverrai à la laverie ou je les balancerai. Et mes boots avec. Peut-être l'ensemble, je ne sais pas. Tu pourrais me chercher un peignoir ?

— Bon, ben, j'crois que je vais aller me récurer, lance Marino en attrapant deux bières sans alcool, tièdes.

Il traverse le salon pour se rendre dans sa chambre par la porte communicante.

Je repêche des lingettes rafraîchissantes et désinfectantes dans mon sac à bandoulière et me débarbouille le visage, le cou et les mains, pour la dixième fois de la journée. Benton me rapporte un peignoir et ouvre un sac-poubelle. Je retire l'uniforme dans lequel je marine depuis le lever du soleil, le pantalon de toile noire, la chemise de même couleur, bref les vêtements que Marino a fourrés dans un sac de voyage il y a quelques semaines, lorsqu'un plan a été élaboré et qu'il n'avait pas la moindre idée de ce qu'il recouvrait en réalité. Jaime nous a tous bernés. Je ne connais pas au juste l'étendue de ses tromperies, ni ses motivations, ni même le but ultime qu'elle poursuivait. Rien de son projet n'était juste ni honorable, et pas mal de ses aspects frisaient la malveillance. Mais elle ne méritait pas de mourir, surtout de cette horrible façon.

Des assiettes et des couverts sont alignés dans les placards de la kitchenette équipée d'un réfrigérateur et d'un four micro-ondes. J'installe le réchaud à butane et le four-gril. Puis nous rangeons le reste des courses. Toujours aucun signe de Lucy. Sa chambre est mitoyenne de la zone repas, située à droite du salon, et la porte est fermée.

Je déballe les plats, décollant les étiquettes des ustensiles que je viens d'acheter en remarquant :

— Je n'ai pas eu le temps d'acheter des produits de soins basiques, qu'on doit toujours avoir sous la main. Rien n'était ouvert après dix-huit heures, du moins pas le genre de pharmacie que je cherchais, avec également des équipements médicaux pour la maison. J'établirai une liste pour Marino et peut-être qu'il pourra trouver ce que je veux demain matin.

— Bien, on dirait que tu maîtrises la situation, déclare Benton d'un ton si calme qu'il me porte sur les nerfs, comme le signe annonciateur d'un redoutable orage.

— Il me faut au moins un respirateur manuel Ambu, je continue. Très simple, mais ça peut faire la différence entre la vie et la mort. J'avais l'habitude d'en garder un dans ma voiture. Je ne sais pas pourquoi j'ai arrêté. La présomption est une gigantesque erreur.

— Lucy est dans sa chambre avec ses ordinateurs, déclare-t-il parce que je ne lui ai pas posé une seule question directe à son sujet et qu'il sait pourquoi. Elle est allée courir et nous nous sommes ensuite rejoints à la salle de sports. Elle doit être sous la douche. Du moins était-ce le cas il y a quelques minutes.

Je lave une planche à découper et deux faitouts neufs. Benton range les bouteilles d'eau dans le réfrigérateur et souligne :

— Kay, il va falloir que tu le gères bien mieux que ça.

— Que je gère quoi ? Lucy ou ce qui est arrivé à Jaime ? Que suis-je censée gérer dans une situation où personne ne veut que j'intervienne ?

Il sort un tire-bouchon d'un tiroir.

— Je t'en prie, ne sois pas sur la défensive.

— Pas du tout ! (Je pèle un oignon et rince des poivrons verts pendant que Benton se décide pour une bouteille de chianti.) Je ne cherche pas à me défendre. D'ailleurs je ne cherche rien du tout, si ce n'est me conduire de façon responsable, faire ce qui est souhaitable et sans danger. (Je débite les légumes.) Faire ce que je peux. J'admets que je vous ai tous embarqués dans cette histoire et je ne sais pas comment vous présenter mes excuses.

— Tu ne nous as embarqués dans rien.

— Vous êtes ici, non ? Dans une chambre d'hôtel de Savannah, Géorgie, avec une femme qui juge nécessaire de jeter ses vêtements. À mille cinq cents kilomètres de la maison, en ayant peur de boire un verre d'eau.

Benton débouche la bouteille de vin et je me dis que nous nous apprêtons à répéter notre dernière soirée ensemble à Cambridge, avant que je décolle pour Savannah contre son avis. Nous étions dans la cuisine, coupant et assaisonnant des légumes, faisant frémir une casserole d'eau, buvant un verre de vin alors que notre discussion s'envenimait au point que nous avons oublié de manger.

— Je n'ai pas discuté avec Lucy de toute la journée. En cause, les endroits où je suis allée et ce que j'ai fait.

Il m'observe, attendant que mes véritables sentiments s'expriment. Je continue :

— Et je me suis dit qu'il valait mieux que je lui parle face à face. Pas au téléphone, dans la camionnette bruyante de Marino.

Benton me tend un verre, mais je ne suis pas d'humeur à le goûter, le déguster. Je suis d'humeur à boire, à descendre le contenu du verre d'un trait. J'avale une gorgée de vin et l'effet est instantané.

— Je ne sais pas comment m'y prendre avec elle, j'avoue au bord des larmes, si fatiguée que je me tiens à grand-peine debout. Je ne sais pas ce qu'elle peut penser de moi, Benton. Qu'a-t-elle appris de ce qui vient de se produire ? Lui a-t-on raconté que Jaime butait sur ses mots, qu'elle ne parvenait plus à garder les yeux ouverts alors que je me trouvais avec elle, et que je suis quand même partie ? Lui a-t-on expliqué que j'étais furieuse, qu'elle me dégoûtait et que je n'avais qu'une hâte : la laisser ?

Je verse une bouteille d'eau dans une cocotte et Benton arrête mon geste. Il me prend la bouteille des mains et transporte la cocotte jusqu'à l'évier.

— Ça suffit. Je doute fort que l'eau du robinet ait été empoisonnée, et dans le cas contraire cela signifierait que rien de ce que nous pourrons faire ne nous sauvera, ni personne d'ailleurs, d'accord ?

Il remplit la cocotte d'eau et la dépose sur le réchaud avant de l'allumer, puis reprend :

— Comprends-tu que si la plupart du temps ta vigilance extrême est appropriée, elle est parfois de trop ? As-tu idée de ce qui se passe en ce moment en toi ? Selon moi, c'est assez évident.

— J'aurais pu faire mieux. J'aurais pu faire davantage.

— Ton problème est de croire la même chose en toutes circonstances, et tu sais pourquoi. Je ne tiens pas à m'immiscer dans le passé, ton enfance et ce que certains événements ont forgé en toi. Ce serait assez simpliste en ce moment et je me doute que tu en as assez de m'entendre répéter la même chose.

Je sale l'eau et ouvre des boîtes de pulpe de tomates.

— Tu t'es occupée de ton père qui agonisait, tu n'as pas pu le sauver en dépit d'années d'efforts. Ton enfance, en gros, se résume à cette lutte. Les enfants prennent les choses à cœur d'une façon bien différente des adultes, poursuit Benton, un propos qu'il a déjà tenu. Ils en sont marqués. Quand quelque chose de moche arrive et que tu ne peux l'empêcher, tu rejettes la faute sur toi.

Je mélange du basilic frais et de l'origan dans la sauce, et mes mains tremblent un peu. Le chagrin m'inonde par vagues successives, mais surtout je me déçois profondément parce que j'aurais pu faire mieux, sans aucun doute.

Peu importe ce que dit Benton, j'ai été négligente. Et je me fous de mon enfance. Je ne peux pas l'accuser de ma négligence parce qu'il n'y a pas d'excuses.

— J'aurais dû téléphoner à Lucy, dis-je à mon mari. Aucune raison valable n'explique mon silence, si ce n'est l'évitement. Je me suis débinée. J'ai fui autant que j'ai pu depuis que nous nous sommes quittés en bas de l'immeuble.

— C'est compréhensible.

— Pour autant, ce n'est pas une réaction correcte. Je la rejoins dans sa chambre et je vais m'expliquer, à moins qu'elle refuse de me parler et je ne pourrais pas lui en vouloir.

— Mais elle ne t'en veut pas, rectifie Benton. Elle n'est pas contente après moi, mais elle ne t'en veut pas. J'ai un peu discuté avec elle. C'est ton tour maintenant.

— Je m'en veux !

— Eh bien, il va falloir que tu cesses.

— J'étais révoltée par Jaime hier. Je suis partie furieuse.

— Il faut vraiment que tu arrêtes avec ça, Kay.

— Je l'ai presque détestée pour ce qu'elle avait fait subir à Lucy.

— Tu aurais davantage de raisons de détester Jaime pour ce qu'elle t'a fait, à toi. Certes, son comportement à l'égard de Lucy était lamentable. Cependant tu ignores le reste.

— Le reste, c'est ce que nous avons découvert tout à l'heure dans son appartement. Elle est morte ! je tempête.

— Le reste débute à Chinatown. Non pas il y a deux mois, contrairement à ce que Jaime t'a fait croire, contrairement à ce qu'elle a rentré dans la tête de Marino lorsqu'il a sauté dans un train pour la rencontrer à New York. Ça a commencé en mars. C'est-à-dire peu après que Dawn Kincaid a tenté de t'abattre.

— Chinatown ? je répète, ne voyant absolument pas à quoi il fait allusion.

— Elle t'a manipulée pour te faire descendre à Savannah, pour obtenir ton aide. Elle a manipulé le FBI. Et il est clair comme de l'eau de roche qu'elle a manipulé Marino, énumère Benton. Forlini's. Tu te souviens de cet endroit, n'est-ce pas, puisque tu y as rejoint Jaime un certain nombre de fois ?

Forlini's est devenu le repaire des avocats, des juges, des flics du département de police de New York et des agents du FBI. Ce restaurant italien a même baptisé les box de la salle du nom de célèbres officiels de la police ou des pompiers, ceux-là mêmes que Jaime avait accusés de l'avoir poussée à la démission.

— Certes, je ne suis pas au courant de tous les détails qu'elle t'a confiés hier soir, poursuit Benton. Mais ce que tu m'as raconté au téléphone m'a poussé à poser quelques questions, vérifier certains points, dont, notamment, le nom des deux agents qui seraient passés chez elle afin de l'interroger à ton sujet. Ils sont tous les deux de l'antenne FBI de New York, et ni l'un ni l'autre ne sont jamais allés chez Jaime Berger. Elle a discuté avec eux au Forlini's, un soir en mars dernier, et a balancé… disons des appâts, comme elle savait si bien le faire.

— Les appâts en question étant des informations sur moi ? C'est bien de cela qu'il s'agit ? j'insiste en me décidant pour un plat de pâtes. De manière à me mettre en position de vulnérabilité afin de me convaincre que j'avais un besoin impératif de son aide ?

— Tu saisis bien le tableau.

Le visage de Benton s'est fait dur, mais j'y lis aussi une certaine tristesse. Je perçois sa déception dans l'affaissement de ses épaules et les ombres de son regard. Il aimait beaucoup Jaime à notre grande époque, et je sais ce qu'il pense d'elle aujourd'hui. Qu'elle soit morte n'y change rien.

— Assez méprisable, dis-je. Cancaner auprès du FBI, laisser entendre que peut-être Dawn Kincaid ne raconte pas n'importe quoi pour sa défense. Que je suis instable, potentiellement violente et que j'étais motivée par la jalousie. Dieu seul sait ce qu'elle a pu inventer. Mais pourquoi ? Comment a-t-elle pu faire un truc pareil ?

— De plus en plus désespérée et malheureuse. Certaine que tout le monde voulait lui faire la peau, était jaloux, en compétition permanente avec elle, ne méritait pas son respect, alors que la faute venait d'elle, analyse Benton. On pourrait passer sa personnalité au crible jusqu'à la fin des temps sans parvenir à une réponse satisfaisante. Quoi qu'il en soit, ce qu'elle a fait était inacceptable. Elle t'a tendu un piège et c'est impardonnable, te mettant en difficulté pour que tu fasses ce qu'elle voulait. D'autant que tu n'as pas été la seule personne à qui elle a savonné la planche récemment. J'ai parlé à deux agents qui l'ont côtoyée un bon moment et j'ai entendu des histoires.

— As-tu une idée de ce qui se passe ? De l'identité de la personne qui l'a tuée ? De qui se trouve à l'origine de tout ça ? Le FBI a-t-il des pistes ?

— Je serai très direct, Kay. Pas la moindre foutue idée !

J'écrase la gousse d'ail frais, ajoute doucement un peu d'huile d'olive dans la sauce et cherche le récipient de *parmigiano-reggiano* frais râpé. Je le découvre dans un tiroir du réfrigérateur où Marino l'a rangé. D'ailleurs, quoi que je cherche, aliments ou épices, j'ai le sentiment que rien n'est à la bonne place, je me fais l'impression de tourner en rond et d'être incapable d'aligner deux pensées cohérentes.

— Tu peux m'aider à dresser la table ?

La porte communicante située à droite de la zone repas s'ouvre et je m'immobilise. Je demeure figée.

Lucy a coiffé ses cheveux mouillés vers l'arrière. Nu-pieds, elle porte un pantalon de pyjama et un tee-shirt gris du FBI qu'elle garde depuis qu'elle a suivi les cours de son académie.

Je voudrais lui dire quelque chose, mais les mots se coincent dans ma gorge.

— Il faut que tu voies un truc, que tu entendes, me lance-t-elle comme si de rien n'était.

Pourtant je remarque ses yeux bouffis et la ligne rigide de ses mâchoires. Je sais toujours lorsqu'elle a pleuré.

— Je me suis connectée à la caméra de sécurité.

Je jette un coup d'œil à Benton. Son visage est impassible. Nul besoin de mots pour que je sente ce qu'il pense des actions de Lucy. Il ne veut rien en savoir, se retourne et entreprend de remuer la sauce.

— Bon, je prends la suite, déclare-t-il. Je crois me souvenir comment on fait bouillir les pâtes. Je vous préviendrai quand ce sera prêt. Allez discuter toutes les deux.

Je suis Lucy dans sa chambre, demandant :

— Marino t'a communiqué le mot de passe ?

— Il n'a pas à être informé.

CHAPITRE 30

Deux remorqueurs rouges, les flancs semés de pneus amortisseurs, poussent un cargo vers l'ouest au fil de la rivière, avec ses conteneurs multicolores empilés les uns sur les autres à la manière de pyramides de briques. Une allégorie de ce que je dois guider et porter. J'ai l'impression d'une tâche insurmontable. Je ne suis pas certaine d'y parvenir et je supplie de trouver la force.

Mon Dieu. J'avais l'habitude de m'adresser au Tout-Puissant lorsque j'étais enfant. Pour être honnête, ce lien s'est distendu depuis de longues années, parce que je ne savais pas qui ou quoi était Dieu, puisqu'il ou elle a tant de définitions. Un pouvoir supérieur ou un être majestueux assis sur un trône d'or. Un homme simple appuyé sur un bâton, longeant un chemin poussiéreux ou marchant sur l'eau, un homme invitant ceux qui n'ont jamais péché à jeter la première pierre, ou encore faisant preuve de bonté pour la femme du puits. Un esprit féminin né de la nature ou une conscience collective en prise avec l'univers, je ne sais.

Je ne peux clairement définir ce que je crois, si ce n'est qu'il existe quelque chose, hors de ma portée. Je ressasse : *Aidez-moi, je vous en prie.* Je ne me sens pas forte. Je n'ai plus la sensation d'avoir raison ou d'être sûre de moi. Je pense que si Lucy m'inclinait sous une lumière crue, m'examinant telle une pierre, un cristal, et qu'elle découvre un grave défaut qu'elle ignorait en moi, cela me détruirait. Je le verrais dans son regard, comme des ombres accumulées, ou l'hésitation de quelqu'un qui veut vous jeter, vous remplacer, qui ne vous aime ni ne vous respecte plus. Je prends la mort de Jaime Berger en plein visage. Miroir que je donnerais n'importe quoi pour éviter. Je ne suis pas celle que Lucy croyait.

Des lumières vacillent le long de la rive, les étoiles brillent et la lune est perchée haut dans le ciel. Je déplace le seul siège libre dans la chambre de Lucy, un fauteuil tapissé de bleu, poussé sous la fenêtre qui donne sur la rivière. Je le traîne au travers de la moquette jusqu'au bureau où elle a installé son poste de travail, son « cockpit » comme je le nomme, équipé de son propre réseau sans fil ultra-sécurisé. Lucy peut pirater ce que bon lui chante. Les autres ne pourront jamais lui faire ce qu'elle leur destine.

— Ne sois pas contrariée, déclare-t-elle alors que je m'installe.

— Étrange que ce soit toi qui me dises cela. Il faut que nous discutions de la nuit dernière. J'ai besoin d'en parler.

— Je n'ai pas demandé le mot de passe à Marino parce que je ne voulais pas l'entraîner là-dedans, d'autant que je n'avais pas besoin de lui, débite-t-elle.

On croirait qu'elle n'a pas saisi mon allusion à Jaime Berger, ni au fait que je l'ai abandonnée parce que j'étais en colère. Maintenant elle est morte. Ma nièce poursuit :

— Et Benton va devoir être sourd, aveugle et frappé d'amnésie. Il faut qu'il le digère.

— Il faut que nous...

Je m'apprête à tenter d'expliquer que nous devons faire les choses correctement, mais j'abandonne, incapable de formuler ma pensée. Je n'ai pas agi ainsi qu'il convenait hier soir. Qui suis-je donc pour assener des conseils à Lucy ou à quiconque ?

— Benton ne veut pas que tu aies des ennuis, j'ajoute, me sentant ridicule.

— Il était évident que j'allais examiner les enregistrements de sécurité. Il faut qu'il arrête de la jouer aussi foutu FBI !

— Et donc tu les as déjà regardés ?

Le regard rivé sur un écran d'ordinateur, Lucy articule :

— Me contenter de rester assise, de jouer selon les règles pendant que ce sac à merde essaie de te laminer ? En toute liberté, aussi libre que l'air, alors que nous nous terrons dans cet hôtel, avec la trouille de boire ou de manger ? Elle tuera quelqu'un d'autre, plusieurs personnes même, si ce n'est pas déjà le cas. Je n'ai pas besoin d'être profileuse ou analyste en criminologie pour en être certaine. Je n'ai pas besoin d'être Benton.

Elle est en colère contre lui et je comprends pourquoi.

— Quel sac à merde ? Qui ? je demande.

— Je ne sais pas encore, mais je vais trouver.

— Benton aurait-il une idée de son identité, même s'il a prétendu le contraire ? Il m'a affirmé que le FBI était dans le brouillard.

— Je vais trouver et je vais la coincer !

Lucy manipule la souris d'un MacBook et tape un mot de passe que je ne parviens pas à lire.

— Tu ne dois pas te charger seule de ça, je souligne.

Mais je perçois l'inanité de ce conseil. Je ferais mieux de m'abstenir. Elle ne m'a pas attendue.

Qu'ai-je fait d'autre, d'ailleurs, en descendant à Savannah, la nuit dernière et encore aujourd'hui ? J'ai fait ce que je pensais le plus judicieux, ou simplement ce que j'avais envie de faire. Jaime est morte et on pourrait arguer que j'ai compromis l'enquête. En tout cas, la scène de crime. Tout cela parce que je voulais désespérément me débarrasser de mon sentiment de culpabilité, de ma peine, arranger ce qui ne pouvait plus l'être. Jack Fielding est toujours mort, ce qu'il a fait est toujours aussi inacceptable, à ceci près que maintenant je me sens coupable de tout et que d'autres personnes sont décédées.

— Benton a fait ce qu'il pensait préférable pour toi, j'insiste. Je me doute que tu lui en veux de t'avoir empêchée de pénétrer dans l'appartement.

— Le fait qu'elle est soudain apparue avec le sac de sushis au moment où tu t'apprêtais à entrer dans l'immeuble n'a rien d'accidentel, déclare ma nièce alors que l'imprimante se met en marche.

À l'évidence, elle ne discutera ni de Jaime, ni de Benton. Elle ne me permettra pas de confesser que je me suis montrée négligente, que j'ai bafoué mon serment. J'ai fait du mal à autrui en ne tentant rien. Lucy poursuit :

— Elle voulait que ce soit toi qui réceptionnes le sac et qui le montes. Comme ça, tes empreintes digitales et ton ADN sont dessus. On te voit aussi bien qu'en plein jour sur l'enregistrement de la caméra de sécurité. Tu transportes un sac de sushis que tu as commandés.

— Que j'ai commandés ?

Je repense à la lettre que j'ai prétendument envoyée à Kathleen Lawler.

— J'ai téléphoné avant tout le monde au Savannah Sushi Fusion, le restaurant-traiteur.

— Sans doute pas la meilleure idée.

— Marino m'a informée de la livraison. Du coup, j'ai appelé et posé quelques questions. Le Dr Scarpetta a passé sa commande quelques minutes après dix-neuf heures. 63 dollars et 47 *cents*. Tu as précisé que tu passerais la prendre un peu plus tard.

— Jamais de la vie !

— D'ailleurs c'est ce que tu as fait, à dix-neuf heures quarante-cinq.

— Jamais je ne suis allée chercher une commande !

— Bien sûr que non. Le paiement a été effectué en liquide. Alors même qu'ils possédaient le numéro de sa carte bancaire, précise Lucy en faisant référence à Jaime Berger.

— Or la personne qui a apporté le sac connaissait ce détail puisqu'elle l'a précisé, j'ajoute.

— Juste ! L'enregistrement sur le DVR de sécurité le prouve. Mais le liquide est tellement plus simple. Pas d'appels de vérification, pas de questions. Pas de discussion sur le fait qu'un Dr Scarpetta se permet de débiter un achat sur la carte de crédit d'une autre personne. Il s'agit d'un petit restaurant familial. Peu de tables, la plus grande part de leur activité se résumant au service traiteur. La personne avec laquelle j'ai parlé ne se souvenait pas très bien de cette femme, celle qui s'est pointée pour prendre la commande.

— Sur un vélo ?

— Personne ne pouvait l'affirmer, mais je vais revenir à cette histoire de vélo. Une femme assez jeune, blanche, de taille moyenne, parlant l'anglais.

— La description correspond à la personne que j'ai rencontrée devant l'immeuble de Jaime, ce qui ne nous avance guère.

— Je verrais assez bien Dawn Kincaid dans ce rôle, à ceci près qu'elle est en mort encéphalique dans un hôpital de Boston !

— Comment cette femme pouvait-elle savoir que je devais rencontrer Jaime Berger et se trouver là au moment précis où je sonnais à l'interphone, alors que j'ignorais peu de temps auparavant que je dînerais avec elle ?

En effet, cette hypothèse me semble invraisemblable.

— Elle te surveillait. Attendait. La vieille demeure et le square de l'autre côté de la rue s'étendent sur tout un pâté de maisons. Owens-Thomas est maintenant un musée, fermé la nuit, et l'activité autour n'est guère importante. Une profusion d'arbres, de buissons, des ombres propices pour se tapir quand on est en planque et qu'on épie les mouvements d'une cible, énumère-t-elle.

Je me souviens qu'alors que je patientais dans l'obscurité cette nuit-là, attendant le retour de Marino et de sa camionnette, j'ai cru voir et entendre bouger quelque chose dans la pénombre, de l'autre côté de la rue.

Lucy récupère les feuilles crachées par l'imprimante et lisse leurs bords avant d'en faire une pile bien nette. Le feuillet du haut n'est autre qu'une photo tirée des enregistrements de la caméra de sécurité. Une image en gros plan, en nuances de gris, d'un individu traversant la rue en poussant son vélo, avec la belle demeure historique en arrière-plan, tel un mastodonte se découpant dans la nuit.

Je suggère :

— Ou alors on m'a suivie depuis l'hôtel.

— Je ne crois pas. Trop risqué. Il valait mieux récupérer le sac chez le traiteur et patienter de l'autre côté de la rue.

— Je ne vois vraiment pas comment elle aurait pu savoir que j'allais apparaître ce soir-là.

— Le chaînon manquant, déclare Lucy. Qui est le dénominateur commun ?

— Aucune des réponses que je pourrais formuler n'a de sens.

— Eh bien, je vais te le montrer. Après tout, je dois être à la hauteur de ma réputation, lance ma nièce.

— Il semble que tel ne soit plus mon cas, je murmure.

Elle fait semblant de ne pas m'avoir entendue.

— L'agent voyou et solitaire. La pirate, souligne Lucy, répétant les paroles de Jaime hier soir, paroles que je lui ai révélées.

Je continue, allant au bout de ma confession en dépit de l'indifférence de surface de ma nièce :

— J'étais là à l'écouter et elle m'a tapé sur les nerfs. Je me suis mise en boule et je n'aurais pas dû.

Elle clique dans un menu du MacBook. Deux autres *notebooks* posés sur le bureau moulinent leurs recherches. Du moins est-ce ce que j'en conclus, bien que rien de ce qui s'affiche sur leurs écrans ne me soit intelligible. À côté se trouve un BlackBerry et son chargeur, un détail qui me surprend puisque Lucy n'utilise plus de BlackBerry depuis un bon moment.

Je regarde les données défiler sur les deux écrans, des mots, des noms, des nombres, des symboles qui se succèdent à une telle vitesse qu'il est impossible de les déchiffrer.

— Qu'est-ce qu'on cherche ?

— Je vais à la pêche aux informations, à mon habitude.

— Je peux savoir pourquoi ?

— As-tu la moindre idée de ce qu'on peut trouver sur le Net lorsqu'on sait comment s'y prendre ? me répond Lucy, toujours contente de discuter d'ordinateurs, de recherche de données, de caméras de surveillance, tout ce qui n'a qu'un lointain rapport avec ma soirée passée en compagnie de Jaime et de mon besoin d'être absoute pour son décès aux yeux de ma nièce que j'aime autant que ma propre fille.

— Je suis certaine de ne pas en avoir la moindre idée, je réplique. Mais, si j'en juge par WikiLeaks et autres, peu de secrets subsistent encore et presque rien n'est inoffensif.

— Les statistiques. Des données collectées pour que nous puissions y chercher des schémas de reproduction et prévoir. Des modes criminels, par exemple, de sorte que le gouvernement se souvienne qu'il ferait bien de renouveler tes dotations afin que tu retires les méchants des rues. Ou alors des statistiques qui permettent de lancer un produit sur le marché, ou un service, une société de surveillance par exemple. Créer une banque de données à partir de cent mille ou de cent millions de clients pour générer des histogrammes que tu pourras montrer à n'importe qui ou n'importe quelle autre compagnie dont tu convoites la clientèle. Nom, âge, valeur du patrimoine, localisation, prévision. Cambriolages, intrusions, vandalisme, harcèlement, agressions, meurtres, encore des prévisions. Tu emménages dans une très onéreuse propriété de Malibu et tu lances ton studio de cinéma. Je débarque et je te montre qu'il est hautement improbable que quelqu'un fasse intrusion dans ta résidence ou dans tes locaux professionnels, ou même qu'il agresse ton personnel sur le parking ou viole une de tes employées dans la cage d'escalier si tu signes un contrat avec ma compagnie et que je t'installe un système de sécurité ultra-performant que tu utiliseras convenablement.

— Les Jordan !

Elle doit être en train de chercher des informations sur leur compagnie de sécurité.

— Les données clients sont de l'or en barre. Elles sont constamment vendues, à la vitesse de la lumière, poursuit Lucy. C'est ce que tous veulent, les publicitaires, les chercheurs, la Sécurité nationale, les forces spéciales qui ont descendu Ben Laden. Chaque détail sur tes surfs Internet, vers quelles destinations tu voyages, à qui tu téléphones ou expédies des *e-mails*, quelles sont tes vaccinations ou celles de tes enfants, tes numéros de cartes de crédit et celui de la sécurité sociale. Même tes empreintes digitales et tes scans d'iris, simplement parce que tu as fourni des informations personnelles à un service privé de sécurité en charge de postes de contrôle dans certains aéroports et que, moyennant un petit prélèvement mensuel, tu peux sauter les files d'attente pendant que tous les autres poireautent. Quand tu vendras ton entreprise, la personne qui l'achètera voudra récupérer tes données clients. D'ailleurs, dans pas mal de cas, c'est la seule chose qui présente vraiment de l'intérêt. Qui es-tu et comment tu claques ton argent ? Pourquoi ne pas venir le dépenser chez nous ? Et ces données sont vendues et revendues.

— Mais je suppose qu'il existe des pare-feu ?

Je ne veux pas savoir si elle les a aussi piratés.

— Il n'existe aucune garantie que des informations confidentielles ne finiront pas dans le domaine public, biaise-t-elle, peu désireuse de m'expliquer si ce qu'elle fabrique est légal. Surtout lorsque l'actif d'une compagnie est vendu à quelqu'un d'autre.

— Si j'ai bien compris, Southern Cross Security n'a pas été vendue mais a fait faillite, je souligne.

— Cette affirmation est incorrecte. La compagnie a mis fin à ses activités il y a trois ans, corrige Lucy. Son ancien propriétaire, Darryl Simons, n'a pas fait faillite. Il a cédé la base de données clients de Southern Cross Security à une firme internationale qui vend de la protection privée, des conseils de sécurité, un service complet de A à Z : fournir des gardes du corps, superviser l'installation d'un système de sécurité ou effectuer une analyse de risques si un détraqué te harcèle, bref tout ce que tu veux. Cette compagnie a probablement déjà fourgué sa base de données clients à une autre qui l'a également revendue, et ainsi de suite. Donc je prends le problème en sens inverse, comme si je disséquais un sublime gâteau de mariage, ingrédient par ingrédient. D'abord, je repère ledit gâteau de mariage dans la pâtisserie Internet. Ensuite, je recherche tous les items originaux, toutes les données qui ont été extraites, quand des recherches ciblées ont été effectuées à partir des dépositaires d'informations.

— Ce qui devrait inclure des informations concernant les factures. Ou des détails au sujet des alarmes intempestives, je résume.

— Tout ce qui pouvait se trouver sur le serveur de Southern Cross Security et donc les problèmes de fausses alarmes, les perturbations sur les lignes téléphoniques, les interventions de la police, bref tout ce qui a fait l'objet d'un rapport. Ces informations ont ensuite été moulinées pour accoucher de statistiques. En d'autres termes, les détails concernant les Jordan sont quelque part sur Internet. Une cuiller à café de farine que je dois retrouver dans l'état initial. En fin de compte, ce que je veux localiser, c'est le lien Intranet qui liait les fichiers archivés de Southern Cross Security. Pour faire court, je cherche un site éteint qui posséderait les informations détaillées de facturation des clients. Ça m'énerve que ce soit si long !

— Quand as-tu entrepris ces recherches ?

— À l'instant. Mais il a fallu que je ponde les algorithmes avant de les injecter sur la bécane. Bon, maintenant ça défile tout seul. C'est ce que tu vois sur ces deux écrans.

Je suggère :

— Inclure Gloria Jordan serait peut-être une bonne idée. D'ailleurs on ne sait pas à quel nom a été établi le contrat. Après tout, ça pourrait être une sorte de SARL.

— Je n'ai pas besoin de la singulariser, et une SARL ne me préoccupe pas. Ses données à elle seront connectées à celles de son mari ou de leurs enfants, et à différentes sociétés, même à l'administration fiscale, à tout ce qui pourrait traîner dans les médias, sur des blogs, des casiers judiciaires, bref tout ce qui peut avoir un lien avec la famille. Imagine un arbre de décision. A-t-elle évoqué hier soir une inquiétude, le fait qu'elle était peut-être suivie, surveillée, ou qu'un individu rôdait autour de chez elle ?

— Tu veux dire Jaime.

— La moindre allusion. Une sensation étrange à l'égard de quelqu'un. Une personne qui se montrait trop amicale ?

— Je n'ai pas demandé.

— Pourquoi y aurais-tu pensé ? admet ma nièce en détaillant les données qui défilent sur les écrans.

— Le système de sécurité et ses deux caméras, je réplique. Et le fait qu'elle trimbalait une arme sur elle. Un Smith & Wesson 38 chargé avec des balles à tête creuse.

Lucy demeure silencieuse, le regard rivé sur les écrans.

Je lui demande :

— C'est toi qui lui as conseillé ?

— Je ne suis pas au courant de cette arme. Jamais je ne lui aurais recommandé ça. Je ne l'ai jamais encouragée dans ce sens, ne lui ai jamais donné de leçons. Elle faisait une mauvaise candidate.

— Je ne suis pas certaine que c'était seulement par trouille, parce qu'elle était hors de son élément dans le Sud profond. J'aurais dû lui demander si elle avait peur, si elle se sentait menacée, instable, irrationnelle ou simplement malheureuse, et pourquoi. Mais je n'ai rien fait. Et je ne me suis pas assurée qu'elle allait bien lorsque je l'ai quittée hier, aux premières heures du matin.

C'est un tel soulagement de déballer ce que j'ai sur le cœur. Pourtant je suis si honteuse, m'attendant à ce que Lucy s'en prenne à moi, me rende responsable. Je termine :

— Tu te souviens de ce que je te disais quand tu étais petite ?

Lucy ne répond pas.

— Tu te souviens ? Il ne faut jamais se quitter en colère.

Le silence, toujours.

— Que le soleil ne se couche jamais sur ta colère, je complète.

— Ce que j'appelais ton *discours de mort.* Un présupposé général, englobant tout, fondé sur la possibilité que quelqu'un meure ou qu'une circonstance quelconque occasionne un décès, déclare-t-elle sans me regarder. Rendre tout inoffensif, comme pour de jeunes enfants, quel que soit l'âge ou l'état de décrépitude des êtres concernés. Les cordons des stores vénitiens, les escaliers, les balcons équipés de rambardes basses ou les bonbons durs qui peuvent étouffer. Ne cours jamais en tenant une paire de ciseaux, un stylo ou n'importe quel objet pointu. Ne discute pas au téléphone en conduisant. Ne sors pas pour ton jogging lorsque l'orage menace. Regarde toujours des deux côtés de la rue, même s'il s'agit d'un sens interdit.

Lucy suit du regard le défilé de données, refusant de tourner la tête vers moi. Elle poursuit :

— Ne quitte jamais quelqu'un sur une dispute. Et si cette personne se faisait tuer dans un accident de voiture, ou foudroyer, ou mourait d'une rupture d'anévrisme ?

— Je dois vraiment être agaçante.

— Tu es agaçante quand tu te convaincs que les sentiments que nous partageons tous t'épargnent. Oui, en effet, tu étais furieuse quand tu as quitté Jaime hier. Et je sais à quel point tu l'étais. Tu n'as pas cessé de me le répéter au téléphone jusqu'à trois heures du matin, tu te souviens ? Tu avais toutes les raisons d'être en colère. C'était normal. J'aurais ressenti la même chose si j'avais été à ta place et qu'elle ait balancé ce genre de trucs à ton sujet. Ou t'avait fait subir la même chose qu'à moi.

Je m'obstine :

— J'aurais dû rester et régler le problème avec elle. Peut-être me serais-je rendu compte alors de ce qui se passait, je veux dire son état physique. Peut-être que je me serais aperçue que les symptômes qu'elle manifestait n'avaient rien à voir avec l'ébriété.

— Je me demande si une organisation Pirates anonymes existe, s'interroge Lucy, prétendant ne pas m'avoir écoutée. PA, ça sonne bien. Quelle blague de penser que des gens comme moi ne pénétreront pas dans un système s'ils le peuvent ! On ne soigne pas une assiette ébréchée. La seule chose à faire, c'est de vivre avec ou de la jeter.

— Tu n'es pas une assiette ébréchée !

— Non, d'ailleurs elle m'avait baptisée « la tasse fêlée ».

— C'est cruel de dire une chose pareille ! je proteste.

— Oh, mais c'est vrai. En voici la preuve, affirme-t-elle en désignant les ordinateurs installés sur le bureau. Si tu savais le jeu d'enfant que ça a été pour moi de pénétrer sur son DVR ! D'abord elle était très négligente avec ses mots de passe. Elle utilisait toujours le même, pour ne pas l'oublier et risquer de se retrouver plantée. L'adresse IP aussi a été une vraie partie de plaisir. Tout ce que j'ai eu à faire consistait à m'envoyer un *e-mail* depuis mon iPhone en me tenant sous la caméra de surveillance. Ça m'a donné l'adresse IP statique de cette connexion.

— Et tu as pensé à tout cela pendant que je me trouvais dans son appartement ?

— Benton et moi étions dehors, sous la pluie, protégés par l'auvent.

Je ne sais pas si je devrais être stupéfaite ou horrifiée.

— Il me cramponnait le bras, mais je suis restée polie, très civilisée. Il a eu de la chance. Parce que j'ai failli devenir mal élevée. Oui, il a vraiment eu une sacrée chance.

— Il tentait juste de...

— Il fallait que je fasse quelque chose, m'interrompt-elle. J'ai repéré la caméra miniature extérieure, qui paraissait neuve, en d'autres termes installée peu de temps auparavant. Un système pas mal du tout, avec objectif varifocal. Le genre d'appareil que choisirait Marino. Mais je n'avais aucune intention de le lui demander, affirme-t-elle, insistant à nouveau sur ce point. Je me suis dit qu'il devait y avoir un DVR quelque part. Il était exclu que je reste là les bras croisés, à ne rien tenter. Qui veut attendre gentiment qu'on lui accorde une putain de permission ? En tout cas, pas les enfoirés ! Les sacs à merde qui causent tous ces problèmes non plus ! Elle avait raison. Nul ne peut me réparer. Mais c'est peut-être parce que je n'en ai pas envie ? Non. Bordel, non !

— Tu n'as jamais été ébréchée ou fêlée, je répète, la colère m'envahissant à nouveau. *Primum non nocere.* D'abord ne pas nuire. J'ai fait des promesses, moi aussi. On fait du mieux qu'on peut. Je suis désolée de t'avoir déçue.

Les mots semblent creux alors que je les prononce.

— Tu n'as fait aucun mal. Elle est l'unique responsable.

— C'est faux. J'ignore ce qu'on t'a raconté, mais...

— Elle s'est elle-même infligé ce mal il y a très longtemps, me coupe Lucy en manipulant la souris. (L'image fixe de l'immeuble de Jaime et de la rue se matérialise sur l'écran du MacBook.) Elle a établi son plan de vol lorsqu'elle a décidé de mentir. Elle s'est crashée, même si une autre personne se trouvait à ce moment-là au contrôle. Évidemment, je suis consciente que du strict point de vue de la terminologie elle a été assassinée et que ma conviction philosophique en la matière est dénuée de pertinence.

— C'est ce que nous soupçonnons, sans preuve pour l'instant, je rectifie. Nous n'aurons aucune certitude avant que le CDC termine les analyses. Ou alors, peut-être que nous apprendrons d'abord la vérité au sujet de Dawn Kincaid, si tant est qu'il s'agisse bien d'empoisonnements en série avec la même neurotoxine.

— Oh, mais on sait, me détrompe ma nièce d'un ton plat. Une femme qui pense qu'elle est tellement plus intelligente que nous tous. Le lien, le dénominateur commun n'est autre que la prison. Évident ! Vous avez tous cette prison en commun. Même Dawn Kincaid puisque sa mère y est incarcérée. Était, plutôt. Et elles correspondaient, n'est-ce pas ? Vous êtes tous liés au GPFW.

Le papier à lettres décoré de chapeaux pointus et de ballons pour rédiger des invitations et les timbres à 15 *cents* me reviennent à l'esprit. Un envoi un peu volumineux destiné à Kathleen. Peut-être a-t-elle expédié quelque chose à Dawn ? Je revois les lettres tracées en relief, les fragments de phrases, l'écriture très reconnaissable de Kathleen. Une référence à PNG, à quelqu'un qui tentait de la soudoyer, de l'amadouer.

—Je vais t'avoir, promet Lucy à l'image de l'immeuble de Jaime Berger affichée sur l'écran. Tu n'as pas la moindre idée de la personne que tu cherches à entuber ! Ça n'aurait rien changé si tu étais restée avec elle plus longtemps, me destine-t-elle alors, sans toutefois tourner le visage vers moi.

Ses yeux m'évitent depuis que je me suis installée. Son attitude me trouble et me blesse, même si je sais que Lucy fuit le regard des autres lorsqu'elle a pleuré.

— Sa voix trahissait une personne saoule, poursuit Lucy, comme si elle le savait de source sûre. Vraiment bourrée, comme parfois lorsqu'elle téléphonait.

— Téléphonait quand vous étiez ensemble ? Ou depuis ?

Je contemple le BlackBerry posé sur le bureau et commence à entrevoir ce qui s'est passé.

— Tu m'as dit qu'elle était saoule, ou du moins tu le croyais, déclare Lucy en tapant. Tu n'as jamais insinué qu'elle aurait pu être malade, ou un autre problème de ce genre. En d'autres termes, il serait insensé que tu t'en veuilles. Pourtant c'est le cas. Tu aurais dû me permettre d'entrer chez elle.

—Je ne le pouvais pas, tu le sais bien.

— Pourquoi me protèges-tu toujours comme lorsque j'avais dix ans ?

— Ça n'a rien à voir avec ta protection, dis-je.

Je sens mon honnêteté fondre avec mes bonnes intentions. Un mensonge enrobé de gentillesse et de délicatesse. Je corrige :

— Bon, d'accord, il s'agissait en effet avant tout de te couver. Je ne voulais pas que tu assistes à ce spectacle. Je souhaitais que tu te souviennes d'elle comme…

— Comme quoi ? m'interrompt-elle à nouveau. Ma compagne la procureure m'expliquant pourquoi je ne dois plus avoir aucun contact avec elle ? Cela ne lui suffisait pas de rompre, il fallait que ça ressemble à une ordonnance restrictive : tu es malsaine. Tu es effrayante et destructrice. Tu es cinglée. Hors de ma vue.

— D'un point de vue légal, tu ne pouvais pas te trouver dans l'appartement, Lucy.

— Toi non plus, tante Kay.

Soulignant ce qu'elle sait déjà, j'explique :

— Il était trop tard dans mon cas. Mais tu as raison. Cela pose des problèmes. Il était exclu que tes empreintes digitales ou ton ADN soient trouvés sur les lieux, rien qui puisse inciter la police à s'intéresser à toi. C'était moche de sa part de te parler comme elle l'a fait. Elle s'est montrée malhonnête en prétendant que tu étais le problème, au lieu de s'attaquer à ce qui lui était intolérable en elle-même. Mais j'aurais dû m'assurer qu'elle allait bien avant de partir. J'aurais dû être plus vigilante.

— Ce que tu veux dire, c'est que tu aurais dû te montrer plus attentionnée.

— J'étais en colère et je n'ai pas fait assez attention. Je suis désolée...

— Pourquoi aurais-tu fait plus attention ? Bordel, pourquoi devait-elle t'importer ?

Je cherche la vraie réponse puisque la réponse honorable est fausse. J'aurais dû faire attention à Jaime parce qu'on devrait toujours s'inquiéter d'un autre être humain. Il s'agit là de la réponse juste. Tel n'a pas été le cas. Sincèrement, je me contrefichais de Jaime la nuit dernière.

— L'ironie, c'est qu'elle était foutue de toute façon, reprend ma nièce.

— Il ne nous appartient pas de décider de ce genre de choses, pour quiconque. Peut-être n'était-elle pas foutue. J'aime à croire qu'à un moment elle aurait eu un éclair de lucidité. Les gens peuvent changer. Il est inacceptable que quelqu'un l'ait privée de cette chance.

Je parle lentement, pesant mes mots, comme si je tâtonnais le long d'un chemin tortueux, risquant à chaque instant de trébucher et de me briser les os. Je conclus :

— Je suis navrée que ma dernière rencontre avec elle ait été si déplaisante, parce que tant d'autres furent agréables. Je me souviens qu'elle était…

— Je ne lui pardonnerai jamais, me coupe Lucy.

— La colère est plus aisée que le chagrin.

— Je ne pardonnerai, ni n'oublierai. Elle m'a piégée et a menti. Elle a commencé à tellement mentir qu'il n'y avait plus une once de vérité et qu'elle a fini par croire à ses propres conneries.

Lucy bouge le curseur sur *lecture* et clique avec la souris. L'enregistrement défile. Des briques, des marches, une balustrade en métal, le tout en nuances de gris. Le brouhaha des voitures qui filent dans la rue devant l'immeuble de Jaime, le pinceau de leurs phares éblouissant par à-coups. Lucy ouvre une autre fenêtre et clique sur un nouveau dossier. Une silhouette apparaît plus loin dans la rue sombre, une femme mince, à pied, la même jeune femme, je suppose. Toutefois je ne vois pas de vélo et elle ne porte pas les vêtements de la nuit dernière. Elle traverse la rue. Soudain, un éclair d'un blanc aveuglant, au point qu'on croirait à l'apparition d'un extraterrestre ou d'une divinité. Elle s'avance vers l'entrée de l'immeuble d'un pas alerte, à l'aise, son crâne étincelant telle une nova.

— Elle n'était pas habillée de cette façon, dis-je.

— Repérage. Des essais à blanc. J'en ai trouvé cinq au cours des deux dernières semaines.

— La nuit dernière elle portait une chemise de couleur claire. Ce que je viens de voir date de quand ?…

Je suis interrompue par Jaime Berger. La voix familière flotte d'un haut-parleur et Lucy augmente le volume, alors que la silhouette de l'enregistrement disparaît dans l'obscurité de la rue qui borde l'immeuble de Jaime.

« … Je me rends bien compte que je bafoue à nouveau la règle de l'absence de contact, règle que j'ai moi-même établie. Je suppose que tu sais maintenant que Kay est ici et va m'épauler dans mon affaire. Nous venons de dîner ensemble et je crains de l'avoir troublée. Elle se transforme toujours en lionne dès que tu es concernée, et ça n'aide pas. Mon Dieu, non ! Ça n'a jamais aidé. Un fâcheux trio, et c'est un gentil euphémisme. C'est étrange, j'ai toujours eu le sentiment qu'elle se trouvait dans la même pièce que nous, peu importait la pièce en question. Extinction des feux, coucou, tante Kay, tu es là ? Oh, mince ! Nous en avons discuté *ad nauseam*…

— Arrête ! (Lucy passe les deux fichiers en pause.) Jaime t'a appelée à ton nouveau numéro ? Quand ?

Je pense connaître la réponse.

Jaime s'interrompt souvent et bafouille, butant sur ses mots, débit assez similaire à celui d'hier soir, lorsque je l'ai quittée. Peut-être est-elle encore plus approximative, en tout cas plus venimeuse. Je fixe le BlackBerry connecté au chargeur posé sur le bureau.

— Ton ancien téléphone. Tu n'as pas changé de numéro. Tu en as juste pris un supplémentaire lorsque tu es passée à l'iPhone.

— Elle ne connaissait pas mon nouveau numéro. Je ne lui avais pas communiqué, d'ailleurs elle ne l'a jamais réclamé, explique Lucy. Je ne m'en sers plus, précise-t-elle en désignant le BlackBerry.

— Tu ne l'as gardé que parce qu'elle continuait à t'appeler dessus.

— Ce n'est pas la seule raison, mais c'est exact. Elle ne téléphonait pas souvent. Surtout tard la nuit, quand elle avait trop bu. Je conserve tous les messages en les téléchargeant sur des fichiers audio.

— Et tu les écoutes sur l'ordinateur.

— Je peux les écouter partout, là n'est pas le problème. L'idée est de les conserver, de m'assurer qu'ils ne peuvent pas être perdus. Ils ressemblent tous à celui-ci. Elle ne demande jamais rien, n'exige pas que je la rappelle. Elle monologue quelques minutes, puis raccroche sans même prendre congé. Un peu comme elle a rompu. Des déclarations à l'emporte-pièce, elle parle, n'écoute pas et coupe la communication.

— Tu as conservé ces messages parce qu'elle te manque. Parce que tu l'aimes toujours.

— Je les ai sauvegardés pour me souvenir qu'elle ne devait pas me manquer, que je ne devais pas l'aimer, rectifie Lucy, la voix tremblant d'une terrible peine, de frustration et de rage mêlées. Ce que je veux faire passer, c'est qu'elle ne semblait pas malade ou physiquement souffrante. (Elle s'éclaircit la gorge avant de poursuivre :) Elle avait juste l'air bourrée et elle a téléphoné une demi-heure après ton départ de l'appartement. En d'autres termes, elle devait paraître encore plus cohérente lorsque tu l'as quittée.

J'approuve :

— Elle n'a fait aucune allusion à un malaise ou à une sensation étrange. À rien du tout d'ailleurs.

Lucy hoche la tête et propose :

— Je peux te passer tout l'enregistrement. Elle ne mentionne rien de la sorte.

J'imagine Jaime Berger enveloppée dans son peignoir bordeaux, errant de pièce en pièce, buvant à petites gorgées son scotch onéreux, puis se plantant devant la fenêtre, suivant du regard le départ de la camionnette de Marino. Je ne sais pas à la minute près quand nous avons démarré. Mais elle a appelé Lucy à peine une demi-heure plus tard, composant son ancien numéro de mobile pour laisser un message. À l'évidence, ses symptômes se sont donc aggravés ensuite. Je revois la table de chevet, le verre renversé, la base de téléphone, le combiné sous le lit, mais également le désordre qui régnait dans la salle de bains attenante, médicaments, objets de toilette éparpillés un peu partout. Selon moi, Jaime s'est assoupie. Vers deux ou trois heures du matin, elle s'est soudain réveillée, le souffle court, presque incapable de déglutir ou de parler. C'est sans doute à ce moment-là qu'elle a fébrilement cherché un remède à ses symptômes terrorisants.

Symptômes étrangement similaires à ceux que Jaime m'a décrits lorsqu'elle a évoqué le cas Barrie Lou Rivers et à ce qui attend peut-être Lola Daggette si elle est exécutée le jour de Halloween. Cruel et inhabituel, une horrible façon de mourir et, selon Jaime, avant tout délibérément féroce. J'ai cru qu'elle fabriquait une histoire angoissante pour alimenter son argumentaire et me convaincre, mais peut-être n'était-ce pas le cas. Peut-être ses allégations étaient-elles plus véridiques qu'elle ne le supposait elle-même. Pas une mort de peur, mais une mort effrayante.

— Tu es parfaitement lucide, mais tu ne peux ni parler, ni marcher, ni faire le moindre geste, et tes paupières sont closes. On pourrait croire que tu es inconsciente. Les muscles de ton diaphragme sont paralysés, et tu le sens alors que tu suffoques, paniques et souffres. Tu sais que tu es en train de mourir et ton corps ne t'obéit plus. C'est au-delà de la mort, une punition sadique.

Je suis en train de reprendre les mots de Jaime à propos de l'exécution par injection létale, et sur ce qui se produit si l'anesthésie décline.

De quelle façon un tueur peut-il procéder pour exposer ses cibles à un poison qui paralyse la respiration et les rend incapables de parler, d'appeler à l'aide ? Surtout si la victime sélectionnée est incarcérée.

Je me lève et demande :

— Pourquoi enverrait-on des timbres d'au moins vingt ans à une détenue ? Pourquoi ne pas les vendre, peut-être qu'ils ont de la valeur pour un collectionneur ? Ou bien, justement, peut-être est-ce un collectionneur le généreux donateur ? Ou encore, ils ont été achetés à la liquidation d'un fonds de philatéliste. Pas de peluches, de poussière, rien au dos, pas de dents manquantes, pas de pliures évoquant des décennies passées dans un tiroir. Quoi de plus facile que de les envoyer en mon nom dans une fausse enveloppe du centre de Cambridge, contenant une fausse lettre écrite sur un papier à en-tête qui ressemble au mien et signée de mon nom ? Pourquoi pas ? Elle avait l'air de penser que je m'étais montrée généreuse avec elle, alors que c'était faux. Une grande enveloppe que je lui aurais envoyée, affranchie pour un poids bien supérieur à celui d'une lettre. Il y avait autre chose dedans. Peut-être des timbres.

Lucy lève enfin le regard vers moi. Je lis dans ce vert assombri, plus profond, une incommensurable peine mêlée de colère. Je sais à quel point il doit être épouvantable d'imaginer l'agonie de Jaime comme je viens de la décrire et je murmure :

— Je suis navrée.

— Quel genre de timbres ? Dis-moi exactement de quoi ils avaient l'air.

Je lui explique ce que j'ai découvert dans la boîte cadenassée qui se trouvait au pied du lit métallique. Un feuillet de dix timbres à 15 *cents*, datant d'une époque où l'on devait lécher ou humecter à l'éponge la colle au dos des timbres, des étiquettes, ou sur le rabat des enveloppes. Je décris ma prétendue lettre à Kathleen et l'étrange papier festif qu'elle ne pouvait pas avoir acheté dans la boutique du pénitencier. Quelqu'un lui a envoyé des timbres et cet article de papeterie, moi ou plutôt une personne se faisant passer pour moi.

Le timbre s'affiche soudain sur l'écran de l'ordinateur. Une large plage de sable blanc parsemée de brins d'herbe, avec un parasol à rayures rouges et jaunes adossé à une dune. Dans le ciel sans nuages, une mouette vole au-dessus d'une mer d'un bleu intense.

CHAPITRE 31

Minuit a sonné. Nous picorons le plat trop cuit et un peu ratatiné préparé par Benton. Cependant personne ne joue les difficiles, ni ne se préoccupe beaucoup de la nourriture, du moins pas dans le sens gastronomique. À cet instant précis, je pourrais décider de ne plus jamais manger de ma vie, et tout ce que je regarde se transforme en source potentielle de souffrance et de mort.

La sauce bolognaise, la laitue, la vinaigrette et même le vin. Je reprends brutalement conscience qu'une existence paisible et saine sur cette planète est d'une fragilité extrême. Il faut si peu de chose pour créer un désastre. Des plaques tectoniques frémissent et engendrent un tsunami. Des températures et des masses humides s'affrontent et enfantent tornades et ouragans. Pire que le reste : ce dont les humains sont capables.

Colin Dengate m'a envoyé un *e-mail* il y a environ une heure, me faisant part d'informations qu'il aurait sans doute dû garder pour lui. Mais il est ainsi : un « plouc », comme il se plaît à le souligner. Armé et dangereux, aime-t-il répéter alors qu'il sillonne les routes dans sa vieille Land Rover sous une chaleur écrasante. Sans peur, notamment vis-à-vis des bureaucrates, ou plutôt des « bureausaures » – le nom qu'il donne à ceux qui permettent à la politique, à l'administration, voire aux phobies d'entraver la justice. Il ne m'écartera pas de l'enquête, encore moins aujourd'hui. Pourtant les efforts pour m'incriminer sont évidents. Au point qu'ils enterrent tout doute raisonnable et me font passer pour un monstre qui empoisonne à tour de bras.

Colin m'apprend que Jaime est morte en excellente santé, à l'instar de Kathleen Lawler. L'examen général n'a rien révélé sur la cause du décès, mais le contenu gastrique de Jaime n'était pas digéré, dont des comprimés rouges, rosâtres et blancs. Nous pensons tous deux qu'il s'agit de ranitidine, Sudafed et Benadryl. Il explique que Sammy Chang lui a transmis des rapports d'analyses qui ne signifient pas grand-chose, sauf si l'on admet que Kathleen Lawler est décédée d'une intoxication aux métaux lourds. Colin n'y croit pas une seconde et il a raison. Il précise qu'il aimerait savoir si des traces de magnésium, fer et sodium m'évoquent quelque chose de particulier.

Benton arpente la pièce, allant d'une fenêtre à l'autre. Elles donnent sur la Savannah River. Des lumières pointillent l'autre berge, où des grues de chantiers navals se dessinent à peine sur le ciel d'encre. Son portable plaqué à l'oreille, il discute avec l'agent spécial Douglas Burke de l'antenne FBI bostonienne :

— Je comprends bien. Mais vous devez prendre en compte un point très important : cela pourrait être mortellement toxique.

À ce que je saisis de la conversation, il semble évident que l'agent Douglas Burke, qui fait partie de la force opérationnelle créée pour enquêter sur les crimes de la Mensa, répugne à informer Benton, au-delà d'une simple confirmation du communiqué de presse délivré par le Massachusetts General Hospital. Dawn Kincaid souffre de botulisme. En mort encéphalique, elle a été placée sous assistance respiratoire. Benton a demandé à brûle-pourpoint si des timbres de 15 *cents* représentant un parasol avaient été trouvés dans sa cellule du Butler.

— D'une façon ou d'une autre, elle est entrée en contact avec la toxine, insiste-t-il. Empoisonnée, pour être clair, à moins d'imaginer que cela provienne de la nourriture du Butler, et j'en doute fort. Il y a d'autres cas de botulisme recensés dans l'établissement ?... Tout à fait ! La colle à l'arrière des timbres pourrait être le mode d'administration.

— C'était plutôt bon. Mais sans vouloir offenser Benton, il devrait quand même éviter les cuisines, déclare Marino en repoussant son assiette de sauce bolognaise sans pâtes qui ont fini leur existence en bouillie peu ragoûtante. Le régime Botox. Le seul effort à fournir, c'est penser au botulisme. Ça va vous faire perdre du poids. Doris préparait ses propres conserves, précise-t-il en évoquant son ex-femme. Rétrospectivement, ça me fout les jetons. On peut l'attraper avec du miel, vous savez ?

— Le risque concerne surtout les très jeunes enfants, je réponds, distraite, tentant d'écouter la conversation de Benton. Ils ne possèdent pas le robuste système immunitaire des adultes. Je pense que vous pouvez manger du miel sans aucune crainte.

— Nan ! Je touche pas au sucre ou au faux sucre, et c'est certain que je veux pas de miel, ou des conserves maison, et peut-être même que je vais aussi éviter les bars à salades.

Lucy a installé son MacBook sur la table de salle à manger et tape d'une main, tout en mangeant un morceau de pain de l'autre. Elle rétorque :

— Vous pouvez acheter de la toxine en provenance de Chine, dans les 20 dollars la fiole. Fausse identité, faux compte *e-mail,* et vous n'avez même pas à travailler dans un labo ou à exercer la médecine ! Une commande discrète, tranquillement installé chez vous. Je pourrais le faire maintenant. Je suis d'ailleurs surprise qu'un tel truc ne soit pas déjà arrivé.

— Remercions-en le ciel ! je lance en commençant à débarrasser la table, incapable de décider si je dois téléphoner au général Briggs.

— Le poison le plus puissant sur terre. Il ne devrait pas être aussi aisé de s'en procurer, commente Lucy.

— Tel n'était pas le cas auparavant, je corrige. Mais la toxine botulique type A s'est généralisée en raison de son intérêt dans le traitement de pas mal de maladies ou désordres médicaux. Ça va bien au-delà des applications en cosmétologie. Les migraines, les tics, d'autres formes de spasmes musculaires, l'hypersalivation, bref les gens qui bavent, le strabisme, les contractions musculaires involontaires, les paumes moites.

— Faudrait que vous en utilisiez combien, en admettant que vous achetiez les fioles sur Internet ? interroge Marino.

Il lâche les bouteilles vides qui s'entrechoquent en tombant dans le sac réservé au recyclage, pendu dans la kitchenette où il m'a suivie.

— C'est vendu sous forme cristalline, une poudre blanche, du *Clostridium botulinum* type A lyophilisé que l'on peut reconstituer.

J'ouvre le robinet de l'évier, attendant que l'eau devienne chaude.

— Et puis y a plus qu'à l'injecter dans des aliments ou dans un conteneur de traiteur, par exemple ?

J'approuve :

— Très simple. Terriblement simple.

— Du coup, si vous en avez assez, vous pourrez détruire des milliers de gens, poursuit Marino en récupérant un torchon afin d'essuyer les assiettes que je lave.

— Si vous utilisez comme vecteur un aliment préemballé ou des boissons qui ne sont pas assez chauffés, en effet.

J'avoue que cette perspective me pétrifie.

Il me prend une assiette des mains, concluant :

— Ben, je crois que vous devriez appeler Briggs.

— Je savais que vous alliez me le conseiller, mais ce n'est pas simple.

— Bien sûr que si. Bordel, vous l'appelez et vous l'avertissez !

Je lui tends un verre et argumente :

— Ça enclenche un processus avant même que nous ne disposions des résultats de labo.

— Dawn Kincaid a chopé le botulisme. C'est pas un résultat de labo ? (Il ouvre les placards et entreprend de ranger les assiettes.) À mon avis, c'est la seule confirmation qu'il vous faut, surtout si vous gardez à l'esprit ce qu'on découvre d'autre et le fait qu'on commence à assembler les pièces du puzzle. Comme cette merde de dépôt retrouvé dans le lavabo de Kathleen Lawler qui concorde avec les brûlures de son pied.

— Ça peut concorder. Il s'agit de spéculations de ma part.

— Ben, s'il y a une personne avec qui vous devriez spéculer, c'est avec lui.

Il fait référence au général Briggs, le chef des médecins experts des forces armées, mon commandant et un vieil ami de la lointaine époque où j'ai commencé ma carrière au centre médical des armées de Walter Reed. Marino veut que j'annonce à Briggs que le contenu gastrique de Kathleen Lawler semble être un mélange non digéré de poulet, de pâtes et de fromage, peut-être empoisonné avec une toxine botulique, et que le microscope électronique à balayage couplé à l'analyse dispersive en énergie a détecté du magnésium, du fer et du sodium dans l'étrange résidu odorant prélevé sur la paroi du lavabo de sa cellule. La réponse à la question de Colin qui me demandait si la découverte de ces éléments m'évoquait quelque chose est affirmative. Malheureusement !

Lorsque de l'eau est ajoutée à du fer, du magnésium et du sodium, c'est-à-dire du sel, il en résulte une réaction exothermique qui dégage très vite de la chaleur. La température peut monter jusqu'à cent degrés. Cette propriété est utilisée pour réchauffer sans flamme les rations des militaires en opération. Les rations prêtes à consommer proposent des dizaines de menus, dont du poulet accompagné de pâtes. D'autant que dans les conditionnements en épais plastique beige-marron qui les enveloppent se trouvent aussi très souvent des parts de fromage à tartiner. Chacun de ces repas sous conditionnement inclut un système RRSF, pour « réchauffeur de ration sans flamme », protégé dans un robuste polybag. Cet ingénieux mécanisme ne demande pas de gros efforts à un soldat en mission, hormis découper une extrémité, ajouter un peu d'eau et déposer le sac sous le repas à réchauffer, en les adossant « à un rocher ou autre », conseille le mode d'emploi.

Certes, d'autres hypothèses pourraient expliquer la présence de fer, de magnésium et de sodium dans le résidu prélevé sur le lavabo de Kathleen Lawler. Mais la combinaison des différents indices mène à une conclusion cauchemardesque, qui peut difficilement trouver une autre interprétation. L'odeur déplaisante qui m'évoquait un sèche-cheveux en court-circuit ou une isolation surchauffée semble parfaitement cohérente avec une réaction chimique productrice de chaleur. D'autant que le pied gauche de Kathleen portait des brûlures dont les officiels du pénitencier ont répété qu'elle ne pouvait pas se les être causées à Bravo Pod. Selon moi, elle a accidentellement fait couler un liquide bouillant sur sa chair dénudée et il est fort possible qu'il s'agisse de l'eau très chaude du réchauffeur de ration sans flamme.

Les brûlures au premier degré étaient récentes. Je ressasse l'obsession de Kathleen à l'égard de la nourriture, certains de ses commentaires. Je me demande si un ou plusieurs carnets de son journal intime ne renfermaient pas des précisions sur ce qu'elle faisait, pensait et peut-être mangeait depuis son transfert à Bravo Pod. Tara Grimm s'occupait d'elle avec bonté, et Kathleen était ravie d'être aux commandes de la *cuisine expérimentale.* Elle avait des muffins au miel dans sa cellule et des paquets de nouilles lyophilisées, et savait transformer des *pop-tarts* en gâteau à la fraise, s'imaginant la *chef étoilée de la taule.* Peut-être Tara Grimm fournissait-elle Kathleen en petits extras en échange de sa coopération ou d'autres services. Mais ce matin-là le petit extra était un menu prêt à cuire dans lequel on avait injecté du poison.

Marino continue à me faire la morale pour me convaincre :

— En plus, y a cette merde au sujet des caméras. Contrer les infrarouges par d'autres infrarouges, une bande de petites diodes électroluminescentes installée sur son casque de vélo, si Lucy s'est pas plantée. Quoi que cette nana ait fabriqué, ça a flingué l'enregistrement de sécurité, c'est un fait. Son visage complètement caché par cette lumière blanche au moment où elle était assez proche de l'entrée pour que la caméra saisisse son image. Lucy affirme qu'on peut ni réparer, ni améliorer l'enregistrement. Comme ces foutus Chinois qui aveuglent nos satellites espions avec leurs lasers. Faut que vous l'appeliez.

Alors que Benton reparaît, je réitère :

— Ça va déclencher l'alerte jusque dans le Bureau ovale. Le général Briggs fera remonter l'information en haut de la chaîne, au Pentagone, à la Maison-Blanche, s'il existe le moindre soupçon que nos troupes pourraient être la cible ultime. Bref, que ce que nous avons vécu est l'étape préliminaire d'une attaque terroriste.

— Elle ne l'admettra jamais clairement, mais si je lis entre les lignes, sa réponse est affirmative, annonce Benton en résumant sa conversation avec l'agent Douglas Burke, qui est une femme. Des timbres de 15 *cents* correspondant à la description que tu m'as donnée ont été découverts dans la cellule de Dawn Kincaid. Une planche de dix, dont trois manquent. Ils ont été collés sur une lettre qu'elle n'a pas eu le temps de poster, adressée à son avocat.

— La question est donc : où a-t-elle récupéré ces timbres ?

— Dawn a reçu un envoi de Kathleen Lawler hier après-midi, précise Benton. Douglas n'a jamais voulu confirmer qu'il renfermait les timbres en question, mais le fait qu'elle m'informe de cette lettre tendrait à le prouver.

— Rédigée sur du papier décoré, pour invitation ?

— Elle ne l'a pas précisé.

— Mentionnant un truc PNG et le fait qu'on tentait de la soudoyer ? En d'autres termes, des remarques railleuses, probablement à mon sujet ?

— Douglas n'est pas entrée dans ce genre de détails.

— J'ai réussi à déchiffrer des fragments de phrases en relief lorsque je fouillais la cellule de Kathleen Lawler. Le ton m'a semblé très sarcastique, ce qui est compréhensible si elle croyait que je lui avais envoyé les timbres et le papier à lettres à ballons, qui avaient vraiment l'air de rogatons dont on se débarrasse, dis-je en me souvenant du commentaire narquois de Kathleen Lawler évoquant les trucs au rebut que les gens envoyaient aux détenues parce qu'ils n'en voulaient plus. Que j'aurais tenté de l'acheter avec un cadeau aussi radin et lamentable. Sauf que cela ne venait pas de moi. La lettre contrefaite et signée de mon nom, qui accompagnait vraisemblablement ces pathétiques présents, a été postée de Savannah le 26 juin, ce qui signifie que Kathleen a eu largement le temps d'expédier un des feuillets de timbres à Dawn.

— J'ai l'impression que c'est le cas, bien que Douglas ne l'ait pas formulé de façon précise et qu'elle se soit abstenue de prononcer ton nom, déclare Benton. Quoi qu'il en soit, j'ai été très clair au sujet des documents falsifiés et des tentatives d'un ou plusieurs individus pour t'incriminer, en insistant sur le fait que rien de tout cela n'était plausible.

Je tranche :

— Un accident. La mère derrière les barreaux envoie à sa fille, elle aussi incarcérée, des timbres afin qu'elles puissent continuer à correspondre, sans se douter une seconde que leur colle a été empoisonnée. Mais Kathleen était bien trop égoïste pour offrir les bons timbres à sa fille.

Marino fronce les sourcils.

— Les bons timbres ?

— Elle avait des timbres récents dans sa cellule, à 44 *cents*, mais n'avait pas envie de les partager. Elle voulait bien offrir à sa fille la « merde » dont les autres se débarrassaient, selon ses termes. Ceux qui lui avaient été offerts, croyait-elle, par une PNG. Moi.

— Ben, voilà à quoi mène la radinerie. Elle offre sa fille à l'adoption et trente-trois ans plus tard elle lui offre le botulisme, lance Marino d'un ton léger.

Benton vide le plat de pâtes dans la poubelle, où son contenu atterrit en bloc compact.

— Désolé pour le repas, commente mon mari, pour le moins inefficace derrière les fourneaux. D'autant que laver la laitue à l'eau chaude n'était sans doute pas non plus une de mes meilleures initiatives.

— Il faudrait la faire bouillir pendant dix minutes pour détruire la toxine botulique thermorésistante, je précise.

— Donc vous l'avez bousillée pour rien, résume Marino, assez satisfait de river son clou à Benton.

— Si Dawn était une victime accidentelle, pas une cible, cela signifie quelque chose, remarque mon mari.

— C'est pas les timbres qui ont empoisonné Kathleen. Il semble pas qu'elle les ait touchés, et ça aussi, ça signifie quelque chose, rétorque Marino comme nous retournons vers la table transformée en bureau par une Lucy qui vient de commettre le seul acte qu'elle considère criminel.

Le papier. Elle ne veut pas entendre parler de sorties d'imprimante. Cependant il y a trop d'informations à digérer, trop de choses à consulter, à lier entre elles. Des images, des facturations de compagnies de sécurité et leurs archives, des arbres de décision, des fichiers de données, et ses recherches ne sont pas terminées. Par considération pour nous, elle s'efforce de nous rendre le travail plus facile, envoyant les fichiers sur l'imprimante restée dans sa chambre.

Marino tire une chaise et s'y laisse choir en continuant :

— Bon, on dirait donc qu'elle a été tuée par ce qu'elle a mangé, non ? Peut-être ce plat de poulet aux nouilles et ce fromage, mais pas les timbres. C'est important. Au fond, elle a sans doute eu du bol de ne pas vivre assez longtemps pour apprendre que sa fille en avait léché trois pour les coller sur l'enveloppe destinée à son avocat. Combien de botulisme on peut récupérer sur trois timbres ?

— Il suffirait d'environ sept cents grammes de toxine botulique pour exterminer l'humanité entière, ou presque, je souligne.

— Bordel de merde !

— En d'autres termes, une quantité infime de ce redoutable poison, déposée à l'arrière d'un timbre, serait suffisante pour provoquer l'apparition des symptômes. Selon moi, Dawn Kincaid a commencé à se sentir très mal quelques heures plus tard. Si Kathleen avait utilisé ces timbres lorsqu'elle les avait reçus, je n'aurais pas pu l'interroger. Elle aurait été morte avant ma venue.

— Peut-être était-ce le but ? suggère Benton.

— Je l'ignore, mais la question se pose.

Lucy nous tend des liasses de sorties d'imprimante en remarquant :

— Toujours est-il que ce n'est pas ce qui l'a tuée, ce qui est tout de même bizarre. Quelqu'un lui envoie donc des timbres trafiqués avec de la toxine botulique, mais n'attend pas de savoir si elle les utilise ? Pourquoi ? Selon moi, elle s'en serait servie tôt ou tard, pour mourir ensuite assez vite.

— Ça pourrait suggérer que la personne à l'origine de cet envoi ne travaille pas dans le pénitencier, observe Benton. Si tu n'as pas accès à Kathleen ou à ce qui se trouve dans sa cellule, ou que tu ne puisses pas vérifier son courrier sortant, tu en concluras que les timbres se sont révélés inefficaces puisque tu ignores qu'elle ne les a pas encore utilisés. La personne en question a donc pu décider d'avoir recours à un autre vecteur.

— Eh ben, pourtant les timbres sont super-efficaces, marmonne Marino.

— Et comment l'empoisonneuse ou l'empoisonneur saurait-il ce qui est efficace ? poursuit Benton. Sur qui expérimente-t-on un poison pour juger de sa puissance ? Pas sur soi-même, c'est sûr.

On peut expérimenter des poisons sur des détenues, une hypothèse que j'envisage depuis un moment. Et une directrice de pénitencier pourrait l'autoriser dans certains cas si elle était guidée par le besoin de contrôler et de punir, un schéma mental qui me semble pouvoir s'appliquer à Tara Grimm. Je me souviens de son regard dur que son charme sudiste ne parvenait pas à atténuer, quand j'étais assise hier dans son bureau. Je me souviens de son évident mécontentement à l'idée qu'une femme condamnée de façon abusive pourrait être libérée ou qu'un marché permettant une réduction de la peine infligée à Kathleen Lawler semblait dans les tuyaux. Jaime Berger l'ulcérait. À l'évidence, l'intervention de l'ancienne procureure dans la vie des détenues et le peu de cas qu'elle faisait des souhaits de leur respectable directrice, encensée par les uns et les autres, fille d'un non moins célèbre directeur de prison à l'origine du GPFW dont elle se sent la légitime propriétaire, devaient prodigieusement déplaire à Tara Grimm.

Il est dès lors absurde de croire que Tara Grimm ignorait tout du cerf-volant que Kathleen Lawler a fait glisser dans ma direction. Non seulement elle était sans doute au courant et peu lui importait, mais elle a même dû voir dans ma rencontre avec Jaime un cadeau tombé du ciel. L'opportunité idéale pour me faire intercepter par une femme me tendant un sac de traiteur, dont je soupçonne qu'il renfermait une dose non négligeable de toxine botulique sérotype A injectée à des sushis ou à une salade d'algues. Tara Grimm savait depuis environ deux semaines que j'allais descendre au GPFW afin de rencontrer Kathleen. Même si j'ignore de quelle façon, la femme au vélo savait aussi que je devais me rendre chez Jaime Berger et peut-être, ainsi que l'a suggéré Lucy, m'attendait-elle dans l'obscurité, patientant une bonne partie de la nuit jusqu'au petit matin, détaillant la silhouette de sa victime qui arpentait l'appartement, attendant que les lumières s'éteignent puis se rallument, attendant la mort.

Des gens suivis, traqués, espionnés et manipulés comme des marionnettes par une créature rusée, méticuleuse, une empoisonneuse patiente, précise, froide comme la glace. À l'exception des rats de laboratoire, aucune population n'est plus vulnérable, plus captive que celle d'un pénitencier, surtout si quelqu'un qui y est employé collabore avec le cerveau d'une recherche aussi sinistre. Vérifier ce qui marche et ce qui ne marche pas, tout en projetant une attaque de bien plus grande envergure, en attendant son heure, en peaufinant le moindre aspect durant des mois, des années.

Barrie Lou Rivers est morte brusquement alors qu'elle allait être exécutée. Rea Abernathy a été découverte dans sa cellule, effondrée sur la cuvette des toilettes. Quant à Shania Plames, elle se serait asphyxiée volontairement en se ligotant avec son pantalon d'uniforme. Puis suivent Kathleen Lawler, Dawn Kincaid et maintenant Jaime Berger. Des morts d'une similitude déconcertante, dérangeante. L'autopsie ne révèle rien et leur cause est établie par exclusion. Il n'existait aucune raison, du moins lors des premiers décès, de soupçonner un empoisonnement criminel de nature à échapper au criblage classique des tests toxicologiques.

Il est presque deux heures du matin et je ne me souviens pas de la dernière fois où j'ai appelé le général Briggs aussi tard. À chaque fois que je l'ai importuné, ainsi que je m'apprête à le faire, j'avais une raison en acier trempé. Des preuves. Lucy ajoute d'autres sorties d'imprimante à ma pile et je les prends avec moi. Je retourne dans la chambre et ferme la porte en imaginant le général Briggs qui récupère son portable d'un geste sec, où qu'il dorme ou travaille. Ce pourrait être à la base Air Force de Dover, dans le Delaware, le quartier général des médecins experts des forces armées avec son « havre des morts ». On y achemine les corps de nos soldats afin de les transférer dignement et d'offrir à leurs dépouilles les examens *post mortem* les plus sophistiqués, dont la tomodensitométrie et les scans de recherche d'explosifs. Mais Briggs pourrait aussi se trouver au Pakistan, en Afghanistan ou encore en Afrique, peut-être pas à bord de la station Mir, même si nous spéculons à ce sujet, plaisantant à moitié, puisque les médecins experts des forces armées peuvent être expédiés partout dès que surviennent des décès qui tombent sous la juridiction du gouvernement fédéral. Briggs n'a nul besoin d'un nouveau motif d'inquiétude, surtout sans fondement précis. Il n'a pas besoin de moi ou de mes intuitions.

— John Briggs, résonne la voix très grave dans mon écouteur sans fil.

— C'est Kay.

Je poursuis en lui expliquant la raison de mon appel. Sa réponse ne me surprend pas :

— Vous vous fondez sur quoi ?

— Vous préférez une réponse courte ou la version étayée ?

Assise sur le lit, je tasse les oreillers derrière mon dos tout en continuant à parcourir les informations que vient de me transmettre ma nièce.

— Je me trouve à Kaboul. J'ai quelques minutes avant d'embarquer dans l'avion. Ensuite, je ne serai pas joignable durant environ vingt-cinq heures. Je préfère les réponses courtes, mais allez-y.

Je lui résume les différentes affaires, en commençant par les décès suspects survenus au GPFW dont m'a parlé Colin. J'évoque ensuite mes dernières vingt-quatre heures. J'insiste surtout sur le point crucial : l'empoisonnement de Dawn Kincaid, dont nous savons qu'il est bien dû à la toxine botulique sérotype A, implique une rapidité d'action du poison que nous n'avons jamais vue auparavant.

— S'il est théoriquement possible que la mort ou des symptômes sévères dus à la toxine botulique surviennent de deux à six heures après l'ingestion, en général la période de latence est plutôt de douze à vingt-quatre heures, parfois même plus d'une semaine, j'explique.

— Parce que les cas que nous rencontrons classiquement sont occasionnés par des aliments contaminés naturellement, renchérit Briggs.

Je continue à parcourir les sorties d'imprimante, étudiant une image retouchée, captée par la caméra de surveillance, sur laquelle on voit la femme qui m'a tendu le sac de sushis hier soir.

Une sadique, une empoisonneuse, je crois.

— Nous ne voyons jamais de cas d'intoxication par la toxine ultra-pure et concentrée, continue Briggs. D'ailleurs, je ne me souviens d'aucun.

La tête et le cou de la femme sont nimbés par l'aveuglante lumière blanche. Cependant Lucy est parvenue à augmenter la définition et à agrandir le reste de l'image, notamment la bicyclette argentée qu'elle poussait et a appuyée contre le lampadaire de rue. La prétendue livreuse porte un pantalon sombre, des chaussettes et des chaussures de course, pas de ceinture et une chemisette de couleur claire à manches courtes dont les pans sont fourrés dans son pantalon. Seule la peau de ses mains et de ses avant-bras est visible. Un gros plan de son annulaire gauche permet de découvrir une alliance carrée avec diamants baguettes qui pourrait être en or jaune ou blanc, ou en platine. Impossible de le déterminer puisque toutes les images sont prises en infrarouges et restituées en nuances de blanc et de gris.

— Des aliments contaminés par des spores de *Clostridium botulinum* qui produisent la toxine, continue Briggs. Ça doit ensuite cheminer le long du tractus digestif, pour être en général absorbé dans l'intestin grêle avant de diffuser par la voie sanguine et d'attaquer l'extrémité de certains neurones, inhibant la libération des neurotransmetteurs au niveau des jonctions neuromusculaires.

La femme sur l'enregistrement porte également une montre. Lucy a réussi à en tirer des agrandissements qui révèlent une Marathon, résistante à l'eau et à la poussière, à cadran foncé avec un verre en fibres ultra-résistantes aux impacts, réalisée sur contrat avec les gouvernements américain et canadien pour équiper leurs personnels militaires.

— Et si une muqueuse était directement exposée à de la toxine pure, extrêmement puissante ? je demande, toujours dans la perspective que l'empoisonneuse ait des connexions avec le monde militaire.

Un accès à des membres des forces armées, peut-être la véritable cible. J'ajoute :

— Certains toxicomanes s'appliquent directement les drogues dans la bouche, le vagin ou le rectum. La cocaïne, par exemple. On sait alors ce qui se passe. Mais imaginez un poison comme les toxines botuliques.

— Un énorme problème, admet Briggs. Je n'ai jamais entendu mentionner de pareils cas, pas de précédents. En d'autres termes, aucun point de comparaison. Mais ça pourrait être très mauvais.

— La toxine ultra-pure contre la membrane buccale.

— Une absorption bien plus rapide, sans doute. Par opposition à une toxi-infection lors de laquelle une bactérie contaminant un aliment doit se développer pour produire sa toxine *in situ*, retardant d'autant l'apparition des symptômes.

— La digestion a été interrompue, John. On dirait que ces gens ont été exposés à une substance induisant une gastroparésie, je complète, comprenant ce que Lucy veut me montrer au sujet du vélo.

C'est un poids plume équipé de petites roues, et ma nièce a joint un article repêché sur Internet. Une bicyclette pliante. Une personne probablement en connexion avec le monde militaire et qui possède un vélo pliant.

— Ce genre de phénomènes peut également résulter d'un stress intense, argumente Briggs. Une situation de lutte ou de fuite et la digestion s'arrête. Mais cela serait vrai si le début des symptômes était rapide. À nouveau, je n'ai pas connaissance de cas permettant la comparaison. Une arrivée massive et immédiate par la voie sanguine et pas mal de choses se bloquent, j'imagine. Les yeux, la bouche, la digestion et les poumons.

Le vélo – cadre aluminium, sept vitesses, avec charnières à déploiement facile – peut se replier pour rentrer dans une protection mesurant 30 × 63 × 73 centimètres. Lucy a agrandi et amélioré plusieurs prises de la caméra de sécurité sur lesquelles on voit la femme récupérer, puis ouvrir un sac à dos pour en extraire le grand sachet blanc du traiteur Savannah Sushi Fusion. La page suivante concerne un site vendant du matériel de sport et de camping où l'on peut commander, pour 29,99 dollars, ce qui ressemble au même type de sac à dos. Non pas un sac isotherme comme ceux qui sont utilisés pour livrer des aliments, mais un sac capable d'accueillir une bicyclette pliante lorsqu'on ne l'utilise pas.

— En vérité, nous ignorons les dégâts que pourrait produire une dose importante et ultra-pure de toxine botulique préparée en labo, conclut Briggs.

Installée sur le lit, je l'écoute avec une grande attention tout en continuant à parcourir les sorties d'imprimante, mes idées fusant dans toutes les directions, qui pourtant aboutissent au même point.

Mais qui, ou quoi et pourquoi ?

— Je ne suis au courant d'aucun décès, d'aucun homicide survenu de cette façon, Kay. Pas un.

Une bicyclette pliante qui n'est qu'une ruse, un accessoire, la justification d'un casque lumineux capable de neutraliser une caméra de surveillance, sous-entend Lucy. En effet, porter un casque avec un éclairage de sécurité alors qu'on est à pied alerterait aussitôt, tout comme porter un chapeau lumineux. C'est pour cette raison que la femme poussait son vélo dans la rue quand elle s'est matérialisée devant l'immeuble de Jaime, presque en même temps que moi. La femme au doigt orné d'une alliance-baguettes et au poignet ceint d'une montre militaire ne sillonnait pas les rues à vélo et sa voiture était sans doute garée non loin.

— L'important, c'est la dose, reprend Briggs. Tout ou presque peut vous tuer à une dose déraisonnable, même l'eau. Vous pouvez vous intoxiquer avec votre papier peint s'il contient assez d'arsénide de cuivre. C'est ce qui est arrivé à Clare Boothe Luce, des copeaux de peinture tombant de son plafond quand elle était notre ambassadeur en Italie.

— Je me demandais si des efforts particuliers avaient été accomplis dans la militarisation des toxines botuliques. Des technologies qu'un psychopathe violent aurait pu connaître. Un militaire renégat, par exemple ? Comme ce scientifique de l'armée qui travaillait à l'amélioration du vaccin contre le charbon et qui a organisé des attaques avec, faisant au moins cinq morts.

— Il faut toujours que vous vous en preniez à l'armée, proteste Briggs, militaire jusqu'au bout des doigts. Au moins, il a eu la courtoisie de se suicider avant que le FBI ne l'arrête.

— D'autres scientifiques qui auraient pu être renvoyés de labos où se conduit ce type de recherches ? j'insiste. Surtout un individu ayant des attaches militaires ?

— S'il devenait nécessaire d'explorer cette piste, nous le pourrions.

— Selon moi, tel est le cas.

— Je me doutais de cette réponse, expliquant que vous soyez toujours debout en plein milieu de la nuit et que vous m'appeliez en Afghanistan.

— Donc aucune nouvelle technologie dont les militaires pourraient avoir eu vent ? je persiste. S'il s'agit d'un secret-défense, vous n'avez pas besoin d'entrer dans les détails. Simplement m'indiquer qu'il existe une possibilité qu'il convient de garder à l'esprit.

— Non, Dieu merci ! Je ne suis au courant de rien de ce genre. Un gramme de toxine pure cristallisée pourrait décimer un million de personnes par inhalation. Pour la militariser, il faudrait trouver un moyen de produire un large aérosol. Heureusement, il n'existe pas encore de méthode efficace.

— Et un petit aérosol, mais distribué à beaucoup de gens ? Certes, il s'agirait d'une autre approche, plus laborieuse. Ou une distribution de petites doses de poison incluses dans un produit fabriqué en grande quantité, comme des repas tout prêts en portions ?

— Et pourquoi mentionner cela en particulier ?

Je lui parle de Kathleen Lawler, de ses brûlures au pied, du résidu découvert sur la paroi de son lavabo. J'ajoute que son contenu gastrique non digéré évoquait un des menus classiques proposés dans ces repas préemballés, le plus souvent destinés aux militaires : poulet, pâtes et fromage à tartiner.

— Mais comment diable une détenue a-t-elle pu mettre la main sur un truc pareil ! s'exclame-t-il.

— Tout à fait ! Presque tous les aliments qui lui étaient destinés auraient pu être empoisonnés, donc pourquoi avoir recours à un repas prêt à consommer ? Sauf si quelqu'un se sert des prisonnières comme cobayes avant de passer à une plus grande échelle.

— Une effroyable perspective. Il faudrait alors envisager une approche méthodique, très organisée. Une personne travaillant dans une des usines qui préparent ces rations alimentaires et les emballent. Sans cela, des empoisonnements de ce type sous-entendraient une multiplication des fioles de toxine, des seringues pour l'injection, voire des camions de livraison attaqués.

— Aucun besoin d'approche systématique ou même méthodique si l'objectif est la terreur, je rectifie.

— Oui, sans doute, admet-il. Cent, trois cents ou mille décès d'un coup en opération ou dans une base militaire, et l'impact serait déstabilisant au possible. Un désastre pour le moral, qui renforcerait l'ennemi et handicaperait encore plus l'économie américaine.

— Donc rien à voir avec nous, avec ce sur quoi nous travaillons, tiens-je à m'assurer. Il ne s'agit pas de recherches dans lesquelles notre gouvernement pourrait être impliqué pour saper le moral de l'adversaire et son économie. Pour répandre la terreur.

— Ça n'est tout simplement pas pratique, répond Briggs. La Russie et nous avons cessé de tenter de militariser les toxines botuliques, et j'en suis heureux. Une affreuse idée, et j'espère que personne ne parviendra à mettre la technologie au point. Toutefois, il ne s'agit que de mon opinion. Une source larguant un aérosol de cette nature, et dix à trente pour cent des gens situés dans la trajectoire du vent, jusqu'à près de deux kilomètres du point d'émission, mourront ou seront frappés d'incapacité. Je ne veux même pas imaginer que la suspension atteigne une école ou un centre commercial. Il faut que nous sachions pourquoi certaines personnes sont mortes, d'autres pas, et si elles étaient des cibles intentionnelles.

— Nous ne pensons pas que Dawn Kincaid ait été une victime choisie.

— En revanche, vous croyez que tel était bien le cas de sa mère et de l'ancienne procureure ?

— En effet.

— Et si j'en juge par ce que vous m'avez raconté, vous pensez que le ou la coupable voulait vraiment que la procureure...

— Jaime Berger et Kathleen Lawler. Tout à fait. Je pense qu'on voulait les éliminer de façon définitive.

— En d'autres termes, elles ne feraient pas partie de cette recherche que vous évoquez, au contraire des autres détenues, du moins si votre théorie est exacte. Une sorte de projet scientifique. Je ne veux surtout pas banaliser la mort d'un être humain, surtout occasionnée par la toxine botulique. Quelle horrible façon de mourir, bordel de merde !

— J'ai l'impression que quelque chose a changé, je réplique. J'ai le sentiment que la personne à l'origine de tout cela est méticuleuse et qu'elle a un plan. Et puis un événement qu'elle n'attendait pas est survenu. Peut-être à cause de Jaime. Et cette personne n'a pas du tout aimé ce qu'avait entrepris Jaime Berger.

— Et vous pensez qu'il s'agit d'une femme ?

— Une femme a livré les sushis hier, John.

— Si c'est confirmé.

— Selon moi ça le sera, et ensuite que fait-on ? je m'enquiers.

— Trois cas d'empoisonnement criminel à la toxine botulique, dont un par le biais d'une ration militaire ? Ça va se transformer en véritable tornade, Kay. Il faut que vous restiez à l'écart. À un million de kilomètres !

CHAPITRE 32

Le soleil est haut dans un ciel d'un bleu un peu délavé. La vague de chaleur étouffe tenacement le Lowcountry et ce que serine Colin Dengate est erroné. Tout le monde ne s'habitue pas à conduire sans air conditionné dans ces conditions climatiques. Benton s'est quand même montré attentionné en m'apportant des vêtements d'été en toile légère, de sorte que je ne mijote plus dans mon épais uniforme noir.

Nous sommes le samedi 2 juillet, il est presque dix heures du matin. Le personnel de Colin ne travaille pas aujourd'hui, sauf ceux qui sont de garde, et il a dû échanger quelques petites faveurs pour mettre sur pied ce que je lui ai demandé. Il a ensuite fallu qu'il aille me prendre à l'hôtel puisque je n'ai pas de moyen personnel de locomotion. En effet, Marino est parti, muni d'une liste de matériel médical que je veux avoir à ma disposition. Il vient de déposer Lucy chez le concessionnaire Harley-Davidson du coin. Elle a décidé d'opter pour une moto pour ses déplacements durant son séjour ici. Je ne pouvais pas priver Benton de notre voiture de location, bien qu'il ait décidé de demeurer à l'hôtel pour l'instant. Lorsque je l'ai quitté, il était pendu au téléphone. Des agents du FBI de l'antenne d'Atlanta sont en route pour le rejoindre, afin qu'il puisse leur décrire la situation en détail, alors que nous attendons que les informations émanant du CDC trouvent leur écho.

La toxine botulique sérotype A a bien été identifiée dans les contenus gastriques de Kathleen Lawler et de Jaime Berger. Elle a également été détectée dans le conteneur de salade d'algues et les restes de sushis rangés dans le réfrigérateur, ceux qu'a livrés une empoisonneuse en série jeudi soir. Je n'ai pas transmis les dernières informations au général Briggs, en transit à bord d'un avion de transport militaire en provenance du Moyen-Orient. D'un autre côté, je n'ai pas besoin de l'entendre me répéter ce que l'on attend de moi : ne rien faire. Je ne souhaite pas qu'il réitère ce conseil et ce silence imposé par les circonstances m'arrange. En effet, je n'ai pas l'intention d'obéir, du moins pas complètement.

L'investigation est maintenant verrouillée, hors de portée, dans l'attente d'un probable et rapide changement de juridiction. La Sécurité nationale, le FBI ou autre, en fonction de la décision du gouvernement fédéral, prendront sans doute la relève. Je sais lorsque je dois dégager le passage et me tenir à distance. Ne pas s'approcher de ces cas d'empoisonnement. Si Briggs ou quiconque me le demandait, je pourrais répondre que techniquement c'est bien le cas. L'assassinat d'une famille entière à Savannah il y a neuf ans, la jeune femme mentalement déficiente qui a été condamnée pour ces meurtres, tout cela ne présente aucun intérêt pour le FBI, le département de la Défense, le Pentagone, la Maison-Blanche, et d'ailleurs pour presque personne à l'heure actuelle.

Ces dossiers ont été bouclés et Lola Daggette doit toujours être exécutée, puisque Jaime Berger n'a jamais intenté une action pour suspendre l'application de la sentence de mort. Les nouvelles analyses d'ADN languissent dans un laboratoire privé, attendant qu'un autre avocat au pénal prenne la relève et achève ce qu'a entrepris Jaime. Jusque-là, les meurtres de la famille Jordan sont classés, anciens, sans importance, l'attention s'étant concentrée sur une empoisonneuse en série qui pourrait s'avérer être une terroriste projetant une hécatombe. Alors que je faisais le tri dans la masse d'informations, une question m'obsédait : pourquoi ? Mais le pourquoi d'une action terroriste, dont le but est de frapper d'incapacité ou de tuer des civils ou des militaires, n'est pas ce qui me préoccupe. Malheureusement, la liste des personnes nuisibles ou déséquilibrées en quête d'une pareille opportunité de semer la destruction est longue. Mon attention se focalise ailleurs.

Admettons que les morts les plus anciennes survenues au GPFW étaient des meurtres motivés par la revanche, et utiles en termes d'expérimentation à une empoisonneuse planifiant une attaque beaucoup plus large. Comment, dans ce cas, Kathleen Lawler et Jaime Berger s'intègrent-elles dans le *modus operandi* et le but ultime ? La volonté de Jaime de rouvrir l'enquête concernant les Jordan n'aurait pas dû préoccuper une empoisonneuse qui projetait de répandre la terreur. Sauf à imaginer que Jaime ait touché à quelque chose de dangereux pour cette personne, au point qu'elle décide d'éliminer l'ancienne procureure. Un gros risque. En effet, en l'assassinant, ainsi que Kathleen, et en empoisonnant par accident Dawn Kincaid, la tueuse a attiré l'attention sur elle, alors qu'elle évoluait jusque-là dans une complète discrétion. Plusieurs homicides à la toxine botulique bien localisés, mettant en jeu des rations alimentaires de l'armée, et le gouvernement des États-Unis dans son intégralité va lui tomber dessus. Elle ne parviendra jamais à s'en sortir. Pourquoi prendre ce risque après des années de laborieuse préméditation ? Impossible d'attribuer cette erreur à une perte de sang-froid ou à une surenchère dans le sadisme ou le goût du meurtre. Un événement inattendu est survenu.

Les pathologistes – et c'est aussi mon inclination naturelle – se préoccupent d'abord des causes, puis des conséquences. Les giclées de sang et les éclaboussures de tissus un peu partout m'intéressent moins, par exemple, que l'angle de pénétration d'une balle, qui peut indiquer que la victime n'a pas appuyé sur la détente. L'aspect dramatique des symptômes ne me préoccupe véritablement que dans le sens où il traduit la souffrance d'un être. Ma méthode consiste à traquer la maladie, à repousser tout ce qui peut distraire ma concentration et à disséquer jusqu'à la moelle si besoin. Dans l'affaire Jordan, cela se résume à revenir sur la scène de crime, du mieux possible. Je vais examiner à nouveau toutes les photographies, éplucher tous les indices, comme si personne ne les avait encore étudiés. Je visiterai peut-être même l'ancienne demeure de la famille si je juge qu'un détail important peut s'y trouver.

— Les dossiers que vous avez consultés hier ? demande Colin.

Nous longeons le couloir désert, les mobiles de chauves-souris et d'os pendus au plafond tournoyant dans le grand bâtiment vide. Il énumère :

— Le couteau récupéré dans la cuisine. Des vêtements, d'autres objets que j'avais collectés sur la scène de crime et que j'ai expédiés avec les cadavres à l'époque. Tout a été présenté au procès, sauf lorsque le procureur le jugeait dénué de pertinence. Mandy, ma technicienne, vous tiendra compagnie. C'est sympa de sa part de nous rejoindre puisque nous n'avons plus les moyens de payer des heures supplémentaires. Bon, donc on fait le même exercice qu'hier. Je serai dans mon bureau parce que je me doute que vous préférez examiner les pièces vous-même, sans vous préoccuper des opinions des autres, pas même les miennes. Vous pouvez ainsi forger vos propres interprétations, dans les mêmes conditions que moi, et je ne vais pas surveiller par-dessus votre épaule !

Mandy O'Toole, vêtue d'une blouse et portant des gants, étale un pantalon de pyjama d'enfant sur le grand papier à paillasse qui recouvre la table de conférence. Les dossiers que j'ai épluchés hier sont empilés sur une chaise.

— Moi, j'ai vraiment du mal à encaisser ce qui concerne les gosses, dit-elle alors que je reconnais pas mal de choses d'après les photos passées en revue hier.

Deux pyjamas d'enfants sont soigneusement étendus sur la table recouverte de papier blanc, l'un avec Bob l'Éponge, l'autre imprimé de casques de footballeurs, en l'honneur de l'équipe des Georgia Bulldogs. Suivent un caleçon et un tee-shirt dans lesquels devait dormir Clarence Jordan lorsqu'il a été poignardé à mort, et une chemise de nuit bleue à motif floral ornée de dentelle, appartenant à son épouse. Tous les vêtements portent des taches de sang sec marron foncé et sont criblés de minces fentes et de petits trous, occasionnés par au moins un instrument tranchant et pointu. D'autres trous, un peu plus larges, correspondent aux pièces de tissu qui ont été découpées pour l'analyse ADN.

Je tire des gants d'une boîte posée sur la table et les enfile, puis ramasse des indices étiquetés et indexés par le tribunal, dont un couteau que je n'extrais pas de son sac, l'étudiant au travers du plastique transparent. La lame est longue d'environ quinze centimètres et le manche de bois est souillé, lui aussi, de sang sec. Des zones blanchâtres, fines comme un film, révèlent des empreintes digitales partielles et une complète, fixées de façon permanente par la superglue sur le support non poreux et lisse qu'offrent l'acier et le bois laqué. Peut-être le couteau a-t-il été utilisé par la tueuse lorsqu'elle se confectionnait un sandwich dans la cuisine. Mais je doute qu'il ait tué qui que ce soit.

Le couteau de cuisine, un de ceux que l'on nomme « couteaux de grand-mère », possède une lame qui s'incurve depuis le milieu jusqu'à la pointe, idéale pour retirer les yeux des pommes de terre, éplucher fruits et légumes, avec un contre-tranchant assez large, donc émoussé, qui permet d'appuyer le pouce sans risque de se couper. Ce type de couteau à légumes est beaucoup moins efficace pour transpercer et donc pour poignarder lors d'une attaque. De plus, la lame, au plus large, mesure presque cinq centimètres, ce qui n'est pas en cohérence avec les diagrammes des rapports d'autopsie que j'ai étudiés. Je contourne la table de conférence et fouille dans les épais dossiers posés sur la chaise, jusqu'à retrouver un document que j'ai consulté hier matin : la description des blessures.

La cause de la mort, dans les quatre cas, est définie comme « multiples blessures assenées brutalement avec une lame ». Les plaies sur le cou et la poitrine m'intéressent tout particulièrement, parce que les parties du corps associant tissus épais et cavités organiques peuvent offrir une bonne indication de la longueur d'une lame. La face latérale droite de la poitrine de Clarence Jordan porte une blessure de deux centimètres et demi de large sur presque huit centimètres de profondeur. La lame a pénétré le sac péricardial et le cœur. La face latérale droite du cou porte également une blessure qui file vers l'arrière et le bas, sur une profondeur équivalente. L'artère carotide a été sectionnée.

Des mesures concernant les blessures infligées aux trois autres membres de la famille ressort la même conclusion : la lame faisait au maximum huit centimètres de long et deux centimètres et demi de large, avec une sorte de garde qui a abandonné quatre abrasions parallèles mais irrégulières espacées d'environ 0,4 centimètre. Une telle description ne correspond pas au couteau à légumes que je viens d'étudier, ni d'ailleurs à aucun couteau de cuisine de ma connaissance. Au demeurant, à l'époque, la conclusion de Colin fut que l'arme était inconnue et sans rapport avec ce qui avait été retrouvé sur les lieux. À l'évidence, la tueuse avait apporté avec elle un instrument coupant d'un genre inhabituel, pour repartir avec une fois les meurtres commis.

Les mains et les avant-bras de Clarence Jordan ne portent aucune incision, aucune marque de défense, impliquant qu'il n'y a pas eu lutte et qu'il dormait sans doute au moment de l'attaque. Les résultats toxicologiques révèlent une alcoolémie de 0,1 et ce que l'on peut considérer comme une concentration thérapeutique de clonazépam. En d'autres termes, il avait bu un verre ou deux et pris une dose modeste, peut-être un milligramme, de benzodiazépine pour apaiser son anxiété et dormir plus facilement. Je contourne à nouveau la table et récupère un autre sachet à indices, sans indexation du tribunal, contenant une demi-douzaine de flacons de médicaments délivrés sur ordonnance, dont un seul porte le nom de Clarence Jordan, un bétabloquant, du propranolol. Tous les autres étaient destinés à son épouse, dont des antibiotiques, un antidépresseur et le clonazépam. Il n'est certes pas inhabituel qu'une personne se serve des médicaments d'une autre, mais cela me surprend dans le cas de Clarence Jordan.

Exerçant la médecine, il avait aisément accès à des échantillons, à tout ce qu'il voulait, et il est illégal d'utiliser les médicaments prescrits à une autre personne. Cela ne signifie en rien qu'il n'ait pas avalé un comprimé du clonazépam de sa femme le 5 janvier au soir, en rentrant chez lui à l'heure du dîner après une journée de bénévolat dans un foyer d'accueil d'urgence pour démunis. Mais ça n'exclut pas qu'on ne lui ait pas fait avaler ce sédatif subrepticement. Quoi de plus facile que d'écraser des comprimés et de les mélanger à la boisson de quelqu'un ? Et je continue à repasser dans mon esprit les rapports d'événements concernant leur système de sécurité.

Si l'on en juge par les archives de la compagnie de sécurité, les Jordan ont activé et désactivé leur système à de multiples reprises en novembre 2001. Puis quelque chose a changé en décembre, lorsque les déclenchements intempestifs attribués aux deux enfants sont devenus problématiques. Au cours du dernier mois de leur vie, cinq fausses alertes ont été enregistrées, toutes dans la même partie de la maison, la cuisine. La police ne s'est pas déplacée et les alarmes ont été archivées sans suite parce que le souscripteur du contrat a affirmé qu'il s'agissait de mauvaises manipulations à chaque appel de vérification du service de sécurité. D'après ce que j'ai appris des rapports, l'activation du système est ensuite devenue très irrégulière au cours des congés de Noël et du Nouvel An. Toutefois l'alarme était branchée presque chaque nuit, et j'ai ainsi pu m'apercevoir que la fameuse date du samedi 5 janvier était assez particulière. Au cours de cette journée, l'alarme n'a été enclenchée qu'aux environs de vingt heures. Elle a ensuite été désactivée peu avant vingt-trois heures et n'a plus jamais été réenclenchée. Cet enchaînement d'événements semble à l'opposé des hypothèses des journalistes et de la police au fil des ans.

On pourrait donc déduire que le Dr Jordan est rentré chez lui après son travail bénévole et qu'il a branché le système d'alarme. Ensuite, trois heures plus tard, quelqu'un l'a éteint. Ce détail, ajouté au fait que son sang révèle la prise d'un sédatif qui ne lui était pas destiné, me perturbe. J'étale des photographies du massacre survenu dans la chambre des époux Jordan, examinant les deux corps allongés dans le lit, les couvertures remontées jusque sous leurs mentons, et cela aussi me trouble. Les gens ne sont pas immobiles comme des mannequins lorsqu'on les assassine. On ne trouve donc pas la literie aussi bien en place sur leurs cadavres, à moins que le tueur ne modifie la scène de crime pour des raisons le plus souvent psychologiques, afin de remettre de l'ordre ou de dissimuler son forfait. Colin a suggéré que les victimes avaient été positionnées par moquerie, et je fais le tri dans d'autres photos prises alors qu'il avait rabattu les couvertures afin de pouvoir examiner les corps de M. et Mme Jordan *in situ.*

Lui est sur le dos, la tête reposant sur son oreiller, ses yeux morts fixant le plafond et la bouche ouverte. Ses bras sont allongés le long de son corps et ses organes génitaux sortent par la braguette de son caleçon. Je doute fort qu'il ait trouvé la mort dans cette position. Quelqu'un a mis en scène le cadavre. Plus j'en vois, plus je comprends la haine ressentie par la police, le procureur et les autres envers Lola Daggette quand ils l'imaginaient dans cette chambre, s'amusant comme une folle après avoir massacré la famille, faisant preuve d'un absolu mépris en dégradant davantage ses victimes.

Le tee-shirt du Dr Jordan et la ceinture élastique de son caleçon blanc sont saturés de sang, qui a également imbibé le drap sous lui, s'étendant en une large tache jusqu'au bord du matelas et sous le corps de sa femme. L'intégralité du drap-housse est ensanglantée. Il a été frappé à neuf reprises, à la poitrine et au cou, et rien n'indique qu'il se soit débattu ou qu'il ait tenté de repousser les coups vicieux d'un couteau muni d'une garde inhabituelle, celle qui a abandonné des contusions parallèles sur sa peau. Sa femme est allongée sur le flanc droit, ses mains recroquevillées sous son menton, le dos tourné à son mari, regardant en direction de la fenêtre qui donne sur la rue et, plus loin, sur l'ancien cimetière. Je ne crois pas un instant qu'elle soit morte dans cette position. Son corps aussi a été arrangé afin d'adopter une posture presque pieuse et on croirait qu'elle prie. Pourtant sa chemise de nuit est remontée jusqu'à sa taille et ses seins sont dénudés.

Je ramasse son vêtement de nuit en flanelle, à longues manches, semé de boutons jusqu'au col de dentelle. En parfaite adéquation avec la femme à l'allure sérieuse et sobre du portrait de Noël que j'ai vu, pris un mois avant qu'elle soit à nouveau photographiée, cette fois-ci dans une position vulgaire, dans un lit trempé de sang. De minces copeaux de sang sec tombent sur le papier blanc qui couvre la table alors que j'examine chaque perforation et entaille produite par une lame qui a frappé Gloria Jordan vingt-sept fois, au visage, à la tête, à la poitrine, dans le dos, au cou, sa gorge ayant été tranchée pour faire bonne mesure. La chemise de nuit est tachée devant et derrière, si saturée de sang que seules quelques zones ont été épargnées au niveau des manches et de l'ourlet, révélant un motif floral bleu.

Je prends conscience de la présence de Mandy O'Toole, installée sur une chaise qu'elle a tirée vers une des fenêtres pour ne pas gêner mes allées et venues. Elle suit chacun de mes gestes d'un regard intense et curieux, alors que je dépose le vêtement de nuit de Mme Jordan, le pliant de la même façon que je l'ai trouvé. Le sang séché a rigidifié la flanelle par endroits, au point que l'on croirait toucher une feuille cartonnée. Mandy ne prononce pas un mot, n'interfère d'aucune manière, et je ne lui fais pas partager mes pensées qui s'assombrissent de seconde en seconde, prenant des contours de plus en plus hideux. Je vérifie à nouveau le dossier consacré à Gloria Jordan. J'étudie les diagrammes d'autopsie, les rapports de laboratoire concernant les analyses effectuées sur le sang qui souillait sa chemise de nuit. Son ADN a bien été retrouvé, ce qui tombe sous le sens, mais également celui de son mari et de sa petite fille de cinq ans. Pourquoi le sang de Brenda ?

Analysant les mesures et descriptions qu'a faites Colin des blessures de Gloria, je me rends compte que la plaie infligée au cou commence derrière l'oreille gauche, pour filer en incision nette sous le menton, puis se terminer derrière le lobe de l'oreille droite, un schéma cohérent avec un égorgement par l'arrière. Si elle n'a pas vu l'agresseur et que la carotide a été sectionnée, cela expliquerait l'absence de marques de prise mentionnée par mon confrère, tout en soulevant encore plus de questions. Je remarque ensuite un gros plan d'elle pris du pied du lit. La face supérieure de ses pieds est constellée d'éclaboussures de sang, mais leurs plantes sont également ensanglantées, ce qui paraît étrange en admettant qu'elle ait été allongée dans le lit au moment de l'attaque. Difficile de se faire une opinion définitive en raison de l'abondance de sang un peu partout. J'essaie d'imaginer la scène, une tueuse qui égorge Mme Jordan par-derrière alors que celle-ci est allongée, profondément endormie grâce au clonazépam.

Je suis la piste de sang en traînées, en taches, en gouttes, en nappes, dans lequel on a marché, qui a été projeté dans l'escalier. Je retrouve le panache artériel qui peut résulter d'une profonde entaille, peut-être au cou, peut-être celui de Gloria, les jets de sang se succédant au rythme des battements d'un cœur qui va bientôt s'arrêter. Mais le cœur de qui ? Et quelle direction avait empruntée la victime ? Elle montait ou descendait ? Sortait ou entrait ? Les investigateurs de scène de crime, si rigoureux soient-ils, à l'instar de Sammy Chang, ne peuvent écouvillonner chaque tache de sang, chaque goutte. D'ailleurs les labos seraient dans l'incapacité de toutes les analyser.

Je descends l'escalier en imagination et m'immobilise dans l'entrée du rez-de-chaussée, devant la porte principale, à l'endroit où la petite Brenda s'est écroulée. Je tente de comprendre de quelle façon son sang a pu se retrouver sur la chemise de nuit de sa mère, si on part du principe que cette dernière est morte dans son lit. Je cherche un détail quelconque m'indiquant qu'on a essayé de nettoyer le sang, dans le vestibule, sur les marches, dans le couloir, un peu partout dans la maison. Cependant rien de ce que je vois ne permet de le penser, d'autant qu'aucun des rapports ne fait mention d'efforts de cet ordre. Je reviens sans cesse à l'entrée, au corps de Brenda, une vision qui a dû horrifier la police lorsqu'elle est arrivée sur les lieux, à la suite de l'appel d'un proche voisin après qu'il avait constaté qu'une vitre de la porte de la cuisine était brisée.

Aucun être normal n'aime étudier un enfant mort et la tentation est grande de ne pas trop insister lors de l'examen. Le parquet de cette zone révèle un chaos de dégoulinures, de giclées projetées par une lame, de flaques, de traînées et d'empreintes sanglantes abandonnées par des chaussures, mais aussi par des pieds nus. Je distingue des marques de doigts de pied et d'un talon bien trop larges pour être ceux d'un enfant. Je récupère à nouveau le pyjama Bob l'Éponge. Le pantalon est terminé par des pieds. En d'autres termes, les empreintes laissées par des pieds nus ne sont pas celles de Brenda tentant de s'échapper en dévalant l'escalier pour atteindre le devant de la maison, la porte. Reste toujours l'énigme de la coupure sur la main gauche de sa mère, une coupure qui signifie quelque chose.

Colin pense que Mme Jordan s'est entaillé le pouce alors qu'elle travaillait au jardin. Je suis pas à pas ce raisonnement, de cliché en cliché, retournant en imagination sous la véranda, m'enfonçant dans le jardin situé à l'arrière de la maison. Je revisite les lieux, scrutant les gouttes de sang sec, bien rondes, ponctuant les pavés de terre cuite, les dalles, les feuilles d'arbustes, des gouttes espacées d'environ cinquante centimètres. Le sang de Mme Jordan, exclu des indices lors du procès puisqu'on est parti de l'idée que cette blessure était dépourvue de lien avec les meurtres. Si ce que suggère Colin est exact, et je ne le crois pas, elle a dû se blesser très peu de temps après avoir entrepris la taille dans le jardin. Pourtant je ne vois aucun outil de jardinage sur les photos que je consulte, et pas une seule branche coupée, pas d'amas de gourmands, de drageons. Le jardin est triste et morne, attendant un nettoyage hivernal qu'il n'a jamais obtenu.

Lorsque Marino a discuté avec Lenny Casper, l'ancien voisin d'à côté, celui qui a vu Mme Jordan dans son jardin ce samedi 5 janvier dans l'après-midi, Casper n'a jamais précisé qu'elle s'était blessée. Peut-être n'y avait-il pas prêté attention. Toutefois la plupart des maîtres promenant leurs chiens ou des voisins qui jettent un œil par la fenêtre remarqueraient qu'une voisine se précipite chez elle, du sang dégoulinant de sa main. Une remarque anodine d'un voisin et les gouttes de sang de Gloria Jordan qui semblaient sans lien dans un contexte d'épouvantable massacre ont été reléguées, suivant l'hypothèse d'une coupure de jardinage survenue plus tôt ce jour-là. Elle est donc rentrée chez elle, oubliant de nettoyer le sol de la véranda et celui du couloir menant à la salle de bains des invités. Elle n'a pas pansé sa plaie et son mari médecin ne s'en est pas préoccupé à son retour du foyer pour démunis. Je ne parviens pas à y croire.

Si l'on se fie au rapport de toxicologie concernant Mme Jordan, au moment de sa mort ses concentrations sanguines d'alcool et de clonazépam étaient supérieures à celles retrouvées chez son époux. De plus, elle avait également pris un antidépresseur, de la sertraline. Ces médicaments délivrés sur ordonnance ont été récupérés par la police dans la salle de bains de la chambre du couple, dans le placard du lavabo qui semblait être réservé à Gloria. Je soulève le sac à indices dans lequel ils ont été réunis. Un détail qui m'avait échappé s'impose à moi.

Je lance à Mandy O'Toole, dont l'intense regard cobalt ne me lâche pas :

— J'aurais besoin d'un coup de main.

Elle saute de sa chaise, s'exclamant :

— Tout de suite !

— Le dossier Barrie Lou Rivers. Je crois qu'il a été numérisé, puisqu'elle est décédée après le bannissement du papier dans vos bureaux, je précise.

— Vous voulez que je vous l'imprime ? demande-t-elle.

— Ce n'est pas nécessaire, mais un document m'intéresse, si vous pouviez le retrouver.

— Pourriez-vous patienter quelques instants, le temps que j'aille chercher mon ordinateur portable ?

— Je vais attendre dans le couloir.

Et je sors de la salle de conférences.

CHAPITRE 33

Mandy O'Toole a récupéré son ordinateur portable dans le laboratoire d'histologie et recherche le dossier de Barrie Lou Rivers, pendant que je scrute les vêtements de Lola Daggette dans l'espoir d'y découvrir un détail à côté duquel on aurait pu passer.

J'examine le coupe-vent, le col roulé bleu marine et le pantalon de velours marron clair qu'elle lavait dans sa douche, un indice très incriminant et d'ailleurs l'unique argument ayant permis de l'inculper pour meurtres multiples avec préméditation et de la condamner à mort. Le sang a été lavé presque entièrement. Néanmoins des traces persistent, des zones plus sombres sur les cuisses du pantalon et des traînées, des gouttes au niveau des revers mais aussi sur le devant du coupe-vent et les manches. En toute logique, du sang aurait dû se trouver sur les chaussures de Lola, je n'en démords pas.

— Ça y est, j'ai son dossier. Toxicologie et d'autres analyses de labo, sans oublier les rapports d'autopsie, lance Mandy qui a repris place sur la chaise poussée devant une fenêtre, son ordinateur posé sur les cuisses. Vous cherchez quoi au juste ?

— Quelque chose que vous n'avez peut-être pas, contrairement à Jaime Berger. Un document d'une page inclus dans les rapports de toxicologie et le protocole d'autopsie. Un formulaire de chaîne de contrôle du GPFW concernant les drogues utilisées pour l'injection létale. L'ordonnance a été délivrée mais jamais utilisée puisque Barrie Lou Rivers est morte avant d'être exécutée. Une feuille étrange, qui n'a rien à faire avec un rapport d'autopsie mais s'est retrouvée là.

— Mon truc préféré, se réjouit Mandy. Des détails qui ne sont pas à la bonne place !

Tout en continuant à examiner les vêtements de Lola Daggette, je repense à la façon dont les victimes étaient habillées au moment de leur assassinat et à la quantité de sang répandue. Une piste ahurissante d'empreintes de pas sanglantes sur le sol en échiquier noir et blanc de la cuisine et sur le parquet de sapin. La tueuse a laissé des traces de sang presque partout dans la maison, ou bien quelqu'un d'autre, ou même plusieurs personnes. Divers types d'empreintes ressortent. Une contamination de la scène de crime par des gens après l'arrivée de la police, ou alors Dawn Kincaid avait-elle un complice pour accomplir ses meurtres hideux ?

Ce n'était pas Lola. En effet, si elle avait arpenté la maison des Jordan en ces premières heures du matin, ses chaussures auraient été ensanglantées. Pourtant ce n'est pas ce qu'elle lavait frénétiquement dans le bac à douche lorsque la soignante bénévole a pénétré dans sa chambre. Elle ne lavait pas non plus ses sous-vêtements ou ses chaussettes. Jamais on ne l'a examinée pour voir si elle avait des blessures ou de simples égratignures. Ce n'est ni son ADN ni ses empreintes digitales qui ont été retrouvés sur la scène de crime ou les corps des victimes, et que personne ne l'ait pris en compte est tragique. En revanche, c'est l'ADN de Dawn Kincaid qu'on a découvert, mais pas ses empreintes digitales. Je me souviens de Kathleen Lawler lançant qu'elle avait dû confier *ses enfants* à l'adoption. Comme s'il y en avait plusieurs.

— Bon ou mauvais, on récolte ce qu'on sème, jette Mandy, me faisant penser au surnom *Payback.*

Un monstre dont tout le monde a cru qu'il s'agissait d'une invention de l'esprit confus de Lola.

— Oui, c'est exactement ce que je voulais, je commente.

Je lis le formulaire qui s'est affiché sur l'écran, une ordonnance pour une injection létale délivrée par une pharmacienne du nom de Roberta Price. Les substances ont été remises au

GPFW, le bordereau signé de la main de Tara Grimm à midi le jour de l'exécution de Barrie Lou Rivers, deux ans plus tôt, le 1er mars.

Il ressort des mentions cochées sur le formulaire ou des indications manuscrites que le thiopental sodique et le bromure de pancuronium ont été conservés dans le bureau de la directrice avant d'être acheminés vers la salle d'exécution à dix-sept heures. Bien sûr, ils n'ont jamais été utilisés.

Mandy ne peut s'empêcher de m'interroger alors que je lui rends son *notebook* :

— Ça vous dit quelque chose ? J'ai l'impression que vous cogitez.

J'attrape à nouveau le sachet à indices renfermant les médicaments, vérifiant les étiquettes collées sur les flacons en plastique orange, et choisis de lui répondre par une autre question :

— Selon vous, nous avons là tous les vêtements ayant appartenu à Lola Daggette ? Pas de chaussures ?

— S'il s'agit de ce que Colin gardait ou de ce que le bureau d'investigation de Géorgie avait dans ses placards, il n'y a rien d'autre, j'en suis certaine.

— La tueuse devait être couverte de sang. Il serait donc invraisemblable que ses chaussures aient été épargnées. Pourquoi laveriez-vous vos vêtements souillés dans la douche et pas vos chaussures ?

— Un jour Colin a gratté la semelle d'un escarpin arrivé avec un cadavre, et il a récupéré un cheveu, puis l'ADN, se souvient Mandy en souriant. On a fait faire des tee-shirts avec « Le légiste à côté de ses pompes ».

— Pourriez-vous aller le chercher ? Lui dire que je l'attends dehors ? J'aimerais faire un tour. Une sorte de visite rétrospective, si possible.

Lola Daggette n'a pas lavé ses chaussures dans le bac à douche parce qu'elles ne se trouvaient pas dans le tas de vêtements sanglants qu'on a déposé dans sa chambre. Elle n'a tué personne et n'a jamais pénétré dans la belle demeure ancienne des Jordan ce jour-là, ni aucun autre. Selon moi, l'adolescente difficile n'avait aucune raison de rencontrer les distingués et riches Clarence et Gloria Jordan, ni leurs adorables jumeaux blonds. Sans doute ne savait-elle même pas qui ils étaient avant qu'on l'interroge sur leurs meurtres et qu'on l'en accuse.

J'ai la conviction que Lola n'avait pas la moindre idée de l'identité du vrai coupable, une ou plusieurs personnes dont les mobiles dépassaient largement la simple histoire de drogue, ou un minable vol d'argent, ou même l'envie de tuer. Un monstre ou une paire de monstres qui avait un plan beaucoup plus audacieux, plan qu'une gamine déficiente intellectuellement, échouée dans un centre de réadaptation n'avait aucune raison de connaître. D'ailleurs, dans le cas contraire, elle serait sans doute morte à son tour, tout comme Kathleen Lawler ou Jaime Berger. Je suis presque certaine que le plan savamment orchestré passait par l'inculpation de Lola, de la même manière que l'on tente aujourd'hui de m'incriminer. En revanche, je ne crois pas que tous ces stratagèmes et manipulations soient l'œuvre exclusive de Dawn Kincaid.

Dès que je sors du bâtiment, je repêche mon téléphone dans mon sac en bandoulière et compose le numéro de Benton. Je m'immobilise à côté de bosquets de callistémons, encore baptisés « rince-bouteilles », avec leurs magnifiques fleurs rouges, et me retrouve nez à nez avec un colibri. L'insolent soleil me soulage. Je suis glacée jusqu'aux os d'être restée dans cette salle de conférences balayée par l'air conditionné, environnée par des indices si évidents qu'ils semblent hurler leurs effrayants et grotesques secrets. Mais qui leur répondra ?

Je peux compter sur Colin, et, bien sûr, Marino et Lucy prêteront attention à mes déclarations. Je viens de leur expédier des textos, leur demandant si le nom de Roberta Price leur évoque quelque chose et ce que nous pouvons encore déterrer sur Gloria Jordan. On trouve bien peu de choses à son sujet dans les médias de l'époque, de rares détails personnels et rien qui puisse suggérer des problèmes particuliers. Pourtant je suis convaincue qu'ils existaient bel et bien, mais le moment ne pourrait être plus mal choisi.

Si Benton n'était pas mon mari, il n'écouterait pas ce qui ressemblera à un récit d'horreur, une fiction virant au sensationnalisme, bref une histoire à dormir debout. Si je ne me trompe pas, ce qui s'est déroulé il y a neuf ans n'intéressera pas le FBI ou la Sécurité nationale, du moins pas immédiatement. Je le comprends, mais il faut que quelqu'un m'entende et agisse d'une façon ou d'une autre.

Benton décroche et je perçois des voix à l'arrière, un brouhaha qui indique la présence de pas mal de gens.

— On dirait que tes amis d'Atlanta sont arrivés ? je lance.

Je sens que je vais mettre sa patience à rude épreuve.

— On s'y met juste. Que se passe-t-il ?

Il est distrait et tendu, et je déduis qu'il arpente la pièce bruyante tout en me parlant.

Je reprends :

— Peut-être toi ou tes collègues pourriez vérifier un aspect du problème.

— Quoi ?

— Les registres d'adoption, et, je t'en prie, sois attentif. Je sais que l'affaire Jordan n'est pas une de vos actuelles priorités, et c'est un tort selon moi.

— Je fais toujours attention, Kay, rétorque-t-il d'un ton aimable et pourtant il est agacé.

— Tout ce qui peut avoir trait à Kathleen Lawler ou Dawn Kincaid, même s'il ne s'agissait pas de son nom de naissance, d'autant que je n'ai pas la moindre idée de celui de sa première famille d'accueil. Dawn est passée de foyers en familles pour finir en Californie, chez un couple qui est décédé. Du moins semble-t-il. Tout ce que tu peux trouver que le FBI ignorerait encore, notamment sur les contacts pris par Dawn Kincaid. Elle a dû s'adresser à quelqu'un, peut-être une administration du coin en 2001 ou 2002, quand elle a décidé de trouver l'identité de ses parents biologiques. Il n'y a pas de raison qu'elle n'ait pas suivi le même parcours que tous les enfants adoptés.

— Tu ne peux pas être certaine que Kathleen Lawler t'a raconté la vérité. Il serait préférable d'en discuter plus tard, biaise mon mari.

— Nous savons que Dawn Kincaid est venue à Savannah au début 2002, et il faut en discuter maintenant, j'insiste.

Je revois Kathleen Lawler alors que nous étions installées dans la salle d'entretien. Elle me racontait avoir été enfermée dans la *grande maison.* Ses propos tournent dans mon esprit.

Quelque chose sur le fait qu'elle avait été bouclée tel un animal et refusait que *ses enfants naissent en pareilles circonstances.* Mais quelle était la solution ? *Les* confier à un gamin de douze ans, Jack Fielding ?

— Nous n'avons pas non plus de preuve de ce séjour, argue Benton.

Lorsqu'il est pressé, qu'il n'a pas envie de discuter, il fait dans l'opposition systématique.

— Les nouvelles analyses d'ADN attestent sa présence dans la maison des Jordan en 2002, je m'obstine. Mais il va falloir requérir d'autres tests et j'y reviendrai. A-t-elle fait tout le trajet depuis la Californie à seule fin de rencontrer sa mère biologique ou avait-elle un autre but ?

— Je sais que c'est important pour toi, Kay.

En d'autres termes, la visite de Dawn Kincaid à Savannah en 2002 importe peu à ses yeux. Le Bureau, le gouvernement des États-Unis et peut-être même le président s'inquiètent d'une menace terroriste. Mais je m'entête quand même :

— Je suggère qu'elle voulait peut-être rencontrer quelqu'un d'autre, pas seulement sa mère. Sait-on jamais, des documents pourraient exister que personne n'a encore consultés ? C'est important, je te le garantis.

Il se déplace et une voix un peu distante crie quelque chose à propos de café, mais Benton décline et me demande :

— Qu'envisages-tu ?

— Comment est-il possible de laisser des empreintes digitales sanglantes sur un manche de couteau et un flacon de savon liquide à la lavande si on n'a rien à voir avec les meurtres ?

— Et l'ADN de ces empreintes digitales ?

— L'ADN des victimes et d'un donneur inconnu, un profil dont nous savons maintenant qu'il appartient à Dawn Kincaid. Mais pas les empreintes digitales. En résumé, le matériel génétique des Jordan et de Dawn Kincaid, mais les empreintes digitales d'une tierce personne.

— L'explication fournie ?

— Des transferts en provenance d'un individu qui avait les mains ensanglantées et a touché le manche de couteau et le flacon de savon liquide. Encore une fois, les empreintes digitales ne correspondent pas à celles de Dawn Kincaid. Elles n'ont jamais été identifiées. Elles sont supposées résulter d'une contamination, en raison du nombre de gens qui sont intervenus sur la scène de crime, dont des journalistes, marchant peut-être sur des traces de sang, ramassant et manipulant des indices, ou même des flics ou des techniciens des labos. Selon toute évidence, la scène de crime n'était pas bien protégée. C'est l'explication qu'on m'a donnée.

— Possible. Surtout si les empreintes digitales des intervenants n'étaient pas enregistrées à fin d'exclusion et qu'ils ont tripoté des objets. Il faut que je te laisse, Kay.

— En effet, c'est tout à fait possible, surtout quand ceux qui sont impliqués sautent sur cette explication parce qu'ils ont arrêté Lola Daggette et n'iront pas chercher plus loin. Un problème récurrent : on fait preuve de négligence, on ne pose pas de questions, on ne creuse pas assez, parce que l'enquête est bouclée, parce que la meurtrière a été surprise en train de laver ses vêtements imbibés de sang et a raconté une série de mensonges insensés.

— Dites-lui que je la rappellerai dans quelques minutes, lance Benton à une autre personne.

Colin sort du bâtiment et je le suis du regard. Lorsqu'il m'aperçoit au téléphone, il me fait un petit signe afin de m'indiquer qu'il m'attendra dans la Land Rover.

— Vois ce que toi et tes collègues pouvez trouver à propos de Roberta Price, dis-je à Benton. La pharmacienne qui délivrait les médicaments à Gloria Jordan il y a neuf ans. Qui est-elle, a-t-elle un lien avec Dawn Kincaid ?

— Je me permets de te rappeler que le nom du pharmacien en chef est indiqué sur tous les flacons vendus par l'officine où il exerce, même s'il ne sait par qui ils ont été remplis.

— Sans doute pas s'il s'agit d'une ordonnance établie par un médecin de prison ou un exécuteur, j'argumente. Quand tu es pharmacien en chef et que tu n'as pas délivré le thiopental sodique ou le bromure de pancuronium, tu n'as peut-être pas envie que ton nom apparaisse dessus. Tu ne souhaites peut-être pas être associé de près ou de loin à une exécution capitale.

— Je ne vois pas du tout où tu veux en venir.

— Il y a deux ans, une pharmacienne du nom de Roberta Price, celle-là même qui servait Mme Jordan, a préparé l'ordonnance pour les deux solutions qui devaient être utilisées lors de l'injection létale de Barrie Lou Rivers, si elle n'était pas morte peu avant de façon bien mystérieuse. Les substances en question ont été remises au GPFW et Tara Grimm a signé. Difficile de penser dans ces conditions que la directrice et la pharmacienne ne se connaissent pas.

— Une salariée de la pharmacie Monck's. Une petite officine dont le propriétaire est Herbert Monck, déclare Benton qui a dû chercher pendant que nous discutions.

— Là où Jaime avait acheté certains médicaments. Mais le nom de Roberta Price ne figure pas sur les flacons retrouvés dans sa salle de bains. Je me demande bien pourquoi, je murmure.

— Quoi ? Pardon, je ne te suis pas, rétorque Benton, la tête ailleurs.

— Je ne sais pas… une intuition… Peut-être Roberta Price se faisait-elle très discrète lorsque Jaime passait à la pharmacie Monck's.

Me revient alors l'homme en blouse blanche qui m'a vendu de l'Advil. Il a parlé d'un ou une Robbi, une personne qui se trouvait là peu avant et venait de disparaître du magasin. Je poursuis :

— Je suppose que tu ignores la marque de voiture que conduit Roberta Price ? Un break Mercedes noir peut-être ?

Après un long silence, il m'apprend :

— Pas de voiture enregistrée à son nom, mais ça ne signifie pas grand-chose, elle pourrait appartenir à une autre personne. Gloria Jordan achetait ses médicaments dans cette pharmacie ?

— Non, dans une autre, près de chez elle. Un Rexall qui a été remplacé par un magasin de la chaîne CVS.

Benton lance à quelqu'un qu'il arrive et me dit :

— Il est possible que Roberta Price ait changé de pharmacie après les meurtres, pour trouver un emploi dans cette petite officine située non loin du GPFW. Nous n'avons aucun argument solide pour enquêter sur une pharmacienne juste parce qu'elle a délivré des médicaments à Gloria Jordan, au GPFW et sans doute à dix mille autres personnes du coin. Kay, cela ne signifie pas que nous ne jetterons pas un œil. Car, de fait, c'est ce que nous allons faire.

— Une pharmacie qui n'a pas d'états d'âme lorsqu'il s'agit de collaborer à des exécutions au GPFW et peut-être à celles de la prison des hommes. Assez inhabituel, je souligne. Beaucoup de pharmaciens se considèrent responsables de la bonne médication de leurs clients et de leur santé. Les tuer n'est pas en général au programme.

— On peut juste en déduire que cela ne pose pas de problème moral à Roberta Price, qu'elle pense que ça fait partie de son métier.

— Ou alors qu'elle y prend du plaisir, surtout si l'anesthésie se dissipe ou qu'autre chose se passe mal. Ils ont eu un cas de ce genre en Géorgie, il n'y a pas si longtemps. Il a fallu deux fois plus de temps pour achever le condamné et il a souffert. Je me demande qui avait prescrit les solutions pour son exécution.

— On trouvera, m'affirme Benton, mais je sens qu'il ne s'y consacrera pas aussitôt.

— De plus, il faut que quelqu'un contacte le labo d'empreintes génétiques que Jaime a sollicité. Peu m'importe que Benton pense ou pas qu'il s'agit d'une priorité. (Je m'approche de la Land Rover ronchonnante de Colin.) Je serais très étonnée qu'ils soient aussi rapides que les militaires avec leurs nouvelles technologies.

Je fais référence au laboratoire d'identification ADN des forces armées, l'AFDIL, à la base Air Force de Dover, où la technologie d'analyse ADN a atteint un degré supérieur de sophistication et une sensibilité incomparable en raison des défis qui accompagnent nos soldats morts en mission. Que se passe-t-il lorsque des jumeaux identiques se retrouvent sur le même terrain d'opération et que l'un ou les deux sont tués ? Les tests classiques d'identification d'ADN ne permettront pas de les dissocier. Certes, leurs empreintes digitales sont différentes, si tant est qu'on retrouve leurs doigts.

— Un engin explosif improvisé qui provoque un véritable carnage, parfois une annihilation presque totale, je précise. Le casse-tête de l'identification lorsque tout ce qui persiste est une brume de sang contaminé, vaporisée sur un lambeau de tissu ou un fragment d'os calciné. Je sais que l'AFDIL possède la technologie pour analyser les phénomènes épigénétiques, en utilisant la méthylation et l'acétylation des histones. Ça leur permet des comparaisons d'ADN impossibles avec d'autres techniques.

— Et pourquoi en arriver à de telles analyses dans le cadre de ces affaires ?

— Parce que des vrais jumeaux commencent leur vie avec un ADN similaire. Lorsqu'ils grandiront, on observera chez eux des différences significatives dans l'expression de leurs gènes, si toutefois on dispose de la technologie pour apprécier ces changements. Plus ils vont vieillir, mener des vies différentes, plus ces dissemblances vont augmenter. L'ADN détermine qui tu es, mais ensuite ta vie module ton ADN, j'explique en ouvrant la portière passager, environnée par la bourrasque d'air chaud soufflée par la ventilation.

CHAPITRE 34

L'homme qui nous ouvre est en nage, ses veines saillant sur ses biceps bronzés, et je me demande si nous ne l'avons pas interrompu durant une séance d'entraînement, en débarquant sans prévenir.

Il n'a pas l'air heureux de découvrir deux étrangers plantés sur son perron, l'un en pantalon de treillis avec un polo aux armes du bureau d'investigation de Géorgie et l'autre en uniforme de toile légère, leur vieille Land Rover garée sous l'ombre dispensée par un chêne vert, non loin des treillages auxquels s'appuient les jasmins qui séparent sa propriété de celle de son voisin.

Colin ouvre son portefeuille et en tire son badge de médecin expert.

— Désolé de vous importuner, dit-il. Nous apprécierions beaucoup si vous acceptiez de nous consacrer quelques minutes.

— À quel propos ?

— Vous êtes Gabe Mullery ?

— Il y a un problème ?

— Non, rien, et nous ne sommes pas en mission officielle. Il s'agit d'une simple visite, et libre à vous de la refuser. Mais si vous me le permettiez, je vous expliquerais les raisons de notre venue et nous vous en serions très reconnaissants, poursuit Colin. Vous êtes bien Gabe Mullery, le propriétaire de la maison ?

— C'est moi et c'est ma maison. Ma femme va bien, tout va bien ? demande-t-il sans faire mine de nous tendre la main.

— Pour autant que je sache, oui. Désolé de vous avoir fait peur.

— Rien ne me fait peur. Qu'est-ce que vous voulez ?

Bel homme aux cheveux bruns, aux yeux gris et aux mâchoires volontaires, Gabe Mullery est vêtu d'un pantalon de survêtement coupé et d'un tee-shirt blanc, sur lequel est inscrit : *US NAVY NUCLÉAIRE : si vous me voyez courir, il est déjà trop tard.* Il bloque l'entrée de son grand corps musclé, pas vraiment le genre d'homme à apprécier que des étrangers débarquent chez lui à l'improviste, quelle qu'en soit la raison. Cela étant, nous ne voulions pas donner au nouvel occupant de la demeure des Jordan une chance de nous dissuader de passer. Je dois voir le jardin afin de tenter de comprendre ce qu'y fabriquait Gloria Jordan le 5 janvier.

Je ne pense pas qu'elle taillait les rosiers ou coupait des branches mortes. Je veux savoir pourquoi elle est retournée dans son jardin aux premières heures du matin du 6 janvier, peut-être jusqu'à la vieille cave maintenant reconvertie, peut-être parce qu'elle y avait été contrainte, par cette nuit noire, à peu près au moment où elle et sa famille ont été massacrées. J'ai imaginé un scénario fondé sur les indices. Les informations que Lucy m'a expédiées par *e-mail* pendant que Colin me conduisait ici n'ont fait que conforter ma conclusion que Mme Jordan n'était pas une innocente victime, un euphémisme flagrant.

Selon moi, le soir du 5 janvier elle a dilué du clonazépam dans le verre de son mari afin de s'assurer qu'il dormirait comme une bûche. Elle est descendue de leur chambre aux environs de vingt-trois heures et a désactivé l'alarme, rendant sa maison et sa famille vulnérables à une intrusion dont elle n'a pas pensé une seconde qu'elle se terminerait par un tel cauchemar. Toutefois ce qu'elle avait en tête était inacceptable et surtout stupide, à l'image de pas mal de stratagèmes inventés par des gens malheureux qui veulent se sortir de leur mariage et sont amenés à croire qu'ils ont le droit de récupérer ce qui leur revient.

Sans doute Mme Jordan n'a-t-elle jamais voulu qu'on fasse du mal à ses enfants, et encore moins à elle. Il n'est pas certain qu'elle ait voulu se débarrasser définitivement de son mari, même si je soupçonne qu'elle lui en voulait profondément, peut-être jusqu'à la haine. Elle pensait sûrement s'enfuir, mais ce qu'elle voulait avant tout, c'était de l'argent bien à elle, un magot caché, ce qui n'impliquait pas nécessairement le meurtre de son mari. Un complot tout simple, un cambriolage bien classique une nuit de janvier, après une journée d'orages et de rafales de vent glacial, m'a informée Lucy. On ne décide pas de jardiner dans de telles conditions météo au cours de l'après-midi, d'autant que je n'ai vu aucun signe d'une activité de cet ordre sur les photos examinées.

Que faisait-elle non loin des murs en ruine et de cette large cuvette de terre, m'évoquant sur les photos les vestiges d'une ancienne cave à légumes d'une époque reculée ? Peut-être essayait-elle de jouer au plus malin avec sa ou ses complices ? Mais la triste ironie de l'histoire, c'est qu'elle n'aurait pas survécu, même si elle s'était montrée honnête avec eux. Elle n'avait pas discerné le diable dans l'amie qu'elle venait de se faire, en qui elle avait foi. Gloria Jordan a dû croire que tout serait pardonné si la fortune en or, qu'à mon avis elle avait promis de partager, était introuvable, parce qu'elle avait soudain décidé de la garder intégralement et de la dissimuler.

— Écoutez, je ne vous en voudrais pas si vous ne souhaitiez pas être dérangé, parlemente Colin sur le perron surchauffé, avec ses belles colonnes blanches d'époque et sa vue sur un cimetière qui date de la Révolution américaine.

Un courant d'air chaud nous amène l'odeur de l'herbe coupée.

— Pas encore cette foutue histoire ! lâche Gabe Mullery. Vous et les reporters, et le pire, c'est les touristes. Des gens qui sonnent à la porte et voudraient faire le tour du propriétaire.

— Nous ne sommes pas des touristes et ce genre de visite ne nous intéresse pas, le rassure Colin en me présentant, ajoutant que je repars bientôt à Boston et que j'aimerais voir le jardin situé à l'arrière de la maison.

— Bon, je ne veux pas être mal élevé, mais pourquoi, bordel ?

Je jette un regard de côté. Derrière la masse imposante de Mullery, j'aperçois l'escalier en sapin et le palier où le corps de la petite Brenda a été découvert.

— Vous avez parfaitement le droit de ne pas être content et de refuser, j'interviens.

— C'est le domaine de ma femme, elle a tout repensé. Elle a installé son bureau dans le jardin. Du coup, je doute que vous trouviez ce que vous cherchez. Je ne comprends pas trop l'intérêt de votre démarche.

— Si ça ne vous ennuie pas, j'aimerais bien y jeter quand même un coup d'œil, je réplique. J'ai passé en revue certaines informations…

— Au sujet de cette affaire ! souffle-t-il, exaspéré. Je savais que c'était une erreur d'acheter cet endroit et surtout aujourd'hui, avec l'exécution qui approche, programmée pour ce putain de Halloween, comme par hasard ! Il faudrait qu'on se barre ce jour-là. On ferme tout et on prévient la Garde nationale, c'est ce que je ferais si je pouvais, et on partirait quelques jours à Hawaï, le temps que ça soit fini. D'accord ?

Il se déplace sur le côté, libérant le passage et poursuivant d'un ton irrité :

— De toute façon, cette conversation est ridicule. Mais pas dehors, par cette chaleur et pour que tout le monde soit au courant. Acheter cette foutue baraque ! Mon Dieu ! Je n'aurais jamais dû écouter ma femme. Je lui ai pourtant expliqué qu'on allait se trouver en plein circuit touristique, bref une mauvaise idée. Mais bon, c'est elle qui vit ici la majeure partie du temps. Moi, je me déplace beaucoup professionnellement. Ce n'est que justice qu'elle puisse habiter où elle le souhaite. Vous savez, ça me désole que des gens soient morts dans cette maison, mais les morts sont les morts. En revanche, ce que je déteste, c'est que certains se croient autorisés à violer notre intimité.

— Je vous comprends parfaitement, temporise Colin.

Nous pénétrons dans le hall d'entrée d'une maison qui me paraît si familière que j'ai presque l'impression de l'avoir déjà visitée. J'imagine Gloria Jordan, nu-pieds dans l'escalier, vêtue de sa chemise de nuit en flanelle bleue à motif floral, descendant vers la cuisine, où elle a attendu une arrivée et la réalisation d'un complot. À moins qu'elle ne se soit tenue dans une autre partie de la maison lorsqu'une vitre de la porte a été fracturée et qu'une main est passée pour tourner une clef qui n'aurait jamais dû rester dans une serrure. Je ne sais pas où elle se trouvait lorsque son mari a été poignardé, mais en tout cas pas dans son lit. Elle n'y était pas lorsqu'elle a été frappée de vingt-sept coups de couteau, égorgée, un acharnement meurtrier que j'associe avec la rage et la soif de sang. Plus vraisemblablement, ce massacre s'est déroulé dans la partie de l'entrée où elle a marché pieds nus dans son propre sang et dans celui de sa fille.

— Vous avez dû sentir que je ne suis pas d'ici, poursuit Mullery.

J'ai d'abord pensé qu'il était anglais, mais son accent m'évoque davantage un Australien.

— Sydney, Londres et puis la Caroline du Nord pour me spécialiser en médecine hyperbare à Duke. J'ai atterri ici, à Savannah, bien après les meurtres. Du coup, toutes les histoires qui couraient au sujet de la maison ne signifiaient pas grand-chose à mes yeux. Si j'avais su, bien sûr, je n'aurais jamais pris la peine de la visiter lorsqu'elle a été mise sur le marché, il y a quelques années. On est venus et ça a été le coup de foudre pour Robbi.

Pas le mariage de conte de fées que tout le monde dépeint. Ainsi commence l'*e-mail* que vient de m'expédier Lucy. Suivent en fichiers attachés des extraits de documents qui brossent le portrait d'une femme malheureuse, traînant un passé d'autodestruction. Elle a épousé Clarence Jordan en 1997. Deux enfants, les faux jumeaux des deux sexes Josh et Brenda, ont immédiatement suivi. Leur entourage a sans doute cru à une nouvelle version de Cendrillon lorsqu'elle a été engagée comme réceptionniste par le Dr Jordan, alors qu'elle était âgée de vingt ans, puisque c'est apparemment de cette façon qu'ils se sont rencontrés. Peut-être a-t-il espéré qu'il pourrait la sauver et sans doute s'est-elle stabilisée durant quelque temps. Sans doute a-t-elle gommé les années antérieures de chaos et de difficultés, où des organismes de recouvrement la poursuivaient pour des chèques sans provision, où elle se trimbalait ivre, déménageant tous les six ou dix mois d'un appartement minable dans un autre.

— À Kings Bay ?

Colin semble penser que Gabe Mullery est affilié à la base de la flotte atlantique qui accueille les sous-marins nucléaires Trident II, située à cent cinquante kilomètres d'ici.

— Plongeur, officier médical de réserve, rectifie Mullery. Mais dans le civil je travaille ici, au Regional Hospital. Urgentiste.

Tiens, un autre médecin propriétaire de la maison. J'espère juste qu'il est plus heureux que Clarence Jordan ne semble l'avoir été, alors qu'il tentait de contrôler sa femme avec le plus de discrétion possible. Il devait compter sur son amitié avec le président du service d'informations qui possédait à l'époque pas mal de quotidiens, sans oublier des stations de radio ou des chaînes de télé, un homme que le Dr Jordan côtoyait dans de nombreux comités et organisations charitables et qui avait le pouvoir de filtrer les nouvelles lâchées au public.

Ainsi, lorsque Mme Jordan avait recommencé à mal se conduire au début de l'année 2001, se rendant coupable d'une série d'actes aussi tristes qu'humiliants, les affaires avaient-elles été étouffées. Elle avait été arrêtée dans un magasin après avoir caché une robe très chère sous ses vêtements, en omettant d'ôter l'étiquette sécurisée. Un cri pour attirer l'attention ou quelque chose de plus perfide ? je songe en parcourant l'*e-mail* de Lucy.

Mme Jordan frappait pour punir un mari qui la négligeait, un homme bardé de certitudes inflexibles sur le rôle que devait tenir son épouse, sur sa façon de se conduire. En représailles, elle attaquait sa fierté, l'image qu'il donnait de lui, ses exigences irréalistes. Moins de deux mois après son interpellation dans le centre commercial Oglethorpe, elle avait encastré sa voiture dans un arbre et été inculpée pour conduite en état d'ivresse. Quatre mois après, en juillet, elle avait appelé la police, saoule et très agressive, affirmant que leur maison avait été cambriolée. Des enquêteurs s'étaient rendus sur place. Elle avait alors affirmé que la femme de ménage avait dérobé des pièces d'or d'un montant d'environ deux cent mille dollars, cachées sous la couche d'isolant du grenier. La femme de ménage n'avait jamais été approchée par la police et la plainte annulée lorsque le Dr Jordan avait affirmé avoir placé ces pièces, un investissement vieux de plusieurs années, dans un autre lieu sûr. Rien ne manquait donc.

Mais qu'était devenu cet or entre juillet et le 6 janvier ? Certes, le Dr Jordan aurait pu le vendre. Toutefois, ainsi que le souligne Lucy, le cours de l'or avait connu une baisse sans précédent durant l'année 2001, cotant à peine trois cents dollars l'once. Étrange donc de penser que le Dr Jordan aurait vendu à ce moment-là, surtout s'il possédait cet or depuis pas mal de temps. D'autant qu'il ne semblait pas avoir besoin d'argent frais. Son avis d'imposition pour l'année 2001 faisait état de revenus et de dividendes sur investissements se montant à plus d'un million de dollars. Quoi qu'il en soit, il semble avéré que l'or ait disparu après les meurtres, reste à savoir ce qu'il est devenu. En effet les rapports d'enquête mentionnent que ni les bijoux ni l'argenterie n'ont été touchés.

Il est clair que Gloria Jordan n'a pas récupéré une petite fortune en or, d'autant que c'est sans doute elle qui a dissimulé les pièces ailleurs, très probablement l'après-midi, juste avant la boucherie de la nuit. Saura-t-on un jour toute la vérité ? Cela étant, j'ai une théorie grâce à ce que j'ai appris. Gloria Jordan a prétendu avoir été cambriolée afin d'expliquer la disparition de ce qu'elle comptait dérober. Elle a ensuite trouvé judicieux de ne pas partager le butin avec sa ou ses complices, en prétendant qu'elle ne parvenait plus à le retrouver. Son mari avait dû changer de cachette et elle était affreusement désolée, mais rien n'était de sa faute.

Je ne peux qu'imaginer ce qu'elle a raconté lorsque son acolyte, plus certainement ses deux complices ont débarqué. Cependant je suis certaine que Gloria Jordan s'est trouvée confrontée à une force malfaisante bien plus intelligente et cruelle qu'elle n'avait pu l'entrevoir, même dans ses pires cauchemars. Selon moi, elle a été contrainte de révéler la nouvelle cachette des pièces, très tôt le matin du dimanche 6 janvier. Peut-être a-t-elle reçu le premier coup de lame alors qu'on la conduisait dans le jardin, à côté de l'ancienne cave à légumes. Une mise en garde ou le début du carnage ? Elle s'est alors précipitée vers la maison, où elle a été achevée. Son corps sans vie a ensuite été porté à l'étage pour être disposé de façon impudique dans le lit, à côté de celui de son mari tailladé.

— Et donc nous visitons la maison. Vraiment un endroit superbe, j'étais impressionné, je l'admets, poursuit Gabe Mullery. Un prix plus qu'attractif aussi. Et puis l'agent immobilier nous a raconté ce qui s'y était déroulé en 2002. Pas étonnant que ce soit une affaire dans ces conditions. Je n'étais pas ravi de ce contexte, ou de ce karma, comme vous préférez. Mais je ne suis pas superstitieux et je ne crois pas aux fantômes. En revanche, maintenant je crois dur comme fer aux touristes, aux crétins qui ont l'éducation d'une buse et un pois chiche dans le crâne. Je ne veux pas d'une atmosphère de carnaval, maintenant que son exécution est reprogrammée.

Il n'y aura pas d'exécution. Je m'en assurerai.

— C'est vraiment dommage que les choses ne se soient pas déroulées comme elles étaient initialement prévues, que le juge ait reculé la date. On veut que tout ça se termine, pour que ça décante, puis soit oublié. Avec un peu de chance, un jour les gens arrêteront d'espérer des visites à la noix.

Je ferai tout ce qui est en mon pouvoir pour que Lola Daggette ne pénètre jamais dans la salle d'exécution. Peut-être qu'un jour viendra où elle n'aura plus peur de rien. Ni de Tara Grimm, ni des gardiens du GPFW, ni même de *Payback*, une allusion au paiement du prix ultime, prix ultime dont le véritable prénom pourrait être Roberta. Tout peut devenir un poison, même l'eau. Tout dépend de la dose, a dit le général Briggs. Qui connaît mieux qu'une pharmacienne les médicaments, les microbes et leurs effets dévastateurs, une alchimiste démoniaque qui transforme une substance dont le but est de soigner en potion de souffrance et de mort ?

Gabe Mullery se tourne vers moi et me demande :

— Dites-moi ce que vous souhaitez voir. Je ne sais pas si je peux vous aider. Il y a eu un autre propriétaire avant nous, et j'ignore à quoi ressemblaient les lieux lorsque ces gens qui ont été tués y vivaient.

La cuisine est méconnaissable, totalement refaite, avec de nouveaux placards, des appareils électroménagers dernier cri et un sol en dalles de granit noir. La porte qui donne sur l'extérieur a été remplacée par un panneau plein dépourvu de vitres, ainsi que me l'a appris Jaime. Je crois deviner comment elle le savait. Elle n'aurait pas pu résister à l'envie de visiter la maison, peut-être en prétendant qu'elle était une simple touriste, ou alors en y allant carrément et en déclinant sa qualité et ce qu'elle voulait. Je remarque l'ordinateur portable posé sur un bout du comptoir où il est impossible de s'installer pour travailler. Je vois un pavé numérique sans fil sur une table et des contacts à toutes les fenêtres, un système de sécurité beaucoup plus performant qui inclut peut-être des caméras.

— Un choix judicieux de votre part que ce système de sécurité haut de gamme, dis-je à Gabe Mullery. Surtout vu la curiosité des badauds à l'égard de cette maison.

— Ouais, la marque du mien, c'est un Browning 9 mm. C'est mon système de sécurité personnel, précise-t-il avec un large sourire. C'est mon épouse qui est dingue de gadgets, d'avertisseurs de bris de glace, de capteurs de mouvements, de caméras vidéo, elle est zinzin de technologie. Elle s'inquiète toujours que des malfaiteurs se mettent en tête qu'on garde des médicaments à la maison.

— Deux légendes urbaines, intervient Colin. Les médecins conservent des médicaments chez eux et gagnent plein d'argent.

— Eh bien, je suis en déplacement la plupart du temps et ma femme vend des médicaments, rectifie Mullery en ouvrant la porte de la cuisine. Une autre légende urbaine, c'est que les pharmaciens ont tous une planque chez eux, déclare-t-il tandis que nous descendons quelques marches de pierre jusqu'à une allée de dalles bordées d'herbe.

De la musique nous parvient de la véranda, dans laquelle a été installée une salle de sport. Gabe Mullery devait s'y entraîner lorsque nous avons sonné. Auparavant, sans doute tondait-il l'herbe.

Je reconnais le sol en pavés de terre cuite derrière les panneaux de verre de la véranda, où trônent un banc de musculation et un porte-haltères. Deux bicyclettes sont appuyées contre le mur arrière de la maison, équipées de roues de petit diamètre, avec des cadres en aluminium à charnières, l'une rouge avec la selle et la barre surélevées, l'autre argentée, réglée pour une personne de plus petite taille. À côté sont rangés une tondeuse à gazon, un râteau et un grand sac de déchets végétaux.

— Le mieux est que vous voyiez par vous-mêmes, décide Mullery.

À son attitude, il est évident que notre présence ne le dérange pas et qu'il n'a pas le moindre soupçon qu'il devrait s'en inquiéter. Il reprend :

— Le jardinage, c'est pas trop mon truc. Chasse gardée de Robbi.

Je conclus à son ton que cette activité de son épouse l'indiffère assez et que rien de ce qui existait avant n'a été conservé.

Les buissons d'osmanthe fragrante, les statues, les amas de rocaille, les murs en ruine, tout cela a été remplacé par une terrasse en pierre calcaire, construite précisément au-dessus de ce qui, selon moi, fut une cave à légumes. Derrière s'élève une petite dépendance peinte en jaune pâle, surmontée d'un toit de bardeaux mansardé. Le conduit de ventilation qui s'en élève paraît presque industriel. L'ensemble est protégé par des caméras miniaturisées. J'en ai dénombré trois. Le système de chauffage-ventilation-air conditionné et un petit générateur de secours sont dissimulés derrière de hauts buis. Des volets anti-tempête doublent les fenêtres et on pourrait croire que Mme Mullery redoute un ouragan, une panne d'électricité et les curieux de tout poil. En effet, le bâtiment est protégé sur trois côtés par des cloisons d'intimité, des paravents en treillage blanc auxquels grimpent une vigne vierge et des buissons ardents à longues épines.

— Et à quel genre de travail Robbi se consacre-t-elle dans son bureau, ici ? je demande à Gabe Mullery, une question qui serait anodine en d'autres circonstances.

— Elle veut obtenir un Ph.D en chimie des substances pharmaceutiques. Des cours par Internet. Et elle rédige son mémoire.

Jamais il n'aurait lâché cette information s'il avait une once de culpabilité. Un grand et puissant guerrier qui ignore qu'il vit avec l'ennemi.

— Chéri ? Des invités ? interroge une voix féminine.

Elle apparaît soudain au coin de la maison, marchant tranquillement d'un pas décidé, se dirigeant non vers son mari mais droit sur moi.

Elle porte un pantalon de lin blanc cassé et un chemisier fuchsia. Ses cheveux sont tirés vers l'arrière. Il ne s'agit pas de Dawn Kincaid, mais on pourrait s'y méprendre si l'on oubliait que cette dernière est en mort encéphalique à Boston. Robbi est également moins maigre et semble en excellente forme physique. Je remarque l'alliance-baguettes qu'elle porte à l'annulaire et la grosse montre noire. Surtout, son visage me stupéfie. Je retrouve Jack Fielding dans ses yeux, la forme de son nez et de sa bouche.

La femme me dévisage tout en prétendant s'adresser à son mari :

— Hello ? Tu ne m'avais pas dit que nous attendions de la visite.

— Il s'agit de médecins légistes. Ils voulaient jeter un œil dans le jardin à cause des anciens meurtres, répond son bel homme de mari, un médecin réserviste très occupé, très souvent absent, ce qui offre beaucoup de temps libre à son épouse pour faire ce que bon lui semble. Et pourquoi rentres-tu si tôt ?

— Oh, un vieux flic mal embouché est passé à la pharmacie pour poser un tas de questions étranges, lui répond-elle sans me lâcher du regard.

— Te poser des questions ?

— Non, poser des questions à mon sujet. J'étais à l'arrière, mais j'ai tout entendu et j'ai trouvé ça très agaçant. (Elle me détaille avec les yeux de Jack Fielding.) Il achetait un respirateur manuel Ambu et voulait savoir si nous avions un défibrillateur. Il bavardait à n'en plus finir avec Herb, jusqu'au moment où ils sont tous les deux sortis pour fumer une cigarette. J'ai décidé de partir.

— Herb est un véritable idiot.

— Il y a plein de résidus de tonte, se plaint-elle sans même regarder le jardin tant elle me scrute. Tu sais comme je déteste cela. Je t'en prie, finis de tout bien ratisser. Peu importe qu'il s'agisse d'un bon fertilisant.

— Je me suis interrompu. Je ne t'attendais pas si tôt. Bon, la question de l'embauche d'un jardinier se repose.

— Pourquoi n'irais-tu pas nous chercher un peu d'eau fraîche et ces cookies que j'ai préparés ? Pendant ce temps-là je m'occuperai de nos visiteurs.

— Colin ? Pendant que je fais un tour dans le jardin, ce qu'il en reste, peut-être pourriez-vous transmettre un message à Benton ? je lance à mon confrère, ne la lâchant pas non plus des yeux, et je sais que Colin a compris que quelque chose ne tournait pas rond.

Je lui communique le numéro de portable de mon mari et j'ajoute :

— Ce serait sympa de l'informer que ses collègues et lui doivent vraiment venir admirer la façon dont Robbi a remodelé le jardin, transformant l'ancienne cave à légumes en un remarquable bâtiment fonctionnel, un lieu de travail comme j'en connais peu. Laissez-moi deviner : Robbi pour Roberta, n'est-ce pas ?

Je m'adresse à Colin tout en la pulvérisant du regard, et j'entends mon confrère appeler.

— Oui, dans le jardin situé à l'arrière, déclare Colin d'un ton posé sans préciser l'adresse, et je subodore que Benton est déjà en chemin.

— Exactement ce que j'aimerais faire chez moi : construire un bureau à l'arrière de la maison, aussi sécurisé que Fort Knox, un endroit où, peut-être, on aura caché un jour de l'or avant qu'il soit dérobé, je persifle nez à nez avec Roberta Price. Avec un générateur de secours, une ventilation spéciale, une intimité ultrapréservée, des caméras de sécurité que je pourrais suivre et piloter depuis mon bureau. Ou, mieux encore, télécommander à distance. Savoir qui passe dans les parages. J'espère que cela ne vous dérange pas que mon mari et ses collègues se joignent à nous ?

La porte de la cuisine se referme et je me demande si Colin est armé. Je poursuis :

— Price ou Mullery ? Vous avez sans doute opté pour le nom de votre mari. Le Dr et Mme Mullery, vivant dans une magnifique maison historique qui doit regorger de souvenirs très spéciaux pour vous.

Je reste de marbre et perçois vaguement au loin le ronflement d'un moteur.

Elle se rapproche de moi, puis s'immobilise. Je sens sa fureur bouillonner, parce qu'elle est foutue et qu'elle le sait. Je me demande à nouveau si Colin est armé, ou elle. Je suis surtout inquiète à l'idée que son mari déboule brusquement, son 9 mm au poing. Si Colin pointe son arme sur elle ou la plaque au sol, il n'est pas exclu qu'il se fasse descendre ou tabasser sérieusement. D'un autre côté, je ne veux pas non plus que Colin tue Gabe Mullery.

Mon collègue se rapproche de nous. Je menace Robbi :

— Lorsque votre mari ressortira, j'exige que vous lui disiez que la police est en chemin. Le FBI arrivera sous peu. Vous ne voulez pas qu'il soit blessé, or c'est ce qui se produira si vous tentez quelque chose d'inconsidéré. N'essayez pas de vous enfuir. Ne faites rien ou il s'interposera, en ne comprenant rien.

Elle fourre la main dans son sac à bandoulière, le regard vitreux. Son souffle est heurté, comme si elle ne parvenait plus à contrôler son agitation ou s'apprêtait à attaquer. L'écho du moteur se rapproche. Celui d'une moto. Son mari émerge du coin de la maison, portant des bouteilles d'eau et une assiette. Elle crache :

— Vous ne gagnerez pas !

Le moteur rugit à proximité, puis s'arrête brusquement. J'ordonne :

— Retirez calmement la main de votre sac. Ne faites rien qui nous contraindrait à réagir.

— On dirait que nous avons d'autres invités, lance son mari.

Il traverse la pelouse fraîchement tondue et lâche les bouteilles et l'assiette à l'instant où Roberta lève la main de son sac. Elle tient un petit récipient blanc en forme de botte. Un coup de feu éclate, tiré depuis la maison.

Roberta avance d'un pas et s'écroule par terre, du sang s'écoulant de sa tête, lâchant l'inhalateur qui tombe sur l'herbe. Lucy fonce vers nous, son pistolet tenu à deux mains, et hurle à Gabe Mullery de ne pas faire un geste.

— Asseyez-vous, gentiment et calmement !

Elle le menace toujours de son arme et il reste planté au milieu de son jardin, en état de choc. Soudain, il hurle :

— Il faut que je l'aide ! Je vous en prie, laissez-moi l'aider !

— Assis ! crie à nouveau Lucy à l'instant où résonnent des claquements de portières. Que je voie vos mains !

DEUX JOURS PLUS TARD

L'écho lent et puissant de la cloche abritée sous le dôme doré qui surmonte l'hôtel de ville nous parvient en ce jour brumeux de célébration de l'Indépendance, qui se passera de feux d'artifice pour certains d'entre nous. Nous sommes lundi. Si notre plan initial consistait à nous lever tôt pour entreprendre notre long vol jusqu'à Boston, c'est raté. Il est presque midi.

Nous n'atterrirons pas à la base Air Force de Hanscom, située à l'ouest de Boston, avant vingt ou vingt et une heures, ce délai ne nous étant pas imposé par les caprices du temps mais par les incertitudes de Marino. Son humeur évolue au fil des minutes, changeant sans cesse de cap. Il a d'abord insisté pour ramener sa camionnette à Charleston, où il veut que nous nous posions au cas où il déciderait de rentrer en notre compagnie. Mais il n'en est pas certain, a-t-il précisé. Peut-être restera-t-il dans le Lowcountry, pour pêcher un peu, penser et s'offrir un skiff d'occasion, ou alors il décidera de prendre un congé sabbatique, comme il dit. Peut-être reviendra-t-il dans le Massachusetts, qui sait ? Tout en s'interrogeant sur son futur, il a découvert de nouvelles façons de nous faire lanterner.

Il avait besoin d'un autre café. Peut-être qu'il devrait faire un dernier saut et acheter des *scones* au poulet et aux œufs frits puisqu'il n'en trouve pas dans le Nord ? Ah, mais il aimerait aussi s'échauffer un peu en salle de gym. Il serait également souhaitable qu'il rende la moto louée par Lucy chez le concessionnaire afin de lui éviter ce tracas. Elle en a déjà assez enduré entre les flics et le FBI, bref les bureaucrates tatillons qui grouillent dès qu'on tire sur quelqu'un. D'autant que c'est dur à digérer d'avoir descendu quelqu'un qui ne récupérait pas son arme mais son portefeuille, son permis de conduire ou un inhalateur. Même si l'enfoiré le méritait, vous auriez préféré que ça ne se termine pas comme ça, parce qu'on mettra toujours votre jugement en doute, serinait Marino, encore et encore. Au fond, la grosse source de stress résidait là plutôt que dans la mort de l'individu lui-même, si on voulait se montrer franc avec soi-même. Marino ne voulait pas que Lucy enfourche une moto, et commençait même à s'inquiéter de la voir piloter, en raison de l'idée qu'il se faisait de son état d'esprit.

Lucy va bien, contrairement à Marino. Il a enchaîné des courses diverses et variées, et lorsqu'il a été enfin prêt à prendre le volant pour le trajet de deux heures jusqu'à Charleston, il a décrété qu'il voulait récupérer tout ce que j'avais acheté, d'autant que ça ne pouvait pas rentrer dans l'hélicoptère, ainsi qu'il le soulignait. Certes, je n'avais pas prévu de trimbaler jusqu'en Nouvelle-Angleterre des plats et casseroles, des boîtes de conserve, sans oublier un réchaud de camping à deux feux, mais il a insisté pour les prendre. Il a expliqué qu'il n'avait pas encore eu l'occasion d'aménager son nouveau lieu de vie à Charleston. Puis il a entassé tout ce qu'il trouvait dans des cartons cédés par un magasin de vins et spiritueux, jusqu'aux paquets de chips entamés, aux mélanges de noix et fruits séchés, aux flacons de détergents et de savon liquide, et même un sèche-cheveux de voyage que son crâne chauve rend superflu, sans oublier un fer à repasser et sa table qu'il n'utilisera jamais pour ses tissus synthétiques.

Il a ramassé les épices, plusieurs pots presque finis d'olives, de pickles, de fruits, et même une banane, des condiments, des biscuits salés, des serviettes en papier, des couverts et des assiettes en plastique, du film d'emballage et une pile de sacs de magasins nettement pliés. Il est ensuite passé de chambre en chambre, récupérant tous les produits de toilette offerts par l'hôtel comme un obsessionnel de l'accumulation.

— À la manière d'un de ces collecteurs, ou je ne sais comment on les appelle à la télé, ai-je commenté. Qui fouille dans les vieux trucs des autres et leurs restes, et ne jette jamais rien. Une nouvelle compulsion.

— La peur, lâche Benton, son ordinateur portable posé sur ses cuisses, son téléphone sur la table, non loin de sa chaise. Inquiet à l'idée de jeter quelque chose dont il pourrait avoir besoin ou de le perdre de vue.

Je tranche :

— Bon, je lui expédie un autre texto. Plus d'excuses, il rentre avec nous. Je ne veux pas qu'il reste seul ici, alors que ses idées ne sont pas claires, qu'il est en train de nous mijoter une nouvelle obsession. On se pose à Charleston, c'est décidé, et, si besoin, j'irai jusque chez lui pour le ramener tambour battant.

— Il faut avouer qu'il ne lui reste plus beaucoup de compulsions à expérimenter, rétorque Benton en parcourant des fichiers et des messages sur son ordinateur. Plus d'alcool, ni de cigarettes. Il ne veut pas redevenir gros, donc il ne va pas se ruer sur la bouffe. Du coup, il commence à accumuler. Le sexe serait une bien meilleure compulsion. Peu onéreuse et ça ne demande pas un large espace de stockage.

Il ouvre un autre *e-mail*, et je vois d'où je suis assise qu'il a été expédié par le FBI, sans doute un agent prénommé Phil avec lequel Benton discutait au téléphone un peu plus tôt.

La matinée passée dans le salon de notre suite au Hyatt, dans notre campement avec vue spectaculaire sur le port et la rivière, fut chargée. Depuis le lever du soleil, Benton et moi préparons notre retour vers le nord. Je ne suis guère accoutumée à travailler sur une enquête comme si je me préparais à la guerre, avec ses multiples attaques, sur de multiples fronts, dont les différentes branches de l'armée et des forces de police sont l'origine, le tout exécuté avec une force et à une allure saisissantes. Cela étant, la plupart des enquêtes qui me sont confiées n'évoluent pas en menace contre la Sécurité nationale et ne sont d'aucun intérêt pour le président. Dans le cas présent, les labos et les équipes d'investigation ont mis le turbo, ainsi que le résume Lucy.

Jusque-là, l'information a été bien gardée et n'a pas filtré dans les médias. La Sécurité nationale et le FBI poursuivent leur inlassable quête afin de s'assurer que le résultat de l'entreprise nuisible de Roberta Price ne s'est pas retrouvé sur une base militaire, entre les mains de soldats, qu'ils soient sur le terrain ou ailleurs, sur un destroyer ou un convoi aérien de troupes, ou encore dans un sous-marin armé de têtes nucléaires. Les analyses et les comparaisons d'ADN et d'empreintes digitales ont été confirmées. Dawn Kincaid et Roberta Price sont bien les deux faces d'une même malveillance, des jumelles identiques. Bref, des clones, ainsi que les ont baptisées certains enquêteurs. Ces sœurs ont grandi chacune de son côté, pour se réunir ensuite et devenir une sorte de catalyseur qui devait enfanter d'horribles prouesses technologiques et provoquer un nombre inconnu de décès.

— La peur. C'est la raison pour laquelle Marino s'agite en tous sens. Il voit la mort chaque jour, mais, lorsqu'il s'agit d'affaires sur lesquelles on travaille, on se berce de l'illusion qu'on peut la contrôler ou que, si on la comprend suffisamment, ça ne nous arrivera jamais, je rétorque.

— Fumer cette cigarette devant la pharmacie Monck's revenait à prendre un risque inconsidéré, commente mon mari au moment où la sonnerie de son téléphone retentit.

J'approuve :

— Après ce qu'il a vu dans la cave à légumes, il n'ignore plus ce qui aurait pu se produire.

— Je peux vous proposer une approche, explique Benton à son interlocuteur. Partez du principe qu'elle est certaine d'avoir eu raison. À ses yeux, elle rendait service au monde en le débarrassant d'individus néfastes.

J'en déduis qu'il discute de Tara Grimm. Elle a été arrêtée, mais pas encore inculpée. Le FBI lui a proposé un marché, désireux de négocier avec elle en échange d'informations sur les autres personnes impliquées au GPFW, tel l'officier Macon. Il aurait pu assister la directrice dans sa volonté d'infliger à certaines détenues le châtiment qu'elles méritaient selon elle, et profiter ainsi des lumières d'une empoisonneuse diabolique qui cherchait à se faire la main.

— Il faut la pousser à énoncer sa propre vérité, abonder dans son sens, poursuit Benton. Sa vérité, c'est qu'elle n'a rien fait de mal. Offrir une dernière cigarette à Barrie Lou Rivers, cigarette dont le filtre était imprégné de… Oui, je procéderais sans détour. Mais en le formulant de sorte qu'elle soit convaincue que vous comprenez pour quelles raisons elle a agi ainsi… Dans l'intérêt général. Oui, c'est une bonne façon de l'exprimer. Barrie Lou Rivers allait être exécutée, mourir de toute façon, une fin assez douce comparée à ce qu'elle avait fait subir à ses nombreuses victimes en les empoisonnant à petit feu avec de l'arsenic. En effet… Ça n'avait rien de miséricordieux, fumer une cigarette additionnée de toxine botulique, quelle horrible façon de mourir. Mais laissez cet aspect de côté.

Le regard perdu vers la rivière, Benton termine son café et déclare :

— Il faut coller à ce qu'elle tient à croire d'elle-même. Voilà ! Vous aussi, vous détestez les méchants et vous pouvez comprendre sa tentation de faire justice… C'est l'idée. Peut-être Tara Grimm, à laquelle vous devez vous adresser en la nommant « directrice Grimm », une reconnaissance de son pouvoir… Mais c'est toujours une histoire de pouvoir, bien sûr. Peut-être finira-t-elle par admettre que c'était la cigarette ou le dernier repas, peu importe, mais qu'elle n'a fait que s'assurer que Barrie Lou Rivers et les autres recevaient ce qu'elles méritaient. On leur destinait ce qu'elles avaient infligé à leurs victimes, œil pour œil, avec un petit supplément. Remuer le couteau dans la plaie, en quelque sorte.

— Je ne sais pas trop ce qui pourrait aider Marino à analyser les événements avec davantage de lucidité, dis-je à Benton lorsqu'il raccroche.

En effet, quel que soit le chagrin que le grand flic éprouve après le décès de Jaime, il est dans sa nature de s'inquiéter bien davantage de ce qui aurait pu lui arriver, à lui.

— La lucidité n'est pas une des vertus cardinales de Marino, réplique mon mari. Il a pris un risque stupide. C'est la même chose que picoler et prendre le volant pour se lancer à grande vitesse sur une autoroute. J'espère que Phil fera ce que je lui ai conseillé, réfléchit Benton, Phil étant l'un des nombreux agents que j'ai rencontrés ces deux derniers jours. Avec des sujets de ce type, il faut flatter leur certitude d'avoir raison. Alimenter leur narcissisme. Ils rendaient un immense service à l'humanité.

— En effet, abonder dans leur sens. Des sujets comme Hitler, par exemple.

— À ceci près que Tara Grimm se montrait bien plus discrète. Tout le monde la prenait pour une véritable humaniste qui dirigeait une prison exemplaire, au point qu'elle était prise pour modèle. Des offres de travail, des officiels qui débarquaient pour s'imprégner de ses réalisations.

— J'ai vu tous ses éloges, toutes ses médailles accrochés aux murs de son bureau.

— Le jour où tu lui as rendu visite, des huiles d'une prison d'hommes en Californie avaient eu droit à une visite spéciale. Ils envisageaient de la recruter comme première femme à la tête de leur pénitencier.

— Ce serait le comble de l'ironie si elle terminait sa carrière à Bravo Pod. Peut-être dans la cellule qu'occupait Lola Daggette.

— Une suggestion que je vais faire, rétorque mon mari d'un ton sec. En plus de celle de Lucy, qui pense que puisque Gabe Mullery est maintenant le parent le plus proche de Dawn Kincaid, c'est à lui que revient la décision de la débrancher.

— J'ignore ce qui va se passer, je réplique.

Toutefois la responsabilité d'arrêter l'assistance respiratoire ne reviendra jamais à Gabe Mullery. De toute évidence, il n'a jamais entendu parler de Dawn Kincaid, hormis le vague souvenir d'avoir entraperçu dans les médias un nom similaire, en relation avec des meurtres survenus dans le Massachusetts. Il savait que sa femme, Roberta Price, avait été élevée par une famille d'Atlanta qu'ils voyaient parfois aux vacances ou durant les fêtes. En revanche, il ignorait tout d'une sœur. Je reprends :

— Selon moi, elle sera transférée dans un autre établissement. Pupille de l'État, maintenue en vie végétative par des appareils, jusqu'au jour où elle sera morte cliniquement.

— Oui, elle aura droit à plus de considération que ses victimes, commente Benton.

— C'est souvent le cas. Je m'en veux de ne pas avoir prêté plus d'attention lorsque Marino a insisté sur cette élévation des concentrations d'adrénaline et de monoxyde de carbone chez Barrie Lou Rivers, en soulignant qu'on ne pouvait plus fumer en prison depuis des années. Comment expliquer ces résultats d'analyse ? Je n'ai pas assez réfléchi sur le moment parce que ça ne m'intéressait pas vraiment et que j'étais focalisée sur autre chose. Peut-être que si je lui avoue, il s'en voudra moins d'avoir été un peu négligent lorsqu'il s'est arrêté à la pharmacie Monck's pour s'en griller tranquillement une !

— Ça pourrait aussi s'appliquer à moi…

Benton lève la tête et me fixe. Nous avons déjà échangé des petites phrases désagréables à ce sujet. Il poursuit :

— Tu m'as appris quelque chose d'important, mais j'avais la tête ailleurs. Ça peut se comprendre.

— Je nous refais un peu de café ?

— Volontiers. Ça n'aggravera pas les choses. Désolé de ne pas avoir été gentil.

Je me lève alors qu'un porte-conteneurs glisse sous nos fenêtres, poussé par des remorqueurs, et réplique :

— Tu l'as déjà dit. Tu n'as pas à te montrer sympa dans le travail. Je te demande juste de prendre au sérieux ce que j'affirme. C'est tout.

— Je te considère avec le plus grand sérieux. Bon, mais à ce moment-là j'ai jugé que d'autres choses l'étaient encore plus.

Peu désireuse de continuer à m'appesantir sur les excuses de Benton, je change de sujet. La kitchenette me paraît soudain singulièrement nue et désertée, comme si nous avions déjà quitté les lieux.

— Jaime, et ensuite il grille une cigarette qui aurait pu le tuer. C'est normal qu'il soit traumatisé. Il va falloir qu'il comprenne ça avant de commettre une autre ânerie, du genre se remettre à boire ou démissionner et passer le reste de ses jours à pêcher avec son copain le capitaine de bateaux en location.

Je place une dosette du café de l'hôtel dans la cafetière parce que Marino a embarqué notre machine à café Keurig et je continue :

— Fumer une cigarette à l'extérieur d'une pharmacie où travaille une empoisonneuse ! Bien sûr, à ce moment-là personne n'avait encore de certitude. N'empêche que Marino posait des questions à son sujet et que ça lui trottait dans l'esprit.

— Que lui avais-tu seriné ? « Ne buvez et ne mangez rien dont vous n'êtes pas totalement sûr », lance Benton lorsque je lui apporte son café.

— Ça me rappelle la panique au sujet du Tylenol. Quand tu te rends compte de ce qui est possible, tu te dis que tu n'auras plus jamais confiance en personne. C'est ça ou le déni. Après ce que nous venons de vivre, je crois que je vais opter pour la seconde possibilité...

Je retourne dans la kitchenette. Mes pensées s'évadent à nouveau et je revois l'emplacement de l'ancienne cave à légumes, située derrière une magnifique vieille demeure où Roberta Price a contribué au massacre d'une famille entière alors qu'elle n'était âgée que de vingt-trois ans. Je termine :

— Ou alors je ne boirai, ne mangerai, ni n'achèterai plus rien.

Je me demande si elle a utilisé l'arme qui a enfin été retrouvée. Un couteau pliant, à lame de huit centimètres de long, muni d'une garde en forme d'aigle aux ailes étendues. Il correspond à la profondeur et à la largeur des blessures des Jordan et aux étranges abrasions retrouvées autour de leurs plaies. Toutefois, taillader des êtres à l'arme blanche semble davantage dans les cordes de Dawn Kincaid. Selon moi, Roberta Price est plus du genre à programmer des assassinats à distance. Je pense que ce couteau a été conservé durant toutes ces années à la manière d'un souvenir, une sorte de talisman, protégé en sous-sol dans un coffret en palissandre, niché dans un espace élaboré avec soin, bénéficiant d'une ventilation spéciale et d'un contrôle de température et d'humidité.

Un sidérant inventaire de cigarettes sans marque, de rations alimentaires, d'auto-injecteurs et autres a été découvert dans la cave à légumes transformée, uniquement accessible par une trappe ménagée dans le sol du bureau de Roberta Price et recouverte d'un tapis. Les vecteurs de poison qu'avait choisis la pharmacienne alors qu'elle se faisait régulièrement expédier des fioles de toxine botulique sérotype A par plusieurs fournisseurs chinois. Pas de questions, ou alors si peu. Parmi d'autres choses révoltantes, l'équipe des matériaux dangereux a découvert des enveloppes et des timbres anciens, avec le dos ou le rabat imprégné d'une colle qu'il faut humecter. Pas seulement ceux que j'ai vus, avec un parasol ou un liséré de ballons, mais tout un éventail qu'elle commandait sur Internet.

J'en ai conclu que la plupart étaient destinés à des détenus, qui sont à l'affût du moindre papier à lettres ou de timbres parce qu'ils sont bouclés et cherchent désespérément à communiquer avec l'extérieur. Sans doute ne saurons-nous jamais combien de personnes elle a tuées, optant pour une agonie terrible qui n'était pas sans évoquer les sévères crises d'asthme dont elle souffrait, ainsi que sa jumelle dont elle ignorait l'existence. Toutes deux ont commencé leur vie au Community Hospital de Savannah le 19 avril 1979, à quelques kilomètres du GPFW. Séparées dès la naissance ou presque, aucune n'a jamais eu conscience qu'une autre elle-même existait jusqu'au 11 Septembre ou juste après, lorsque Dawn a décidé d'apprendre l'identité de ses parents biologiques, découvrant du même coup qu'elle avait une jumelle.

Elles se sont enfin rencontrées à Savannah en décembre 2001, toutes deux souffrant de ce que Benton appelle des troubles graves de la personnalité. Sociopathes, sadiques, violentes et terriblement intelligentes, elles avaient fait des choix étonnamment similaires. Dawn Kincaid s'était entretenue avec un recruteur de l'Air Force, désireuse de s'engager après l'université, fascinée par la cybersécurité ou le génie médical. À des milliers de kilomètres à l'est, sa jumelle sélectionnait les formations scientifiques proposées par la marine.

Sans rien connaître de l'autre, vivant chacune sur une côte du pays, les candidatures de Roberta et Dawn avaient été rejetées en raison de leur asthme, et elles s'étaient inscrites en licence. Dawn avait étudié les sciences de la matière à Berkeley, alors que Roberta suivait les cours de la faculté de pharmacie à Athens, Géorgie. Dès 2001, cette dernière avait commencé à travailler chez Rexall, la pharmacie située non loin du domicile des Jordan. Durant les week-ends et les vacances, elle distribuait de la méthadone au centre de réadaptation Liberty, où elle avait pu rencontrer Lola Daggette, une héroïnomane qui tentait de s'en sortir.

Les récentes déclarations de Lola aux enquêteurs confortent ce qu'elle a dit à Jaime. Lola ne savait rien de ce qui avait pu se produire au cours des premières heures de ce dimanche 6 janvier, alors que Roberta devait distribuer des doses de méthadone à l'infirmerie du centre, située au même étage que la chambre de l'adolescente, dépourvue de serrure, à l'instar de toutes les autres.

Une toxicomane dotée de capacités intellectuelles très limitées et sujette à des crises de fureur constituait une cible parfaite et une fausse coupable idéale. Il n'est certes pas possible de reconstituer exactement le déroulement des événements. Cependant l'hypothèse est qu'à un moment Roberta Price a pénétré dans la chambre de Lola et pris le pantalon de velours, le col roulé et le coupe-vent suspendus dans la penderie. Dawn, ou elle, a enfilé les vêtements pour commettre les meurtres. Ensuite, profitant du sommeil de Lola, Roberta est à nouveau entrée dans sa chambre pour les déposer sur le sol de la salle de bains. À huit heures du matin, elle avait rejoint l'infirmerie et procédait à la distribution de méthadone.

— La mort est une affaire absolument personnelle et solitaire, et nul n'y est véritablement préparé, même si on tente de se convaincre du contraire, dis-je à Benton en me réinstallant avec ma tasse de café. Il est donc plus confortable pour Marino de se concentrer sur tout ce qui, selon lui, dérape chez Lucy en ce moment, ou de virer à l'obsession quant au contenu de ses placards.

— En pleine étape d'auto-négociation.

— Je le crois aussi. S'il bourre le moindre recoin de sa cuisine, s'il croule sous les victuailles ou les appareils et ustensiles, il ne va pas mourir. Si je fais A, puis B, C ne pourra pas suivre, je traduis. Il a eu ce cancer de la peau, et soudain il décide de mettre sur pied sa propre société et démissionne plus ou moins de son poste au centre de Cambridge. Peut-être cela relève-t-il également de la négociation avec la mort. S'il change radicalement de vie, ça implique qu'il a un futur.

Benton vérifie ses *e-mails* tout en discutant :

— Je pense que Jaime a été le facteur le plus marquant. Pas le cancer de la peau. Elle a toujours su convaincre Marino que le meilleur allait advenir. Le meilleur n'était pas encore à portée, mais un véritable miracle se profilait. S'associer à elle, d'une façon ou d'une autre, ne faisait qu'alimenter les illusions de Marino : il n'a pas besoin de toi. Il n'a pas passé la moitié de sa vie à te suivre par monts et par vaux.

— Quel dommage que je ne parvienne pas, moi, à le convaincre que le meilleur reste à venir ! je murmure alors que retentit la sonnette de la porte. C'est encore plus terrible s'il pense qu'il a gâché la moitié de sa vie à cause de moi.

— Je n'ai jamais dit qu'il l'avait gâchée. D'ailleurs moi, je n'ai rien gâché, sourit Benton en m'embrassant.

Nous nous embrassons encore, lovés l'un contre l'autre, puis ouvrons. Colin se tient dans l'embrasure, avec un chariot superflu puisque Lucy a déjà chargé nos bagages dans l'hélicoptère.

Colin repousse le chariot vers l'ascenseur et déclare :

— Je ne sais pas… Je me suis drôlement habitué à votre présence dans les parages.

— Avec un peu de chance, la prochaine fois nous arriverons dans votre ville avec de meilleures nouvelles, je réplique.

— Vous en êtes incapables, vous autres nordistes. Vous transformez nos cloches d'église en boulets de canon, brûlez nos fermes, faites exploser nos trains. Nous allons faire un petit détour, nous rendre au Community Hospital de Savannah au lieu de l'aéroport. Ce n'est pas beaucoup plus près, mais Lucy ne veut pas se casser les pieds avec la tour de contrôle et tous les gens qui s'agitent, je cite, « en costumes de cornichons », bien que je pense que c'était une métaphore.

— Les militaires, déclare Benton.

— Je vois : des uniformes de vol, verts, je suppose. Je me demandais à quoi elle faisait référence alors qu'elle parlait à toute vitesse et j'imaginais des gens déguisés en cornichons, poursuit Colin, mais je ne suis pas certaine qu'il veuille faire de l'humour. Quoi qu'il en soit, j'ai l'impression qu'ils sont un peu rigides ici et à Hunter. Il semble qu'ils effectuent des tests de passerelles et de pistes. Lucy y est déjà passée et elle ne veut en aucun cas récidiver. Elle m'a demandé de la prévenir quand on serait à proximité. Elle ne veut pas s'attarder à l'hôpital, au risque de devoir dégager si un transport médical arrive. Ce qui semble peu probable au Community Hospital, mais mieux vaut prévenir que guérir.

Nous pénétrons dans l'ascenseur et notre cabine de verre commence à glisser, dépassant des balcons aux rambardes ornées de vigne vierge. Je revois les détenues qui travaillaient dans la cour de la prison, promenaient des lévriers, toutes des fantômes d'elles-mêmes, maltraitantes ou maltraitées, puis parquées dans cet endroit, terrain d'expérimentation d'une entreprise de mort. J'imagine la première fois que les regards de Kathleen Lawler et de Jack Fielding se sont croisés, dans ce centre pour jeunes en difficulté, une rencontre qui devait déclencher une série d'événements qui a bouleversé et démoli à jamais des vies, notamment les leurs.

— Si vous obtenez des places pour un match des Bruins ou, mieux, des Red Sox, peut-être que je viendrai vous rendre visite, concède Colin.

Nous traversons le hall de réception pour retrouver la chaleur et la pesanteur de l'extérieur, et les joies d'un trajet dans une vieille Land Rover, vitres grandes ouvertes, le vent surchauffé s'engouffrant dans l'habitacle.

— Ma foi, si vous envisagiez un jour de quitter le bureau d'investigation de Géorgie…

— Oh, je ne faisais pas allusion au boulot, lâche-t-il en s'installant derrière le volant.

Je souris.

— En tout cas, l'invitation du centre de Cambridge est permanente. Nous avons de magnifiques quatuors masculins, et cette voiture peut indiscutablement produire du chauffage, j'ajoute alors qu'il tourne le système de ventilation. Ce serait idéal pour survivre aux congères, au blizzard ou aux orages de pluie verglaçante.

Je joins Marino au téléphone. Au vacarme que je perçois, j'en déduis qu'il est dans la camionnette, en route vers Charleston ou peut-être en partant. Je n'arrive pas à déterminer ce qu'il va faire.

— Où vous trouvez-vous ? je demande.

— À trente minutes de vous, au sud.

Il semble abattu, peut-être triste.

— Nous devrions nous poser à Charleston vers quatorze heures et je voudrais que vous soyez là.

— J'sais pas…

— Eh bien, moi si, Marino. Nous dînerons ensemble dès que nous serons rentrés à la maison pour célébrer le 4 Juillet, de bonnes petites choses à déguster, entourés des chiens que nous irons récupérer chez leur baby-sitter, tous ensemble, je débite alors que le vieil hôpital apparaît devant nous.

Fondé peu après la guerre de Sécession, le Community Hospital de Savannah, où Kathleen Lawler a accouché de deux jumelles trente-trois ans plus tôt, est un bâtiment de briques rouges avec des ornementations blanches. Établissement généraliste et de séjour, il ne peut offrir de traitements pour les cas les plus sévères. Fort peu d'hélicoptères se posent donc aujourd'hui ici, précise Colin. L'hélistation se limite à une petite surface herbeuse, avec à l'arrière une manche à air orange effrangée, entourée d'arbres qui se plient et protestent alors que le 407 noir approche en rugissant, puis se pose, aussi léger qu'une danseuse sur ses patins.

Nous hurlons nos au revoir à Colin pour couvrir le vacarme des pales, et je grimpe sur le siège passager avant pendant que Benton s'installe à l'arrière. Nous bouclons nos harnais de sécurité et arrangeons nos écouteurs.

— Pas de la tarte, cette zone d'atterrissage, dis-je à Lucy habillée de noir, vérifiant ses instruments de vol, concentrée sur ce qu'elle préfère : défier la gravité et balayer les obstacles.

— Personne ne se préoccupe d'élaguer les arbres dans ces vieux endroits, commente-t-elle.

Sa voix résonne dans mes écouteurs. Tout d'un coup, une sensation de légèreté et nous décollons, l'hôpital surgissant sous nos pieds.

Colin rapetisse, nous faisant de grands signes alors que nous montons verticalement, haut au-dessus des cimes d'arbres. Nous nous stabilisons et nous dirigeons vers les immeubles et les toits de la vieille ville. Au-delà coule la rivière, et nous la suivons jusqu'à l'océan, nous orientant au nord-est, en direction de Charleston, puis de la maison.

DU MÊME AUTEUR

Postmortem
Éditions des Deux Terres, 2011

Mémoires mortes
Éditions des Deux Terres, 2011

Et il ne restera que poussière
Flammarion Québec (nouvelle traduction), 2005
Le Livre de Poche, 2006

Une peine d'exception
Flammarion Québec (nouvelle traduction), 2005
Le Livre de Poche, 2006

La Séquence des corps
Flammarion Québec (nouvelle traduction), 2006
Le Livre de Poche, 2007

Une mort sans nom
Flammarion Québec (nouvelle traduction), 2006
Le Livre de Poche, 2007

Morts en eaux troubles
Calmann-Lévy, 1997
Le Livre de Poche, 1998

Mordoc
Calmann-Lévy, 1998
Le Livre de Poche, 1999

La Ville des frelons
Calmann-Lévy, 1998
Le Livre de Poche, 1999

Combustion
Calmann-Lévy, 1999
Le Livre de Poche, 2000

La Griffe du Sud
Calmann-Lévy, 1999
Le Livre de Poche, 2000

Cadavre X
Calmann-Lévy, 2000
Le Livre de Poche, 2001

Dossier Benton
Calmann-Lévy, 2001
Le Livre de Poche, 2002

L'Île des chiens
Calmann-Lévy, 2002
Le Livre de Poche, 2003

Jack l'Éventreur. Affaire classée
Éditions des Deux Terres, 2003
Le Livre de Poche, 2004

Baton Rouge
Calmann-Lévy, 2004
Le Livre de Poche, 2005

Signe suspect
Flammarion Québec, 2005
Le Livre de Poche, 2006

Sans raison
Flammarion Québec, 2006
Le Livre de Poche, 2008

Tolérance zéro
Flammarion Québec, 2007
Le Livre de Poche, 2009

Registre des morts
Flammarion Québec, 2008
Le Livre de Poche, 2009

Scarpetta
Flammarion Québec, 2009
Le Livre de Poche, 2010

Trompe-l'œil
Flammarion Québec, 2009
Le Livre de Poche, 2010

L'instinct du mal
Flammarion Québec, 2010
Le Livre de Poche, 2011

Havre des morts
Flammarion Québec, 2011
Le Livre de poche, 2012

À PROPOS DE L'AUTEUR

PATRICIA CORNWELL est née à Miami, en Floride. Elle est membre émérite du Crime Scene Academy, un programme du John Jay College of Criminal Justice (université de New York) dédié à l'étude des scènes de crime. Elle a contribué à fonder l'Institut de sciences médico-légales de Virginie. De plus, elle est membre du conseil national de l'hôpital McLean, affilié à Harvard, où elle défend la cause de la recherche en psychiatrie. Son premier roman, *Postmortem* (1990), remporta cinq des plus importants prix distinguant un roman policier. *Une peine d'exception* (1993) fut couronné par le très convoité Gold Dagger Award. En 2008 avec *Registre des morts*, Patricia Cornwell a été la première Américaine à recevoir le prestigieux prix du Galaxy British Book Award, récompensant le meilleur thriller de l'année. *Scarpetta, L'instinct du mal, Havre des morts* et *Voile Rouge*, ses plus récents best-sellers, confirment son succès et la popularité du personnage Kay Scarpetta à travers le monde. Les enquêtes de Kay Scarpetta vont faire l'objet d'une adaptation cinématographique, dont les droits ont été acquis pas Fox 2000, avec Angelina Jolie dans le rôle principal. Patricia Cornwell réside la plupart du temps dans le Massachusetts.